Ambaum · Glaubenszeichen

Pustets Theologische Bibliothek

Jan Ambaum

GLAUBENSZEICHEN

Schillebeeckx' Auffassung
von den Sakramenten

Verlag Friedrich Pustet Regensburg

CIP-Kurztitelaufnahme der Deutschen Bibliothek

Ambaum, Jan:
Glaubenszeichen : Schillebeeckx' Auffassung von
den Sakramenten / Jan Ambaum. – Regensburg :
Pustet, 1980.
    (Pustets theologische Bibliothek)
    ISBN 3–7917–0661–6

ISSN 0344–5917
ISBN 3–7917–0661–6
© 1980 by Verlag Friedrich Pustet, Regensburg
Umschlag: Paul Corazolla, Berlin
Gesamtherstellung: Friedrich Pustet, Regensburg
Printed in Germany 1980

Dem Andenken meiner Eltern
und meines Onkels, Pfarrer
Th. W. J. Driessen

Vorwort

Unsere Zeit zeichnet sich durch große liturgische und theologische Erneuerungen aus. Es gibt wohl keinen Abschnitt innerhalb der Kirchengeschichte, in dem auf so kurze Zeit so viele liturgische Bücher auf der Ebene der Weltkirche promulgiert wurden. Das Vaticanum II hatte festgestellt (vgl.: Sacrosanctum Concilium Nr. 59 ff.), daß sich in die Liturgie im Laufe der Zeit Elemente eingeschlichen hatten, die den Sinn und die Funktion der Sakramente zu verdecken drohten. Deshalb solle die Kirche sich darum bemühen, den Sakramenten auf zeitgemäße Weise wieder ihre echte Bedeutung zukommen zu lassen.

Wenn ein Konzil keinen Neuanfang der Kirchengeschichte darstellt, sondern – indem es Leitlinien für die Zukunft aufstellt – Glaubenselemente aus der vorherigen Zeit rezipiert, dann werden Liturgik und Dogmatik aus der vorkonziliaren Zeit auch in ihrem Sakramentenverständnis solche Klärungsversuche aufweisen können.

Ein Programm der dogmatischen Sakramententheologie, und zwar das des flämisch-niederländischen Dogmatikers Edward Schillebeeckx' O. P., möchte ich in diesem Rahmen untersuchen. In dem Bewußtsein, daß ein Konzil keinen Bruch im Glaubensleben der Kirche darstellt, sondern vielmehr seine Kontinuität unterstützt und ihm Auftrieb gibt, möchte ich mich nicht nur auf die vorkonziliare Zeit beschränken, sondern auch Veröffentlichungen aus der Nachkonzilszeit miteinbeziehen.

Diese Arbeit wäre nie entstanden ohne Hilfe und Anteilnahme vieler. Zu ihnen möchte ich an erster Stelle jene rechnen, denen diese Arbeit gewidmet ist, und meinen Bruder, der bereitwillig mich auf jede mögliche Weise unterstützte.

Mein Dank gilt den Professoren der Katholisch-Theologischen Fakultät der Rheinischen Friedrich-Wilhelms-Universität, die mich seit 1968 im Studium der Philosophie und Theologie begleitet haben. Dieser Fakultät wurde im Jahre 1977 vorliegende Arbeit als Dissertation unter dem Titel »Die sakramentale Begegnung als Symbol und Mysterium. Die Sakramententheologie Edward Schillebeeckx' in Darstellung und Auseinandersetzung« angeboten. Vor der Drucklegung, für die ich dem Verlag Friedrich Pustet und besonders Herrn Dr. G. Maurer Dank schulde, wurde das Manuskript leicht überarbeitet. Unter den Professoren der Bonner Fakultät möchte ich vor allem Prof. Dr. Wilhelm Breuning danken, der immer mit großem Interesse diese Dissertation begleitet und manche Schwierigkeit zur Lösung gebracht hat.

Besonders schulde ich auch meinem Bischof, Mgr. Dr. J. M. Gijsen, Dank, der mir für die Dissertation eine Studienzeit zur Verfügung stellte und mit wachem Interesse persönlich den Fortgang der Arbeit verfolgte. Seine Gastfreundschaft und die Sorge der Schwestern in seinem Hause haben mir die nötige Ruhe und Ausgeglichenheit verliehen. Außerdem hat das Bistum Roermond mir einen nicht unerheblichen Druckkostenzuschuß gewährt.

Herr Dipl.-Theol. Joachim Weis hat sich auf freundschaftliche Weise immer rege in Gesprächen an der Problematik der Arbeit beteiligt. Ihm verdanke ich wertvolle Hinweise und seine Mitarbeit bei der Korrektur hat mancher undurchsichtigen Formulierung die nötige Prägnanz verliehen.

Auch allen anderen, die mit ihrem Interesse oder ihrer Hilfe die Entstehung dieser Untersuchung begleitet haben und hier nicht namentlich erwähnt werden können – so etwa meine Kollegen und die Studenten des Seminars Rolduc in Kerkrade –, möchte ich an dieser Stelle herzlich danken.

Rolduc, 22. Februar 1980   Jan Ambaum

Inhaltsverzeichnis

Abkürzungsverzeichnis

(Alle Abkürzungen und Sigel sind – soweit wie möglich – entlehnt aus:
Siegfried Schwertner, Internationales Abkürzungsverzeichnis für Theologie und Grenzgebiete. Zeitschriften, Serien, Lexika, Quellenwerke mit bibliographischen Angaben, Berlin/New York: Walter de Gruyter 1974)

I *Werke von Schillebeeckx*

Christus	Schillebeeckx, E. H.: Christus. Sakrament der Gottbegegnung.
EG	Schillebeeckx, Edward: Die eucharistische Gegenwart. Zur Diskussion über die Realpräsenz.
SH	Schillebeeckx, Henricus: De sacramentele heilseconomie. Theologische bezinning op S. Thomas' sacramentenleer in het licht van de traditie en van de hedendaagse sacramentenproblematiek.

II *Lexika, Handbücher, Monographien und Reihen*

DS	Enchiridion symbolorum. Ed. Heinrich Denzinger/A. Schönmetzer, Freiburg ³³1965.
In IV Sent	Thomas von Aquin, Sentenzenkommentar.
LThK (.E)	Lexikon für Theologie und Kirche. Hg. v. Michael Buchberger u. a., Freiburg ²1957ff. (ErgBd.: Das zweite vatikanische Konzil. Dokumente und Dokumentation, Freiburg 1966ff.).
MySal	Mysterium salutis. Grundriß heilsgeschichtlicher Dogmatik, Einsiedeln 1965ff.
PG	Patrologiae cursus completus. Accurante Jacques-Paul Migne. Series Graeca.
PL	Patrologiae cursus completus. Accurante Jacques-Paul Migne. Series Latina.
QD	Quaestiones disputatae, Freiburg 1958ff.
RGG	Die Religion in Geschichte und Gegenwart, Tübingen ³1956ff.

STh	Thomas von Aquin, Summa Theologica.
ThWo	Theologisch Woordenboek. Hg. v. H. Brink. Roermond 1952 ff.

III *Zeitschriften*

Bijdr.	Bijdragen. Tijdschrift voor philosophie en theologie.
BZ	Biblische Zeitschrift.
Conc(D)	Concilium. Einsiedeln.
Conc(N)	Concilium. Hilversum.
GuL	Geist und Leben.
IKaZ	Internationale katholische Zeitschrift Communio.
MThZ	Münchner theologische Zeitschrift.
NeThT	Nederlands theologisch tijdschrift.
NKS	Nederlands katholieke stemmen.
PRMCL	Periodica de re morali, canonica, liturgica.
QLP	Questions liturgiques et paroissiales.
RNSP	Revue néoscolastique de philosophie.
StC	Studia catholica.
TGL	Tijdschrift voor geestelijk leven.
ThQ	Theologische Quartalschrift. Tübingen.
ThRv	Theologische Revue.
TL	Tijdschrift voor liturgie.
TTh	Tijdschrift voor theologie.
TThQ	Tübinger theologische Quartalschrift.
TThZ	Trierer theologische Zeitschrift.

0. Einleitung
Schillebeeckx' Stellung in Tradition und Gegenwart. Darstellung und Auswertung der Literatur

0.1. *Schillebeeckx' theologische Eigenart*

Schillebeeckx setzt sich in seiner Sakramententheologie nur selten mit anderen Auffassungen auseinander; den herrschenden theologischen Tendenzen lehnt er sich kaum an. In seinen sakramententheologischen Veröffentlichungen liegt auch nicht die Absicht eingeschlossen, ein Handbuch anzubieten[1], in dem der Autor die verschiedenen Strömungen andeutet und sich einer bestimmten Richtung anschließt. Schillebeeckx verfaßt sakramententheologische Studien, in denen er nur höchst selten sein Denken ausdrücklich mit den Auffassungen anderer Theologen konfrontiert. Hier arbeitet er recht selbständig. Dennoch kann man in Schillebeeckx' Theologie eine Positionsbestimmung vornehmen. Schillebeeckx ist Thomist. Sein Denken wird in allen Hinsichten von Thomas geprägt und der thomasische Einfluß ist grundsätzlich stärker als alle anderen theologischen Traditionen. Dies soll nicht heißen, daß Schillebeeckx ein festgefahrener Thomist wäre. In allen theologischen Fragen zieht er zwar zuerst Thomas zu Rate und er interpretiert ihn immer sehr wohlwollend. Schillebeeckx geht aber davon aus, daß Thomas nicht für alle gegenwärtigen Fragen eine Antwort bereit hält. Oft wird Schillebeeckx dann auch Thomas in seinem Sinne interpretieren, thomasische Auffassungen auf die Gegenwart zuschneiden oder eigene, weiterführende Interpretationen in Anschluß an Thomas vertreten. Schillebeeckx' Thomismus ist keine Starrheit, sondern lebendige, liebende Treue, die um die Schwächen des Partners weiß.

Obwohl man Schillebeeckx also in erster Instanz einen Thomisten nennen muß, ist er aber auch ein Theologe der Aktualität in dem Sinne, daß er den Thomismus gegen den Hintergrund des jeweils gängigen theologischen Denkens betreibt. Indem er sich mit den Fragen und Nöten der Zeit zu identifizieren versucht, gibt er Ansätze zur Problemlösung. Seine Theologie hat deshalb auch unverkennbare zeitgeschichtliche Komponenten[2]. Sie besitzt einen starken zeitbedingten Bestandteil, der für eine gegenwärtige Darstellung und Deutung erst in der Auseinandersetzung mit der betreffenden Zeitsituation aufleuchtet.

0.2. *Die Situation der Sakramententheologie in der ersten Hälfte des 20. Jahrhunderts*

Einer dieser zeitbedingten Hintergründe ist die Sakramententheologie aus der ersten Hälfte des 20. Jahrhunderts[3].

Die Schultheologie dieser Zeit[4] legt den Hauptakzent auf die Erörterung der Sakramente als Heilsmittel[5]. Der Kausalität der Sakramente wird dabei sehr ausführlich nachgegangen. Die Sakramententheologie wird apologetisch gegen Einwände oder Angriffe der Reformatoren und Modernisten abgesichert. Auch die Voraussetzungen für eine erlaubte und gültige Spendung und für einen fruchtbaren Empfang werden in die dogmatische Sakramententheologie aufgenommen[6]. Der christologische Bezug der Sakramente war fast völlig verloren gegangen und ebenso spürt man keine Reziprozität zwischen den Sakramenten und dem konkreten Leben des Christen in der Welt. Gerade weil der lebendige Rahmen für die Sakramente fehlte, konnte die Liturgische Bewegung nur langsam und sehr schwer Anschluß an die Sakramententheologie der Schule finden.

Zu einer Erneuerung der Sakramententheologie haben wohl drei Faktoren beigetragen: die Liturgische Bewegung; die historisch gesicherte Neubesinnung auf die Sakramentenauffassung der Kirchenväter und Thomas', und schließlich die Aufnahme neuer Interpretationsmodelle in die spekulative Theologie[7].

Obwohl die ersten zaghaften Versuche zu einer Anwendung der historischen Methode innerhalb der Sakramententheologie schon in den ersten zwei Jahrzehnten unseres Jahrhunderts unternommen wurden, begann die Neugestaltung der Sakramententheologie erst in den zwanziger und dreißiger Jahren mit der Theorie der Mysteriengegenwart, der eucharistischen Neubelebung de la Tailles und der Hervorhebung der Messe als Sakrament bei Vonier. Für Schillebeeckx gewinnt aber ein Sakramententheologe aus dem Anfang unseres Jahrhunderts besonderes Gewicht: Louis Billot[8]. Am Anfang des zwanzigsten Jahrhunderts gab es zwei große Richtungen zur Erklärung der sakramentalen Heilswirksamkeit. Einmal versuchte man, die Heilswirksamkeit direkt mit dem sakramentalen Zeichen zu verbinden (physische Kausalität), andererseits erkannte man in Gefolgschaft Franzelins den Sakramenten nur eine moralische Heilswirksamkeit zu. Billot versuchte, beide Richtungen durch seine These einer intentionalen Wirksamkeit zu verbinden, in der er dem Sakrament insofern eine Wirksamkeit zuschrieb, als der Empfänger des Sakramentes von Gott ein Anrecht auf Gnade bekommt. »Das Sakrament ist so eine Art *Scheck*, den Gott uns überträgt und durch den wir über ein authentisches, offizielles, göttliches Dokument verfügen, das uns ein Anrecht auf den Empfang der Gnade gibt«[9].

Erst in der Zwischenkriegszeit aber bekommt die sakramentale Neubelebung einen allgemeinen Aufschwung, als Dogmatik und Liturgische Bewegung zusammentreffen. Diese Zeit wird dann auch von liturgischen Zentren wie Maria Laach und dem Kaisersberg in Löwen geprägt. Wie stark die Verbindung der Sakramentenauffassung mit der Liturgie sein kann, zeigt die These der ›Mysteriengegenwart‹ Casels[10]. Nach dieser Auffassung, die einen starken christologischen Bezug durch die Aufnahme des patristischen Mysterion-Begriffes aufweist, kann das Sakrament nur heilswirksam und heiligend sein, wenn es den Menschen mit Christus und seinem Heilswerk verbindet. Casel versucht die Verbindung so zu verstehen, daß dem Erlösungswerk – wirklich, aber sakramental – im Sakrament selbst Gegenwärtigkeit zukommt. »Die Anwendung der Erlösung auf den Gläubigen geschieht nicht nur durch die Verwirklichung der Verdienste und der Kraft dieses Erlösungsmysteriums im Subjekt der Mysterienfeier, die dieses historische Geschehen nur symbolisch repräsentiert, sondern durch eine aktive Teilnahme an dem historischen Geschehen selbst, das auf transhistorische Weise sakramental-real vergegenwärtigt wird. Dadurch wird die Heilsrealität objektiv ›ex opere operato‹ vermittelt. Die sog. ›physische Kausalität‹ der Sakramente bekommt bei Casel dann auch eine besonders starke und reale Bedeutung«[11]. Als Theologen, die sich Casels Auffassung der Mysteriengegenwart mit mehr oder weniger schwerwiegenden Modifikationen anschließen, nennt Schillebeeckx: Söhngen, Bütler, Adam, Warnach und Monden[12]. Auf jeden Fall darf man die Relevanz der Mysterientheologie nicht unterschätzen. Auch für Schillebeeckx' Sakramententheologie wird sie sich bedeutsam erweisen. Auch Schillebeeckx ist in seiner Sakramentenlehre von der Liturgischen Bewegung und der Mysterientheologie beeinflußt worden, aber dennoch wird er dazu einen eigenständigen Beitrag liefern.

Neben dieser Richtung der Sakramententheologie, die durch eine Besinnung auf die eigentlich naheliegende Verbindung zwischen Sakrament und Liturgie eine Erneuerung des Sakramentenverständnisses anstrebt, gibt es noch eine andere Quelle, die zur Wendung in der Auffassung des Sakramentes viel beigetragen hat: die eigenständige, handbuchfremde Erforschung Thomas'. Ihre prägnantesten Vertreter fand diese Richtung in Maurice de le Taille mit seinem epochalen Werk ›Mysterium Fidei‹[13] und Anscar Vonier[14]. Die Neubesinnung auf Thomas' Sakramentenauffassung stand in konkreter Relation zu einem Versuch, die Sakramentalität der Eucharistie neu hervorzuheben. Es zeigte sich dabei, daß das Verständnis der Eucharistie mit Hilfe des Schlüsselbegriffs der Kausalität das Zentralsakrament des Christentums zu verzerren drohte. Die sakramentale Kausalität kann nie isoliert betrachtet werden, sondern neben ihr muß man im Sakrament auch den Zeichengehalt und die Anbetung oder Vereinigung mit Christus erkennen. Namentlich die Einsicht, daß Thomas in seiner Sakramentenbestimmung konsequent vom Sakrament als Zeichen ausgeht, öffnete den Blick für das Sakrament als ein auf Christus hinweisendes Symbol. De la Taille betonte, daß es bei der Eucharistie um ein Sakrament mit der ihm eigenen

Zeichenwirklichkeit geht. In dieser Zeichenwirklichkeit gibt es eine Heilswirksamkeit aufgrund der Einsetzung Christi und seines Wirkens im aktuellen Sakrament. Dabei wirkt Christus durch den Spender des Sakramentes. Obwohl de la Taille für das Verhältnis zwischen Zeichen und Wirksamkeit die Bezeichnung ›intentionale Kausalität‹ verwendet und so terminologisch mit Billot übereinstimmt, vertritt er – so betont Schillebeeckx[15] – doch eine andere Richtung. Gott gewährt im Sakrament kein Anrecht auf Gnade – so Billot –, sondern nach de la Taille schenkt Gott diese Gnade schon tatsächlich.

Das Werk des englischen Benediktiners Anscar Vonier[16] will das Mysterium der Eucharistie, in dem Leib und Blut Christi dem Vater geopfert werden, wieder deutlich in die Sphäre der Sakramentalität ziehen. Leib und Blut Christi sind in der Eucharistie sakramental gegenwärtig. Auch seine in bescheidener, fast zurückhaltender Sprache formulierten Einsichten gründen auf der Sakramentenbestimmung des Thomas, und er beabsichtigt, Apologetik, Systematik und Betrachtung in eine gewisse Übereinstimmung zu bringen, damit die verschiedenen Aspekte der Eucharistie – allerdings betont sakramental – zum Ausdruck kommen. Die Eucharistie ist für ihn das sakramentale Opfer Christi, in dem wir geheiligt und zur Gottesverehrung geführt werden.

Vor dem Hintergrund dieser – kurz skizzierten – Situation[17] müssen wir die Sakramententheologie Schillebeeckx' verstehen. Die dogmatische Sakramententheologie wird von einer historischen Neubesinnung auf die patristische und thomasische Sakramentenauffassung bestimmt. Dabei ist das Sakrament kein individuelles Heilsmittel, sondern steht innerhalb des Lebens der Kirche, die in ihrer Liturgie die Christen über den sakramental gegenwärtigen Christus zum Erlösungsmysterium und zum verherrlichten Christus führt.

0.3. *Schillebeeckx und seine Sakramententheologie in der Literatur*

Schillebeeckx'[18] Theologie ist schon einige Male Gegenstand darstellender und würdigender Studien gewesen[19]. Diese Tatsache weist schon darauf hin, daß Schillebeeckx zu den bedeutenden Theologen unserer Zeit gerechnet wird. Colman O'Neill nennt ihn in seiner Darstellung der Sakramententheologie im 20. Jahrhundert unumwunden neben Casel und Vonier einen »Baumeister der Sakramentenlehre«[20]. Andere vergleichen ihn mit Karl Rahner[21]. Was Schillebeeckx auf jeden Fall mit Rahner und Congar verbindet – so meinen einige[22] –, ist seine komplizierte Sprache, undurchsichtiger Satzbau und schlechter Stil! Dennoch unterscheidet sich Schillebeeckx von Rahner nicht unerheblich. Ihre erkenntnistheoretischen Voraussetzungen sind verschieden[23] und auch ihr Theologieverständnis ist jeweils anders. Während Rahner seine Theologie stark auf philosophischer Basis begründet, muß man von der Theologie Schillebeeckx' sagen, daß sie vielleicht eher unter dem Fehlen einer deutlich rezipierten oder eigenen Philosophie leidet[24]. Schillebeeckx' Theologie ist mysteriengerichtet[25] mit einem deutlich anthropologischen Akzent[26]. Van de Walle versucht sogar, das Einheitsprinzip der Theologie Schillebeeckx' in der Entfaltung des Schöpfungsglaubens zu finden[27]. Jedenfalls kann man sagen, daß das anthropologische Interesse Schillebeeckx' auch Auswirkungen in seiner Sakramententheologie[28] und Mariologie[29] hat.

Schillebeeckx' Theologie trägt aber nicht – gewiß nicht in seiner Sakramententheologie, für die Theologie der Säkularisierung[30] sind wir dem nicht nachgegangen – den Charakter eines rein immanenten Denkens über die Welt und die Wirklichkeit. Immer wieder versucht er, Transzendenzsignale in der Wirklichkeit selbst zu finden[31]. Vor einer Interpretation der Wirklichkeit in rein deskriptiver Sprache, die von einer Sinngebung dieser Wirklichkeit absieht, hat er Abneigung[32].

Allgemein weist man in der Literatur zur Theologie Schillebeeckx' auch auf seine thomasische Inspiration oder überhaupt auf seine Traditionsgebundenheit hin[33]. Beispielhaft werden dann die ›Sacramentele Heilseconomie‹[34] und ›Het Huwelijk‹[35] herangezogen.

Neben diesen allgemeinen Kennzeichen der theologischen Eigenart Schillebeeckx' beschreiben die Darstellungen nur sehr lückenhaft seine Sakramententheologie[36]. O' Neill deutet die Beziehungen zwischen Casels und Schillebeeckx' Sakramentenbegriff an[37]. Fast alle weisen auf die Verbindung, die zwischen Christus, der Kirche und den Sakramenten liegt[38], oder man bestimmt die Kirche als Sakrament der Welt[39]. Eine Darstellung der sakramentalen Ausgangspunkte Schillebeeckx' findet sich aber nur bei O' Neill[40].

Noch auffälliger ist der Mangel an Studien zu den Einzelsakramenten in der Interpretation Schillebeeckx'. Die gängigen Darstellungen beschränken sich auf die Ehe[41] und die Eucharistie[42]: zwei Sakramente, zu denen Schillebeeckx größere Arbeiten veröffentlicht hat[43]. Nur O' Neill geht noch auf Schillebeeckx' Auffassung zum Weihe-[44] und Bußsakrament[45] ein.

Aus unserer kurzen Literaturübersicht hat sich gezeigt, daß es keinen Sinn hat, Schillebeeckx als Theologen im Allgemeinen ins theologische Interesse zu bringen. Solche Versuche wurden schon vielfach unternommen und man kann sich fragen, ob das vorgängige Interesse für Schillebeeckx' Theologie durch neue tiefere Erkenntnisse gefördert worden ist. In diesen allgemeinen Darstellungen wird teilweise auch schon auf die Bedeutung der Sakramententheologie Schillebeeckx' hingewiesen. Um so auffallender aber ist es, daß man kaum auf inhaltliche Aussagen dieser Sakramententheologie eingeht. In verstärktem Maße fehlt eine Erörterung der Einzelsakramente, zu denen von Schillebeeckx meist nur Aufsätze zu einer eng umgrenzten Thematik vorliegen. Diese Aufsätze sind zum Teil heute schwer zugängig, da sie nicht in die Sammelbände der Artikel Schillebeeckx' aufgenommen wurden.

Diese Lücke in der Kenntnis der Sakramententheologie unseres Jahrhunderts etwas zu schließen, versucht die vorliegende Arbeit. Dabei wird manchmal eine Differenz zwischen den meist schon akzeptierten Vorstellungen zur Sakramententheologie Schillebeeckx' und unserer Untersuchung sichtbar. Die Absicht, eine solche Differenz aufzuzeigen, lag unserer Arbeit aber nicht primär zugrunde. Vielmehr möchten wir versuchen, der Diskussion um Schillebeeckx' Sakramententheologie durch einen Rückgriff auf die Originaltexte zu dienen. Die Korrektur gängiger Vorstellungen war so meist nur ein Nebeneffekt.

1. Grundzüge der Sakramententheologie Schillebeeckx'

1.1. *Geschichte der Sakramententheologie*

1.1.1. Die Patristik

Schillebeeckx' Sakramentenlehre ist keine theologische Betrachtung ohne historischen Rückhalt. Seine große Studie über die sakramentale Heilsökonomie beginnt er mit einer ausführlichen historischen Untersuchung der Entstehung des Sakramentenbegriffes[1]. Nach einer Erforschung der Verwendung und Bedeutung des mysterion-Begriffes in der vor- und frühchristlichen Zeit gelangt Schillebeeckx zu der Fragestellung nach der Verbindung der Begriffe mysterion und sacramentum in der patristischen Zeit[2].

Die genauen Hintergründe der Transposition des griechischen mysterion in das lateinische sacramentum sind dunkel und umstritten[3]. Man kann jedenfalls als Tatsache hinnehmen, daß das griechische Wort mysterion ins Latein mittels zweier Wörter übertragen worden ist: einerseits benutzte man das Wort sacramentum; andererseits findet sich auch eine Verwendung des lateinischen Lehnwortes mysterium. Sacramentum hat in der Entwicklung der Theologie und Glaubenssprache eine lange und bedeutungsvolle Wirkungsgeschichte gehabt[4]; außerdem ist die Übersetzung von mysterion in sacramentum semantisch interessant[5]. Da sacramentum einen lateinischen Wortstamm besitzt und keine sprachliche Neuschöpfung wie »mysterium« ist, das wegen seiner semantischen Unbelastetheit eine Vielzahl verschiedener Bedeutungen annehmen konnte und deshalb keine eigentliche Entwicklungsgeschichte hatte, mußte dieses Wort mit profaner Bedeutung eine typisch christliche Wirklichkeit in seine

Bedeutungsskala aufnehmen: die sakramentale Wirklichkeit der Kirche. Es ist nun gerade diese Bedeutungsgeschichte – vom profanen Gebrauch über eine allgemein religiöse Bedeutung zu einer spezifisch christlichen Verwendung des Wortes sacramentum –, die die Verbindung mysterion-sacramentum so kompliziert und gleichzeitig bedeutungsvoll macht. Zur Erklärung der Aufnahme des Wortes sacramentum in die christliche Glaubenssprache gibt es einige Modelle, die Schillebeeckx folgendermaßen unterteilt[6]:

- Ein strikt etymologisches Modell: sacramentum bedeutet das Sakrale und Geheimnisvolle (id quod est sacratum). Die Aufnahme des Wortes sacramentum findet ihren Grund in der Übereinstimmung der Wortbedeutung von mysterion und sacramentum in Hinsicht auf ihren gemeinsamen Geheimnis- und Religiösitätsgehalt.

- Das profane ›sacramentum militiae‹ bildet die Basis für die Übereinstimmung des Wortes mysterion mit sacramentum. Das sacramentum wäre so ein Äquivalent für iuramentum (Eidestreue). Die für die Erklärung der Übersetzung geforderte Übereinstimmung läge somit in der den beiden Worten gemeinsame Bedeutung von Treue. Inwiefern die Mysterienkulte eine Rolle bei der Übersetzung gespielt haben, bleibt geschichtlich unklar.

- Die religiöse Verpflichtung bildet die gemeinsame Basis. Die Taufe als Initiationssakrament enthält eine Glaubensverpflichtung, wie die Römer sie aus dem Verpflichtungscharakter des sacramentum (militiae) kannten. Von der Taufe als Glaubensverpflichtung wird dann die Bezeichnung sacramentum auch auf die anderen Sakramente und sakramentalen Wirklichkeiten übertragen.

- Es gibt nicht nur einen Berührungspunkt zwischen mysterion und sacramentum, sondern es hat eine doppelte, reziproke Beeinflussung stattgefunden: einerseits gibt es die Verbindung in der Bedeutung ›Eidestreue‹ von sacramentum zu mysterion; andererseits besteht eine Verbindung von mysterion zu sacramentum durch die Bedeutung ›Einweihungsriten‹.

Die Erörterung dieser Modelle zu einer Erklärung der Übereinstimmung von mysterion und sacramentum, die eine Übersetzung begründen kann, ist bei Schillebeeckx knapp gefaßt, und bei der Lektüre vermißt man eine klare Auseinandersetzung und eine kritische Note[7]. Schillebeeckx wählt eine eigene Position, indem er die Übersetzung durch die den beiden Wörtern gemeinsame ›devotio Dei‹ erklärt, aber diese Lösung kann man nur als einen Synkretismus der schon vorhandenen Modelle betrachten. Daß die Applikation eines im lateinischen Sprachkreis vorhandenen Wortes in die Glaubenssprache nicht nach den abstrakten Gesetzen der Etymologie (die stark linguistischen Modelle) oder nach einer konstruierten Übereinstimmung aufgrund eines ähnlichen Bedeutungsgehaltes (die ›gemeinsame Basis Modelle‹ und das bei Schillebeeckx nur am Rande erwähnte Mysterienkult-Modell) verläuft, findet keine Erwähnung.

In einem späteren Artikel[8] über das Sakrament findet sich eine Einleitung über die Semantik[9] des Wortes Sakrament und seine Aufnahme in die Glaubenssprache. In diesem Artikel schließt Schillebeeckx sich stärker der Auffassung der ›Nimwegener Schule‹[10] bezüglich der Semantik des christlichen Lateins an. Die Aufnahme eines profanen Wortes in die Glaubenssprache wird von dieser Richtung eher mit Hilfe der Semantik als der Linguistik erklärt, da eine lebendige Sprache nicht nach den abstrakt linguistischen Regeln entsteht und sich entwickelt. Diese Auffassung scheint somit besser einer Entwicklung des Bedeutungsgehaltes Rechnung zu tragen; daher kann sie auch eine allmähliche Applikation adäquater erklären. Eine für unsere Thematik bedeutsame Einsicht der semantischen Richtung besagt, daß ein profanes Wort erst nach einem Zwischenstadium der religiösen Verwendung (entweder schon im Judentum – was die Nimwegener Schule vorzieht – oder erst im römischen Staatskult) in die christliche Glaubenssprache aufgenommen wird. Bei jedem Wechsel der Umwelt eines Wortes nun ändert sich auch die Bedeutung des Wortes so, daß es im konkreten Gebrauch funktioniert. Ein Wort wie sacramentum kann also in einem profanen Kontext durchaus die Bedeutung ›Unterpfand‹ haben, in einem religiösen Kontext wie dem römischen Staatskult die Bedeutung ›Fahneneid‹ und schließlich im christlichen Kontext die sakramentale Wirklichkeit der Kirche oder die Sakramente bezeichnen. Wenn man diese Einsicht nun nach dem Zeitkoeffizienten formuliert, heißt es: in einer bestimmten Epoche kann ein Wort eine Bedeutung haben, die es in einer anderen Epoche überhaupt nicht mehr deutlich oder noch gar nicht hat; Rückschlüsse auf die Bedeutung eines Wortes unter Ausschluß des historischen Faktors oder der sozialen und kulturellen Umwelt sind nicht ohne weiteres statthaft oder tragfähig.

Von der Sicht der Semantik aus kann man also behaupten, daß die Aufnahme des Wortes sacramentum von den Christen den herkömmlichen Bedeutungsinhalt geändert hat. Das heißt dann aber auch, daß man die Aufnahme des Wortes sacramentum in die Glaubenssprache nicht als eine ›Militarisierung‹ oder ›Angleichung der Kirche an außerchristlichen Mysterienkulten‹ interpretieren und werten kann. Man muß also sagen, daß die theologische Methode, die Schillebeeckx in der ›Sacramentele Heilseconomie‹ zu einer Bestimmung des Sakramentenbegriffes anwendet, unter semantischer Kritik steht, einer Kritik allerdings, der Schillebeeckx sich in späteren Werken auch geöffnet hat. Eine umfassende Untersuchung nach der Entstehung und Bedeutung des Sakramentenbegriffes in der Art wie sie in der ›Sacramentele Heilseconomie‹ beschrieben wurde, hat Schillebeeckx aber nicht mehr vorgelegt.

Den Ergebnissen der historischen Studie, die Schillebeeckx in der ›Sacramentele Heilseconomie‹ formuliert hat, kann man nur insofern zustimmen, als sie nicht dem Zwang seiner Methode unterliegen. Wenn Schillebeeckx am Ende seiner historisch-theologischen Studie der patristischen Zeit eine Übereinstimmung von der Bedeutung bei mysterion und sacramentum feststellt[11], dann ist dies nicht sehr relevant, denn es wird nur eine Grundeinsicht der Semantik bestätigt: Ein Wort erhält im christlichen Kontext auch eine spezifisch christliche Bedeutung.

Abgesehen von dieser formalen Kritik an der historisch-theologischen Methode Schillebeeckx' in der ›Sacramentele Heilseconomie‹ müssen hier doch die Ergebnisse der patristischen Untersuchung Schillebeeckx' aufgeführt werden, da sie einen bedeutenden Bestandteil seiner systematischen Sakramententheologie darstellen[12]:

1. Sakramente sind immer auf das Christusmysterium orientiert. Somit sind Sakramente eine kultische Mysterienfeier (Anamnese) der ›mysteria carnis Christi‹.

2. Die erlösenden ›mysteria carnis Christi‹ werden in den Sakramenten als enthüllende und verhüllte Zeichen vergegenwärtigt. Sakramente bezeichnen eine kultische Symbolaktivität.

3. Die Sakramente haben als mystische Erscheinungsformen des Heilshandelns Christi Anteil an der Heilswirksamkeit des Christusmysteriums.

4. »Die Sakramente symbolisieren und bewirken unsere mystische Aufnahme in das Christusmysterium als Unterpfand und gleichzeitig Einsatz für das eschatologische Heil«[13].

5. Die Sakramente sind Heilsmysterien, in denen der allgemeine Erlösungswille Gottes individualisiert wird.

6. Als Initiation sind sie den Auserwählten vorbehalten[14].

7. – Sakramente sind Heilstaten Gottes für uns und
   – Sakramente betreffen uns und erheben einen Anspruch auf unser Engagement.

   Diese letzten beiden Teilaspekte begründen die Formulierung ›kultische Symbolaktivität, in der Heil vollzogen wird‹. »Wenn wir diese beiden Aspekte der Sakramente nach ihrer innerlichen, gegenseitigen Durchdringung betrachten, können wir die Sakramente nach ihrem Kern als spezifisch-kirchliche, liturgische, religiöse, symbolische Gemeinschaftsaktivität umschreiben, in der Gott ein transzendentes Mysterium vollzieht. ›Cultus‹ und ›sanctificatio‹ sind also die zwei Basismomente des sakramentalen Kultmysteriums«[15].

Zusammenfassend kann man sagen, daß Schillebeeckx in der ›Sacramentele Heilseconomie‹ eine chronologisch-linguistische[16] Entfaltung der Sakramentenauffassung bei den Kirchenvätern zu geben versucht. Diese Entfaltung berücksicht zu wenig die semantischen Sprachregeln und sie wird dadurch uneinheitlich, verworren und zu umfangreich. In seinem späteren Artikel ›Sacrament‹ in dem ›Theologisch Woordenboek‹ läßt er sich stärker von den Ergebnissen der Semantik leiten[17]. Diese letzte Veröffentlichung scheint dann auch klarer hervorzuheben, was das patristische ›sacramentum‹ oder ›mysterion‹ bedeutet[18].

Diese methodische Prozedur Schillebeeckx' hat eine bedeutsame Folge. Für ein richtiges Verständnis der Sakramententheologie Schillebeeckx' vor seiner Auseinandersetzung mit der Semantik (und vereinzelt sogar noch nach dieser Zeit) ist eine terminologische Klärung der Begriffe ›Sakrament‹ und ›Mysterium‹ von großer Bedeutung. Unter Sakrament versteht Schillebeeckx das äußere, sakramentale Zeichen: die empirische, sichtbare Wirklichkeit; Mysterium oder Mysteriengehalt deutet den im sakramentalen Zeichen enthaltenen Heilsgehalt an, während mystèrion in der Theologie Schillebeeckx' immer die Heilswirklichkeit in ihrer Ganzheit, als Heilsgehalt im sakramentalen Zeichen, andeutet[19].

Diese Terminologie steht unter der Kritik des patristischen Sprachgebrauches. Einer Kontinuität unserer theologischen Sprache mit der Patristik wird durch die Bedeutungsänderung und Sinnbeschränkung des Wortes ›mystèrion‹ geschadet[20].

1.1.2. Die Frühscholastik

Die patristische, namentlich augustinische Weite des mysterion- und sacramentum-Begriffes wird in der Scholastik näher differenziert[21]. An die Stelle des Wortes sacramentum (mysterion) mit seinen vielen Bedeutungen wie ›Christusereignis überhaupt‹, ›mysteria carnis (vitae) Christi‹, ›die typologischen Vorabbildungen des Christusereignisses im Alten Testament‹ und ›die namentlich kultischen Handlungen der Kirche (Taufe und Eucharistie) und die Kirche als solche‹ treten allmählich genau umschriebene Begriffe, die es erlauben, sacramentum in einem bestimmten Kontext zu verstehen und ihm so auch eine je andere Autorität zu verleihen. Daß diese Differenzierungen des Sakramentenbegriffes nicht einem einzelnen Theologen oder einer einzelnen Theologenschule zugeschrieben werden können, sondern daß in langen Auseinandersetzungen schließlich eine gewisse Eindeutigkeit in der vielfältigen Erscheinungsform der sakramentalen Wirklichkeit entstand, dürfte selbstverständlich sein.

Auf dem Hintergrund der platonischen Denkweise hatte Augustinus das Sakrament als ein Zeichen bestimmt. Jedes Zeichen hat im Platonismus teil an seinem Urbild (in imagine veritas). Diese Auffassung des Sakramentes als Zeichen hat nun auch die scholastische Begriffsbestimmung nachhaltig geprägt[22].

Eine erste Differenzierung der augustinischen und patristischen Auffassung gab Isidor von Sevilla († 636). Das besondere Merkmal seiner Deutung des Sakramentes als ›secretum‹ ist die mystische oder sakramentale Wirksamkeit des Heiligen Geistes im Sakrament ›unter verhüllter Gestalt‹. So tritt die Wirksamkeit der Sakramente bei Isidor stark in den Vordergrund[23]. Sein Interesse für die aktuelle Wirksamkeit der Sakramente verdrängte aber gleichzeitig die Lehre der Verbindung der Sakramente mit dem historischen Christusereignis.

Die isidorische Sakramentenbestimmung (sacramentum-secretum) verdrängte aber nicht die augustinische Auffassung (sacramentum-signum), wie sich klar in dem Abendmahlsstreit des 9. Jhs. zwischen Rathramnus († 868) und Paschasius Radbertus († 859) zeigt. Von größerer Bedeutung wurde aber der Abendmahlsstreit des Berengar von Tours (ca. 1000–1088), in dem sich die in dem Begriff ›signum‹ aufgrund des Wandels innerhalb des philosophischen Denkhorizontes gelegene Sprengkraft zeigt. Wenn der Platonismus allmählich nicht mehr der gängige Denkrahmen bleibt, bezeichnet das sakramentale Zeichen auch keine Wirklichkeit mehr, sondern dann deutet ›signum‹ nur noch ein äußerliches Symbol an. Genau diese Sprachverwirrung bildet den Verstehenshorizont für den Abendmahlsstreit des Berengar, der im Rückgriff auf die Sakramentenbestimmung des Augustinus zwar das signum-Verständnis, aber nicht den platonischen Verstehenshorizont aufnahm[24].

Zwei augustinische Aussagen, die Berengar aufgenommen hat, haben eine größere Wirkungsgeschichte gehabt:

– »sacramentum est signum rei sacrae« und
– »sacramentum est invisibilis gratiae visibilis forma«[25].

Neben den beiden genannten Sakramentenbestimmungen, das augustinische ›signum‹ und das isidorische ›secretum‹, tritt in der Scholastik noch eine dritte Sakramentenauffasssung auf. Sie steht in einer gewissen Verbindung mit der augustinisch-berengarischen Bestimmung, aber trotzdem ist sie doch von ihr unterschieden. Die Absicht dieser dritten, viktorianischen, Richtung, die von Hugo von St. Viktor, einem Anonymus in der Summa Sententiarum und von Petrus Lombardus vertreten wurde, besteht darin, daß der Heilswirksamkeit der Sakramente ein größerer Platz eingeräumt wurde[26]. Unter dem Einfluß des Hugo von St. Viktor faßt man das sacramentum als ›vas gratiae‹ auf: die Sakramente werden materialisiert. Ebenso wie Berengar hat Hugo von St. Viktor den liturgischen Handlungsaspekt vernachlässigt.

Die ›Summa Sententiarum‹ kennt mit derselben Absicht wie Hugo von St. Viktor eine andere Formel, die zusätzlich die beiden augustinisch-berengarischen Sätze zu einer Einheit zu bringen versucht: »Sacramentum est visibilis forma invisibilis gratiae in eo collatae, quam scilicet confert ipsum sacramentum. Non enim est solummodo sacrae rei signum sed etiam efficacia«[27]. Diese Sakramentenbestimmung hat über Petrus Lombardus großen Einfluß im 12. und 13. Jh. ausgeübt, und zwar in einer modifizierten Formel des Lombarden: «Sacramentum enim proprie dicitur quod ita signum est gratiae Dei et invisibilis gratiae forma ut ipsius imaginem gerat et causa existat. Non igitur significandi tantum gratia sacramenta instituta sunt, sed etiam sanctificandi«[28]. In dieser Formel für die allgemeine Sakramentenbestimmung bleibt das signum Ausgangspunkt; dieses signum wird dann unterschieden in ein ›signum symbolicum‹ und ein ›signum-causa‹. Hierdurch werden die christlichen Sakramente von den ›signa rei sacrae‹ abgehoben, was in den frühen Bestimmungen noch nicht möglich war[29].

Nachdem Schillebeeckx in seiner ›Sacramentele Heilseconomie‹ durch eine Skizzierung der verschiedenen Richtungen in der Frühscholastik aufgezeigt hat, daß man diese Periode differenziert und genetisch verstehen muß[30] und nicht eine der genannten Richtungen absolut setzen darf, kommt er schließlich zu seinem Lieblingsthema: Thomas von Aquin[31].

1.1.3. Die Sakramentenlehre des Thomas von Aquin

1.1.3.0. Einleitung

Wie im letzten Abschnitt aufgezeigt stellt die Problematik, in der Thomas sich dogmengeschichtlich befindet, eine schwere Anforderung an das denkerische und synthetisierende Vermögen, denn durch den Schwund des Wirklichkeitsgehaltes, das einem Symbol zuerkannt wurde, waren verschiedene Denkrichtungen innerhalb der Sakramentenbestimmung entstanden, die nicht ohne weiteres in ein einzelnes System untergebracht werden konnten. Resümierend können wir sagen, daß es zur Zeit Thomas' drei große Strömungen in der Sakramentenlehre gab:

a) die augustinische Richtung, die den signum-Charakter der Sakramente hervorhebt;

b) die viktorianische Richtung, die die Sakramente primär unter dem Aspekt der Gnadenwirksamkeit betrachtet und

c) die isidorische Sakramentenbestimmung (sacramentum-secretum), die insofern der zweiten, viktorianischen Richtung zugeordnet ist, als hier das Sakrament als verborgene Wirkung des Heiligen Geistes (Gnadenwirksamkeit) aufgefaßt werden kann.

1.1.3.1. Die Sakramentenauffassung des ›Thomas junior‹. Der Sentenzenkommentar

Thomas von Aquin versucht, in der bestehenden Vielschichtigkeit der Sakramentenbestimmung einen Einheitsfaktor zu finden: was kann die signum- und gratia-Deutung der Sakramente verbinden und außerdem alle Nebenaspekte (Materialität-Gandenwirkung; charakter sacramentorum vel ornamentum animae u.s.w.) erklären? In seinem Jugendwerk ›Scriptum super Sententiis‹ (= In IV Sent) findet er dieses Einheitsprinzip in der Kausalität[32]. Der Ausgangspunkt für eine Betrachtung der Sakramente ist also die ›sanctificatio‹, die aktive Heiligung des Menschen durch Gott. Wenn aber der Mensch geheiligt werden soll, dann hat ein Sakrament auch mit dem menschlichen Existenzmodus als ›Geist in Welt‹ zu tun[33]. Wenn Thomas dann auch den Bedeutungsgehalt des Sakramentes – ausgehend von der ›sanctificatio activa‹ und dem Kausalitätsprinzip – synthetisieren will, ergibt sich eine Stufung:

a) Das Christusmysterium wird als sacramentum schlechthin betrachtet: »Aliquando enim sacramentum importat rem qua fit consecratio. Et sic passio Christi dicitur sacramentum«[34].

b) Sacramentum deutet aber nicht immer auf die Heilsursache selbst, sondern auch auf die Art und Weise der Präsenz dieses Heiles. Sacramentum deutet dann ›per modum signi‹ diese Heilswirklichkeit an: die sieben christlichen Sakramente.

c) Schließlich kann sacramentum auch noch das Heilszeichen andeuten, ohne tatsächlich die Gnade zu bewirken; dann ist sacramentum als reine ›significatio‹ zu verstehen: z. B. die jüdischen Sakramente[35].

Eine Sakramentenbestimmung, die in der Gattung des signum läge, wäre nach dieser Einteilung nur eine ›definitio communis‹, die sowohl die jüdischen als auch die christlichen Sakramente umfaßt. Die ›distinctio‹ wird erst dann eingeführt, wenn man das Kriterium der Verbindung mit dem Christusereignis selbst als Ursache anwendet. Erst wenn ein ›signum‹ auf das Christusereignis hinweist (significatum), ist es als christliches Sakrament zu werten[36]. Aber gerade die Einführung dieses Kriteriums als ›distinctio‹ bringt eine Trennung innerhalb des Sakramentenbegriffes. Deshalb kann nur die Kausalität die Besonderheit des christlichen sacramentum angeben.

Indem Thomas gerade betont, daß die Heiligung nicht primär im Zeichen selbst liegt, sondern im bezeichneten Heilswerk Christi, wird sein Ansatz, den er schon in seinem Sentenzenkommentar erarbeitet und ebenfalls in der Summa – wenn auch leicht variiert – durchhält, zu einer Erneuerung der Sakramententheologie.

Wenn nun die Eigenart der Sakramente des Neuen Bundes nicht in der significatio, sondern in der sanctificatio activa zu finden ist, dann sind die christlichen Sakramente ausschließlich Sakramente im strengen Sinne als Heiligungsmittel. Die Sakramente des Alten Bundes oder die Natursakramente sind Sakramente im analogen Sinne[37]. Diese Theorie des Sentenzenkommentars ist eine fundamentale Lösung der Sakramentenproblematik in thomasischer Sicht, und gerade dieser Ansatz der aktiven Heiligung bildet auch die Basis für die Sakramentenlehre der Summa.

So vermitteln die christlichen Sakramente als effektive Heiligungsmittel erstens eine aktuelle, zeitliche Heiligung des Menschen. Da Thomas das Heilswerk Christi als erste und fundamentale Ursache des Heils betrachtet, das in den Sakramenten vermittelt wird, umfaßt die aktuelle, zeitliche Heiligung des Menschen immer einen Rückgriff auf das eschatologische Heilswerk Christi. Zu der aktuellen Heiligung des Menschen durch die Sakramente tritt neben dem rememorativen Aspekt auch die eschatologische Dimension der durch die Sakramente vermittelten Heiligung.

Zusammenfassend kann man die Sakramentenauffassung, die Thomas im Sentenzenkommentar gibt, folgendermaßen umschreiben: »Sakramentale significatio bedeutet die aktuelle Begnadigung, die aus der Kraft des historischen Erlösungsgeschehens Christi aktuell an der Seele als Einsatz und Anfang der eschatologischen Verherrlichung vollzogen wird«[38].

1.1.3.2. Die Sakramentenauffassung in der Summa Theologica

Die Analogie, die Thomas auf das ganze Spektrum der Sakramentenbestimmungen (sacramentum-signum; sacramentum-iuramentum; sacramentum-secretum; sacramentum-causa) schon in seinem Sentenzenkommentar anwandte, findet man auch in der Summa Theologica. Allerdings stellt man doch einen folgenschweren Unterschied fest. Während es im Sentenzenkommentar heißt, daß die kirchlichen Sakramente ›in genere signi et causae‹ umschrieben werden müssen, bevorzugt Thomas in der Summa die Formulierung ›in genere signi‹ ohne ›causae‹ hinzuzufügen[39]. Indem Thomas so in der Sakramentenbestimmung die Beschränkung auf das ›signum‹ annimmt, bietet sich die Möglichkeit an, für alle Sakramente (Natursakramente, religiöse und christliche Sakramente) eine einzelne univoke Umschreibung zu geben. Diese univoke Umschreibung der Sakramente liegt also in logischer Ebene vor der analogen Sakramentenbestimmung, durch welche die christlichen Sakramente im strengen Sinne von den Natursakramenten oder den jüdischen Sakramenten abgehoben werden. Für alle Sakramente gilt zunächst bei Thomas die allgemeine signum-Beschreibung, also ohne Einschränkung auf das Christentum. »Sakramentaler Kult ist somit die Äußerung – in Gemeinschaftssymbolen – eines inneren Gotteskultes jener Gemeinschaft«[40]. Hinsichtlich der univoken signum-Beschreibung sind nach der Thomasinterpretation Schillebeeckx' die Sakramente somit »die kultischen Symbolhandlungen einer religiösen Gemeinschaft«[41]. Diese anthropologische Dimension der Sakramentenbestimmung liegt somit auf der Ebene des signum und könnte mit Symboltätigkeit einer Gemeinschaft umschrieben werden.

Thomas betrachtet die Definition der Sakramente mit Hilfe der signum-Kategorie als eine ausreichende, ›beschreibende Definition‹[42]. Aber eine ›definitio convertibilis‹ der christlichen Sakramente fordert eine nähere Bestimmung des spezifisch christlichen signum-Gehaltes. Es ist ein Charakteristikum der thomasischen Sakramentenlehre in der Summa Theologica, daß Thomas die Abhebung nicht – wie Petrus Lombardus – in eine Verquickung signum-causa legt, sondern die nähere Bestimmung der christlichen Sakramente mit Hilfe des significatum der Sakramente als Zeichen zu geben versucht. Durch diese Deutung wird der innere Glaube der Gemeinschaft konstitutiv für die Bestimmung der Sakramente. Im Sakrament als kultischer Symbolhandlung tritt eine in der Glaubensgemeinschaft vorhandene Wirklichkeit hervor.

Außerdem kann man in die allgemeine, anthropologische Sakramentendefinition den weiterführenden Aspekt des Heilshandelns Gottes, das für die christlichen Sakramente spezifisch ist, integrieren. »Das besondere Merkmal der christlichen Sakramente besteht darin, daß Gott selbst in Christus in der Kraft des Heiligen Geistes in den kultischen Symbolhandlungen der Kirchengemeinschaft ein neues, transzendentes Mysterium vollzieht: sie werden ministeriell zu Instrumenten der ›merita passionis Christi‹, und außerdem werden sie zum Heilsorgan, das die in Christi Erlösung verdiente Gnade uns auch tatsächlich in-

34

strumentell-wirksam vermittelt (. . .), insofern sie nämlich die ›sacramenta separata‹ des ›instrumentum coniunctum‹, Christi heilige Menschheit, sind: ›sacramenta humanitatis eius‹«[43].

Zusammenfassend zeigt sich also, daß Schillebeeckx in der Sakramententheologie des Thomas klar zwei voneinander verschiedene Dimensionen herausstellt: einmal die anthropologische Dimension der Symbolaktivität in der Sakramentenpraxis der Kirche; andererseits die Dimension des Mysteriums, in dem Gott in den Sakramenten als Symbolaktivität für den Menschen Heil verwirklicht[44]. Diese letzte Dimension fordert noch eine nähere Erklärung.

Die Dimension des Mysteriums wird in der Summa an dem Problem erörtert, ob das sakramentale Zeichen auch einen einzelnen Gegenstand andeutet[45]. Thomas verneint diese Frage und weist darauf hin, daß das significatum der Sakramente dreifach ist: ›ipsa causa sanctificationis nostrae, quae est passio Christi‹; ›forma nostrae sanctificationis, quae constitit in gratia et virtutibus‹ und schließlich ›ultimus finis nostrae sanctificationis, qui est vita aeterna‹.

Schillebeeckx leitet aus dieser thomasischen Dreiteilung des Gegenstandes der Sakramente ein starkes Interesse für das ›Jetzt‹ ab. »Daß Thomas bei der Behandlung des dreifachen *significatum* weder das historisch-vergangene Christusmysterium noch die eschatologische Spannung der Sakramente betont, sondern die aktuelle Begnadigung, die in ihnen symbolisiert wird, scheint uns ein anderes Mal ein Charakteristikum seiner Auffassung der Sakramente in formeller Hinsicht als kultische Symbolaktivität zu sein«[46]. Trotz dieser Betonung der aktuellen Begnadigung bildet das dreifache significatum eine organische Einheit, die auch andere »affektive Betonungen«[47] – wie die Betonung der eschatologischen Dimension in der östlichen Theologie oder der historisch-christologischen Dimension z. B. bei Augustinus – zuläßt.

Die drei verschiedenen Aspekte in der Einheit des significatum korrespondieren nun mit der heilsgeschichtlichen Auffassung des Schillebeeckxschen ›mystèrion‹ und ›sacramentum‹, die aus der patristischen Theologie abgeleitet wurde. Wie Thomas die

›passio Christi‹ als ›causa sanctificationis nostrae‹ betrachtet, so
sprechen auch die Kirchenväter von dem ›mystèrion‹ des Christusereignisses; wie Thomas die kirchlichen Sakramente als
›forma nostrae sanctificationis‹ betrachtet, so werden für die Kirchenväter die ›mysteria carnis Christi‹ in den kirchlichen Sakramenten vergegenwärtigt; wie Thomas in die kirchlichen Sakramente den ›ultimus finis nostrae sanctificationis‹ legt, so sagen die
Kirchenväter, daß wir durch die Sakramente in das Christusmysterium aufgenommen werden und so Anteil am eschatologischen Heil haben. Wie sich aber schon in der Untersuchung der
Patristikinterpretation Schillebeeckx' gezeigt hat, ist die Methode seiner Patristikforschung unzureichend. Wenn man nämlich der Patristik mit einer impliziten scholastischen Fragestellung entgegentritt, wird auch die Antwort, die man in dieser
Untersuchung erhält, scholastisch sein. Dann aber ist es nicht
verwunderlich, wenn man eine vollkommene Korrespondenz
zwischen der Patristik und Thomas feststellt.

1.1.3.3. Marginalien zu einer Sakramententheologie in thomasi-
scher Sicht

1.1.3.3.1. Die Sakramente und die historischen Heilstaten Jesu

Es hat sich schon gezeigt, daß nach Thomas die Sakramente immer primär in einer anthropologischen Sicht als signum verstanden werden müssen, in dem eine Heilswirklichkeit vollzogen
wird. Daneben aber gibt es noch eine andere Frage, die unmittelbar mit dem dreifachen significatum der Heilswirklichkeit zusammenhängt und die für unser Sakramentenverständnis von
großer Bedeutung ist: welche innere Verbindungslinie kann man
in den drei Bedeutungsgehalten des Sakramentes feststellen[48]?
Die Betonung der aktuellen Gnadengabe in den Sakramenten bei
Thomas könnte uns nämlich zur Auffassung verleiten, daß die
Sakramentalität eine selbständige Funktion im christlichen
Glauben einnähme. Dann wären die Sakramente selbständige
Heilsquellen, die die Einmaligkeit des historischen Christuser-
eignisses in Gefahr brächten. Man darf aber bei der Interpreta-

tion der Sakramentenauffassung Thomas' nicht übersehen, daß er die ›passio Christi‹ die Quelle jeder sakramentalen Begnadigung, die ›causa efficiens‹ im sakramentalen significatum, nennt. Dadurch ist schon der Vorwurf einer Verselbständigung der Sakramente bei Thomas unbegründet. Aber nicht nur die Tatsache, daß das Christusereignis für Thomas ›causa efficiens‹ der Sakramente ist, begründet eine Rückführung der Sakramente auf Christus, sondern in dieser Problematik ist es auch bedeutsam, daß Thomas sich sehr darum bemüht, die Einmaligkeit der historischen Heilstaten Christi zu begründen. Thomas knüpft die Frage nach der Einmaligkeit des Christusereignisses an das Problem der Perennität der Heilstaten Jesu. Inwiefern eignet diesen historischen Heilstaten eine ›Wirkung für alle Zeit‹ und wie können sie als vergangene Handlungen aktuell unsere gegenwärtigen Sakramente bestimmen?

Aufgrund des Werkes ›De Verbo Incarnato‹ von Thomas antwortet Schillebeeckx, daß Thomas deutlich eine Wirkung der Heilstaten Christi auf die Sakramente annimmt. »Den Perennitätsgehalt legt Thomas in die Tatsache, daß die historischen Christusmysterien von einer göttlichen Kraft durchzogen sind, da sie Mysterienhandlungen eines *Gott*-Menschen sind: es sind historische Handlungen eines ›instrumentum coniunctum divinitatis‹ (. . .). Die göttliche Kraft nun ist nicht nur die Kraft der Hauptursache, so daß schließlich die historischen Christusmysterien außerhalb der Effizienz ständen, sondern sie partizipiert als ›virtus instrumentalis‹ an den historischen Taten Christi, so daß sie *innerlich* Mysterienhandlungen werden und nach einem durch Interiorität transzendierenden Aspekt somit innerlich einen Perennitätsgehalt besitzen (. . .). In *jeder* menschlichen Handlung Christi ist wegen ihrer Verbundenheit ›in hypostasi‹ mit dem göttlichen Wort somit eine göttliche Heilswirksamkeit anwesend (. . .). Das menschliche Erscheinen Christi auf Erden war in seiner Totalität eine wirksame Heilserscheinung, die sichtbare Wirklichkeit eines begnadigenden Gottes«[49].

Thomas kennt keine sakramentale Selbstbespiegelung, sondern bei ihm müssen die Sakramente immer als Weiterführung des historischen Christusereignisses verstanden werden. Das bedeutet dann aber auch, daß eine Sakramententheologie in thomasischer Perspektive nicht bei einer »allgemeinen Sakramentenlehre« verweilen darf, die keine christologische Rückführung der Sakramente, keinen Rückgriff auf die Quelle ihrer Wirksamkeit, kennt.

1.1.3.3.2. Signifikation und Kausalität

Mit einer Erklärung der Heilswirksamkeit der historischen Heilstaten Jesu ist lediglich eine Begründung dafür gegeben, daß in diesen historischen Handlungen eine gewisse Transhistorizität vorhanden ist, in der Gott in der Geschichte Heil verwirklicht. Eine zeitliche Dehnung dieser Wirksamkeit der Heilstaten Jesu, die dann so in den kirchlichen Sakramenten zugänglich wird, erklärt Schillebeeckx mit einem anderen Hinweis. In Anlehnung an Thomas' Summa Th. I, q. 19, a. 4 und II C. Gent., 35 gibt Schillebeeckx zu dem Problem der »verzögerten« Heilswirksamkeit diese Lösung: »Thomas beruft sich also auf seine allgemeine Lehre, daß eine Wirkung einer instrumentellen Ursache nach der Situation ihrer Hauptursache bemessen wird, und daß – da wir es hier mit einer geistlichen Ursache zu tun haben, die durch Erkenntnis und Wille wirksam ist – die Wirkung des Willens Gottes – in der instrumentellen Vermittlung der Menschheit Christi und durch sie – von allen Modalitäten des ›propositum divinum‹ abhängig ist: die Wirkung folgt erst dann, wenn Gottes ewig aktueller Wille bestimmt, daß sie folgen soll (. . .)«[56].

Somit zeigt sich, daß die Verbindungslinie zwischen den verschiedenen Aspekten des significatum in dem Perennitätsgehalt der historischen Mysterienhandlungen Christi liegt, deren Wirkung nach dem Willen des wirkenden Gottes zeitlich ausgedehnt uns zugänglich wird[51].

Zusammenfassend kann man sagen, daß die Sakramentenauffassung von Thomas an einem Wendepunkt der Geschichte steht das Aufkommen des Aristotelismus brachte für die Theologie einen vollkommen neuen Denkhorizont. Namentlich für die Sakramententheologie bedeutete dies eine innere Entleerung der signum-Kategorie, die bis dahin das Sakrament weitgehend bestimmt hatte. Die Sakramente innerhalb des Aristotelismus nur noch als signum andeuten, würde sie zu leeren Zeichen machen. Eine starke Betonung der Kausalität dagegen würde die kirchlich-liturgische Struktur des Symbolhandelns in Frage stellen. Die Kernfrage, die sich dogmengeschichtlich bei Thomas stellt, zielt also auf das Verhältnis zwischen der significatio und der causalitas in seiner Sakramentenlehre. Schillebeeckx ist der Meinung, daß man in der Theologie des Thomas nicht von einer Identität von significatio und causalitas sprechen kann: wie die significatio die anthropologische Symbolaktivität füllt, so bezeichnet die causalitas die in dieser Symbolaktivität anwesende göttliche Wirkung. In Schillebeeckx' Terminologie heißt das: die causalitas ist der Mysteriengehalt der Sakramente[52]. Schillebeeckx faßt dann auch das Verhältnis zwischen significatio und causalitas folgendermaßen zusammen: »Die Sakramente besitzen gerade deshalb eine Heilskausalität, weil sie Symbolhandlungen *Christi* in seiner und durch seine Kirchengemeinschaft sind. Die sakramentale *significatio* ist also die Grundlage der Wirksamkeit. Dies ist offenbar eine Ansicht, die stärker in der *Summa* als in Thomas' *Sentenzen* durchklingt. Wenn wir die Relation zu Christus aus der sakramentalen Bedeutung entfernen, scheint uns das Problem des Verhältnisses zwischen Zeichen- und Wirksamkeitswert der Sakramente unlösbar zu sein. Wenn wir dann einer unfaßbaren Vorstellung entkommen wollen, die die *significatio* ohne weiteres mit der Wirksamkeit identifiziert – wie Billot es später mit vielen nach ihm tut –, müssen wir zwingend einer gewissen Dualität zwischen den geschiedenen Momenten zustimmen, die durch ein äußeres und akzidentelles Band zusammengehalten wird. In der Sicht, die die Thomastexte andeuten, fällt eigentlich diese Fragestellung für die Sakramente weg und wird zu einem Problem formell-christologischer Art: Christi sakramentale Erscheinung auf Erden: die Erkennbarkeit der affektiven göttlichen Erlösungsliebe; eine Erkennbarkeit, die in der und durch die Einheit der Hypostasis wirksam an der Effikazität des göttlichen Erlösungswillens partizipiert (. . .). Die Menschheit Christi ist das ›instrumentum coniunctum‹, die Sakramente sind ›instrumenta separata‹ (. . .). Beide sind die Erkennbarkeit des göttlichen Erlösungswillens (. . .). Die sichtbare Erscheinung Christi, hypostatisch mit dem *Verbum* vereint, wird so mit göttlicher Effikazität versehen; die Sakramente als Bezeichnung des auferstandenen und somit unsichtbaren Christus, m.a.W. als Sichtbarkeit des sich in ihnen darstellenden Heilswillens (nach seinem Perennitätsgehalt), werden auf diese Weise mit derselben göttlichen Heilskraft versehen. Das *signum coniunctum* liegt also von der Kausalität umschlossen: von der Kausalität des göttlichen Heilswillens, deren sichtbare, sinnvolle Wirkung die Menschwerdung selbst – das ›signum levatum in nationibus‹ – ist. Diese Wirkung erhält seinerseits als *instrumentum coniunctum* Teil an der göttlichen Heilskraft. So wird *Gottes* Heilswirkung in der Menschheit Christi und in den ›*sacramenta* humanitatis eius‹ sichtbar«[53].

Diese thomasischen Gedanken zur Perennität und zur bleibenden, »verzögerten« Wirksamkeit sind in sich schlüssig. Ihre Überzeugungskraft behalten sie aber nur unter der Voraussetzung, daß man die thomasische Idee der Wirklichkeit und der hypostatischen Union vertritt. Nur dann kann Gott in Christus wirklich historisch handeln und behalten diese Handlungen trotzdem eine transhistorische Wirkung, die nach dem freien Willen Gottes zugänglich gemacht werden kann. Nur dann kann man aufgrund des Hebräerbriefes von einem »Christus perennis« sprechen[54].

In seiner eigenen Theologie wird Schillebeeckx zwar versuchen, den thomasischen Einsichten treu zu bleiben, aber er wird auch gleichzeitig in seiner späteren Theologie versuchen, neue Interpretationsmodelle zu finden.

1.1.4. Zusammenfassung und Ausblick

Mit der Studie der Sakramentenbestimmung bei Thomas ist eine der Grundlagen des Sakramentenverständnisses Schillebeeckx' gefunden. Mehr als an alle anderen Richtungen in der Sakramentenbestimmung – augustinisch, isidorisch oder viktorianisch – möchte Schillebeeckx seine eigene Theologie an das thomasische Denken binden. Schillebeeckx' Sakramententheologie ist eine

Neubesinnung auf die Sakramentenlehre des Thomas. Das Ergebnis der für Schillebeeckx grundlegenden Thomasstudie ist, daß die kultische Symbolaktivität eine adäquate Kategorie ist, um die kirchlichen Sakramente zu beschreiben. Wenn man aber von der kultischen Symbolaktivität spricht, darf nicht übersehen werden, daß man sich damit auf einer allgemeinen, religionsgeschichtlichen Ebene befindet: auch die Natursakramente oder die jüdische Beschneidung können mit dem Prädikat ›kultische Symbolaktivität‹ umschrieben werden. Christliches Sakramentenverständnis fordert nach Thomas (und Schillebeeckx) eine echte Relation zum historischen Christusereignis, aus dem die christliche Symbolaktivität ihre Kraft und Wirkung schöpft.

Durch die thomasische Sakramentenbestimmung wählt Schillebeeckx sich also deutlich seine Position im ganzen der möglichen Sakramentenauffassungen[55]. Diese Position wird dadurch charakterisiert, daß sie eine faktische Einheit von signum und causa, von der anthropologischen Symbolkategorie und dem heilsgeschichtlichen Mysterienhandeln Gottes fordert. Diese Einheit von signum und causa ist keine natürlich zwingende und keine rein zufällige Gemeinsamkeit, sondern eine im historischen Christusereignis intendierte Einheit. Denn obwohl man zurecht von einer akzidentellen Einheit von causa und signum in den Sakramenten selbst sprechen kann, sagt die christologische Reduktion gerade die im Christusereignis selbst intendierte Einheit von Wirksamkeit und äußerer Gestalt aus. Aber genausowenig wie die faktische Einheit von causa und signum im Heilswirken Gottes in seiner Totalität Zufall genannt werden kann, ebensowenig ist diese faktische Einheit eine zwingende, juridische Verbundenheit, in der der Empfänger des Sakramentes ein gewisses Anrecht auf die Gnadengabe Gottes hätte, lediglich weil er die Handlung des Sakramentes setzt oder an der Symbolaktivität partizipiert. Im Zusammentreffen von den beiden unterschiedenen Kategorien von Symbol und Mysterium kann man somit dann auch nur theoretisch eine Trennung durchführen, da eine reale Trennung das Sakrament aufheben würde[56].

Die Eigenart des thomasischen Sakramentenbegriffes fordert also eine Besinnung auf das Sakrament als Symbol und Mysterium und zusätzlich eine Rückführung der konkreten Sakramente auf das Christusereignis, das erst das konkrete Sakrament konstituieren kann und so auch das Verhältnis zwischen Symbol und Mysterium erst endgültig bestimmt.

1.2. *Die objektive Gestalt der Sakramente. Die Sakramente als Handlungen Christi in der Kirche*

1.2.1. Die Liturgie der drei christlichen Initiationssakramente

1.2.1.0. Einleitung

Im Anschluß an die historische Studie nach der Begriffsbestimmung der Sakramente fügt Schillebeeckx in der ›Sacramentele Heilseconomie‹ einen Abschnitt über die Liturgie der Taufe, Firmung und Eucharistie mit der Absicht an, einen Einblick in die ›konkrete Gestalt‹ der Sakramente zu gewinnen[57]. Einerseits wird die ›konkrete Gestalt‹ der Sakramente in der Theologie vielfach mit den aristotelischen Begriffen Materie und Form umschrieben[58]. Diese hylemorphistische Umschreibung kann aber nicht auf alle Sakramente mit derselben Klarheit angewandt werden; so kann namentlich die Materie- und Formbestimmung beim Buß- und Ehesakrament problematisch werden. Andererseits kann man aber auch die ›konkrete Gestalt‹ der Sakramente liturgisch-historisch ermitteln.

Hat man so – auf zwei verschiedenen Wegen – die ›konkrete Gestalt‹ der Sakramente untersucht und formuliert, dann muß auch eine Verbindung zwischen den beiden Formulierungen der ›konkreten Gestalt‹ der Sakramente möglich sein. Aus einer solchen Verbindung der spekulativen und der historisch ermittelten ›konkreten Gestalt‹ der Sakramente wird man dann rückblickend eine Aussage machen können zu:

a) dem sakramentalen Hylemorphismus, der dann mit Hilfe der historischen Erkenntnisse genauer umschrieben wird;

b) einem ›Modell‹, das die historische Entwicklung der Sakramente widerspiegelt.

1.2.1.1. Der Ritus der Initiationssakramente in seiner historischen Gestalt

Historisch gesehen kann man bei allen Initiationssakramenten Änderungen im Ritus der Spendung feststellen.

Bei der Taufe gibt es neben Fluktuierungen in der Akzentsetzung der Taufhandlung (Übergießung-Untertauchen-Besprengen) erhebliche Unterschiede in der ›forma verborum‹. So kann man schon in der Kirche der ersten Jahrhunderte einen Übergang von einer christologischen zu einer trinitarischen ›traditio symboli‹ feststellen; die dialogische Form des Bekenntnisses macht dem interrogatorischen Bekenntnis Platz. Eine andere bedeutsame Verschiebung ist die wechselnde Auffassung von der Eigenständigkeit einer Epiklese über das Taufwasser[59].

Auch bei der Firmung lassen sich historische Verschiebungen im Ritual der Spendung feststellen[60]. Die Handauflegung im Sinne der Geistspendung ist wohl schon biblischer Tradition. Daneben findet sich bei den griechischen Vätern die Verbindung der Geistspendung mit der Salbung. In der Geschichte der Firmhandlung findet sich nun im Westen eine Verschmelzung dieser beiden Formen der Geistspendung, bei der es anfänglich bei Hippolyth und Tertullian eine Salbung und Handauflegung in Anschluß an die Taufe gab[61]. Später wird die Salbung innerhalb des gallischen Ritus als eine Duplikation zur Handauflegung empfunden[62]. In der Hochscholastik schließlich nimmt die Salbung die zentrale Stellung im Ritual ein, ohne daß von einer Handauflegung gesprochen wird. Nach Schillebeeckx wird dann wahrscheinlich erst unter Papst Benedikt XIV.[63] die Handauflegung wieder eingeführt. Aber nicht nur die Handlung selbst, sondern auch die begleitenden Worte oder die Weihe des Chrisams unterliegen Änderungen. Bei der Firmung findet sich – noch stärker als bei der Taufe – eine Änderung in der Handlung selbst; wie bei der Taufe kann man auch bei der Firmung eine Entwicklung der begleitenden Worte feststellen.

Bei der historischen Untersuchung der ›materia‹ und ›forma‹ der Eucharistie beschränkt Schillebeeckx sich auf die Frage nach dem Verhältnis der Konsekration bei den Wandlungsworten und dem konsekratorischen Wert der Epiklese[64]. Dabei muß man beachten, daß nicht jede Epiklese schon konsekratorischen Charakter hat. Grundsätzlich kann man die Epiklesen einerseits unterscheiden in konsekratorische und Heiligungsepiklesen, andererseits – nach ihrer Stellung vor oder nach dem Einsetzungsbericht – in präkonsekratorische und postkonsekratorische Epiklesen. Die postkonsekratorischen ›Transsubstantiationsepiklesen‹ finden sich in den östlichen Liturgien und im mozarabischen und gallischen Ritus, während sie in der lateinischen Liturgie fehlen[65]. Seit Nikolaus Cabasilas betonen die östlichen Liturgien stark diese Epiklesen[66], während im lateinischen Ritus 'der Einsetzungsbericht das euchristische Hochgebet bestimmt. Diese unterschiedliche Betonung ist aber nach Schillebeeckx nicht das eigentliche Problem; was umstritten ist, ist die Frage, wie diese Tatsachen gewertet werden müssen[67].

Man darf voraussetzen, daß die Wandlungsworte konsekratorische Kraft haben, obwohl dies nach Schillebeeckx nie offiziell vom kirchlichen Lehramt dogmatisiert worden ist[68]. Ob die Wandlungsworte aber exklusiv konsekratorisch sind, wäre zu untersuchen. Auf den Fragenkomplex Schillebeeckx' zugespitzt heißt das: gibt es in der kirchlichen Tradition Anzeichen für eine Auffassung, daß außer dem Einsetzungsbericht anderen Elementen der Eucharistie konsekratorischer Wert zugeschrieben wird? Konkret bezieht sich die Frage dann auch auf die konsekratorische Kraft des eucharistischen Gebetes überhaupt. Aus seiner patristischen Untersuchung nun schließt Schillebeeckx: »Die Patristik betrachtet die ganze Anaphora als eigentlichen Konsekrationsritus, allerdings in dem Sinne, daß in dieser Totalität sich ein eigentliches Kernmoment finden läßt. Dieses Moment scheint uns komplex, näherhin zweifach zu sein. Im Allgemeinen – d. h. ohne die eigene Bedeutung der ›forma sacramenti‹ und der *forma transsubstantiationis*‹ in der Eucharistie zu unterscheiden – können wir also mit recht großer Sicherheit behaupten, daß die liturgische Epiklese in der griechischen und lateinischen Patristik als ein innerlicher Mitbestandteil der ›forma *Eucharistiae*‹ betrachtet wurde; andererseits aber wurde im Westen seit dem zwölften Jahrhundert die ›forma Eucharistiae‹ – sowohl nach dem *Transsubstantiations-* als auch nach dem *sacramentum*-Aspekt – ausschließlich und hinreichend in die Einsetzungsworte gelegt«[69].

Ausgehend von dem Grundsatz, daß die Kirche in jeder Zeit ihrer Geschichte die ›substantia sacramentorum‹ weiterreicht, muß man aufgrund der historischen Untersuchung der Initiationssakramente feststellen, daß die Substanz offenbar in verschiedenen historischen Gestalten der Sakramente erhalten bleibt. Die sakramentale Substanz ist dabei weder an einer festen Gestalt der ›materia‹ noch an einer solchen der ›forma‹ der Sakramente gebunden, denn beide können sich im Laufe der Zeit entwickeln. Mit diesem Ergebnis wäre der erste Schritt vollzogen: die konkrete Gestalt der Sakramente kann sich ihrer Form und ihrer Materie nach entwickeln.

In einem nächsten Schritt muß nun die Substanz der Sakramente in ihrer hylemorphistischen Umschreibung mehr philosophisch-spekulativ untersucht werden, um so auch wieder die ›konkrete Gestalt‹ der Sakramente aufzufinden.

1.2.1.2. Die ›materia‹-und ›forma‹-Bestimmung in den Sakramenten

Seit der Hochscholastik wird die Substanz der Sakramente mit dem aristotelischen Schema der ›materia‹ und ›forma‹ bestimmt. Dieses Schema wenden die aristotelisch denkenden Theologen auf die Sakramente in Anlehnung an den allgemeinen Gebrauch für die Beschreibung jedes Gegenstandes an. Dabei stützen sie sich theologisch auf die patristische Unterscheidung zwischen ›verbum‹ und ›elementum‹ in den Sakramenten: ›elementum‹ bezeichnet dann das Körperliche; ›verbum‹ die göttliche Inspiration, die das Körperliche beseelt und zum Werkzeug des Heiles macht. In der Sakramentenauffassung der Väter muß man aber berücksichtigen, daß ›sacramentum‹ oder ›mystèrion‹ stark heilsgeschichtlich bestimmt sind. Die Zweiteilung der Sakramente durch ›verbum‹ und ›elementum‹ verweist somit mittels der Verbumkategorie auf die Kontinuität des Heilshandelns Gottes innerhalb der Schöpfung, der Erlösung Christi und des sakramentalen Handelns der Kirche[70]. Was in der Patristik Ausdruck einer praktischen, rituellen Umschreibung mit heilsgeschichtlicher Reminiszenz war, wird in der Scholastik zu einem theologischen Schema mit aristotelischen Hintergründen. Diese Stufe der Umdeutung findet sich im Anfang der Hochscholastik und erreicht bei Thomas ihre klarste Formulierung. Nach Schillebeeckx kann man bei Thomas nicht von einer Zweiteilung der Sakramente in ›materia‹ und ›forma‹ sprechen, denn Thomas stellt die ganze Erörterung der ›materia‹ und ›forma‹ in den Sakramenten[71] in den Gesamtrahmen der sakramentalen ›significatio‹. »Thomas betrachtet das verbum und das elementum, das Glaubenswort und die liturgische Handlung, als *einander zugeordnete (komplementäre) Äußerungen* einer einzigen, gleichen Intention oder Bedeutung. Außerhalb der *significatio* oder vorausgreifend auf die Konstitution des formell-sakramentalen Zeichenwertes die ›materia‹ und ›forma‹ zu erörtern, steht außerhalb eines jeden thomistischen Kontextes«[72]. Thomas' Hylemorphismus kann somit nur verstanden werden als eine Funktion der sakramentalen Glaubensintention[73].

Für Schillebeeckx gibt es dann auch kein Gespenst des Hylemorphismus; wohl aber gibt es für ihn das Gespenst des Physizismus, der in der Gestalt des Hylemorphismus auftreten kann. Unter diesem physizistischen Hylemorphismus versteht Schillebeeckx eine spätscholastische (und neuscholastische) Entwicklung, in der die Identifikation eines praktisch-rituellen Sakramentenverständnisses und des aristotelischen Gedankengutes a priori verstanden wird. Die Theologie lebt dann nicht mehr aus dem Kontakt mit dem lebendigen Sakramentenverständnis der Kirche, das, ohne ihm eine Beschränkung aufzuerlegen, zu systematisieren (eventuell auch aristotelisch), Aufgabe der Theologie ist. Vielmehr leiten die Theologen dann aus einem physizistischen Hylemorphismus a priori nur noch deduktiv eine ›materia‹ und ›forma‹ für jedes Sakrament ab, auch wenn dies mit erheblichen Schwierigkeiten – wie bei der Buße und Ehe[74] – verbunden ist. Jede Deduktion aus einem einzelnen Prinzip führt in der Sakramentenlehre zu einer Blindheit für das »Offenbarungs«-ereignis und den Mysteriengehalt der Sakramente.

Außerdem – und dieser Vorwurf bezieht sich stärker auf den Physizismus – wird jede Beschreibung der Sakramente mit den physisch verstanden Kategorien der ›materia‹ und ›forma‹ die Sakramente materialisieren. Sakramente werden zu Dingen und man ist nicht mehr in der Lage, sie als Mitteilungsweisen Gottes zu verstehen.

Schillebeeckx nennt die materia-forma-Lehre bei den Sakramenten ein kontingentes Hilfsmittel zur Einkleidung einer absoluten Aussage[75].

1.2.1.3. Versuch einer Neuinterpretation Schillebeeckx'

Nachdem einerseits festgestellt wurde, daß die konkrete Gestalt der Sakramente sich – sowohl nach ›forma‹ als auch nach ›materia‹ – entwickeln kann, und sich auch tatsächlich entwickelt hat, hat sich andererseits gezeigt, daß die Sakramentenauffassung in der mehr spekulativ gerichteten Theologie doch eine mehr oder weniger feste Struktur besitzt, die man mit Hylemorphismus (physizistisch oder nicht) andeuten kann. Da Schillebeeckx sich ausdrücklich dagegen wehrt, diese hylemorphistische Struktur a priori zu verstehen, erarbeitet er eine Synthese, in der die Struktur der Sakramentalität so verdeutlicht wird, daß einerseits zwar ein Modell für das kirchliche Sakramentenverständnis geboten wird, andererseits aber die Sakramentenbestimmung ein entwicklungsfähiges Element impliziert.

In seiner »Aufbauenden Besinnung auf die zweifache Struktur der Sakramente« geht Schillebeeckx von einer anthropologischen Perspektive aus[76]. Die Leib-Seele-Einheit des Menschen wird nicht hinreichend mit einer platonischen oder kartesianischen Lösung umschrieben; weder Plato noch Descartes können die Getrenntheit des Leibes und der Seele zu einer wirklichen Einheit bringen. Daher bietet sich eine integrale Betrachtung des Menschen als Einheit von Leib und und Seele an, die man eine phänomenologische Anthropologie nennen könnte[77].

Die menschliche Leibhaftigkeit ist geistverbunden; die menschliche Geistigkeit ist stoffgebunden. Das menschliche Handeln ist zwar stoffgebunden, aber ihm eignet immer eine eigentümliche

Transzendenz. »Es gibt also im Menschen ein transzendentes, subsistentes Prinzip, das es ihm erlaubt, in dem Materiellen über das Materielle hinauszureichen und dieses Materielle mit einem geistigen Sinn zu füllen«[78]. Die ganze körperliche und materielle Welt erhält so eine spezifisch-menschliche Finalität, da alles Materielle die Möglichkeit hat, das Geistige zu verkörpern und so Ausdruck der menschlichen Geistigkeit zu werden. »Der menschliche Leib ist dann nicht nur die äußere Erscheinung der menschlichen Seele (. . .), sondern er ist auch *derjenige, in dem* und durch den die Seele zur Person heranwächst, und weiter und infolgedessen derjenige, in dem sich ihre Personwerdung *ausdrückt*. Das Materielle wird so durch die eigene Leibhaftigkeit des Menschen das Instrument des geistigen Aktualisierungsprozesses und außerdem die Ebene für den Ausdruck dieses Prozesses. Die Seele vermittelt also *Sinn* und Bedeutung an die leibliche Erscheinung«[79]. In dieser Anthropologie nun wird die Symbolaktivität nicht ein Einzelfall des menschlichen Handelns, sondern sie bietet genau dieselbe Struktur wie das menschliche Handeln und die menschliche Sinngebung der Materie überhaupt. Die Symbolaktivität wird auf diese Weise in das menschliche Sein und Handeln integriert.

Ihre Einordnung in die gesamte Personalität führt zu einigen wichtigen Konsequenzen:

a) »Die Erkenntnis des Geistigen hat im Menschen keine *eigene* Ausdrucksweise; diese entnimmt sie der spezifisch-menschlichen Erkenntnis des Leiblichen. Die phänomenale Welt wird von uns also zu einem Zeichensystem, zu einem Netz sinnvoller Beziehungen ausgebaut, in dem die Person – als Mitglied einer Personengemeinschaft – ihre intentionalen Beziehungen zu sich selbst, zu Gott und der Außenwelt verkörpert und diese Beziehungen dann auch sinnvoll, erkennbar, erfaßbar für ihre Mitpersonen macht«[80].

Diese These der exklusiv-kreatürlichen Gebundenheit der menschlichen Geistesaktivität bildet einen Pfeiler in Schillebeeckx' Denken. Man muß hierbei berücksichtigen, daß diese Aussage auf die Personauffassung in der Anthropologie D. De Petters begründet ist[81].

b) Aus dem allgemeinen Satz der materiellen Verbundenheit des menschlichen Geistes in Verbindung mit der These der Exklusivität dieser Bindung kann man umgekehrt auch etwas über die Eigenart der Kreatürlichkeit und Symbolfähigkeit aussagen. Wenn jede menschliche Geistesaktivität die materiellen Dinge verwenden muß, dann haben die materiellen Dinge eine mögliche Geistverbundenheit: jedes materielle Ding kann mehr enthalten als es vorgibt. Ist dies der Fall, dann haben wir es mit einem Symbol zu tun. »Wir müssen uns hier klar vor Augen führen, daß wir das Symbol nicht hypostasieren dürfen: es geht nicht primär um das Symbol (die ›res naturae‹) oder das Bezeichnete, sondern um die Symbol*aktivität* (. . .). M.a.W. das Symbolzeichen ist als Erfahrungsmoment ein reales Zeichen. Symbolschöpfung ist die Tätigkeit des menschlichen Geistes; deshalb dürfen wir ein Zeichen nicht als ein bloßes Ding, als bloße ›res naturae‹, sondern nur als eine ›res naturae‹ betrachten, die als Moment der menschlichen Geistesaktivität aufgenommen worden ist und in ihr ihren Platz hat«[82].

Materie, die als Symbol verwendet wird, verweist also primär auf die menschliche Geistesaktivität: sie darf nie allein für sich betrachtet werden. Der Satz der exklusiv-kreatürlichen Gebundenheit der menschlichen Geistesaktivität ist also von schöpfungstheologischer und anthropologischer Bedeutung: das Materielle kann Ausdruck des menschlichen Geistes werden und zugleich verweist ein aus der menschlichen Geistesaktivität und aus dem Materiellen entstandenes Symbol auf die anthropologische Dimension der Symbolschöpfung. Betrachtete man ein Symbol nur in seiner Materialität, so entkleidete man es seiner Funktion in der menschlichen Kommunikation[83].

c) Das Symbol ist enthüllend und verhüllend. Ein Symbol versucht, eine unbekannte oder unbewußt und implizit empfundene Wirklichkeit zu ordnen und einsichtig zu machen, indem es einen Kontaktpunkt zwischen der bedeuteten Wirklichkeit und der Sinneswelt bildet. Durch ein Symbol wird Wirklichkeit angedeutet, aber nicht in ihrer ganzen Ausdrücklichkeit gegenwärtig gestellt[84].

d) Es geht nicht an, die Symbolaktivität des menschlichen Geistes nur auf die Handlungsebene zu beschränken. Auch die Sprache dürfen wir als ein Symbolsystem andeuten, das denselben Regeln wie der Symbolhandlung unterworfen ist. Wort und Handlung sind somit beide Weisen der Explizitmachung[85] für die menschliche Symbolaktivität und Sinngebung der Wirklichkeit. »Handlung und Sprache machen also eine Geistesintention, eine Erfahrung, eine Idee explizit, und durch die explizite Darlegung machen sie sie bis zu einem gewissen Grade mitteilbar und für Mitsubjekte begreifbar. Beide sind intersubjektive Mitteilungsweisen. Auch wenn die Sprache in Hinblick auf Genauigkeit des Ausdrucks – psychologisch gesehen – meist einen gewissen Vorzug verdient, kann doch die Suggestion der Ausdruckskraft wechseln: eine Handlung kann suggestiver sein als ein Wort. Eine symbolische Handlung kann *sprechender* sein als eine abgemessene Sprache. Auf jeden Fall aber wird es der genauen Erfaßbarkeit des Symbolisationsprozesses zugute kommen, wenn das begleitende Wort die Handlung vor Mißdeutung schützt«[86].

In der Symbolaktivität darf man dann auch die Handlung und das Wort nicht als zwei getrennte Elemente betrachten, denn beide haben sie in derselben Weise an der Symbolaktivität oder Sinngebung teil. Sprache und Handlung sind zwei aufeinander hingeordnete und komplementäre menschliche Akte, die beide eine unbekannte Wirklichkeit – wie Erfahrung, Sinn oder Intention – zum Ausdruck bringen.

Wenn wir nun dieses anthropologische Verbindungsstück zwischen der historischen und spekulativen Betrachtung zusammenfassen, muß man sagen, daß für Schillebeeckx die absolute Priorität eindeutig der Symbolaktivität als solcher zukommt. Weder das Symbol selbst, die Handlung oder das Wort, noch das im Symbol Angedeutete sind Ausgangspunkte seiner anthropologischen Vorüberlegungen. Schillebeeckx nennt diese Symbolaktivität selbst Sinn oder »significatio«[87].

Bei dieser Anthropologie ist es bemerkenswert, daß das Symbol und die Symboltätigkeit im Grunde Deduktionen eines einzelnen philosophischen Prinzips sind: die Einheit von Leib und Seele. Diese Einheit zwischen Leib und Seele ist nun ein Prinzip, das nur das Individuum betrifft; eine soziale Bindung innerhalb des Leib-Seele-Prinzips fehlt. Da die Symboltätigkeit eine Deduktion dieses individualistischen Leib-Seele-Prinzips ist, fehlt auch ihm die soziale Dimension. Eine Symboltätigkeit kommt dem einzelnen Menschen zu: er symbolisiert seine Erfahrung oder Intention auf seine eigene Weise, ohne sich in erster Instanz um die Verständlichkeit seines Symbolisierens zu kümmern. Erst wenn die Frage nach der Kommunikationsfähigkeit einer Idee oder Intention auftritt, erhält die Symboltätigkeit bei Schillebeeckx eine soziale Dimension. Die Frage, wo die Kommunikationsfähigkeit beheimatet ist, entweder vorgängig schon im Menschen selbst, oder erst nachträglich in der Verständlichkeit der Symboltätigkeit läßt sich nur aus einer Untersuchung des Personbegriffs beantworten[88].

In der anthropologisch-phänomenologischen Theorie der menschlichen Symbolhandlung findet man ein Interpretationsmodell für die sakramentale Wirklichkeit. Denn die sakramentale Symbolaktivität der kirchlichen Gemeinschaft kann genau dieselbe Struktur aufweisen, wie die normal-menschliche Symbolaktivität, die das Sein und Handeln des Menschen bestimmt.

In der anthropologischen Vorstudie hat sich gezeigt, daß in der menschlichen Symbolaktivität die Handlung und das Wort zur Ebene der Explizitmachung gehören und daß das Wort nicht zu einer völlig anderen Kategorie als zu der der Handlung gehört. Deshalb stellt sich auch die Frage nach dem Zusammenhang von Handlung und Wort in den Sakramenten. Ist es so, daß das Wort immer in den Sakramenten das Glaubenswort, das Mysterium, andeutet, während die Handlung oder die ›materia‹ die Veräußerlichung darstellt und so immer nur das Symbolische andeutet?

Wenn Materie und Form der Sakramente Einzelbestimmungen des Sakramentes sind und wenn für das Sakrament im allgemeinen gilt, daß es »in genere signi« verstanden werden muß, dann muß die Form des Sakramentes auch von der allgemeinen signum-Kategorie bestimmt werden. Das sakramentale Wort ist genau wie die Handlung als Symbol zu verstehen und unterliegt den Gesetzen des Symbols. »Die Sakramente als Symboltaten sind somit *verbale* und *rituelle* Explizitmachungen des Glaubens und nur als solche, d. h. als objektives Bekenntnis der Kirche, wirklich sakramentale Symboltaten«[89].

Durch diese Einsicht gerät man in eine eigenartige Lage. Wort und Handlung des Sakramentes sind nämlich als Materie zu betrachten, da sie beide Explizitmachungen einer inneren Erfahrung oder Wirklichkeit sind. Es liegt nun nahe – in Analogie zur phänomenologischen Anthropologie – diese innere Wirklichkeit, aus der sowohl das Wort als auch die Handlung entstammen, ›forma sacramenti‹ zu nennen. »Wenn wir uns in dieser Perspektive auf den kirchlichen Gebrauch der ›materia-forma‹-Terminologie als erklärenden Begriffsapparat berufen, so müssen wir die ›significatio sacramentalis‹ selbst ›forma sacramenti‹ nennen; diese wird ausgedrückt in der ›materia‹, in Wort und Tat, die beide Träger der einen ›significatio‹ sind. Bei dieser Beziehung betrachten wir somit die vollständige Symboltat nach ihrem inneren und äußeren Aspekt: die ›Exteriorität‹ (Worte und Handlungen) ist von einer ›Interiorität‹, der ›significatio‹, beseelt, die also den äußeren ins Wort gefaßten Handlungskomplex ›Form‹ gibt«[90].

Wenn wir uns auf die Ebene der Exteriorität begeben, können wir in dieser »materia sacramenti« noch einmal eine Unterscheidung zwischen Wort und Handlung anbringen, denn in der phänomenologischen Anthropologie hatte sich gezeigt, daß das Wort immer einen psychologischen Vorzug gegenüber der Handlung einnimmt. Die Handlung ist mehrdeutig und das Wort gibt der Handlung die konkrete Bedeutung. Deshalb kann man auf der Ebene der Exteriorität das Wort gegenüber der Handlung als »forma« gegenüber »materia« bestimmen, da auch hier das Wort der Handlung wieder ihre »Form« und ihren Sinn gibt[91]. Deshalb muß man in Schillebeeckx' Sakramententheologie klar die doppelte Bedeutung der »forma sacramenti« sehen: einerseits die »significatio«; andererseits das Wort als Form der Handlung und der verwendeten Materie. Schillebeeckx beruft sich für diese Doppelung der Bedeutung der sakramentalen Form auf die Sakramententheologie des Duns Scotus und des Johannes a Santo Thoma (1589–1644) als historische Zeugen für eine solche Doppelung[92].

Wir haben schon gesehen, daß Schillebeeckx eine Abneigung vor jedem sakramentalen Physizismus hat. Auch diese Doppelung der ›forma‹ und ›materia‹ muß man in diesem Kontext der Abwehr eines deduktiven Hylemorphismus betrachten. »Das materia-forma-Verhältnis liegt also nicht auf der Ebene der sogenannten physischen Konstitution des Sakramentes, sondern formell auf der Ebene der Explizitmachung – die genau die dem Sakrament eigentümliche Ebene ist –, da Sakramente keine Dinge oder ›Handlungen‹ sind, sondern Symboltaten: Momente einer übernatürlichen Geistesaktivität, Momente der Explizitmachung einer inneren Glaubensintention der Kirche. *Sacramentum* ist im Wesen: *Explizitmachung des Intentionellen*, d. h. weder das Intentionelle selbst, noch das Physische, sondern *Explizitmachung des* Intentionellen *in* das Körperliche: ›sacramenta fidei Ecclesia‹«[93].

Die konkrete Gestalt der Sakramente in spekulativ-theologischer Betrachtung kann man also mit der Materie und Form des Sakramente im Sinne der Explizitmachung umschreiben. Die Untersuchung nach der konkreten Gestalt der Sakramente wird geleitet von dem Bewußtsein, daß es in der sakramentalen Wirklichkeit im Laufe der Geschichte Verschiebungen in Materie und Form gegeben hat. Nun hat das Tridentinum in Cap. 2 der Sessio 21 bestimmt, daß die Kirche in der sakramentalen Wirklichkeit Änderungen durchführen kann, die die ›substantia sacramenti‹ nicht betreffen[94]. Die Frage, die Schillebeeckx jetzt stellt, betrifft die Art und Weise, wie man sich eine ›substantia sacramenti‹ vorstellen soll, die mit den historischen Verschiebungen vereinbar ist. Dazu wählt er eine Position, in die er sowohl die Initiative Gottes als auch das menschliche Handeln einordnen kann. »Die Heilsgeschichte tritt also in ein ›doppeltes‹ und doch wirklich-einziges Bewußtsein des christlich glaubenden und gleichzeitig erfahrenden und denkenden Menschen ein. ›Theandrische‹ Ereignisse wie die Sakramente können wir somit *in ihrer konkreten Vollständigkeit* weder über einen rein gläubigen noch über einen rein historischen Weg erreichen. Damit man alle Ausmaße des konkret-sakramentalen Ereignisses ermessen kann, müssen Glaube und Geschichte in eine höhere ›Zusammen-Schau‹ geführt werden, ohne daß dadurch die Eigengesetzlichkeit der beiden Standpunkte beeinflußt wird«[95].

Schillebeeckx weist dann auch eine Interpretation der sakramentalen Substanz ab, die sich mit einer materiellen Wiederholung des scholastischen Satzes begnügt. Der Aufschwung der historischen Forschung stellt ganz neue Forderungen an eine Sakramententheologie, die in der scholastischen Formulierung nicht berücksichtigt werden konnten. Andererseits aber weist Schillebeeckx auch eine Reduktion der sakramentalen Substanz auf die ›significatio sacramentalis‹ ab. Er gesteht zwar den Theologen, die dieser Auffassung sind[96], zu, daß sie mit dieser Bestimmung in einer richtigen sakramentalen Perspektive stehen, aber genauso wenig wie die Sakramentalität physizistisch aufgefaßt werden darf, so darf sie auch nicht bloß intentional verstanden werden. Schillebeeckx versteht unter der Substanz des Sakramentes oder unter dem dogmatisch-konstanten Kern des Sakramentes: »die sakramentale *significatio* in dem Sinne, daß sie sowohl in *einem* Wort als auch in *einer* Handlung *explizit dargestellt* wird oder sich nach außen hin zeigt«[97]. So bleibt er treu bei der Lehre des Tridentinums, daß es in den Sakramenten einen wesentlichen, unveränderlichen Kern gibt, der von Christus aus bis zu uns kommt, und er berücksichtigt gleichzeitig die historischen Veränderungen, die im Laufe der Zeit im Ritus der Sakramentenspendung eingeführt wurden.

In der Frage nach der Substanz des Sakramentes zeigt sich der Sinn der komplizierten Unterscheidung einer doppelten Bedeutung der Form des Sakramentes[98]. Denn nur, wenn man von einer Form des Sakramentes im Sinne der Explizitmachung – und nicht nur der Verbalform – sprechen kann, kann man das Substanzmoment bei der Sakramentenbestimmung genau umschreiben.

Zusammenfassend können wir somit die verschiedenen Faktoren der ›substantia sacramenti‹ formulieren: die ›significatio‹ im Sinne einer Explizitmachung, m.a.W. *signum externum;* diese Explizitmachung setzt sich zusammen aus einem *Wort* und einem *Ritus,* die beide aufeinander hingeordnet sind; aus dem Ritus in Verbindung mit den ›verba sacramenti‹ muß man deutlich die ›significatio‹ *ersehen* können; m.a.W. nicht die *materia* und *forma* im materiellen Sinne gehören zur ›substantia sacramenti‹, sondern nur im formellen Sinne, d. h. ›in linea significationis‹, abgesehen von einigen Fällen (z. B. Eucharistie und Taufe), in denen die *materia* auch nach ihrer physischen Gestalt offenbar von Christus selbst eingesetzt wurde, aber dann soll auch dieses Physische nur *nach* seiner Symbolik ›materia sacramenti‹ genannt werden«[99].

Schillebeeckx' Sakramententheologie ist nicht von einer Detailanalyse der forma und materia der Sakramente bestimmt; auch die innere Bedeutung des sakramentalen Handelns der Kirche, die schließlich im Glauben selbst gegeben ist, bildet nicht den Ausgangspunkt für ein richtiges Verstehen der Sakramente; einzig und alleine der Akt der Explizitmachung selbst ist das Zentrum des Sakramentenverständnisses Schillebeeckx'. Um dieses Zentrum ordnen sich dann die sakramentale ›significatio‹ nach der Seite der Interiorität und die Materie und Form in ›formeller Hinsicht‹ nach der Seite der Exteriorität. Die materia und forma in ›materieller Hinsicht‹, als konkrete, materielle Gestalt des Glaubenswortes und der liturgischen Handlung, bilden den historisch-kontingenten Inkarnationsaspekt der Sakramente[100], der unter die Gestaltungsvollmacht der Kirche fällt und sich somit auch den verschiedenen Zeiten und Situationen anpaßt[101].

1.2.2. Das Merkmal und seine Stellung in der sakramentalen Symbolaktivität

1.2.2.0. Einleitung

Schillebeeckx' Sakramententheologie ist auf das thomasische Prinzip gegründet, daß jedes Sakrament – auch das christliche – einen Zeichencharakter besitzt. Diesen Zeichencharakter nun kann man mit der Kategorie des Symbols andeuten, da das Symbol eine Explizitmachung einer vorgegebenen Wirklichkeit angibt. Das Sakrament kann man dann in seinem Symbolaspekt umschreiben als die Explizitmachung einer impliziten, geistigen Intention[102] in konkret materielle Worte und Handlungen.

Nun ist das Sakrament aber nicht nur ein selbstgesetztes Zeichen einer Gemeinschaft, die in ihm des einmaligen Heilsereignisses gedenkt. In der Symbolaktivität selbst wird gleichzeitig das Heilsereignis heilswirksam. Nicht nur die versammelte Gemeinschaft ist aktiv im Sakrament, sondern im Sakrament wird auch das Heil gewirkt und ist Gott handelnd gegenwärtig.

1.2.2.1. Das Merkmal als Nervenknoten[103] zwischen Signifikation und Kausalität

Wenn man im Sakrament den Symbolcharakter und den Mysterienaspekt unterscheiden kann, dann handelt es sich dennoch nicht um zwei getrennte Bereiche des einen Sakramentes. Der Ausgangspunkt der Sakramententheologie bildet nicht eine Art Doppelbetrachtung der Symbolaktivität und der Wirksamkeit, sondern nur das eine Sakrament selbst, in dem Signifikation und Effikazität integriert sind. Diese Integration der beiden Bereiche in das eine Sakrament kommt in der Konzeption Schillebeeckx' dem sakramentalen Merkmal zu: »das Merkmal wird sich als Nervenknoten zeigen, in dem sowohl die kultische Heilsbitte der sakramentalen Symboltaten als auch ihre *wirksame* Heilskausalität zusammentreffen, und aus dem Sakrament gerade seinen Mysterienaspekt aufgrund der mystischen Realität des Merkmals als Teilhabe an dem Priesteramt des Ursakramentes, Christus Jesus, als ›organum Divinitatis‹ enthält«[104].

In seiner Theologie des sakramentalen Merkmals räumt Schillebeeckx – wie übrigens in seiner ganzen Sakramentenlehre[105] – der Auffassung des Thomas einen sehr großen Platz ein[106]. Als erstes Prinzip des Merkmals weist Thomas auf die kultisch-rituelle Bestimmung des sakramentalen Merkmals hin: »ad perficiendum animam in his quae pertinent ad cultum Dei secundum ritum Christianae vitae«[107] aufgrund der Inbesitznahme des Charakterisierten[108] durch Gott im Sakrament. Dieses Prinzip begründete Thomas auf einen Vergleich zwischen der Charakterisierung als Besitzandeutung und der Charakterisierung im kirchlich-sakramentalen Sinne. In diesem Vergleich nun bildet nicht das Merkmal an sich, sondern die im Merkmal angedeutete Befugnis und

Sendung den Vergleichspunkt; es geht nicht um das äußere ›sig-num‹, sondern um das im Ritus der Sakramente verliehene ›sig-nificatum‹[109]. »Das Merkmal als innere Wirklichkeit ist (. . .) eine *potestas*, die innere Zuständigkeit, um an den spezifisch-eigenen Handlungen der Kirchengemeinschaft, die eine Kultgemein-schaft ist, teilzunehmen; aber jene *potestas* ist nur im übertrage-nen Sinne ein ›Merkmal‹, da die charakterisierende Prägung als äußeres Zeichen der neuen, geistigen Bestimmung genau in dem sakramentalen Ritus selbst liegt«[110]. Da das sakramentale Merk-mal eine geistige Potestas bezeichnet, wird es auch in einem Sa-krament übertragen.

Nach Schillebeeckx ist diese auf die innere Befugnis und Sendung gerichtete Deutung durch keine andere zu ersetzen, da man sonst in unendliche Schwierigkeiten gerät. »Nur in dieser Interpreta-tion erhält das antike Klima, in dem das Glaubensfaktum ›Merk-mal‹ genannt wurde, seinen alten suggestiven Sinn, und sind wir von Anfang an gegen Spekulationen über die Frage gesichert, wie eine rein geistige Wirklichkeit ein Unterscheidungszeichen sein kann; wie und von wem dieses Unterscheidungszeichen gesehen werden kann, (von den Engeln?) und mehr solcher Fragen. Nur so wird eine hierarchische Struktureinheit der Kirche als äußere, innerlich-beseelte Kultgemeinschaft mit einer eigenen typischen Symbolaktivität begründet werden können«[111].

Ausgehend von dem Prinzip, daß das sakramentale Merkmal primär eine Befugnis und Sendung einer Person im Dienste der Kultgemeinschaft der Kirche darstellt, wird man mit der Frage konfrontiert, welcher Art das sakramentale Merkmal ist: eine ju-ridisch-rechtliche Befugnis und Sendung oder eine Beauftragung mit einer Wesensveränderung? Schillebeeckx ist der Meinung, daß eine juridische Beauftragung nicht ausreicht, um jemandem eine Befugnis und Sendung zum sakramentalen Kult der Kirche zu geben. In kurzen Zügen wird dies klar in einem Artikel »Merkmal« (Merkteken) in dem »Theologisch Woordenboek«: »Normalerweise ist eine solche Bevollmächtigung zur Teilnahme an den charakteristischen Handlungen einer Gemeinschaft eine reine ›Jurisdiktion‹, d. h. eine juridische Wirklichkeit oder eine ›potestas moralis‹. Wegen der Eigenart der kirchlichen, sakramentalen Kulthandlungen, die die irdische Sakramentalisierung der persönlichen Heilstaten des verherrlichten Christus sind, genügt hier aber nicht eine rein juridische Vollmacht. Die sakramentale Handlung der Kirche ist persönlich eine Handlung Christi, des Kyrios. Die Kultmacht muß deshalb so geartet sein, daß die Handlung des Charakterisierten (. . .) *realiter* die Handlung des himmlischen Christus ist, m.a.W. die irdische, sichtbare Seite oder Sakramentalisierung der persönlichen Heilshandlung Christi« [112]. Schillebeeckx möchte also die Frage nach der Eigenart des sakramentalen Merkmals in einen größeren Rahmen stellen: das thomasische Prinzip der Einheit zwischen Symboltätigkeit und Heilswirksamkeit ist in der einigenden Kraft des Merkmals selbst begründet. Die Aussage, daß das sakramentale Merkmal zum Kult beauftragt, knüpft somit eine Verbindung zwischen dem Kult der sichtbaren Kirche und der Natur des sakramentalen Merkmals.

Schillebeeckx versucht nun in der »Sacramentele Heilseconomie«, diese Eigenart des Merkmals anhand des Kultes der Kirche zu definieren, eine Prozedur, die man in dem erwähnten Artikel im ›Theologisch Woordenboek‹ oder in seinem Werk ›Christus. Sakrament der Gottbegegnung‹ nicht so ausdrücklich antreffen kann. Trotzdem scheint dieser Begründungsvorgang im Konzept der ›Sacramentele Heilseconomie‹ absolut notwendig zu sein. Wenn nämlich das sakramentale Merkmal der ›Nervenknoten‹ zwischen Symbol und Mysterium ist, kann man die Eigenart dieses Merkmals nur schwerlich aus dem dogmatischen Satz herleiten: Jedes Sakrament ist die Vergegenwärtigung der Heilstaten Christi. Eine solche Ableitung würde den ›Nervenknoten‹ im Mysteriumcharakter des Sakramentes verankern und so einen ›circulus vitiosus‹ aufstellen. Deshalb muß man weiter ausgreifen und eine Umschreibung der Eigenart des sakramentalen Merkmals aus der konkreten Kultaktivität und Kultauffassung der Kirche herleiten, damit man diesen Zirkel vermeidet.

Christlicher Kult nun ist keine Vermehrung der Ehre oder Herrlichkeit Gottes. Christlicher Kult kann nur im Vollzug Gottes im menschlichen Leben liegen, und zwar in der Gestalt einer Selbstgabe und Selbstenteignung. »Der Kult ist nicht eine

Bereicherung Gottes, sogar keine Genugtuung Gottes schlecht-hin; er ist nur Genugtuung Gottes in dem Sinne, daß wir Gott *in* unserem menschlichen Leben *realisieren*. Außerdem: die Selbstgabe oder die *oblatio* und die Selbstenteignung oder die *immolatio* sind zwei fundamentale Aspekte jedes recht gearteten Kultes«[113].

Dieser Kult der Selbstgabe und der Selbstenteignung kann der Mensch aber von sich aus Gott nicht darbringen, da er sich durch die Sünde aus dem Liebesband als Voraussetzung für jeden Kult herausgelöst hat. Nur der Mensch Jesus Christus war in der Lage, einen in der Liebe begründeten, authentischen Kult Gott darzubringen. Die Selbstgabe und Selbstenteignung Christi bil-den somit die notwendige Voraussetzung für jeden echten menschlichen Gotteskult[114]. Jede Gottesbeziehung hat in dem Christusereignis und der Präsenz Christi ihre Quelle.

In dieser strengen Christozentrik des menschlichen Kultes muß nun auch die Natur des sakramentalen Charakters bestimmt werden.

Die Einmaligkeit des Opferkultes Christi bestimmt den Kult der Kirche. Die Kirche kann nicht aufgrund einer zeitlichen Vorgän-gigkeit des Christusereignisses ihren Gotteskult darbringen; sie kann es nur, wenn sie an der priesterlichen Vollmacht Christi in-strumental beteiligt ist, um so in dem Liebesbund zum Vater zu stehen. Nur wenn die Kirche in ihrer Ganzheit und in ihr ein-zelne Personen ontologisch zum Kult der Gemeinschaft befugt und gesandt werden, kann sie in der Nachfolge Christi und in Anlehnung an ihn die sakramentale Symboltätigkeit so auffassen, daß in der Kirche Christus selbst handelt. »Ohne das Merkmal als ontologisch-reale Teilhabe an dem Priesteramt Christi sind die Sakramente keine Sakramente, d. h. keine Mysterienfeiern der historischen Heilstaten Christi, die in den Sakramenten wir-ken; ohne das Merkmal verlieren die Sakramente ihre objektive Bittkraft und ihre instrumentale Gnadenwirksamkeit; ohne das Merkmal sind sie keine spezifisch-eigenen, charakteristischen Kulthandlungen der Kirche Christi«[115].

Das Merkmal als ontologisch-reale Teilnahme an dem Priester-amt Christi deutet also eine Partizipation an. Dadurch steht der sakramentale Charakter in einer doppelten signum-Perspektive: einmal wird er in einer sakramentalen Symbolhandlung als Zeichen der Teilhabe am Priesteramt Christi verliehen; zugleich aber ist im sakramentalen Merkmal auch innerhalb der Kultaktivität die Kirchengemeinschaft repräsentiert, denn gerade das ist das ›significatum‹ des Merkmals[116].

Angesichts des sakramentalen Merkmals überhaupt stellt sich nun die entscheidende Frage, ob die Merkmale der Taufe, Firmung und Priesterweihe alle diese Zweipoligkeit besitzen. Für den Charakter der Priesterweihe ist dies eine deutlich in der Lehre der Kirche und in der Tradition verankerte Lehre: das priesterliche Merkmal befugt und sendet zur Sakramentenspendung der Kirche, es ist eine ›potestas activa‹. Die Frage ist aber, ob das Merkmal der Taufe und der Firmung nicht lediglich zum Empfang der Sakramente befähigt und ob man dann diese Befugnis und Sendung somit nicht als eine ›potestas passiva‹ andeuten muß[117]?

Thomas spricht von dem Tauf- und Firmmerkmal als ›potestas passiva‹[118], obwohl diese Passivität nicht so eindeutig ist, da Thomas anderorts die Einschränkung ›gewissermaßen‹ hinzufügt[119]. Wenn die Sakramente aber gerade aktive Symboltätigkeit der Kirche sind, dann sind auch die Kirchenmitglieder auf irgendeine Weise aktiv handelnde Personen und nicht nur passive Empfänger eines dinghaften Sakramentes. »Die Bevollmächtigung zum Empfang eines Sakramentes impliziert für den Erwachsenen einen positiven Einsatz beim Empfang, wenn dieser Empfang wirklich ein Sakrament sein soll«[120]. Für Schillebeeckx wäre eine Deutung des Tauf- und Firmmerkmals als ›potestas passiva‹ das trojanische Pferd in seiner ganzen Sakramentenauffassung. Eine solche Interpretation stünde in einem unversöhnlichen Gegensatz zur aktiven Teilnahme der Gläubigen[121] und zur Theologie des Sakramentes im Sinne einer Symbolaktivität. Eine solche Unvereinbarkeit kann aber im Grunde nicht als Argument für die Interpretation des Merkmals als ›potestas activa‹ gelten, da es auch zu einer Revision der bisherigen Ergebnisse führen kann. Für Schillebeeckx tritt nun aber noch ein entscheidendes Argument in den Vordergrund. Jeder Christ hat die Vollmacht außerordentlicher Spender der Taufe und namentlich ordentlicher Spender des Sakramentes der Ehe zu sein[122].

Gerade dieses letzte Argument führt zum Schluß, daß jedes Merkmal eine – zwar differenzierte, aber doch immer – aktive Sendung zum Dienst in der Kirche als Kultgemeinschaft ist: »Wir schließen deshalb, daß bei allen Sakramenten der Erwachsenen das Taufmerkmal in der Sakramentenintention als ›virtus instrumentalis‹ zu einer *aktiven* Teilnahme an den sakramentalen Kulthandlungen der Kirche fungiert und daß es für einige Sakramente gleichzeitig das Fundament einer noch spezifischeren, aktiven Teilnahme ist. So scheint es uns erlaubt, das Taufmerkmal eine ›potestas activa‹ zu nennen, damit der Charakterisierte als nicht-qualifiziertes Mitglied der kirchlichen Kultgemeinschaft an den charakteristischen Handlungen dieser Gemeinschaft und auch an jeder weiteren typischen Lebensaktivität der Kirche teilnehmen kann«[123].

Die verschiedenen sakramentalen Merkmale, die alle als ›potestas activa‹ gelten, werden aber weiter differenziert[124]. So gibt die Taufe die Eingliederung in den mystischen Leib Christi und die Befähigung zur aktiven Teilnahme an den Sakramenten[125]; die Firmung verleiht die ›In-Kraft-Setzung‹ des getauften Christen durch die Spendung des Hl. Geistes; durch die Firmung wird der Firmling als Glied der Kirche qualifiziert[126]; das priesterliche Merkmal verleiht Anteil an dem Priesteramt Christi zum Dienst an der Kirche, »ad alios«[127]. Die Differenzierung in der Einheit bildet das bedeutendste Ergebnis der Besinnung auf das sakramentale Merkmal, da von hier aus die Ansätze für eine Lehre der Kirche als Sakrament gegeben sind. Schillebeeckx formuliert diese Differenzierung in der Einheit zusammenfassend: »Die Differenzierung der drei Merkmale deutet einerseits auf die fundamentale Einheitsstruktur der drei Merkmale und andererseits auf die Tatsache, daß das Merkmal als Teilhabe an dem Priestertum Christi in der Kirche und durch sie eine Art Analogie ist, deren Hauptanalogon das Priesteramt Christi ist. Sie sind die Basis der objektiven Wirklichkeit des *Mysteriums* der sichtbaren Kirche und deshalb auch die Basis des ›ex opere operato‹-Charakters der erlösenden, kultischen und heiligenden Wirkung

Christi in der Kirche und durch sie. Sie verbürgen die Authentizität der Sakramentalität der Kirche und geben also der sakramentalen Mysterienfeier der ›mysteria carnis Christi‹ ihren authentischen Wert; dadurch wird es möglich, daß die historischen Mysterienhandlungen Christi nach ihrem Perennitätsgehalt wirklich in den Sakramenten zeichenhaft anwesend sind. Das Merkmal ist deshalb die tiefste Begründung des christlichen Kultmysteriums und überhaupt des ›mysterium Ecclesiae‹«[128].

1.2.2.2. Zusammenfassung und Würdigung

Es ist eine Eigenart der Theologie Schillebeeckx', daß in ihr das sakramentale Merkmal bei der Bestimmung des Sakramentes eine Zentralstellung zuerkannt wird. Das Merkmal ist Nervenknoten zwischen Symbolaktivität und Mysteriengehalt der Sakramente. Diese Stellung kann das Merkmal nur einnehmen, wenn es den Charakterisierten auf irgendeine Weise in Verbindung mit dem Christusereignis bringt. Schillebeeckx betrachtet das Band zwischen dem Charakterisierten und Christus als ein Besitzverhältnis. Der Charakterisierte hat dann den Auftrag, sichtbares Sakrament des himmlischen Christus zu sein und so die Handlungen der Kirche, namentlich ihren Kult[129], im Namen Christi sakramental zu gestalten. Aus seinem Wesen erhält der Charakterisierte seinen Handlungsauftrag: eine Befugnis und Sendung, um im Namen Christi authentisch kirchlich zu handeln.

Die Interpretation des Merkmals als ontologische Inbesitznahme und Sendung zum kirchlichen Dienst kann man der Kritik unterziehen, daß in dieser Auffassung das Merkmal zu stark ontologisiert, ja sogar mystifiziert wird[130]. Schillebeeckx weist aber seinerseits eine Interpretation des Merkmals als eine rein juridische oder moralische Befähigung und Vollmacht im Sinne eines Billots ab. Es wäre aber der Frage nachzugehen, ob etwa eine Interpretation des Merkmals, die von der ›Sendung‹ im trinitarisch-christologischen Sinne ausgeht, nicht eine fruchtbare Basis für eine Neuinterpretation des Merkmals bilden könnte. Die Sendung zum Dienst an den Brüdern könnte man dann als geschenkte Gnadengabe Gottes verstehen, die in ihrer Übermacht dem Merkmal Permanenz verleiht. Eine solche Interpretation könnte man weder als ontologische noch als rein juridische oder moralische Kategorie verstehen, sondern sie wird von der trinitarischen Sendung Christi und ihrer sakramentalen Weiterführung in der Kirche getragen. Dabei käme dann dem Begriff ›Sendung‹ eine Zentralstellung innerhalb der Heilsgeschichte zu.

Auf jeden Fall scheint die Sakramentenbestimmung Schillebeeckx' mit ihrem anthropologischen Schwerpunkt der Symbolaktivität eine Hervorhebung des Mysterienaspektes der Sakramente zu fordern, da sonst die Sakramente ihre christliche Bestimmung und Eigenart verlieren. Die starke Betonung des Merkmals in der Sakramententheologie Schillebeeckx' findet in dieser Einsicht wohl ihre Begründung.

1.3. *Der subjektive Vollzug der Sakramente. Sakramente als Begegnungen mit Christus*

Nachdem Schillebeeckx in dem ersten Teil der ›Sacramentele Heilseconomie‹[131] eine Auseinandersetzung mit der objektiven Seite der Sakramente gegeben hat und schon einige Ansätze zu einer möglichen Neuinterpretation herausgehoben hat, befaßt er sich in dem zweiten Teil dieses Werkes[132] mit der subjektiven Seite der Sakramente. Nicht mehr die Frage ›Was geschieht in den Sakramenten?‹, sondern ›Welche Rolle nimmt der Christ beim Vollzug der Sakramente ein?‹ steht zentral. Es geht dabei um die menschliche Aktivität in dem Sakramentengeschehen, insofern dem Menschen diese Komponente nicht allgemein vorgegeben ist und er so die Substanz der Sakramente mitbestimmt (wie etwa die Symbolaktivität in den Sakramenten).

Klassisch wird der Unterschied zwischen der objektiven und subjektiven Seite des Sakramentengeschehens mit den Sätzen ›ex opere operato‹ und ›ex opere operantis‹ angedeutet. Die Frage, die sich bei diesen Sätzen stellt, lautet, ob beide Aussagen lose nebeneinander gesehen werden dürfen, oder ob es eine deutliche Beziehung zwischen den beiden Aspekten des Sakramentengeschehens gibt.

Da es bei dem Sakramentengeschehen um einen Spezialfall der allgemeinen Begnadigung Gottes geht, muß erstens untersucht werden, auf welche Weise die Begnadigung überhaupt stattfindet.

Schillebeeckx geht davon aus, daß die Begnadigung eine Versöhnung zwischen Gott und dem Menschen aussagt. Jede Versöhnung ist ein Akt der sich versöhnenden Personen: einerseits die freie Zuwendung Gottes zum Menschen; andererseits die freie Gnadenannahme des Menschen[133]. »Niemand, auch Gott nicht, kann die Lebensrichtung einer bewußten Person ändern, außer dieser Person selbst. Eine Sünde wird nicht in der Art von uns weggenommen, wie man einen Tintenfleck aus einer Tischdecke entfernt«[134]. Nach Thomas, dem Schillebeeckx sich anschließt, fordert die Begnadigung von der Seite des Menschen eine persönliche Zuwendung zu Gott, ein ›synthetischer Akt des Glaubens, der Hoffnung und der Liebe‹. Der Liebesakt darf bei der Begnadigung selbst nicht nur inchoativ sein, denn die Sünde selbst impliziert eine Abwendung von der Liebe Gottes; die echte Begnadigung fordert somit auch eine echte ›metanoia‹, die eine ›contritio‹ enthält, damit die für die Begnadigung geforderte Bekehrung auch von der Seite des Menschen aus ihren Zielpunkt in Gott haben kann. Würde man nur eine Reue aus Furcht (attritio)[135] verlangen, dann wäre die Begnadigung des Menschen noch immer eine einseitige von Gott vollzogene Überdeckung der menschlichen Sünde, die dem Wesen des Menschen als freie, bewußte Person nicht entspräche. »Daß ein Akt der vollkommenen Liebe, wie minimal auch, notwendig ist, folgt aus dem Wesen selbst der göttlichen Tugend der *caritas*, die nur *completive* die Zuwendung des Menschen zu Gott als übernatürliches Lebensziel realisieren kann«[136].

Wenn man nun versucht, diese allgemeine Begnadigung näher zu umschreiben, zeigt sich, daß eine Begnadigung nicht mit einem vollkommenen Neuanfang übereinstimmt, sondern daß der begnadete Mensch eine Änderung in seinem Leben erfährt: Begnadigung ist eine Diskontinuität in der Kontinuität. Thomas ordnet diese Diskontinuität der ›forma‹ zu, die in der Begnadigung eine Änderung erfährt, so daß »das letzte Sosein der früheren *forma*, das mit dem ersten Sosein der neuen *forma* identisch ist, gleichzeitig sowohl die letzte Disposition zur und Vorbereitung auf die neue *forma* ist, als auch formelle Wirkung derselben neuen *forma*«[137]. Diese Aussage, daß das religiöse Engagement gleichzeitig eine Vorbereitung auf die Begnadigung und schon Wirkung der göttlichen Gnadengabe ist, ist für Schillebeeckx die Grundlage seiner Betrachtung des ›opus operatum‹ und ›opus operantis‹ in einem einzigen Akt des religiösen Engagements: »Das ›opus operans‹ Gottes und das des Menschen kann man nicht gegeneinander aufrechnen: sie ›komponieren‹ nicht«[138].

Für Schillebeeckx ist also die allgemeine Begnadigung keine einseitige Handlung Gottes, in der der Mensch passiv aufgenommen wird, sondern in der Begnadigung steht das göttliche Handeln in einer untrennbaren Einheit mit dem menschlichen Engagement. Diese Einheit ist sogar so stark, daß der Grad des Engagements die Begnadigung andeuten kann[139].

In der sakramentalen Begnadigung nun haben wir nicht – wie das von einigen Theologen gelehrt wurde und auch noch wird – mit einem einfacheren Weg zur Erlangung der göttlichen Gnade zu tun[140]. Das heißt konkret für die sakramentale Begnadigung, daß auch sie von einer ›contritio‹ im ontologischen Sinne begleitet werden muß. Für den eigentlichen Empfang eines Sakramentes der Toten (Taufe und Beichte) fordert Schillebeeckx dann auch eine ›praeparatio perfecta et proxima‹, die man schon als formelle Wirkung des Sakramentes selbst betrachten darf. Diese Forderung einer ›contritio‹ bei dem Begnadigungsakt selbst darf man aber nicht mit der richtigen Voraussetzung für ein würdiges ›Sich-Anbieten‹ für den Empfang eines Sakramentes verwechseln. Denn allgemein wird ja die ›attritio‹ als ausreichende Voraussetzung für den Empfang eines Sakramentes angesehen. Schillebeeckx vertritt die Auffassung, daß der eigentliche Begnadigungsakt auch im Sakrament von der ›contritio‹ begleitet werden muß, während für den Zutritt zum Sakrament ›attritio‹ ausreicht. In allem warnt Schillebeeckx davor, die Sakramente als ›via facilior‹ des Gnadenempfangs zu betrachten. »›Ex attrito fit contritus vi clavium‹ darf deshalb nicht in dem Sinne verstanden werden, als enthebe die Beichte oder die Taufe uns von dem *con-*

tritio-Akt und genüge für einen würdigen Empfang der Sakramente, und sogar für die persönliche Aneignung der Sakramentengnade oder m.a.W. für die ›dispositio ultima ad gratiam‹ der attritio-Akt. Dann wäre der ›habitus contritionis‹ nur eine Begleiterscheinung des religiösen Einsatzes, der vor oder nach der Beichte nur ein *attritio*-Akt wäre. Eine solche Auffassung steht im Gegensatz zur Metaphysik der Personbegnadigung«[141].

Wenn man also davon ausgeht, daß die sakramentale Begnadigung Gottes in der Taufe und Beichte eine besondere Gestalt der allgemeinen Begnadigung ist und nicht als selbständige Gestalt neben dieser allgemeinen Begnadigung steht, dann muß man annehmen, daß auch in der sakramentalen Begnadigung ein contritio-Akt für den Gnadenempfang selbst gefordert werden muß. Das Verhältnis nun zwischen dem attritio-Akt, der für den Sakramentenempfang gefordert wird, und dem contritio-Akt als Forderung für den Gnadenempfang liegt für Schillebeeckx in der Eigenart des Sakramentes. Gerade der Übergang von attritio zu contritio und das Verhältnis zwischen beiden ist ein Merkmal des Sakramentes. »Das Merkmal des sakramentalen ›ex opere operato‹ der Sakramente der Toten liegt dann auch darin, daß der ›motus imperfectus‹, das inchoative Hinaufgehen zur Rechtfertigungsgnade, – die ›praeparatio remota et imperfecta, sufficiens ad removendum fictionem‹ in Hinblick auf das *sacramentum* – die außerhalb des Sakramentes nicht unfehlbar mit der heiligmachenden Gnade verbunden sind (da dieses Band nur zwischen der ›dispositio ultima‹ und der Gnade besteht), *im* Sakrament und durch das Sakrament unfehlbar verbunden sind sowohl mit der Versöhnungsgnade als auch – als Folge – mit dem Akt der Caritasreue, in der sie zu einem persönlich angenommenen, angeeigneten Gnadenbesitz realisiert werden«[142].

Schillebeeckx betont die Notwendigkeit der contritio beim Begnadigungsakt auch in der Sakramentenaktivität der Kirche deshalb so stark, da diese Aussage die Voraussetzung für eine einheitliche Betrachtung des ›opus operatum‹ und ›opus operans‹ bildet. Wenn nämlich in der Sakramentenaktivität der religiöse Einsatz und das ethische Engagement schon Wirkungen der contritio-Haltung in den Sakramenten sind, dann darf man behaup-

ten, daß das ›opus operans‹ in den Sakramenten schon eine Auswirkung des ›opus operatum‹ Christi ist; so wird die Basis für
eine einheitliche Betrachtung der Sakramente mit Hilfe der Kategorie ›Begegnung‹ geschaffen. »Hieraus kann man schließen, daß
der Grad der ›ex opere operato‹-Wirkung – d. h. der sakramentalen Begnadigung als ministerielles ›opus Christi‹ – proportional
mit der religiösen Tiefe der inneren *metanoia* des empfangenden
Subjektes ist. Der religiöse Einsatz, die Gotteserfahrung, steht
dann auch nicht außerhalb des Sakramentalismus und darf nicht
zu einer ›conditio ex parte subiecti‹ entwertet werden. Andererseits fügt er kein ›meritum ex opere operantis‹ an dem ›meritum
ex opere operato‹ oder ›ex passione Christi‹ hinzu: der religiöse
Einsatz ist nur die Immanenz der ›ex opere operato‹-Wirkung in
der Person als Person. D. h. er ist die subjektive, existentielle Erfahrung und Zueignung der Sakramentengnade. Das ›opus operantis‹ ist also eine der Effekte des ›opus operatum‹, das deshalb
gleichzeitig ein Ausdruck der ›fides subiecti‹ wird und somit eine
persönliche, religiöse Symbolhandlung ist«[143].

Schillebeeckx ist sich bewußt, daß diese These der ausdrücklichen Immanenz der sakramentalen Begnadigung Differenzen im
Vergleich zu einer Interpretation der mehr automatischen Begnadigung impliziert. Den Vertretern dieser letzten Richtung
macht Schillebeeckx den Vorwurf, daß sie in ihrer allgemeinen
Sakramentenlehre von dem besonderen Fall der Kindertaufe
ausgehen, die man nach seiner Ansicht gerade als Ausnahmefall,
als Sakrament mit einer Wirkung ›ad modum pueri‹, ansehen
soll[144]. Das Wesen des Sakramentes liegt nicht in dem Geschenk-
charakter der sakramentalen Begnadigung: das ist fundamentales
Merkmal jeder Begnadigung; auch die Dispensation von der
contritio in den Sakramenten darf man nicht im Sinne einer ›via
facilior‹ auffassen; wesentlich für das christliche Sakrament ist,
daß in dem Handeln Christi durch die Symbolaktivität der Kirche eine Begnadigungsgewißheit liegt[145]. Man muß zugeben, daß
der Unterschied zwischen einer Auffassung der Sakramente als
›via facilior‹ und einer Theorie, die die Begnadigungsgewißheit
vertritt, in der Sache selbst minimal ist und den Eindruck einer
Haarspalterei vermitteln kann. Man sollte sich dabei aber vor

Augen halten, daß eine ›via facilior‹ -Auffassung die Sakramente als dinghafte Heilsquellen und allgemeine Heilsmittel betrachtet, während die ›certa fiducia salutis‹-Interpretation ein besseres Gespür für die Individualität der Sakramentenspendung behält und gleichzeitig dem subjektiven Vollzug des Sakramentenempfanges einen größeren Platz gibt. Daher muß man auch die außerordentlich starke Betonung dieser ›certa fiducia salutis‹ verstehen, die Schillebeeckx den Sakramenten zuerkennt[146].

Die so geschaffene Einheit zwischen dem ›opus operatum‹ Christi und dem ›opus operantis‹ des begnadeten Menschen möchte Schillebeeckx von vorne herein als eine Einigung der im Sakrament betroffenen und engagierten Personen verstanden wissen. Schillebeeckx möchte sich nicht damit begnügen, die Einheit des ›opus operatum‹ und ›opus operans‹ auf eine abstrakte Basis zu verlegen, sondern sie ist primär und wesentlich eine Begegnung freier Personen, die auf freie Initiative zueinander kommen und einander im Sakrament aufs innigste begegnen.

Diese Struktur der personalen Begegnung aufgrund der Einheit von ›opus operatum‹ und ›opus operantis‹ ist nicht nur in den Sakramenten der Toten vorhanden, sondern in fast gleicher Weise findet sie sich auch in den Sakramenten der Lebenden. Der wesentliche Unterschied besteht darin, daß es bei den Sakramenten der Toten um eine Gnadeninitiative und einen »Neuanfang« im religiösen Einsatz geht, während es sich bei den Sakramenten der Lebenden um eine Gnadenvermehrung oder um eine Intensivierung des christlichen Lebens handelt.

Zum Schutz gegen eine verengte Betrachtungsweise der Gnadenvermehrung, die ausgehend von der Begnadigung an Kindern oder Bewußtlosen nur den Gnadenstand als Voraussetzung für einen Empfang der Sakramente der Lebenden fordert[147], geht Schillebeeckx auch hier von der allgemeinen Lehre der Gnadenvermehrung aus[148]. Diese allgemeine Lehre der Gnadenvermehrung kann hier wegen der großer Übereinstimmung mit der allgemeinen Rechtfertigung tabellarisch aufgeführt werden:

1. Gnadenvermehrung ist eine freie Tat Gottes an den Menschen als Person;
2. Gnadenvermehrung verlangt vom empfangenden Subjekt eine

Liebestat, ein ›actus ferventior caritatis‹. Auch hier kann man eine Stufung zwischen ›praeparatio remota‹ und ›praeparatio proxima‹ feststellen, die dieselbe Bedeutung haben wie bei der Rechtfertigung.

Schillebeeckx interpretiert die Sakramente der Lebenden in Übereinstimmung mit und Ableitung von der thomasischen[149] Lehre der allgemeinen Gnadenvermehrung. Dabei unterscheidet Schillebeeckx wieder zwischen den Voraussetzungen für einen würdigen Empfang des Sakramentes und den Bedingungen für einen fruchtbaren Empfang der Sakramentengnade. In Analogie zur Lehre von den Sakramenten der Toten spricht Schillebeeckx auch hier von einer Erhöhung der Intention oder Vorbereitung durch den Empfang des Sakramentes selbst[150]. Auch bei den Sakramenten der Lebenden zeigt sich also, daß das ›opus operantis‹ ganz in das ›opus operatum‹ aufgenommen ist und von ihm geleitet wird, und zwar so, daß das ›opus operantis‹ als religiöser Einsatz und ethisches Engagement die göttliche Gnadenvermehrung im Normalfall (abgesehen von der Wirkung ›suo modo‹) andeutet[151].

In diesem letzten Kapitel haben wir feststellen können, daß für Schillebeeckx eine Trennung zwischen dem Heilshandeln Gottes im Christusereignis – das in den Sakramenten instrumentell vergegenwärtigt wird – und dem Handeln des Menschen im Sakrament nicht statthaft ist. Das im ›opus operantis‹ angedeutete Handeln des Menschen muß gerade im Begnadigungsakt im Sinne einer Wirkung des ›opus operatum‹ aufgefaßt werden. Im sakramentalen Geschehen wird jede menschliche Aktivität geleitet und bestimmt von dem Handeln Gottes.

Durch die Vereinigung des sakramentalen Handelns Gottes und der Menschen im Rahmen einer Personalität bietet sich für die Beschreibung des Sakramentes und der in ihm bezogenen Personen die Denkkategorie der ›personalen Begegnung‹ an. Dieses Ergebnis müssen wir als erstes Resultat der Einheit zwischen ›opus operatum‹ und ›opus operantis‹ betrachten.

Diesem Ergebnis zugeordnet und später sogar übergeordnet[152] findet sich noch eine zweite Folgerung aus dieser Verbindung. Schillebeeckx hat beim Erscheinen von Robinsons ›Honest to

God‹[153] zwei ausführliche Rezensionen verfaßt, in denen er sich mit dem Problem der Säkularisierung beschäftigt[154]. Obwohl die erste Rezension recht kritisch aufgenommen wurde[155], bietet sie doch einen reichen Einblick in das Denken Schillebeeckx' und in den Übergang zu einer breiteren Sakramentenauffassung, die dann ausdrücklich Erwähnung findet. Die Offenbarung Gottes hat nicht nur eine solche Gestalt, daß sie als ›vertikale Offenbarung‹ verstanden werden muß, sondern die göttliche Offenbarung und die Gnade Gottes inkarnieren sich auch im Menschsein selbst. So kann man von einer horizontalen Offenbarung sprechen. Die menschliche Intersubjektivität als Wesensmerkmal des Menschen hat die Gestalt sowohl zu Gott hin als auch zu den Menschen, ohne daß die Horizontalität die Vertikalität der Offenbarung ausschaltet. Das Menschsein selbst und die Mitmenschen können so als Sakrament der Offenbarung verstanden werden[156].

Die Voraussetzung für diese Auffassung der Mitmenschlichkeit oder der Horizontalität liegt in der strikt sakramentalen Interpretation des ›opus operatum‹ und ›opus operantis‹. Wenn nämlich die menschliche Aktivität im Sakrament schon Wirkung der Sakramentengnade des ›opus operatum‹ ist, dann kann Schillebeeckx auch die Horizontalität des menschlichen Seins und Wirkens in der Welt in einer Ausbreitung der eng sakramentalen These als eine Wirkung der göttlichen, vertikalen Offenbarung als Sakrament interpretieren.

Diese Ausbreitung des Sakramentenbegriffes ist bei Schillebeeckx nicht neu. Schon in einem früheren Aufsatz[157] plädierte er für eine adäquate Einschätzung der christlichen Bruderliebe. Unter Einfluß des säkularen Denkens in den sechziger Jahren überdeckt das Interesse an der Welt und ihre theologische Relevanz allmählich das strikt sakramentaltheologische Denken Schillebeeckx'.

Beide Grundthesen, die Aufwertung des menschlichen Einsatzes und des religiös-ethischen Engagements in den Sakramenten und die positive Einschätzung der Horizontalität in der Welt als eine Quelle für die Erkenntnis der Gottesoffenbarung, sind im Grunde sakramententheologische Aussagen. Beide sind dann auf die Vereinigung des ›opus operatum‹ und ›opus operantis‹ in den Sakramenten gegründet. In dieser Ausbreitung der strikt sakramentalen Theologie auf die Offenbarungstheologie, in der Gottes Offenbarung als Sakrament aufgefaßt wird, zeigt sich die Bedeutung der Sakramentalität im Denken Schillebeeckx'.

1.4. Zusammenfassung

Aus unserer bisherigen Studie zu den Grundstrukturen der Sakramententheologie Schillebeeckx' können wir jetzt einige Leitsätze formulieren:

1. Es sollte allgemeine Anerkennung finden, daß es auch für eine katholische Sakramententheorie zulässig ist, die Zeichenfunktion der Sakramente hervorzuheben. Die Konzeption einer Sakramententheologie auf der Basis des Zeichens entspricht guter patristischer und thomasischer Tradition.
2. In dem Zeichen, das ein Sakrament grundsätzlich darstellt, drückt sich die Glaubenshaltung der Kirchengemeinschaft aus. Sakramente sind zeichenhafte Explizitmachungen des Glaubens der Kirche: sacramenta fidei Ecclesiae.
3. Schillebeeckx sieht in dieser ersten Stufe des Ausdrucks schon einen Übergang von Innerlichkeit zu Sichtbarkeit. Diese erste Stufe enthält schon Form und Materie. Daneben kann man auf der Ebene der Sichtbarkeit nochmals von Form und Materie sprechen. In der einen sichtbaren, sakramentalen Handlung verdient das Glaubenswort gegenüber der Materie einen Vorzug, und dieses Wort kann deshalb innerhalb der schon ›materiellen‹ Handlung Form genannt werden.
4. Außerdem kommt diesem sakramentalen Zeichen eine Wirksamkeit zu. Diese Wirksamkeit kann nicht aus dem Zeichen selbst abgeleitet werden, sondern sie kommt exklusiv dem Heilsereignis selbst zu, das in Christus Wirklichkeit geworden ist. Zeichen und Wirksamkeit gehören im Sakrament zwar zusammen, aber es gibt keine Kausalität zwischen Zeichen und Heilswirksamkeit, wenn man von dem Christusereignis abstrahiert.

5. Die in den Sakramenten enthaltene Verbindung zum Heilsereignis nennt Schillebeeckx das Mysterium. Dieses Glaubensmysterium bietet sich in dem sakramentalen Zeichen dar. Aufgrund des >Kommunikationsgesetzes< ist die Vermittlung geistiger Inhalte an Materialität gebunden. Materielle Gegenstände können Träger eines Mysteriums sein und werden so zu Symbolen. Gerade diese Einsicht begründet die Sakramentalität des Glaubens.

6. Die Begründung der Tatsache, daß Sakramente wirksame Heilszeichen sind, kann nur in einer Verbindung zu Christus selbst und in seiner Sendung und Beauftragung gesucht werden. Christologische Sendung zum sakramentalen Handeln der Kirche kristallisiert sich in dem sakramentalen Merkmal. Das Merkmal verbürgt die Authentizität der kirchlichen Sakramente.

7. Die >certa fiducia salutis< ist die Eigenart des kirchlichen Sakramentes.

8. In der Sakramentalität sind die Aktivität und der Einsatz des Empfängers keine eigenständige Größe, sondern sie ist immer schon eine Wirkung des Sakramentes und somit des Heilswerkes Christi. Das >opus operantis< ist – sakramental gesehen – immer schon eine Wirkung des >opus operatum<.

9. Der Einsatz und das Engagement des Empfängers sind für Schillebeeckx aber nicht nur Wirkungen des Sakramentes. Gleichzeitig kommt ihnen ein selbständiger Wert zu, da sie die Glaubensintention des Empfängers ausdrücken.

1.5. *Exkurs: De Petters Anthropologie und ihre Bedeutung für eine Sakramententheologie*

1.5.0. Vorbemerkung

Schillebeeckx beruft sich an einer zentralen Stelle seiner Sakramentenlehre ausdrücklich auf die phänomenologische Anthropologie D. M. De Petters[158].
Die Position Schillebeeckx' in der Sakramententheologie wird

durch eine Aufnahme der Grundkategorie des Zeichens in seiner Sakramentenbestimmung geprägt. Da Schillebeeckx dieses Zeichen aber nicht als eine Naturwirklichkeit mit einer eigenen Selbständigkeit verstehen will, sondern immer als ein von Personen gesetztes Zeichen, muß er das Zeichen in seiner Eigenart der Relativität näher umschreiben.

Das sakramentale Zeichen besitzt als kirchliches Zeichen eine christologische Orientierung. Besonders beim Merkmal wurde dieser christologische Bezug von Schillebeeckx betont dargelegt. Daneben aber ist das Zeichen auch ein vom Menschen, von der Gemeinschaft der Kirche gesetztes Zeichen. Sakramente werden von Menschen vollzogen und richten sich auf Menschen: sie enthalten eine anthropologische Dimension, die in der Bezeichnung ›sacramenta fidei Ecclesiae‹ zum Ausdruck kommt. Obwohl Schillebeeckx gewiß die erstgenannte christologische Dimension des Sakramentes herausarbeitet[159], hat das anthropologische Schema in Schillebeeckx' Denken den Vorrang. Deshalb kann Schillebeeckx auch die Sakramentalität sehr breit ansetzen und auffassen. Jede Kommunikation durch Zeichen in einer Menschengemeinschaft kann bei Schillebeeckx Sakrament genannt werden, wenn sie mit einer religiösen Intention vollzogen wird.

Gerade an dieser Stelle der anthropologischen Begründung der Zeichenwirklichkeit verrät Schillebeeckx eine Abhängigkeit von der Personauffassung D. M. De Petters.

Dominique-Marie De Petter (John De Petter)[160] wurde am 15. Februar 1905 in Löwen geboren. Nach seiner Gymnasienzeit studierte er von 1921 bis 1923 Philosophie am ›»Hoger Instituut voor Wijsbegeerte« in Löwen. Im Jahre 1923 legte er das Lizentiatsexamen in der Philosophie ab. Im gleichen Jahre trat er in den Orden der Dominikaner ein, aber schon 1924 begann er in Löwen ein Promotionsstudium in der Philosophie, das er 1926 mit einer Dissertation über den französischen Philosophen Louis Lavelle abschloß. Von 1925 bis 1930 studierte er außerdem in Löwen Theologie. Neben den üblichen Studien der Philosophie und Theologie wandte er sich auch der Mathematik und den Naturwissenschaften zu. Im Jahre 1931 begann er seine Lehrtätigkeit in Löwen am »Dominicaans Filosoficum«. Von dieser Zeit an dozierte er schwerpunktmäßig die philosophischen Bereiche der Metaphysik und Anthropologie. 1938 war er einer der Mitbegründer der »Tijdschrift voor Philosophie«, in der er auch regelmäßig veröffentlichte. Daneben finden sich Aufsätze von ihm in: Bulletin Thomiste, Revue des sciences philosophiques et théologiques, Revue néoscolastique de philosophie (Revue philosophique de Louvain), Tijdschrift voor geestelijk leven und Kultuurleven[161]. Er war Mitglied der »Societé philosophique de Louvain« und des »Wijsgerig gezelschap van Leuven«. Am 6. April 1971 ist er in Löwen gestorben.

1.5.1. Die philosophische Position De Petters

De Petters Philosophie verdient die Bezeichnung der Originalität[162]. Obwohl er als Dominikaner mit einer thomistischen Bildung einer Philosophie im Geiste Thomas' anhängt, ist der Thomismus bei ihm kein in sich abgeschlossenes System. Vielmehr versucht er, in einer kritischen Auseinandersetzung mit den philosophischen Strömungen der Gegenwart zu einer eigenen Synthese zu gelangen, in der namentlich Thomismus und Phänomenologie sich ergänzen und korrigieren. »Obwohl De Petter Thomas von Aquin sehr bewunderte und namentlich die Originalität seiner Lehre des Seins als Akt hochschätzte, hat er sich doch sehr stark von der ganzen mittelalterlichen Philosophie und auch von dem Thomismus distanziert. Er nahm diese Position schon ausdrücklich in einer Zeit ein, in der kirchliche Kreise noch nicht für die Anerkennung der Freiheit des Denkens zugängig waren wie jetzt«[163].

De Petter wirft der Philosophie überhaupt eine Seinsvergessenheit vor. Diese Heideggersche Seinsvergessenheit verwendet De Petter aber in einer Bedeutung, die auch Heidegger selbst miteinschließt. Die im Realismus oder Objektivismus vorhandene Gegenüberstellung von Subjekt und Objekt kann einerseits zu einer ›realistischen‹ Abbildtheorie führen, die den Wert der Materialität an sich zugunsten der im Bewußtsein repräsentierten Abdrücke der Wirklichkeit unterschätzt (= Repräsentationalismus); so bleibt das Bewußtsein mit sich selbst beschäftigt und tritt nicht in die eigentliche Wirklichkeit. Anderseits kann der Objektivismus zu einem Idealismus führen, der die Ideen und das Für-mich-Sein der Wirklichkeit als Wirklichkeit selbst betrachtet. Seinsvergessenheit der Philosophie ist nach De Petter eine Folge der philosophischen Abstraktion[164]. »Noch anders formuliert können wir die Idee De Petters in dem Sinne ausdrükken, daß seines Erachtens die westliche Philosophie noch nie echt *realistisch* gewesen ist, wie sehr auch der Realismus als Merkmal der mittelalterlichen Philosophie gilt und angeklagt wird«[165].

Das Eintreten De Petters für einen wirklichen Realismus in der Philosophie, der zwischen Konzeptualismus und Idealismus, zwischen Repräsentationalismus und Phänomenologie liegt, findet sich sehr klar in der Auseinandersetzung De Petters[166] mit einem Werk des phänomenologisch denkenden, holländischen Paters W. Luijpen[167].

De Petter schließt sich der phänomenologischen Kritik der Philosophie im Blick auf ihr Interesse für Wirklichkeit an. »Man kann diesen (angeblichen, Anm. des Verf.) Realismus in zwei Sätzen zusammenfassen. Einerseits stellt man sich das Bewußtsein als eine in sich geschlossene Immanenz vor, die auch nur bei seinen immanenten sogenannten Bewußtseinsinhalten bleibt. Und andererseits behauptet man, daß diese Bewußtseinsinhalte innerhalb der Immanenz des Bewußtseins getreue Repräsentationen, Erkenntnisbilder oder Abbildungen einer Wirklichkeit sind, die außerhalb des Bewußtseins bleibt und eine Wirklichkeit an sich ist«[168].

Es geht De Petter immer darum, zu der Wirklichkeit an sich zu gelangen. Deshalb kann er auch der phänomenologischen Kritik auf die bis dahin gängige Philosophie zustimmen. Für De Petter sind beide obengenannten Sätze dann auch widersprüchlich, da »man hier vorgibt, über die Wirklichkeit sprechen zu können, während man eingesteht, daß das Bewußtsein mit der Wirklichkeit selbst nichts zu tun hat (. . .)«[169]. Für De Petter verdient« die angedeutete philosophische Richtung nicht die Bezeichnung ›Realismus‹, sondern im Wesen ist sie Repräsentationalismus.

Wenn Luijpen dann aber aufgrund dieser Kritik auf den angebli-

chen Realismus die Notwendigkeit einer strikt phänomenologischen Methode verteidigt, geht das für De Petter einen Schritt zu
weit. Luijpens (und De Petters) Kritik treffen nicht den Realismus, sondern bestenfalls einen Realismus in repräsentationalisti-
scher Gestalt. Gerade die Phänomenologie mit ihrem Interesse
für das Für-mich-Sein der Wirklichkeit kann sich nach De Petter
nicht dem Vorwurf der Seinsvergessenheit entziehen. Durch die
Reduktion der Wirklichkeit auf das Für-mich-Sein gibt es nicht
nur keine Wirklichkeit ohne den Menschen, sondern die Bedeutung der Wirklichkeit wechselt auch je nach Einstellung des Erkennenden. De Petter zitiert ein Beispiel Luijpens: »Ein Kirch-
turm ist kein Ding an sich. Er hat eine bestimmte Bedeutung für
einen Pfarrer oder Pastor, aber diese unterscheidet sich von der
Bedeutung dieses Turms für den Architekten. Für den Küster,
der da gewohnheitshalber die Glocke läutet, hat der Turm wieder
eine andere Bedeutung als für die Meßdiener, die dort heimlich
spielen. Wer unter einer Sexualitätsneurose leidet, sieht nicht die
Bedeutung des Turms für einen künstlerisch begabten Menschen
und diese unterscheidet sich wieder von der Bedeutung für einen
Flieger, der seinetwegen regelmäßig ausweichen muß«[170]. De
Petter weist eine Reduktion der Bedeutung und Existenz der
Wirklichkeit auf die Bedeutung für mich und meine Einbeziehung in der Wirklichkeit ab. Eine solche Auffassung sagt nichts
über die Welt selbst, da sie die Welt selbst weder bestätigen noch
verneinen kann[171].
Die zweite Schwierigkeit De Petters mit dieser phänomenologi-
schen Betrachtung Luijpens besteht darin, daß Luijpen zwar der
Wirklichkeit verschiedene Bedeutungen zuerkennt, aber nir-
gendwo eine Begrenzung der möglichen Bedeutungen festlegt.
Diese Begrenzung kann aber auch nur aus der Wirklichkeit selbst
gegeben werden: das ist die eine, absolute Bedeutung einer
Wirklichkeit, die alle anderen möglichen Bedeutungen bestimmt.
»Wasser kann keine Bedeutung für den Schriftsteller haben, da
Wasser nun einmal so beschaffen ist, daß ich mit ihm nicht
schreiben kann. Es wird niemandem einfallen, sich in Tinte zu
waschen oder in einem Ölbehälter baden zu wollen. Wasser ist
Wasser und keine Tinte oder Öl. Diese absoluten Bedeutungen

bestimmen und begrenzen die möglichen Einstellungsbedeutungen«[172]. De Petter will also entschieden eine Position des Realismus einnehmen, der die Mitte zwischen Repräsentationalismus und Phänomenologie bildet. Dieser Realismus De Petters darf also gewiß nicht mit einem Abbilddenken verwechselt werden, in dem der Realität keine Selbständigkeit zukommt und nur im Grunde für mich existiert. Es gibt für De Petter absolute Bedeutungen. Diese absoluten Bedeutungen dürfen aber wieder nicht im Sinne eines Konzeptualismus als Begriffe verstanden werden, die die ganze Wirklichkeit umfassen. Die Wirklichkeit ist immer größer als unsere Erfahrung der Wirklichkeit: sie ist ein Mysterium. »Daß ich die Wirklichkeit in ihrer eigenen Seinsselbständigkeit gegenüber dem Subjekt erreiche, bedeutet noch keineswegs, daß sie wie ein offenes Buch vor mir liegt und daß ich sie vollkommen, exhaustiv erkenne«[173]. In diesem Satz deutet De Petter schon an, daß es neben der notwendigen Erkenntnis absoluter Bedeutungen in der Wirklichkeit auch noch eine Erkenntnis der Wirklichkeit gibt, die stärker an die Relation zur erkennenden Person gebunden ist. »Die Erkenntnis der Wirklichkeit und der Wahrheit ist eine aktive, historische und soziale Handlung und keine einzige Wahrheit kann den Menschen erreichen, es sei denn, daß die Zeit dazu reif ist und die psychologische und moralische Konditionierung erfüllt ist, die es ihm gestattet, die Einstellung einzunehmen, die ihn für die Wahrheit öffnet. Der existentielle und situationsbedingte Charakter des menschlichen Bewußtseins ist dann auch unverkennbar. Genau darin liegt das Menschliche des menschlichen Bewußtseins, seine ›condition humaine‹«[174].

In seinem bewußt gewählten Realismus scheint De Petter die Erkenntnis der Wirklichkeit als eine Komplexität von zwei Akten zu betrachten. Einerseits kennt er den Erkenntnisakt absoluter Bedeutungen, die gewissermaßen zwar vorgängig, aber hintergründig im menschlichen Bewußtsein anwesend sind und alle weitere Erkenntnis bestimmen und begrenzen[175]; andererseits stimmt er aber auch einer existentiell vollzogenen Erkenntnis der Wirklichkeit in relativen Bedeutungen zu, die aufgrund einer bestimmten Einstellung des erkennenden Subjektes gewonnen werden. Die Erkenntnis absoluter Bedeutungen oder die implizite Intuition wird von einer situations- und historisch bedingten Erkenntnis relativer Bedeutungen begleitet.

De Petter nimmt so eine Zwischenposition inmitten des realistischen Repräsentationalismus (oder Konzeptualismus) und der Phänomenologie ein. Beiden stimmt er zum Teil zu und bei beiden deutet er auf Grenzen und Beschränkungen.

1.5.2. Vielheit der Erkenntnisbegriffe und implizite Intuition

Realismus mit intuitiver Absolutheit und mit perspektivischer Relativität charakterisiert die eigene Position de Petters im Spektrum der philosophischen Strömungen. Schillebeeckx hat diese Relativität unter dem Vorzeichen einer intuitiven Absolutheit von De Petter übernommen und versucht, sie theologisch fruchtbar zu machen[176].

Für Schillebeeckx unterliegt auch die theologische Erkenntnis dem philosophischen Wahrheitsbegriff und die Theologie wird in derselben Weise wie die Philosophie selbst in die philosophische Wahrheitssuche aufgenommen. Die Theologie kann keine Insel sein, während die ›profane‹ Wahrheitssuche um eine Formulierung der menschlichen Erkenntnis und ihres Wahrheitsgehaltes ringt. Die Theologie wird als Wissenschaft in dieses Ringen einbezogen. Schillebeeckx vertritt selbst in Anlehnung an De Petter einen gewissen Relativismus in der Erkenntnis theologischer Wahrheiten. Entfaltungsfähigkeit, Entwicklung der Glaubenssprache und Dogmenentwicklung weisen auch auf die Relativität theologischer Begriffe hin[177].

Schillebeeckx vertritt aber diesen Relativismus nur bis zu einem gewissen Grad, denn auch in der theologischen Erkenntnis und Wahrheit gibt es irgendwie eine ›absolute Bedeutung‹. »Obwohl die Begriffe daher unzureichend sind und sogar in und aus sich selbst, das heißt in ihrer ausschließlichen Abstraktheit gesehen, keinen Wirklichkeitswert haben (was ein abstrakter Begriff zu erkennen gibt, ist in der konkreten Wirklichkeit konkret und somit anders realisiert), haben sie, aufgenommen in das nicht-begriffliche Erkenntnismoment, einen zwar inadäquaten, aber doch realen Wahrheitswert, weil sie (und nur sie) dem durch die Begriffe hindurch Transzendieren nach der Wirklichkeit eine Richtung und einen Sinn geben. Erfahrung und Begrifflichkeit bilden somit zusammen unsere eine Wirklichkeitserkenntnis«[178]. Schillebeeckx übernimmt also genau die Doppelpoligkeit der menschlichen Erkenntnis von De Petter mit dem Unterschied, daß Schillebeeckx für diese Zweipoligkeit die Begriffe ›Erfahrung‹ und ›Begrifflichkeit‹ prägt.

Die Theorie der impliziten Intuition darf man als die wichtigste Einsicht innerhalb der Philosophie De Petters werten. »Einige Wochen vor seinem Tode erklärte er (De Petter, Anm. des Verf.) einem Kollegen noch, daß ein gutes Verständnis seiner *Impliziten Intuition* (wohl sein bedeutsamster Artikel) eine konkretere Ausarbeitung seines Gedankens zur sinnlichen Wahrnehmung voraussetze«[179].

Die implizite Intuition, die für das gute Verständnis eines Großteils der Theologie Schillebeeckx’ vorausgesetzt werden muß, deutet bei De Petter auf eine Eigenart der menschlichen Erkenntnis. Ihren Rahmen hat die implizite Intuition in der erkenntnistheoretischen Problematik, die dadurch entsteht, daß zwischen dem Bewußtsein selbst und dem Bewußten eine Spannung auftritt. Diese Spannung kann dadurch aufgehoben werden, daß man irgendwie eine Transzendentalität in der Erkenntnis selbst annimmt. Der Erkennende muß sich der Inadäquatheit seiner bewußten Begriffe bewußt sein. Die Transzendentalität des Bewußtseinsaktes kann für De Petter unmöglich außerhalb seiner selbst liegen, da eine so erbrachte Lösung nicht die Spannung zwischen Bewußtsein und Bewußtem aufhebt. »Es ist auffallend, daß sie (die aristotelisch-thomistisch inspirierten Realisten, Anm. des Verf.) fast alle – in Anschluß an die Tradition und aufgrund der Tatsache selbst – die Tatsache einer menschlichen, intellektuellen Intuition im eigentlichen Sinne abweisen und dann auch den unentbehrlichen Kontakt mit dem Konkreten außerhalb des intellektuellen Aktes selbst, in irgendeinem Moment des menschlichen, integralen Bewußtseinsverhältnisses, z. B. in der Dynamik der intellektuellen *Aktivität* oder sogar in der sinnlichen Wahrnehmung suchen«[180]. Eine Lösung der erkenntnistheoretischen Problematik, wie sie etwa von Joseph Maréchal in seiner Konzeption der sich selbst übersteigenden Getriebenheit des in sich doch begrenzten Bewußtseins anbietet[181], wäre für De Petter nicht akzeptabel, da die Lösung außerhalb des eigentlichen Bewußtseinsaktes – nämlich in dem affektiven Antrieb zur Grenzüberschreitung – gesucht würde.

Die Bezeichnung ›Intuition‹ bedeutet bei De Petter »ein intellektuelles, unmittelbares Erfassen des Konkreten«[182], während das Adjektiv ›implizit‹ auf die Verschränktheit dieser Intuition innerhalb des Bewußtseinsaktes hinweist. »Außerdem wird jene Struktur des intellektuellen Aktes als eine organische Einheit betrachtet, die in ihrem Explizit- und Implizit-Sein differenziert ist. Die Intuition ist hierbei das absolut und wesentlich implizite Moment, so daß ihr ganzer Realitätswert durch den wesentlichen Einschluß im Impliziten bestimmt ist«[183]. Deshalb kann nach De Petter auch nicht die Rede davon sein, die implizite Intuition im Bewußtseinsakt unmittelbar aufzuweisen. Dann wäre die aufgezeigte Intuition ausdrücklich erkennbar und verlöre ihre Einbezogenheit im Erkenntnisakt selbst.

Den Erkenntnisakt versteht De Petter in erster Instanz als den Ausdruck eines Geistesinhaltes in Begriffen. Die Begriffe sind defizient und inadäquat, um den Inhalt selbst auszudrücken. Deshalb gibt es auch einen Klärungsprozeß der Begriffe zu einer immer größeren Adäquatheit, die aber nie mit dem Inhalt selbst übereinstimmen wird. Immer bleibt zwischen Geistesinhalt und Begriff ein gewisser Abstand, dessen sich der Erkennende in seiner Begriffsbildung auch bewußt ist. »Dieses Bewußtsein, diese bewußte Offenheit für eine Ergänzung – die *potentia logica* wie die Scholastik sie nannte – kann das Bewußtsein aber unmöglich aus sich selbst und durch seinen eigenen aktuellen Inhalt bewirken oder erklären. Der Grund dafür liegt darin, daß das Bewußtsein der Inadäquatheit schon ein gewisses aktuelles Bewußtsein (. . .) der Ergänzung ist. Jedes Grenzbewußtsein ist ja gleichzeitig ein zwar konfuses aber doch aktuelles Bewußtsein desjenigen, was jenseits der Grenze liegt. Der eigentlich abstrakte Begriff enthält aber die Ergänzung in seinem eigenen aktuellen Inhalt überhaupt nicht«[184]. Deshalb muß es im Geist des Erkennenden irgendein Bewußtsein geben, daß in dem Erkennenden die Einsicht der Inadäquatheit seiner Begriffe gegenüber der konkreten Wirklichkeit hervorruft. Dieses implizite Bewußtsein kann für De Petter nur im intellektuellen Akt selbst anwesend sein, da »ein anderes – z. B. ein sinnliches – *als solches* für die innere Struktur des intellektuellen Aktes sinnlos wäre«[185]. De Petter verdeutlicht die Existenz dieses impliziten, im intellektuellen Akt selbst beheimateten Bewußtseins durch einen Hinweis auf die Seinsreferenz des Begriffes und des Urteils[186]. Jeder Begriff und jedes Urteil beabsichtigen nicht nur eine Abstraktion zu formulieren, sondern sie drücken – wenn auch hinweisend – Sein und Wirklichkeit aus. Deshalb nennt De Petter das implizite Bewußtsein im Erkenntnisakt auch wohl ein konfuses Seinsbewußtsein. Dieses Seinsbewußtsein ist aber andererseits vollkommen und exhaustiv, da das Sein nicht eine Eigenschaft der Wirklichkeit ist, sondern die Wirklichkeit selbst in ihrer vollen Intelligibilität.

Vor der ausgedrückten Begrifflichkeit liegt im Erkenntnisakt selbst also ein Seinsbewußtsein. Dieses Seinsbewußtsein nun ist einerseits konfus, da ihm jedes Vorhandensein der in Begriffen enthaltenen Eigenschaften der Wirklichkeit fehlt; andererseits aber ist dieses Seinsbewußtsein vollkommen, komplett und exhaustiv, da ihm gerade Bewußtsein des Seins selbst und nicht irgendeiner zufälligen, akzidentellen Eigenschaft zukommt. Diese Spannung innerhalb des Seinsbewußtseins analysiert De Petter dann weiter daraufhin, daß es aus einer fundamentalen, aber impliziten Seinsintuition mit einem unfehlbaren Gespür für das Sein und aus einem konfusen Seinsbewußtsein besteht, das implizite Seinsintuition und Begrifflichkeit zusammenführt[187]. Dem intellektuellen Akt in seiner Ganzheit kann De Petter dann auch zusammenfassend eine dreifache Struktur zuerkennen: »der intellektuelle Akt (ist, Zuf. des Verf.) in seiner organischen Ganzheit aus drei verschiedenen Momenten aufgebaut, die in Hinsicht auf ihre Implizitheit und Explizitheit differenziert sind. An der Basis liegt ein Moment rein impliziter Intuitivität, das das Wesen selbst des intellektuellen Aktes bildet. Gleichsam an der Oberfläche liegt ein Moment vollkommener und deutlicher Ausdrücklichkeit, das aber in Relation zum Ausgedrückten we-

sentlich und eigentlich innerlich-inadäquat bleibt und deshalb –
an und für sich betrachtet – weder absolute Geltung noch eigent-
lich-intellektuellen Wert besitzt. Schließlich liegt zwischen beiden wie ein Gelenk das Seinsbewußtsein, das zwar konfus ist,
aber doch formell als solches das Intuitive in die Atmosphäre des
Ausdrücklichen bringt und dies so gleichsam beseelt und am
Wesen des intellektuellen Aktes partizipieren läßt«[188].

Dieses implizite, fundamentale Seinsbewußtsein ist für De Petter
also das Prinzip, das der menschlichen Erkenntnis ihren Wirk-
lichkeits- und Seinswert verleiht. Ohne implizite Intuition des
Seins wäre unsere Erkenntnis nur eine äußere Wahrnehmung von
Eindrücken des Seienden, das gerade in seinem Sein nicht bestätigt oder verneint werden könnte. Die implizite Intuition kann De
Petter dann auch Identität des Erkennenden mit seiner Umwelt
nennen, da gerade das Seinsbewußtsein in seiner Exhaustivität
die erkennende Person in der Welt konstituiert: »wir können die
implizite Intuition ihrem Inhalt nach allgemein als die rein
geistige Identität des eigenen, aktuellen, konkret-existentiellen
Ich mit der aktuellen, vollständigen – matereriell und geistig –,
konkreten Umwelt bestimmen. Durch die Konkretheit als Sei-
endes wesentlich mit ihr verbunden identifiziert die implizite Intuition das Ich mit der Ganzheit, mit der totalen, geordneten
Vielfalt und vor allem mit dem alles transzendierenden und
gleichzeitig allem immanenten (göttlichen) Prinzip«[189]. Die implizite Intuition wird also für De Petter zur immanenten Kon-
densierung der ›Analogia entis‹ im Erkennenden, da in ihr die
Identität zwischen Erkennendem und Erkanntem erreicht wird.
»Die implizite Intuition ist eine rein geistige Identität, eine rein
geistige Erfahrung oder ein rein geistiges Erlebnis; ohne jeden
Abstand oder Gegensatz zwischen Subjekt und Objekt; ohne
jede innere Spannung oder Intentionalität«[190].

Wenn man die implizite Intuition De Petters im Sinne der
Illuminationstheorie als das ›lumen naturale‹ interpretieren
kann[191], das all unseren Begriffen die Verbindung und Einheit
mit dem Sein der Erkenntnisobjekte verleiht, dann muß es auch
möglich sein, in unseren Glaubensbegriffen ein gewisses, implizites ›lumen fidei‹ oder einen Glaubensinstinkt festzustellen[192].

Dadurch entsteht dann eine gewisse Parallelität zwischen unserer natürlichen Erkenntnis und der Erkenntnis der Glaubenswahrheiten.

Die Ausführungen zur impliziten Intuition De Petters haben gezeigt, welche Rolle der Übergang einer impliziten Intuition in den expliziten Ausdruck eines Begriffes innerhalb seines Denkens einnimmt. Wenn man die implizite Intuition als die wichtigste Einsicht der Philosophie De Petters werten muß, dann kommt der ›Explizitmachung‹ einer im Seinsbewußtsein implizierten Idee oder Wirklichkeit in formulierten Begriffen schlechthin die Zentralstellung innerhalb seines Denkens zu.

1.5.3. Anthropologie und Sakramententheologie

Inwiefern die Idee der Explizitmachung sich bei De Petter auch in seiner Anthropologie und dabei namentlich in seinen Darlegungen zum Verhältnis Leib-Seele weiterverfolgen läßt, soll hier eigens untersucht werden. Dabei wird auch das Problem einer Anwendung auf die Sakramentenlehre, wie Schillebeeckx es in seiner Neuinterpretation der thomasischen Sakramentenauffassung versucht, erörtert werden müssen. Außerdem wird die Frage nach einer sozialen bzw. kirchlichen Dimension im Personbegriff bzw. im Sakrament als explizit setzendes Zeichen beantwortet werden müssen.

De Petters Ausgangspunkt in der Anthropologie wird aus einem Vergleich des Menschen mit dem pflanzlichen und tierischen Leben eruiert. De Petter ist sich bei diesem Vergleich bewußt, daß die herkömmliche, aristotelisch geprägte Philosophie den Menschen gleichsam als Krönung der Natur betrachtet. Im Menschen ist vegetarisches und animalisches Leben vorhanden und neben diesen Formen gibt es dann auch noch eine spezifisch menschliche Lebensweise.

De Petters Frage bei dem Vergleich des Menschen mit den anderen Lebewesen auf Erden zielt auf die spezifisch menschliche Form des Lebens. Was unterscheidet den Menschen von der Pflanze und vom Tier?

De Petter betrachtet den Menschen als Einheit, da wir ihm das

Personsein zuerkennen. »Es ist auffallend, daß in Thomas' Texten zum Person-Sein und zur Personalität Wörter wie *totum*, *completum* und *completissimum* immer wieder auftauchen«[193]. De Petter schließt sich gerne in dieser Hinsicht an Thomas an, und seine Warnung gilt dann auch einer verkürzten Auffassung des Personbegriffes, wie sie in den suppositum-Ausführungen und in der Betrachtung des Menschen als ›verbessertes‹ Tier auftritt. »In Anschluß an die aristotelische Definition des Menschen als ›animal rationale‹ ist es möglich, die Komplexität des menschlichen Wesens so zu verstehen, daß man in diesem Wesen einerseits das Höhere – wir können es das Geistige nennen, das dem Menschen eigen ist und ihn von den anderen Naturwesen unterscheidet – und andererseits das Niedrige oder Körperliche oder Tierische voneinander abhebt, durch das der Mensch doch seine Stellung in der Skala der körperlichen Wesen behält«[194]. De Petter plädiert für eine einheitliche Betrachtung des Menschen, in der »das sogenannte Niedrige im Menschen positiv als das *Eigene* selbst und gleichzeitig als *Möglichkeitsbedingung* für das Menschlich-Geistige erscheint«[195].

Der Mensch unterscheidet sich von der lebenden Natur, in der auch er sich befindet, durch seine Rationalität und Subsistenz. Die Subsistenz darf dabei nicht der Rationalität vorgängig gedacht werden, sondern die Selbständigkeit ist schon eine – natürlich gesprochen – exklusiv menschliche Kategorie. Ihr gegenüber deutet die Rationalität nur eine Vollkommenheit an[196].

Die lebende, außer-und vormenschliche Natur wird durch Relativität gekennzeichnet. Körperlichkeit bezeichnet immer eine Beziehung zu dem, aus dem die Körperlichkeit stammt, oder zu dem, von dem sie abhängig ist. »Bei allen körperlichen Wesen außerhalb des Menschen, auch bei Pflanzen und Tieren, steht die Aktivität unter dem Vorzeichen einer wesentlichen *Relativität*«[197]. Die außermenschliche Natur behält in ihrer Aktivität immer eine starke Naturverbundenheit. Die Handlung wird dabei nicht vom Wesen selbst motiviert, sondern von der außer ihm liegenden Natur. In seiner Aktivität kann das Tier etwa keine Distanz von seiner Umwelt gewinnen, sondern es handelt nach seinem naturverbundenen Instinkt. »Auch bei den sogenannten Intelligenzhandlungen kann das höhere Tier sich offenbar nicht von dem instinktiven Impuls seiner Natur distanzieren und so seine zwingende, determinierende Kraft brechen«[198]. Sogar die natürliche, spontane Aktivität des Tieres bleibt nach De Petter immer von einem äußeren Impuls konditioniert, der nie zu einem inneren Handlungsimperativ werden kann. Dadurch kann das Tier nicht aktiv-handelnd auftreten, sondern bleibt immer seiner Umwelt verhaftet und von ihr konditioniert. »Konkret heißt dies z. B., daß bei dem Hund, der ein Kaninchen jagt, das Sehen des Kaninchens und das Jagen nicht voneinander getrennt werden können«[199].

So kommt De Petter dazu, gerade in der Aktivität in Distanz zur Umwelt das eigene Merkmal des Menschen zu suchen, das ihn von der restlichen Natur unterscheidet. Die Fähigkeit, sich von der Welt zu distanzieren, bedeutet Menschlichkeit und Personalität. Dem Menschen kommt es zu, nicht von der Umwelt motiviert zu werden, sondern gerade die Welt aktiv zu gestalten[200]. De Petter deutet diese Fähigkeit als eine »kulturschaffende Aktivität«[201].

Der Mensch überhöht in seiner kulturschaffenden Aktivität die vorgebene, natürliche Materie. Diese Aktivität drückt sich aus in menschlicher Technik, Kunstformen, Sprache, gesellschaftlichen Beziehungen, Rechts- und Staatsstrukturen, Wissenschaft und Erziehung[202]. All diese Formen, in denen sich die spezifische Aktivität des Menschen äußert, sind keine prädeterminierte Entwicklungen, sondern selbständige, bewußte Handlungen.

Trotz seiner Wesensbestimmtheit als ›Mängelwesen‹ kann der Mensch die restliche Natur durch seine spezifische Autonomie überschreiten. »Der handelnde Mensch entgeht so der wesentlichen Relativität, die der Aktivität der körperlichen Wesen eigen ist. In seinem Handeln wird er nicht durch das andere zwingend gelenkt; er handelt selbst. Ein kulturschaffendes Handeln gegenüber der Natur innerhalb und außerhalb seiner selbst ist keine Verlängerung der motivierenden Aktivität der Materie mittels der menschlichen Person, sondern sein Handeln trägt das Merkmal der Initiative im strengen Sinne des Wortes«[203].

Den Grund für die menschliche Autonomie und ihre kulturschaffende Aktivität findet De Petter nicht in einer absoluten Freiheit des Menschen – wie Sartre[204] –, sondern in der Einsicht und Erkenntnis des Menschen. Er kann das wirkliche Sein seiner selbst und der Welt selbständig erkennen. De Petter legt die gesuchte Subsistenz also in die menschliche Autonomie und in sein Selbstbewußtsein. »Autonomie und Selbstbewußtsein sind nur zwei verschiedene, einander ergänzende Aspekte der einen Realität: das *Selbst*-Sein oder besser das Gelten als Selbst-Seiender des Menschen in seiner eigen-menschlichen Aktivität«[205]. Diese Subsistenz des Menschen identifiziert De Petter mittels des Adagiums »agere sequitur esse« mit der Personalität. Wenn der Mensch sich in seinem Handeln als wirklich aktiv und selbstbestimmend zeigt, dann kann der Grund für dieses Verhalten in der Welt nur sein Sein als Eigenheit oder Person sein.

Für De Petter ist die Einsicht der Personalität des Menschen so fundamental, daß er auch in einer hylemorphistischen Bestimmung des menschlichen Wesens zuerst das Selbst-Sein der Person hervorheben möchte. Die Betrachtung des Menschen in Hinsicht auf seine Leib-Seele-Zusammensetzung kann erst in zweiter Instanz durchgeführt werden, nachdem erst die fundamentale Einheit bejaht worden ist. »Das heißt, daß dieses Prinzip (das ›principium quod‹ der menschlichen Existenz, Anm. des Verf.) eigentlich *in* und *durch* die Zusammensetzung keine Partizipation an dem Sein des *compositum* ist, das aus den zusammensetzenden Prinzipien *hervorgeht* und das als solches aus dem anderen, dem *generans* entsteht, sondern zuerst *selbst* ist. Zuerst ist das Prinzip der menschlichen Existenz *in sich* und *für sich* Subjekt des Seins: es subsistiert. Erst in zweiter Instanz ist es *compositum* durch Partizipation an jenem Sein, das dem *principium quod determinativum* zuerst zu eigen ist«[206]. Das eigentliche Sein des Menschen, seine Subsistenz und Personalität ist deshalb für De Petter ein ›esse ingenatum‹ oder ein ›esse proprium‹.

Der Mensch kann seine eigene Personalität aber nur in Körperlichkeit vollziehen. Trotz seiner Subsistenz bleibt der Mensch also doch der Materialität und Körperlichkeit verhaftet, die seiner Subsistenz den Eindruck einer Personwerdung verleihen.

Der Mensch realisiert seine Personalität nicht von Anfang an vollkommen, sondern seine Personalität ist im Wachsen begriffen. Das Wachstum der Personalität unterscheidet sich dabei von einer prädeterminierten Entwicklung, da die Personalität auch im Wachsen ein fundamentales und bestimmendes Prinzip bleibt. »Deshalb umfaßt das Person-Sein des Menschen wegen seiner Endlichkeit und Körperlichkeit eine gewisse *Ambivalenz* (. . .) und jedenfalls die Forderung zu einer bestimmenden und fundamentalen Entscheidung. Es ist eine Entscheidung, die aber aufgrund der menschlichen Existenz in der Zeit während des ganzen Prozesses der Personwerdung revidierbar bleibt und jederzeit bestätigt oder widerrufen werden kann und muß«[207].

De Petter sieht also, sogar in der Entwicklung, die Personalität als fundamentale Beschreibung für das menschliche Sein. Diese Personalität nun ist keine isolierte Aussagekategorie, sondern sie ist notwendig auf die Gemeinschaft der Menschen bezogen[208]. Die Bezeichnung ›Individuum‹ möchte De Petter dann auch erst verwenden, wenn der Mensch seine eigene Personwerdung verhindert. Der soziale Bezug der menschlichen Person liegt nach De Petter immer in dem Begriff der Person selbst mitgegeben und kann nur durch eigene Defizienz verlorengehen. »Meines Erachtens kann weder der Mensch der Gemeinschaft, noch die Gemeinschaft dem Menschen *untergeordnet* werden. Der Mensch ist *wesentlich* sozial verbunden und nichts in ihm bleibt von dieser Verbundenheit unberührt. Er existiert nur in Gemeinschaft mit seinen Mitmenschen; als isoliertes Wesen ist er einfach undenkbar. Seine soziale Verbundenheit ist aber erst dann menschlich, wenn sie auf der Ebene seines Personseins, Selbstseins oder seiner Autonomie beheimatet ist«[209].

De Petter unterscheidet nun in der Welt, in der der Mensch seine Personwerdung realisiert, drei Bereiche, die auch vom Menschen eine je verschiedene Einstellung verlangen[210]: die dinghafte Welt, mittels derer der Mensch seine Geistigkeit aussagt und die Dinge so über ihren eigenen Seinshorizont erhöht; die Mitmenschen, mit denen er in einer personalen Begegnung zum vollen Personsein auswächst; schließlich Gott, in dessen Liebe die Person sich in ihrem Wachsen eingliedert, und so die reichste Fülle erhält, da in Gottes Liebe die menschliche Lebensentscheidung ihre Ambivalenz überwinden kann[211].

1.5.4. Folgerungen für die Sakramententheologie

Schillebeeckx hat die phänomenologische Anthropologie – d. h. eine Anthropologie, die von dem menschlichen Handeln (actus secundus) als kulturschaffende Aktivität zu dem menschlichen Sein (actus primus) aufsteigt – in seine Sakramentenlehre aufgenommen und ihr eine hervorragende Stellung in seiner Neuinterpretation der thomasischen Sakramentenauffassung verliehen.

Unser Rückgriff auf De Petters Anthropologie hat zur Einsicht geführt, daß in ihr die Subsistenz und Personalität des Menschen das grundlegende Prinzip ist. Personalität umfaßt dabei die ganze Totalität der menschlichen Existenzweise: Wachstum, sozialen Bezug, Materialität, Begegnung und religiöse Einbindung. Dadurch eignet sich die Anthropologie De Petters besonders für eine theologische Rezeption, da in ihr die Offenheit für die verschiedenen, auch religiösen Dimensionen des Menschseins aufgenommen ist.

Schillebeeckx hat versucht, diese Anthropologie in seiner Sakramentenlehre zu integrieren. Dabei hat er sich darauf beschränkt, den Einheitsgedanken, der in der Subsistenz liegt, aufzunehmen. Die Körperlichkeit des Menschen ist eine Möglichkeit für den Ausdruck seiner Geistigkeit. In dieser Explizitmachung darf keine strenge Trennung zwischen dem Symbol und der Symbolaktivität aufgestellt werden, da das Symbol seine Existenz nur dank der Aktivität und der menschlichen Personalität besitzt.

Das Symbol als Prinzip der Kommunikation zwischen Menschen hat eine soziale Funktion. Diese Kommunikation aber ist nicht der alleinige soziale Bezug in der Anthropologie De Petters, obwohl Schillebeeckx auf andere soziale Einbindungen des Menschen nicht ausdrücklich eingeht. Da Symbol und Symbolschöpfung eigentlich eine Einheit in der menschlichen Personalität bilden, gibt es für De Petter eine fundamentalere soziale Einbindung. Der Mensch kann nur zur vollen Personalität auswachsen, wenn er dies in Beziehung zu seinen Mitmenschen zu realisieren vermag. Sozialer Bezug liegt in De Petters Anthropologie nicht nur in einer Kommunikation zwischen Menschen, sondern er ist schon als Antizipation in dem Personbegriff selbst vorhanden.

Wenn Schillebeeckx sich auf die phänomenologische Anthropologie De Petters beruft, muß man also mitbedenken:

1. Die spezielle Bedeutung der Phänomenologie bei De Petter;
2. Den Totalitätscharakter seines Personbegriffes;
3. Die evolutive Dynamik des Personbegriffes;
4. Die Beziehung zwischen Person und Materie;
5. Die soziale Einbindung der Person (Begegnung) und
6. Die Offenheit für Gott in der Personalität.

2. Die Einzelsakramente

2.0. Einleitung

Schillebeeckx' Studie zur Sakramententheologie, wie sie in der
›Sacramentele heilseconomie‹ vorliegt, hat einige Grundstrukturen des kirchlichen Sakramentes hervorgehoben. Die Sakramententheologie ist aber keine allgemeine, systemimmanente Theorie, sondern die Eigenart des Sakramentes in seiner konkret
historisch wechselnden Erscheinungsform verlangt, daß jede Sakramentenlehre auf diese Konkretheit der kirchlichen Einzelsakramente begründet ist. Eine Sakramententheologie kann die
fundamentale Struktur der menschlichen Symbolaktivität nur
verdeutlichen, wenn sie die konkreten, sakramentalen Ausprä-
gungen berücksichtigt.

Andererseits reicht es auch nicht aus, nur die Einzelsakramente
zu analysieren. Eine derart fundierte Sakramententheologie ist
zu stark von der konkreten Gestalt der Einzelsakramente abhängig[1]; sie wäre nicht in der Lage, die in den Einzelsakramenten
enthaltene Grundstruktur zu erhellen, damit sie gerade so der
Verkündigung einen Dienst leisten kann; sie würde dem Oppor-
tunismus verfallen und unfähig werden, der gegenwärtigen Gestalt der Sakramente kritisch gegenüberzustehen mit der Absicht,
daß in der sakramentalen Aktivität der Kirche die Gegenwart des
Christusmysteriums so klar wie möglich zum Ausdruck kommen kann.

Eine Sakramententheologie soll also eine ›Fundamentale Sakramententheologie‹ und eine ›Spezielle Sakramentenlehre‹ enthalten[2].

Es ist jetzt unsere Absicht, in den Veröffentlichungen von
Schillebeeckx die Darstellungen der Einzelsakramente daraufhin

zu untersuchen, inwiefern diese Einzelsakramente in einem lebendigen Austausch mit der ›Fundamentalen Sakramentenlehre‹ stehen.

2.1. Die Initiationssakramente. Taufe und Firmung als Befähigung zur Eucharistie

2.1.1. Die Taufe

2.1.1.0. Vorbemerkung

Im Vergleich zur Behandlung anderer Sakramente bei Schillebeeckx ist der Materialbestand einer Theologie der Taufe, die zudem nur aus den älteren Veröffentlichungen Schillebeeckx' erschlossen werden kann, sehr gering[3]. In einer Unterteilung dieser Literatur kann man bei einer Theologie der Taufe von zwei Aspekten oder näherhin Wirkungen sprechen: einerseits die Abwaschung der Erbsünde sowie der persönlichen Sünden und andererseits die Eingliederung in die Kirche[4]. Wenn wir nun die Taufe unter diesen beiden Gesichtspunkten betrachten, dann können wir die Erörterungen über die Begierdetaufe und Schillebeeckx' Ausführungen zum Taufmerkmal als Erklärungen der beiden genannten dogmatischen Aspekte betrachten.

2.1.1.1. Die Begierdetaufe als eine Konkretion der Taufgnade

Bei der Taufe muß man zuerst berücksichtigen, daß es sich um ein Sakrament der Toten handelt. »Ein Sakrament der Toten ist im kirchlichen Sprachgebrauch ein Sakrament, das nach seiner Eigenart die heiligmachende Gnade (. . .) Menschen geben will, die noch nicht oder nicht mehr im Stande der Gnade sind«[5]. Die Taufe als Sakrament der Toten hat somit ihren Platz in der sündenvergebenden Kraft der Gottes- und Menschenliebe. Denn wie für alle Sakramente der Toten gilt, daß die Gottinnigkeit und Sündenvergebung aufgrund einer contritio-Handlung und der Liebesgesinnung zu Gott als letzte persönliche Aneignung erfolgt[6], so beruht auch die sündentilgende Kraft der Taufe letztlich auf contritio[7]. Es gibt also nach Schillebeeckx eine deutliche Verbindung zwischen der Gottinnigkeit und Vergöttlichung einerseits und der Sündenvergebung andererseits. »Jede Begnadigung ist ja nicht nur eine Vergöttlichung, sondern zugleich die immer tiefer eingreifende Vergebung der Sünde[8].«

Wenn nun die sündenvergebende Kraft der Taufe im Rahmen der in den Sakramenten der Toten geforderten Gottesliebe verstanden werden muß, dann kann man auch der nichtsakramentalen Begierdetaufe einige Wirkungen der Taufe zuschreiben. Traditionell werden die Wirkungen der Begierdetaufe in der Rettung oder Rechtfertigung und der in ihr implizierten Tilgung der Erbsünde und der persönlichen Sünden gesehen[9]. Die Frage nach der Begierdetaufe ist also eng mit der Frage nach der Möglichkeit einer Rechtfertigung als außersakramentalen Heilsweg verbunden[10], da die Begierdetaufe der personalen Gnadenpräsenz im »Votierenden« zugeordnet werden muß. Bei den Begierdesakramenten muß man also von dem Gültigkeitsbereich und den kirchlichen Dimensionen der Sakramente als Explizitmachungen des Glaubens der Kirche abstrahieren. Grundsätzlich nun stimmt Schillebeeckx einer Möglichkeit der außersakramentalen Begnadigung und Rechtfertigung zu[11]. Aber die grundsätzliche Zustimmung bezieht sich nur auf das äußere Erscheinungsbild dieser Begnadigung. Dogmatisch betrachtet, muß man nach Schillebeeckx doch weiter ausholen und auch die außersakramentale, außerkirchliche Begnadigung auf Christus, das »Ursakrament«, zurückführen[12].

Damit wird schon deutlich, wie eng die Frage nach einer außersakramentalen Begnadigung mit dem patristischen, auf dem Konzil von Florenz[13] formulierten Axiom ›extra Ecclesiam nulla salus‹ zusammenhängt[14]. Dieses Adagium scheint aber sowohl in der authentischen Tradition der Theologie als auch sicher in den Verlautbarungen des kirchlichen Lehramtes eine milde Interpretation zu fordern, zumal neben diesem Satz die gleich ehrwürdige Tradition der Begierdesakramente und des ›votum Ecclesiae‹ steht.

Schillebeeckx bringt dann auch den anscheinend außersakramentalen Charakter der Begierdetaufe in Zusammenhang mit der Sakramentalität der Kirche. »In gewisser Weise ist darum jede Gnade, eine Gnade, die im Zusammenhang mit der innerweltlichen Wirklichkeit der sichtbaren Kirche steht«[15]. Somit darf man von dem Erscheinungsbild her sagen, daß es eine außersakramentale Begnadigung gibt, aber mit Hinsicht auf die Herkunft dieser Gnade muß man die Möglichkeit einer außersakramentalen Begnadigung verneinen. Das Entscheidungskriterium für die Beurteilung der Frage nach einer außersakramentalen Begnadigung und Rechtfertigung liegt somit nicht in der Frage selbst, sondern in der Funktion und der Bedeutung, die man dem »außersakramental« zuerkennt. Insofern »außersakramental« aussagt, daß auch außerhalb der sichtbaren Kirche Gnade von Gott verliehen werden kann[16], muß man diesem Satz zustimmen; wenn man »außersakramental« aber im weitesten Sinne als »außerhalb der Erlösung Christi«[17] verstehen will, ist eine solche Formulierung abzulehnen[18].

Dogmatisch gesprochen – von dem Ursakrament, Christus her[19] – kann man die Begierdetaufe also keine außersakramentale Begnadigung nennen. Schillebeeckx führt aber noch ein weiteres Argument zur Unterstützung seiner Grundthese an. »Man kann aber sagen, daß die vor- und außersakramentale Begnadigung, von der immer gegenwärtigen Erlösungstat des himmlischen Christus umfangen, die beginnende geschichtliche Verwirklichung ist von etwas, das von derselben dauernden Heilstat innerlich auch zu seiner vollen Verwirklichung getragen wird und zur vollen geschichtlichen Erscheinung kommt im tatsächlichen Empfang des Sakramentes. Von der immer gegenwärtigen Erlösungstat Gottes getragen, bilden die Begierdetaufe und die sakramentale Taufe ein sinnvolles Ganzes, so daß die ersten Wirkungen der Begierdetaufe von innen heraus zu der sakramentalen Christusbegegnung hinführen, in der erst die Fülle des Gnadenlebens zustande kommt«[20].

Dieses letzte Argument ist die Verbindung der Begierdetaufe mit der sakramentalen Taufe, wobei die Begierdetaufe schon die volle Sakramentalität der Kirche antizipiert. Der Grund für dieses Argument liegt somit in der allgemein sakramentalen Heilswirk-

samkeit des Christusereignisses, das den kirchlich-sakramentalen und anscheinend ›außersakramentalen‹ Bereich umfaßt.

Zusammenfassend kann man also sagen, daß Schillebeeckx die
Begierdetaufe als eine Tilgung der Erbsünde und der persönlichen Sünden im Rahmen des ordentlichen Heilsweges der Kirche
betrachtet. Die These Schillebeeckx' gründet auf seiner Interpretation der allgemeinen Sakramentalität, die in dem erlösenden
Christusmysterium grundgelegt ist. Da die Begierdetaufe ein
›votum Ecclesiae‹ enthält, ist sie nicht derselben Kritik ausge-
setzt, wie die Thesen zum ›Anonymen Christentum‹ oder das
Axiom ›Extra Ecclesiam nulla salus‹.

2.1.1.2. Der Gemeinschaftsbezug der Taufe. Das Taufmerkmal

Die Begierdetaufe impliziert ein Verlangen, zur Kirche zu gehören, aber dieses Verlangen findet (noch) nicht seine Bestätigung
in der sakramentalen Taufe, die erst den Täufling zu einem echten
Kirchenmitglied in Hinsicht auf die Sichtbarkeit der Kirche
macht. Die Kirchenmitgliedschaft im ausdrücklichen Sinne beruht also auf der sakramentalen Taufe, bei der das Taufmerkmal
verliehen wird.

Die Kirchenmitgliedschaft, die bei der Taufe dem Täufling verliehen wird, kann man wohl kaum als einen rein juridischen Akt
der Kirchenaufnahme verstehen. »Zwar haben Theologen wiederholt vor einer ›Mystifikation‹[21] des Merkmals gewarnt – und
nicht zu Unrecht –, während andere immer wieder geneigt sind,
darin eine rein juridische Wirklichkeit zu sehen«[22]. Schillebeeckx
selbst scheint eher eine Juridifizierung als eine Mystifikation des
Merkmals und der Kirchenaufnahme zu befürchten. »Aber die
Tatsache, daß ein Getaufter wirklich ein Kind des Vaters bleibt,
auch dann, wenn er sich in Widerspruch zu seinem Taufgelübde
stellt, kann schwerlich eine rein juridische Wirklichkeit genannt
werden«[23]. Der Perennitätsgehalt der sakramental vollzogenen
Kirchenmitgliedschaft verhindert also eine juridische Auffassung
des Merkmals[24]. Gegen eine Mystifikation schützt Schillebeeckx
sich, indem er die Kirchenmitgliedschaft nicht auf eine korpora-
tive Gesellschaft, die dann die Kirche wäre, bezieht, sondern auf

die Kirche als eine von der Trinität geprägte und auf diese gerichtete Gemeinschaft. »Andererseits dürfen wir diese innere Weihe der Taufe (. . .) nicht von dem Bezug auf die sichtbare Kirche lösen. (. . .) Gerade weil der Getaufte und Gefirmte in die sichtbare Kirche eingegliedert sind, tragen sie eine unwiderrufliche Relation zu dem Mitprinzip des Heiligen Geistes in sich, denn die Kirche ist die irdische Sichtbarkeit dieses Christusmysteriums«[25].

Aufgrund dieser Relationsbestimmung des Merkmals auf die Kirche und auf Christus schützt Schillebeeckx sich gegen zwei extreme Positionen. Durch Schillebeeckx' Interpretationseinschränkung zeigt sich hier gleichzeitig eine fundamentale Aussage für die Bestimmung der Eigenart des Merkmals. Schillebeeckx betrachtet das Merkmal – in einem terminologischen Gegensatz zu Thomas – als eine ›potestas activa‹, eine ontische Befugnis und Sendung zur Kultaktivität der Kirche und zu ihren spezifischen Handlungen, die immer christologisch ausgerichtet sind[26].

Der Unterschied zwischen Taufmerkmal und priesterlichem Merkmal liegt für Schillebeeckx in der Relation des Charakterisierten zur kirchlichen Kultaktivität. Während das priesterliche Merkmal den Empfänger ›ad alios‹ sendet, kann man das vom Tauf- (und Firm)merkmal nicht sagen[27]. Das priesterliche Merkmal setzt das Taufmerkmal in der Priesterweihe und in der kirchlichen Kultaktivität als materiales Element voraus[28], so daß Schillebeeckx das Merkmal nicht nur auf die Ebene der personalen Gnadenpräsenz, sondern sogar auf die Gültigkeitsebene der Sakramente beziehen kann[29].

Das Taufmerkmal weist gleichzeitig mit der Befähigung zum aktiven Dienst in der Kirche und zu ihrem liturgischen Kulthandeln auch schon auf das Sakrament der Firmung hin, das die Initiation der Taufe vorläufig (abgesehen von der Eucharistie) zur Erfüllung bringt und abschließt.

2.1.2. Die Firmung

2.1.2.0. Vorbemerkung

Wenn die Firmung[30] gleich in Anschluß an die Taufe behandelt wird, soll dies schon auf die enge Verbindung hinweisen, die zwischen diesen beiden Sakramenten besteht. Taufe und Firmung haben ursprünglich ihren Platz in der Einheit der Initiation[31]. Dogmatisch kann man außerdem versuchen, die Frage nach der Person des Firmspenders aus der Taufe und ihrer kirchlichen Bedeutung zu beantworten. Die kirchliche Differenziertheit des Amtes könnte bei einer Begründung der Spendung durch den Bischof als ›minister ordinarius‹ oder als ›minister originarius‹[32] als Begründungszusammenhang verstanden werden.

Aus der engen Verbindung zwischen Taufe und Firmung kristalisieren sich zwei Problemkreise heraus: einerseits die Person des Spenders, andererseits das eigene Firmmerkmal in Beziehung zur Taufe und zu ihrem Merkmal. In diesen Problemkreisen liegt die Frage nach der Selbständigkeit der Firmung miteingeschlossen, die nur eine befriedigende Antwort erhalten kann, wenn man bedenkt, daß sowohl Taufe als auch Firmung auf die kirchliche Initiation gerichtet sind, die in der eucharistischen Teilnahme ihre volle Ausgestaltung findet.

Nach einer historischen Übersicht über die Entwicklungen und Auffassungen der Firmung in der Theologiegeschichte stellt Schillebeeckx selbst eine Marginalienliste historischer Befunde auf, die einer weiteren Systematisierung bedürfen: »Die Firmung bietet sich als ein wesentlich getrennt-sakramentales Moment oder als Teilaspekt des Christianisierungsritus an. Sie setzt voraus, daß man schon getauft worden ist. Organisch und materiell schließt sie nicht nur bei der Taufe an, sondern sie bildet auch ihre erfüllende Abschließung. Der hochscholastische Satz ›confirmatione baptismus perficitur‹ findet sich materiell in der ganzen Glaubenstradition, angefangen bei der Hl. Schrift. Die Verschiedenheit der zwei Sakramente läßt aber eine auch chronologische Trennung zwischen beiden Teilaspekten des Initiationsritus zu. Taufe und Firmung bilden einen einzigen

Initiationsritus, aber sie sind zwei Sakramente mit einem je besonderen, initiierenden Heilsinhalt. Als Initiation in das sichtbare Gottesvolk, dessen leitender Hirte innerhalb seiner Glaubensgemeinde der Bischof ist, steht die Vollendung der Initiation durch die Firmung aufgrund der Bestimmung der Firmung selbst unter Leitung des apostolischen Amtes oder des Bischofs, der also der eigentliche Spender der Firmung ist. Als Initiationsritus, der die abgeschlossene Einweihung in die eucharistische Gnadengemeinschaft der Kirche verleiht, umfaßt die Firmung offensichtlich eine Relation zur Eucharistie, die ursprünglich den Abschluß dieser Initiation bildete«[33].

Bei einer Einordnung innerhalb der christlichen Initiation zeigt sich also, daß die Firmung die Taufe voraussetzt und auf die eucharistische Gemeinschaft vorbereitet.

2.1.2.1. Die Bedeutung des Firmmerkmals

Das Verhältnis zwischen Taufe und Firmung interpretiert Schillebeeckx in Analogie zu dem Passah- und Pfingstmysterium im Leben Jesu[34]. Die Taufe gibt dem Täufling Teilhabe an dem Mysterium des Todes und der Auferstehung Christi und befähigt ihn als ›nicht-qualifiziertes‹ Mitglied der Kirchengemeinschaft zur hauptsächlich kultischen Partizipation namentlich bei der Eucharistie[35]. Die Firmung dagegen verleiht dem noch ›nicht-qualifizierten‹ Mitglied der Kirchengemeinschaft die Geistsendung, durch die er zum vollen Mitglied, zum ›filius Dei in virtute‹[36], heranwächst. Diese Interpretation der Taufe und Firmung als »Schicksalsgemeinschaft mit dem gestorbenen und auferstandenen Christus« einerseits, und »Anteil an seiner messianischen Geistweihe«[37] andererseits, kann man als eine patristisch inspirierte Besonderheit der Interpretation des Initiationsvorganges bei Schillebeeckx ansehen[38].

Die Frage, warum Schillebeeckx gerade diese Interpretation der Taufe und Firmung im Rahmen der christlichen Initiation aufnimmt, läßt sich nur durch einen Rückgriff auf christologische, implizite Kernmomente seiner Sakramententheologie beantworten. Eine Theologie der Firmung auf der Basis der Formulierungen des Lehramtes und der Interpretation in der Tradition des kirchlichen Glaubensdenkens führt nicht weiter, da »die Tradition keine explizit ausgearbeitete Firmlehre besitzt, die auf zwingende Weise die Notwendigkeit der Firmung neben der schon gespendeten Taufe fundiert«[39]. Somit bietet sich eine Begründung aus der »inneren Verbindung der Heilsmysterien«[40] als einziger Ausweg aus dem festgestellten Engpaß an. Für Schillebeeckx nun ist das Christusmysterium, auf das hin schon jede Symboltätigkeit der Kirche im Grunde verwiesen ist, wesentlich von der Person Christi und ihren innertrinitarischen Verhältnissen bestimmt[41]. Schillebeeckx unterscheidet dabei einerseits die Momente der innertrinitarischen Sendung und des Sohnesgehorsams bis zum Tode und andererseits die göttliche Antwort auf den Sohnesgehorsam und die Geistsendung des verherrlichten Kyrios[42]. Somit kann Schillebeeckx neben dem Mysterium der Inkarnation, das in der Frage nach dem Verhältnis von Taufe und Firmung nur von geringer Bedeutung ist, von einem Ostermysterium und einem Pfingstmysterium sprechen.

Dieses schematisch skizzierte Christusmysterium mit seinen verschiedenen Aspekten bildet nun für Schillebeeckx den Rahmen, in dem er das Verhältnis zwischen Taufe und Firmung bestimmen möchte[43]. Dabei scheint es aber gerade die Frage zu sein, ob man die Sakramente der Kirche – auch wenn keine andere Lösung zum Problem in der Tradition vorgegeben ist – in das Christusmysterium auf diese Weise einordnen kann, wie Schillebeeckx es bei der Verhältnisbestimmung zwischen Taufe und Firmung tut. Die zeitliche Differenz zwischen dem historischen Christusmysterium und den Sakramenten der Kirche, die Schillebeeckx sonst immer stark betont[44], übergeht er im Allgemeinen bei der Interpretation der Firmung[45]. Wenn Schillebeeckx diesen Schritt dann mit einer »Inkorporation« der Sakramente in das Christusmysterium begründen will, kann er nur auf eine Tradition hinweisen, die die Firmung in eine Beziehung zur Geistsendung stellt[46]. Wie wichtig und stark die Tradition der Geistspendung durch die Firmung auch sein mag, so scheint sie doch nicht den historischen Sprung in das Christusmysterium selbst verantworten zu können[47]. Gegen den Vorwurf, daß ja nicht nur die Firmung geistspendende Kraft besitzt, sondern auch die Taufe[48], rüstet Schillebeeckx sich, indem er ausführt: »Gewiß, die in der Taufe vollzogenen Initiation zu ›filii in Filio‹ geschieht schon durch die Kraft des Geistes der Sohnschaft (Röm 8,15). Wir erhalten dann auch in der Taufe schon alle Früchte des Hl. Geistes, und die Einwohnung des Hl. Geistes selbst ist schon eine Tatsache: d. h. wir *sind* wahrhaftige Kinder des Vaters *aufgrund* des Oster- und Pfingstmysteriums Christi; die Gottessohnschaft ist eine Frucht der geistspirierenden Aktivität *Christi.* Doch in der Firmung erhalten wir selbst an seiner eigenen geistspirierenden Aktivität Teilhabe (was etwas ganz anderes bedeutet!)«[49].

Obwohl Schillebeeckx selbst wohl nicht ganz von der Kraft dieser Interpretation überzeugt ist, scheint es ihm doch die einzig mögliche Deutung zu sein. »Ich sehe nicht ein, wie man sonst der Taufe gegenüber den eigenen Heilsinhalt der Firmung auf eine verständliche Art erklären kann«[50].

Wie man auch die Transposition des Verhältnisses zwischen Taufe und Firmung beurteilen mag, man wird Schillebeeckx in seiner Feststellung zustimmen müssen, daß die Firmung gegenüber der Taufe einen eigenen Heilsinhalt hat, der namentlich durch das Firmmerkmal[51] traditionell angedeutet wird. Diesen eigenen Heilsinhalt der Firmung umschreibt Schillebeeckx mit einer ›co-spiratio activa‹. Im Gegensatz zur Taufe, die uns die Gotteskindschaft in der Kirchenmitgliedschaft und ebenfalls eine ›passive‹ Geistergriffenheit verleiht, macht die Firmung uns zu Mitspendern der Geisteskraft in der Kirche. Der Gefirmte wird so zum qualifizierten Mitglied der Kirchengemeinschaft und zum Verteidiger des Christentums[52].

2.1.2.2. Die ekklesiale Einbindung des Initiierten durch die Firmung. Kirche und Person des Spenders

»Für die Praxis der getrennten Tauf- und Firmfeier darf darum in keiner Weise eine Deutung vertreten werden, die dem Getauften nur einen ersten Teil des Heiles zuordnet und in der Firmung die Verleihung der restlichen Heilswirklichkeit sieht, die bisher noch gefehlt hat. Es geht in der Taufe wie in der Firmung um das eine und gleiche Heil Gottes, das nicht teilbar und trennbar ist«[53].

Dogmengeschichtlich gesehen ist der ursprüngliche Spender der ganzen Initiation mit ihren Sakramenten der Bischof[54]. Wenn nun von dem 2. Jahrhundert an eine stärkere Differenzierung des kirchlichen Amtes auftritt, fällt für die nichtstädtischen Gebiete die Spendung der Taufe und Eucharistie den »Sacerdotes secundi ordinis« zu[55]. Die Aufteilung des einen Initiationsvorganges, wie dieser sich ungetrennt noch in der Osterliturgie finden läßt, in Taufe, Firmung und Eucharistie als drei getrennte Sakramente, ließe sich somit aus einer Differenzierung des kirchlichen Amtes ableiten[56]. Diese Differenzierung vollzog sich vom 2. Jahrhundert an bis in das Mittelalter hinein, wobei das Wachstum der Kirche und die immer größer werdende Zahl der Kindertaufen dazu führten, den ›Hilfspriestern‹ eine wachsende Zahl Aufgaben zuzuteilen[57].

Diese Umstände sind Schillebeeckx nicht unbekannt[58]. Auch dürfte aus dem Vorhergehenden deutlich geworden sein, daß Schillebeeckx mit dem Problem ringt, wie man das Verhältnis von Taufe und Firmung bestimmen kann. Daß er trotzdem nicht den dogmengeschichtlichen Befund mit seiner Fragestellung verbindet, läßt sich wohl nur so erklären, daß Schillebeeckx dem Merkmal in seiner Sakramententheologie als ›Nervenknoten zwischen Kausalität und Signifikation‹ eine so zentrale Stellung einräumt[59], daß er dem Firmmerkmal mit einer dogmengeschichtlichen Erklärung, der doch immerhin ein gewisses Maß an Kontingenz und Relativität gegenüber der Offenbarung zukommt, nicht gerecht werden kann[60].

Wenn nämlich die Firmung ein von dem Merkmal der Taufe verschiedene Befugnis und Sendung zum Kult der Kirche und zu ihren spezifischen Handlungen beinhaltet, dann kann das Verhältnis zwischen Taufe und Firmung nicht nur dogmengeschichtlich bestimmt werden, sondern muß Taufe und Firmung eine je verschiedene Dimension des Christseins und der Kirche andeuten, zu deren sakramentalem Kult im Sinne einer zeichenhaften Explizitmachung der Glaubensintention der Gemeinschaft diese

Sakramente befähigen. Taufe und Firmung als zwei teilweise kontingente Momente des einen Initiationsvorganges anzudeuten, hieße, ihre Eigenart zu stark zu vernachlässigen und so das je verschiedene Merkmal zu übersehen.

Obwohl die dogmengeschichtliche Lösung des Verhältnisses zwischen Taufe und Firmung die ekklesiale Bindung des in der Firmung Initiierten stark hervorheben könnte (die Eingliederung des Gefirmten in die überlokale Kirche), kann Schileebeeckx diesen Schritt nicht tun, wenn er der Stellung des Merkmals in seiner Sakramentenlehre treu bleiben will. Der einzige Ausweg bleibt dann auch für Schillebeeckx nur[61]: eine Differenzierung des Wesensmomentes der Kirche in Passah- und Pfingstmysterium als Folge einer christologischen Akzentsetzung[62]. Wie sich in der Darstellung der fundamentalen Sakramentenlehre Schillebeeckx' gezeigt hat, verbürgt gerade das Merkmal die Authentizität der sakramentalen Symbolaktivität der Kirche[63]. Das Interpretationsmodell ›Nachfolge Christi in der Kirche‹, mit dessen Hilfe das Pfingstereignis in der Theologie Schillebeeckx auf die Firmung ausgedehnt wird, beruht also auf seiner Sorge um die Authentizität der Sakramente als Handlungen Christi in der Kirche und durch sie. Für diese Authentizität muß das Merkmal – auch das Firmmerkmal – die Basis bilden[64].

2.1.3. Die Eucharistie in ihren zwei Hauptmomenten: Wort und Sakrament

2.1.3.0. Vorbemerkung

In Schillebeeckx' Sakramentenauffassung hat das sakramentale Merkmal einen besonderen Platz[65]. Das Merkmal deutet nicht nur eine juridische Bevollmächtigung, sondern eine ontologische, letztlich christologisch fundierte Befähigung zu einem besonderen Handeln in der Kirche an. Es begründet einen kirchlichen Stand, und zwar nicht nur in Hinsicht auf das hierarchische Priesteramt, sondern auch bezüglich des Laientums, in dem das Merkmal – wie bei der Priesterweihe – die ›Kausalität‹ in Hinblick auf das Christusmysterium bildet und zu einem besonderen Dienst in der Kirche befähigt.

2.1.3.1. Wortgottesdienst und eucharistischer Dienst. Eine Verhältnisbestimmung

Unter den kirchlichen Sakramenten nimmt die Eucharistie eine Zentralstellung ein[66]. Diese Aussage kann man an vielen Stellen der Werke Schillebeeckx' wieder finden. Bei einer Synopse der verschiedenen Textstellen zeigt sich aber eine bedeutsame Verschiebung. Bezog sich die Zentralstellung der Eucharistie anfänglich auf die Mitte der sieben Sakramente, so bildet später die Eucharistie auch das Zentrum und Bindeglied zwischen der Kirche als ›großem Sakrament‹ und den sechs anderen Einzelsakramenten. Immer stärker findet sich in der Theologie Schillebeeckx' das Bemühen, eine Verbindung zwischen der Anwesenheit Christi in der Kirche und seiner eucharistischen Gegenwart zu schaffen[67].

Das erneuerte liturgische Interesse für die Eucharistie und ihre historischen Hintergründe hat eine Vertiefung des eucharistischen Verständnisses bewirkt. Die Bedeutung des Sakramentes der Eucharistie wird nicht nur auf die eucharistische Wandlung beschränkt, sondern die verschiedenen Teile der Messe wurden in ihrer Eigenart erkannt und anerkannt[68]. Die Eucharistiefeier in ihrer heutigen Gestalt kann man nicht mehr in eine Vormesse mit geringerer Bedeutung und eine eigentliche Opfermesse aufspalten[69], sondern jeder einzelne Teil der Messe – Eröffnungsriten, Wortgottesdienst, eucharistischer Dienst mit Kommunion und Schlußriten[70] – hat seine eigene Bedeutung[71].

Diese liturgische Differenzierung der Eucharistie wird von Schillebeeckx erst recht spät erkannt[72], und sein Interesse bleibt auf die ›Grundzüge‹ der Eucharistie beschränkt: Wortgottesdienst und eucharistischer Dienst[73], obwohl er die Existenz der anderen Teile formell erkennt[74]. Es ist aber bemerkenswert, daß Schillebeeckx sich mit den Eröffnungs- und Schlußriten der Eucharistiefeier nicht beschäftigt, während gerade diese beiden Teile auf besondere Weise die versammelte Gemeinde in ihrer Weltverbundenheit betreffen. Den Grund für diese Vernachlässigung der Eröffnungs- und Schlußriten kann man wohl kaum in einer Unterbewertung des Gemeinschaftsaspektes der Sakramente bei Schillebeeckx finden. Denn gerade Schillebeeckx betont in der fundamentalen Sakramentenlehre den Gemeinschaftsbezug der Sakramente sehr stark: sie gelten ihm als Explizitmachungen des Glaubens einer Gemeinschaft. Stattdessen muß man diese Vernachlässigung wohl als eine Konsequenz der streng sakramententheologischen Denkweise von Schillebeeckx ansehen. In der Tat führt Schillebeeckx die Existenz der Eröffnungsriten auf die menschlichen Erkenntnis- und Verständnisbedingungen der Offenbarung und des Mysteriums zurück[75]. Offenbarung und Mysterium ist für Schillebeeckx immer mit der ›condition humaine‹ verbunden. Offenbarung und Mysterium in reiner Form sind uns nur mittelbar gegeben. Gottes Wort und Gottes Handeln muß immer im menschlichen Wort und Handeln gefunden werden[76]. Wenn nun Gottes Wort immer in Menschenworten gefaßt ist, wird Gottes Wort sich nach den Bedingungen des Menschenwortes richten. Gottes Wort erscheint uns so in vielen Gestalten des Menschenwortes, und somit auch ›suo modo‹ in den Eröffnungs- und Schlußriten der Eucharistie.

Ein zusätzliches Argument für diese Interpretation bildet die Stellung des Wortgottesdienstes in der Eucharistie nach der Theologie Schillebeeckx'. Auch den Wortgottesdienst versteht Schillebeeckx als eine Sonderform des Sakramentes[77]. Wie das Wort Gottes in dem apostolischen Wort als Mysterium im Symbol enthalten ist, so ist auch der Wortgottesdienst ein wirkliches Sakrament ›suo modo‹, in dem die Gnadenwirksamkeit Christi anwesend ist. »»Das Wort‹ ist die Kirche selbst, in einer ihrer Wesenstätigkeiten. Nach Art des Wortes wird es also an der wesentlich sakramentalen Struktur der Kirche partizipieren. Sowohl das Wort als auch die sieben Sakramente sind eine persönliche Anrede des lebendigen Herrn mittels menschlicher Gestalten. Die Antwort kann in beiden Fällen als Bejahung oder als Ablehnung gegeben werden. Aber die Eigenart des Wortes und die Eigenart des Sakramentes sollen angeben, welche die spezifische Wirksamkeit dieser beiden kirchlichen Tätigkeiten ist. (. . .) Deshalb besteht der Art nach ein unverkennbarer Unterschied zwischen der Gegenwart Christi in seiner Menschheit (*in propria carne*), der Gegenwart in der Weise des Sakramentes und schließlich der Gegenwart in der Weise des Wortes, obwohl es in allen drei Fällen *suo modo* um eine wirklich aktive Gegenwart Christi selbst geht«[78].

Der Wortgottesdienst hat so seine eigene, aus der allgemeinen Sakramentalität der Kirche abgeleitete Bedeutung. Der Dienst des Wortes ist somit real wirksame Vorbereitung auf die Gegenwart des Herrn in der Eucharistie. »Nun, gerade der Glaubensgehorsam, eine Frucht des Wortdienstes, ist die Voraussetzung für jeden fruchtbaren Empfang eines Sakramentes, das wesensgemäß ein ›sacramentum fidei‹ sein muß. Ohne die Heilskraft des Wortes gibt es keine tatsächliche Fruchtbarkeit des Sakramentes. Diese Struktur weist schon auf den inneren Zusammenhang zwischen dem Dienst des Wortes und dem Dienst des Sakramentes hin. Weil das Sakrament seine volle Fruchtbarkeit nur in jenem Menschen hat, der sich gläubig der Selbstgabe Christi im kirchlichen Sakrament verbindet, ist der Dienst des Wortes notwendig auf den Dienst des Sakramentes hingeordnet. Was also im Wort *begonnen* wird, wird im Sakrament vollendet«[79].

Die Ausführungen Schillebeeckx' zum Dienst des Wortes erhellen deutlich die Eigenart des Wortgottesdienstes als Sonderform des Sakramentes. Schillebeeckx erkennt, daß es sich bei dem Wortgottesdienst um einen eigenen, besonderen Teil innerhalb der Eucharistiefeier handelt. Trotzdem will er zwischen dem Wortgottesdienst und dem Dienst der Eucharistie (Gabenbereitung, Eucharistisches Hochgebet und Kommunion) keine strenge Trennung durchführen. Die so geforderte Eigenart in der Einheit stellt Schillebeeckx her, indem er das Wort auf die allgemeine Sakramentalität des Mysteriums in der Kirche zurückführt.

Durch diese Begründung setzt Schillebeeckx sich dem Vorwurf einer Calvinisierung der Liturgie aus, da er das Wort selbst auf die Ebene des Sakramentes bringt[80]. Schillebeeckx widersetzt sich aber diesem Vorwurf, indem er behauptet, daß die Sakramentalisierung des Wortes kein Merkmal des Calvinismus sei, sondern eine katholische Reminiszenz in den reformatorischen Kirchengemeinschaften[81].

2.1.3.2. Die Eucharistie als Gegenwart Christi

Die Gegenwart Christi in der Eucharistie wurde in der ersten Hälfte der sechziger Jahre namentlich in Holland auf breiter Basis diskutiert[82]. Daß der theologische Terminus ›Transsubstantiation‹ schon länger fragwürdig geworden war, legt Schillebeeckx ausführlich in seiner Studie der Eucharistie dar[83]. Diese Studie ist deutlich auf ein breiteres Publikum zugeschnitten, wie Schillebeeckx im Vorwort der ›Eucharistischen Gegenwart‹ auch klar zu erkennen gibt: sie darf nicht als vollständige Theologie der Eucharistie verstanden werden[84]. Dennoch trifft man in diesem Werke auf theologisch nicht unverbindliche Aussagen, zumal wenn man sie auf den Hintergrund der ›Sacramentele heilseconomie‹ stellt. Denn einige theologisch-bestimmende Schwerpunkte, die in der ›Sacramentele heilseconomie‹ herausgearbeitet wurden, finden sich auch in der Studie über die Eucharistie:

a) Die Ablehnung des Physizismus und Sensualismus. Eine Materialisierung der Eucharistie führt zu einer Verdinglichung des Begriffes ›Konsekriertes Brot‹ unter Vernachlässigung der sakramentalen Dimension der Eucharistie. Schillebeeckx verdeutlicht die Verdinglichung der Eucharistie mit einer Vorführung der eindrucksvollen »Skandalpresse« des 13. Jahrhunderts[85].

b) Die Eucharistie als Symbolaktivität der Kirche. Wenn die Sakramente keine ›Dinge‹ sind, sondern eine symbolhafte Explizitmachung des Glaubens der Kirche, in der die Gläubigen zu einer Christusbegegnung geführt werden[86], dann wird sich in der Lehre der Eucharistie eine Vierpoligkeit finden:

- die Heilstaten Christi
- die Glaubensgemeinschaft der Kirche
- das Sakrament in seinem gemeinschaftsfördernden und auf Christus verweisenden (heiligenden) Aspekt.
- Jedes Sakrament steht im Dienste einer Christusbegegnung[87], da jede menschliche Aktivität immer schon in das göttliche Heilshandeln als selbständige Größe aufgenommen ist: ›Opus operantis‹ ist eine Wirkung des ›opus operatum‹.

Unter diesen zwei Grundsätzen müssen wir dann auch die sehr

geraffte Theologie der Eucharistie sehen, die Schillebeeckx im letzten Teil seiner Studie anbietet.

Es kann bei einer Neuinterpretation des Transsubstantiationsbegriffes nicht darum gehen, die Eucharistie zu vermenschlichen, sie zu einem völlig einsichtigen Geschehen zu erklären, das jeden Bezug zum Mysterium des Herrn verloren hätte. Der einzig mögliche Ausweg aus der Sackgasse, in die das Eucharistieverständnis geraten ist, ist eine neue Transparenz der Initiative Gottes im Sakrament der Eucharistie.

Schillebeeckx' Grundprinzip, in dem er die Initiative Gottes zum Ausdruck bringen möchte, lautet: »Wirklichkeit ist kein Gemächte des Menschen«[88]. Für Schillebeeckx ist diese Aussage so fundamental, daß er sie als Grundthese in die Schöpfungslehre und Eschatologie einordnet. »Für den Gläubigen sind die Dinge nicht nur, was sie in sich selbst sind und was der Mensch in seinem innerweltlichen Lebensentwurf von ihnen erfährt; für den Gläubigen sind sie, jedes nach seinem eigenen Seinsmaß, auch Gottesoffenbarung«[89]. Diese Gottesoffenbarung eignet den Dingen aufgrund ihres ›Sein-aus-Gott-für-den-Menschen‹. Die Materie ist wesentlich Ausdruck der Liebe Gottes zum Menschen: sie ist sakramental. Wenn die Wirklichkeit an sich schon sakramental zu verstehen ist, dann hat sie auch – mutatis mutandis – die Eigenschaften der Sakramente: Gemeinschaftsbezug und Mysteriengehalt. »Der Mensch ist zwar eine dem Wesen nach interpretierende Existenz, welche die Wahrheit eben als Unverborgenheit einigermaßen aufleuchten läßt, aber seine Sinngebungen werden von einer Wirklichkeit beherrscht, die (nicht chronologisch, sondern in metaphysischer Priorität) zuerst von Gott stammt und dann erst vom Menschen selbst. Deshalb ist die Wirklichkeit *Mysterium,* Gottes enthüllende und verhüllende Offenbarungsgestalt. Das tiefste Wesen von Personen und Dingen entzieht sich uns daher immer«[90].

Indem der Mensch so sinngebend in der Wirklichkeit steht, aber seine Sinngebung immer nur ein Herantasten an das Mysterium ist, bleibt jede menschliche Sinngebung offen für die endgültige Sinnstiftung Gottes. Die Wirklichkeit in ihrer konkreten Erscheinung und der endgültige Sinn der Wirklichkeit erreichen erst in der Eschatologie ihre Einheit. Somit kann Schillebeeckx dann auch von einem metaphysischen Sinn der Wirklichkeit sprechen. »Darin (in der menschlichen Sinngebung, Anm. des Verf.) kann ich nicht willkürlich vorgehen, denn ich bin mit an die gegebene Wirklichkeit gebunden, aber innerhalb des gegebenen Mysteriums stehend, stifte ich eine menschliche Welt und verändere ich fortwährend deren menschlichen Sinn; aber nur den menschlichen Sinn, denn ihr tiefster Sinn selbst, ihr metaphysischer Sinn, ist für menschliches Begreifen und Eingreifen unerreichbar«[91].

Brot und Wein nun sind in der menschlichen Sinngebung nicht nur biologische Nährwerte, sondern auch notwendige Bestandteile der menschlichen Mahlgemeinschaft und sogar Symbole für das menschliche Leben[92]. Brot und Wein als Symbole des menschlichen Lebens werden in Israel im Kontext des geschichtlich-handelnden Gottes verstanden. Gott rettet im Auszug aus Ägypten das jüdische Volk. Brot und Wein werden somit zu Gedächtnisgegenständen für das von Gott in der Rettung aus Ägypten geschenkte Leben. Schillebeeckx möchte die Eucharistie in diesen heilshistorischen Kontext stellen. »Die Transsubstantiation, die in diesem Kontext (der menschlichen Sinngebung und Anamnese, Anm. des Verf.) impliziert ist, ruft deutlich eine sehr bestimmte Wirklichkeitsebene wach: die des Mahlfeierns, und zwar in einer religiösen Symboltätigkeit, nämlich in einem *Leben erbittenden* und *Leben schenkenden* Ritus, der ein Gedenken an das Lebensopfer oder ›den Tod des Herrn‹ ist«[93].

Schillebeeckx betrachtet diese Einbezogenheit in den heilsgeschichtlichen Rahmen als Voraussetzung für ein sinnvolles Sprechen über die eucharistische Gegenwart: »Die Eucharistie ist die sakramentale Erscheinungsform dieses Geschehens, der Selbsthingabe Christi an den Vater in der Gestalt der Selbsthingabe an die Menschen«[94]. Hierdurch wird nicht nur das eucharistische Handeln auf das historische Christusereignis gegründet, sondern die Eucharistie wird als Symbolaktivität der Gemeinde zum Sakrament, da Brot und Wein in einer neuen Sinnstiftung des in der Kirche gegenwärtigen Herrn zu Zeichen seiner Gegenwart umgestaltet werden. »Diese Sinn-Stiftung Christi vollzieht sich in der Kirche und *setzt* deshalb wesensgemäß die reale Gegenwart des Herrn in der Kirche, in der versammelten Gemeinde und in dem, der die Eucharistie leitet, *voraus«*[95]. Schillebeeckx betont dieses Argument der Gegenwart des Herrn in der Kirche bewußt als Voraussetzung für die eucharistische Gegenwart. »Es gibt schließlich nur *eine* reale Gegenwart Christi, die auf verschiedene Weisen realisierbar ist. Sie ist meines Erachtens mitkonstitutiv für die Eucharistie. Es genügt nicht, bei der Deutung der Eucharistie allein Christi Gegenwart ›im Himmel‹ und in ›Brot und Wein‹ einzubeziehen, wie es die Scholastik tat, die Christi Realpräsenz in den Gläubigen nur als die Frucht dieser beiden Pole, die ›res sacramenti‹, betrachtete. Kraft der von Christus gestifteten und von der Kirche im Glauben bejahten Sinngebung sind Brot und Wein wirklich *Zeichen,* eine spezifische sakramentale Erscheinungsform des schon real und persönlich für uns gegenwärtigen Herrn«[96].

Neben der Selbsthingabe des Herrn in der Eucharistie »für uns« vollzieht sich aber auch die umgekehrte Bewegung: unsere Selbsthingabe in der Eucharistie »für ihn«, die als »reactio« auf die »actio Christi« erfolgt. Man erhält den Eindruck, daß beide Handlungen bei Schillebeeckx nicht voneinander getrennt werden können, da er einerseits die Gegenwart des Herrn in der versammelten Gemeinde als Voraussetzung der eucharistischen Gegenwart ansieht, andererseits aber in dem actio-reactio-Schema die christologisch-sakramentale Anwesenheit zur ›Voraussetzung‹ für die ekklesiologische Christusgegenwart macht[97]. Bei einer genauen Betrachtung ergeben sich die folgenden Zusammenhänge:

a) Die eucharistische Gegenwart des Herrn umfaßt das Symbol und das Mysterium.

b) Die eucharistischen Symbole (Brot und Wein) gehören zur Schöpfungswirklichkeit und unterliegen somit der menschlichen Sinngebung, die aber nie abgeschlossen ist, sondern in der metaphysischen und eschatologischen Erfüllung ihre Vollendung findet.

c) Da jeder Wirklichkeitssinn offen ist, birgt auch jede Wirklichkeit prinzipiell die Möglichkeit in sich, daß in ihr eine göttliche Sinnstiftung durchbricht, so daß diese Wirklichkeit in besonderer Weise zum Träger des Mysteriums wird.

d) Das eucharistische Mysterium hat die Gegenwart des Herrn in seiner Kirche zur Voraussetzung[98].

e) Letztlich ist die ekklesiale Gegenwart gegründet in dem historischen Christusereignis des Triduum Paschale[99].

f) Die eucharistische Gegenwart als Symbol und Mysterium umfaßt somit das Mahl als Symbolaktivität der Gemeinde und das Gedächtnis an das Christusereignis als gottgestiftetes Heilsmysterium[100].

g) Diese eucharistische Gegenwart wird nun in einem actio-re-actio-Schema gleichzeitig als Selbsthingabe der Kirche an den Vater verstanden. Diese Selbsthingabe der Kirche intensiviert die Brüder- und Christusgemeinschaft der Kirche. Eucharistie ist einheitsstiftend[101].

In seiner vorhergehenden dogmengeschichtlichen Untersuchung[102] hat Schillebeeckx darauf hingewiesen, daß das Tridentinum in seiner Formulierung der Transsubstantiation drei Ebenen kennt[103]. Die erste Ebene ist der Glaubenssatz, daß es eine reale Gegenwart Christi unter der sakramentalen Gestalt der ›species‹ gibt. Nach Schillebeeckx bezeichnet diese erste Ebene eine unverzichtbare Wahrheit[104]. Die zweite Ebene verbindet die reale Gegenwart Christi in der Eucharistie mit der Verwandlung der Brot- und Weinsubstanz. Diese Verwandlung wird schließlich in der dritten Ebene mit dem ›terminus technicus‹ Transsubstantiation angedeutet.

Es stellt sich nun die Frage nach dem Zusammenhang der zweiten und dritten Ebene: fordert eine Zustimmung der realen Gegenwart Christi in den Gestalten des Brotes und des Weines aufgrund einer Verwandlung gleichzeitig die Zustimmung zur Transsubstantiation? Schillebeeckx stellt diese Frage in der Formulierung: »Ist dieser notwendige Zusammenhang zwischen eucharistischer ›Realpräsenz‹ und ›Transsubstantiation‹ eine *innere* Notwendigkeit des Dogmas von dieser Gegenwart oder ist dieser Zusammenhang eine Denknotwendigkeit für den damaligen Geistesrahmen«[105]? Aufgrund einer kleinen Studie der patristischen und mittelalterlichen Aussagen über die Verwandlung der eucharistischen Gestalten[106] kommt Schillebeeckx zum Schluß, daß die Bezeichnung »Transsubstantiation« nicht notwendig mit dem aristotelischen Gedankengut der ›Substanz‹ und ›Akzidenz‹ wiedergegeben zu werden braucht. Der kirchlichen Definition ist jeder Aristotelismus im strengen Sinne sogar fremd. Schillebeeckx meint aber gleichzeitig, daß die eucharistische Realpräsenz und eine Wesensverwandlung – noch abgesehen von jeder Deutung – aufgrund der Trienter Formulierung verbunden werden müssen: »Dies alles (die historische Untersuchung, Anm. des Verf.) lehrt uns, daß die tridentinische ›Verwandlung‹ (conversio) zwar in aristotelischen Begriffen gedacht ist, aber doch eine *Realität* bezeichnet, die auch zur Überzeugung der alten Kirche gehörte, dort jedoch ohne diesen aristotelischen Kontext. Das bestätigt uns schon in der Ansicht, daß das Tridentinum in Kanon 2 (der Kanon über die Verwandlung, Anm. des Verf.) eine Wirklichkeit *unseres Glaubens* nahelegt, die nicht per se aristotelisch gedeutet zu werden braucht«[107].

Aus Schillebeeckx' dogmengeschichtlicher Untersuchung dürfen wir also als Ergebnis festhalten, daß die Transsubstantiation eine Verwandlung des Brotes und des Weines in eine ganz spezifische Form der Gegenwart Christi andeutet. Beide, die Verwandlung und die Gegenwart Christi, müssen als vom Tridentinum formulierte Glaubenssätze betrachtet werden.

Mit Hilfe seiner ›Philosophie der Wirklichkeit‹[108] kann Schillebeeckx aufzeigen, daß eine Verwandlung der Materie zu den prinzipiellen Möglichkeiten der Materie selbst gehört. Deshalb darf man annehmen, daß auch Gott in dem Mysteriumaspekt der Sakramente eine solche Verwandlung der Materie selbst vollziehen kann. Diese Verwandlung befindet sich in erster Instanz nicht auf der Ebene der Ontologie, sondern im Rahmen des sakramentalen Heilshandeln Gottes. Erst wenn man der prinzipiellen Verwandelbarkeit der Materie zustimmt – als philosophische Aussage –, erst dann kann man von einer Wesensverwandlung im philosophischen Sinne sprechen.

Schillebeeckx befaßt sich in der Studie über die eucharistische Gegenwart lediglich mit dem Problemkreis ›reale Gegenwart-Verwandlung‹. Diese problematisierte Verbindung wird nicht in einem streng dogmatischen Sinne hergestellt, sondern eher durch eine philosophisch-fundamentaltheologische Interpretation der prinzipiellen Verwandelbarkeit der Materie. Man wird dann auch vergebens suchen nach strikt theologischen Konsequenzen[109] wie etwa: die Beziehung zwischen der Gegenwart Christi in seiner Kirche und dem ›Sitzen zur Rechten des Vaters‹; ein eindeutiger Bezug des Sakramentes auf das historische Christusereignis[110]; die ekklesialen Voraussetzungen einer Gegenwart Christi; die dogmatische Relevanz einer konkreten Form der liturgischen Wandlung (die liturgisch-dogmatische Beziehungen zwischen dem Eucharistischen Hochgebet und dem Einsetzungsbericht)[111].

Auch in der Theologie der Eucharistie bleibt Schillebeeckx seiner Position treu, indem er jeden Physizismus in der Eucharistie ablehnt[112] und die Eucharistie ohne Konzession in den Kontext der Sakramentalität stellt. Dabei ist diese Sakramentalität auf Christi Heilshandeln gegründet, das uns in der Gemeinschaft der Kirche in der Form einer personalen Begegnung zugänglich wird und dem so gemeinschaftsfördernde Wirkung zukommt.

2.2. Beichte und Krankensalbung als sühnende Sakramente

2.2.0. Vorbemerkung

Wie die Taufe gehören auch die Beichte als ›paenitentia secunda‹ und – im uneigentlichen Sinne – auch die Krankensalbung zu den ›Sakramenten der Toten‹[113]. Diese Aussage gibt schon eine Gewähr dafür, daß diesen Sakramenten im Denken Schillebeeckx‹ ein großer Platz zukommt, denn als Sakramente der Toten stehen Beichte (und Krankensalbung) mit der Frage nach der Rechtfertigung Gottes im Zusammenhang. Geschenkte Gnade Gottes und menschlicher Einsatz stehen bei den Sakramenten der Toten in einer sehr engen und komplexen Verbindung[114]. Diese verschiedenen Eigentümlichkeiten muß man auch bei einer Darstellung der Beichte (und Krankensalbung) bei Schillebeeckx berücksichtigen.

2.2.1. Beichte – Buße – Ablässe

2.2.1.1. Sakramentale und außersakramentale Vergebung der Sünden

Eine eigene Beichttheologie findet sich in den Veröffentlichungen von Schillebeeckx nicht in einer ausgeprägten und systematisierten Form. Die Sätze zur Beichte wird man aus einigen kleinen Artikeln gewinnen[115] und sie anschließend in einen Zusammenhang stellen müssen. In der ›Sacramentele heilseconomie‹ hat Schillebeeckx die theologischen Verbindungen zwischen der innerlichen Bekehrung und der sakramentalen Form dieser Bekehrung entfaltet[116]. Die theologischen Erkenntnisse und Forderungen werden anderorts psychologisch zusammengefaßt in dem Satz: »Man hat behauptet, daß psychologisch das Schuldbewußtsein großenteils aus einer rücksichtslosen Unterdrückung der sympathischen Anwesenheit eines geliebten Wesens entsteht«[117]. Diese psychologische Erkenntnis stimmt insofern mit den theologischen Ergebnissen überein, als die liebevolle Anwesenheit Gottes im Bewußtsein des Menschen eine Voraussetzung für das Sündenbewußtsein ist. Die erfahrene Abwesenheit Gottes im Leben eines Menschen ruft bei ihm die aktive Sehnsucht hervor, Gottes liebevoller Anwesenheit wieder einen eigenen Raum zu verschaffen. Die persönliche Aktivität des Menschen darf aber nicht als sein eigener Verdienst gewertet werden, denn die Liebe Gottes, die trotz unserer Sündhaftigkeit bestehen bleibt, ist die eigentliche Quelle der menschlichen Reue. »Unsere liebevolle Reue ist nicht der eigentliche Grund, weshalb Gott uns Vergebung schenkt: weil Gott selbst uns Vergebung schenkt, bekommen wir ein neues Herz, aus dem der Akt einer liebevollen Reue wieder hervorgehen kann. Der tiefste, mysterienhafte Kern der reuigen Einkehr und somit der Beichte besteht darin, daß wir trotz unseren Sünden von Gott geliebt werden. Beichten ist dann auch mehr göttliches Wirken als unser eigenes Werk«[118].
Drückt man diese Auffassung in dem Schema des ›votum sacramenti‹[119] aus, dann muß man sagen, daß die göttliche Vergebung dem menschlichen Handeln immer schon vorausgeht und daß die

sakramentale Wirkung im persönlichen Bereich (im Gegensatz zur ekklesialen Wirkung wie z. B. das Merkmal bei der Taufe) bei einem ›votum sacramenti‹ mit der Wirkung des eigentlichen Sakramentes übereinstimmt[120]. »Der Vater ist uns voraus: er sucht den verlorenen Sohn auf (. . .) Dieses Aufgesucht-Werden durch Gottes zuvorkommende und ziehende Liebe erzeugt bei uns eine unwiderstehliche Gottesnot: *vultum tuum Domine requiram* (. . .); das ist die Achse des Beichtverlangens«[121].

Wenn man dann auch fragt nach der Eigenart der sakramentalen Beichte im Vergleich zur außersakramentalen Begnadigung und Versöhnung mit Gott im ›votum sacramenti‹, dann wird man sich gerade auf die Beichte als Sakrament konzentrieren müssen. Die Sakramentalität wird der Beichte ihren Wert verleihen, nicht das quantitative ›Mehr‹ an Sündenvergebung oder Versöhnung mit Gott.

Man kann zwar allgemein sagen, daß die Aussprache über die eigene Sündigkeit schon eine Erleichterung bringt. »In der Sünde fühlt man sich schuldig auch der ganzen Menschheit gegenüber. Man wird notfalls Blumen und Vögeln erzählen, daß man gesündigt hat, aber aus dem Menschen hervortreten wird es . . ., es sei denn, man empfinde sogar die Sünde nicht mehr als Sünde«[122]. Neben dieses psychologische Verlangen nach einer Aussprache tritt aber für Schillebeeckx eine tiefere theologische Dimension der Beichte.

Die theologische Dimension der Beichte wird die Sakramentalität betreffen. Die Kirche ist die Vermittlung zwischen den Heilstaten Christi und unseren Sakramenten[123]. »Die sakramentale Kirche ist also der normale Weg zu Gott. Deshalb ist die Beichte als Sakrament *die Versöhnung mit der Kirche*. Die sichtbare Versöhnung mit der Kirche ist das Sakrament, d. h. Zeichen und Werkzeug, unserer Versöhnung mit Gott«[124]. Es ist bemerkenswert, daß sich diese Aussagen nur an den erwähnten Stellen finden, und nicht etwa auch in der ›Sacramentele heilseconomie‹. Wir müssen dabei wohl berücksichtigen, daß Thomas die eigentliche Gnadenwirkung des Sakramentes der Beichte nicht in einen ekklesialen Effekt legt, sondern in die innere Bußgesinnung, die die Beichte beim Menschen bewirkt[125]. Wenn man Thomas hier auch durch den Hinweis entschuldigen kann, daß die Abhandlung über die Buße und Beichte einen nicht vollendeten Abschnitt der Summa darstellt[126], muß man doch erkennen, daß diese zufällige Gegebenheit ihre Auswirkungen in der Theologie der Beichte gehabt hat[127]. Erst mit B. Xiberta[128] und Maurice de la Taille kam in den zwanziger Jahren unseres Jahrhunderts wieder ein Interesse für die altkirchliche Bußdisziplin und ihre ekklesiale Bedeutung auf[129]. Bei Schillebeeckx findet man die ekklesiale Wirkung der Beichte zuerst in einem Artikel ›Het sacrament van de biecht‹ aus dem Jahre 1952[130]. Wegen der mehr spirituellen Art dieses Artikels und der wohl deshalb fehlenden Quellenreferenz lassen sich keine Verbindungslinien zwischen der Bußtheologie Schillebeeckx' und anderen Vertretern[131] einer ekklesialen Wirkung der Beichte feststellen[132]. Da Schillebeeckx sich nicht ausdrücklich auf Autoren dieser Richtung beruft, darf man wohl annehmen, daß er – angeregt von dem Zeitgeist mit einem hohen Interesse für die ekklesiale Wirklichkeit[133] – seine Gedanken mehr oder weniger selbständig aus einer Bewertung der altkirchlichen Bußpraxis entwickelt hat.

Die altkirchliche Bußpraxis war auf dem Prinzip der kirchlichen Exkommunikation gegründet. Der Bischof schließt den Sünder aus der Communio der Kirchengemeinschaft aus, was seine schärfste Auswirkungen für die Mitfeier des Büßers an der Eucharistie hatte: der vom Bischof exkommunizierte Büßer durfte nur den Wortgottesdienst mitfeiern, von dem eucharistischen Tisch war er ausgeschlossen[134].

In dieser Exkommunikationsbuße tritt der ekklesiale Aspekt der Sünde und ihres Nachlasses deutlich hervor. Aber auch in dem späteren Stadium der ›Tarifbuße‹, in der dem Büßer mit Hilfe der ›libri paenitentiales‹ eine seiner Fehltat entsprechende Buße auferlegt wurde, kann man in diesem Sakrament noch eine kirchliche Bindung feststellen, obwohl das altkirchliche ›Kollegium der Büßer‹ allmählich verschwindet und die Buße einer Veräußerlichung unterliegt: »Leistung und Kraftproben sprachen die Phantasie dieser in griechisch-römischen Augen noch unkultivierten keltischen, fränkischen und germanischen ›barbari‹ stark an«[135].

Erst mit dem Aufkommen der ›Ohrenbeichte‹, bei der die Versöhnung mit der Kirche schon in der priesterlichen Lossprechung liegt und also der eigentlichen Buße schon vorausgeht, tritt die kirchliche Wirkung von Buße und Beichte aufgrund der eigenen Struktur der Ohrenbeichte in den Hintergrund. »Das Neue liegt darin, daß die Buße jetzt verschoben wird: die kirchliche Versöhnung findet statt, bevor der Bußprozeß vollzogen ist; dieser nimmt seinen Anfang nach der Aussöhnung«[136]. Man konnte diese Verschiebung des Bußwerkes auf die Zeit nach der kirchlichen Versöhnung verantworten, indem man das Sündenbekenntnis in der Beichte selbst schon als Anfang des Bußwerkes bewertete[137].

Trotz dieser Verschiebung, die eine Unterbewertung der kirchlichen Wirkung des Bußsakramentes favorisiert, darf die Beichte nicht eine Privatsache zwischen Gott und der Seele werden, sondern sie ist wesentlich ein ›ekklesiologisches Geschehen‹[138]. Schillebeeckx vertritt diese Ansicht in Anschluß an Thomas und Bonaventura, die – ohne Kenntnis der altkirchlichen Bußpraxis – doch regelmäßig die Buße eine Versöhnung mit der Kirche nennen[139].

Diese Überlegungen führen Schillebeeckx zu der Aussage, daß »die kirchliche Lossprechung oder die Versöhnung mit der Kirche das *signum externum*, d. h. das eigentliche Sakrament der Beichte ist. Die kirchliche Lossprechung wird die Sichtbarkeit und das wirksame Werkzeug einer göttlichen Lossprechung«[140].

Die Beziehungen, die zwischen der Versöhnung mit der Kirche und der Lossprechung und Vergebung der Sünden gegenüber Gott liegen, umschreibt Schillebeeckx mit den in der fundamentalen Sakramentenlehre erarbeiteten Sätzen über Zeichencharakter, Heilskausalität und Wirksamkeit der Sakramente. Wenn jedes Sakrament als Explizitmachung das äußere Zeichen einer inneren Intention oder Glaubensüberzeugung ist und außerdem Gnadenwirksamkeit aufgrund des Christusereignisses selbst besitzt, dann findet sich in der Beichte genau dieselbe Struktur wie bei den anderen Sakramenten. Das ›signum externum‹ ist die Explizitmachung eines Glaubensmysteriums. Da Schillebeeckx in

Nachfolge des Thomas und Johannes a Santo Thoma die Priorität innerhalb der Sakramentenbestimmung in das Zeichen legt, nennt er die Beziehung zwischen der ›significatio‹ und der Heilswirksamkeit eine »instrumentale Symbolkausalität«[141] im Gegensatz zu anderen theologischen Modellen, wie etwa ›physische Kausalität‹, ›intentionale Kausalität‹, ›Mysteriengegenwart‹, ›Symbolkausalität‹ u. a.[142].

Im Sinne der Theorie einer instrumentalen Symbolkausalität ist die kirchliche Versöhnung nun das Sakrament der Sündenvergebung Gottes: das äußere Zeichen, das die Sündenvergebung andeutet und im sakramentalen Sinne ›bewirkt‹[143].

Die kirchliche Dimension der Beichte weist noch auf ein anderes Bezugsfeld hin, das für eine richtige Einordnung des Sakramentes der Taufe unbedingt herangezogen werden muß. Vergebung und Versöhnung könnte man in dem Sinne verstehen, daß durch sie das Gewissen beruhigt wird, »ut liberius peccent«[144]. Die Beichte in ihrem ekklesialen Aspekt weist deutlich auf ihre Eigenart als ›paenitentia secunda‹. Die volle Erlösung wird dem Menschen schon in der Taufe zuteil, und ihre Wirkung umfaßt das ganze Leben. Für Schillebeeckx spielt in dieser Auffassung seine Interpretation des Merkmals eine bedeutsame Rolle[145]. Denn aufgrund des in der Taufe verliehenen Merkmals ist der Getaufte der Kirche als Gemeinschaft der Erlösten eingegliedert. »Deshalb müssen wir betonen, daß das fundamentale Erlösungssakrament nicht die Beichte, sondern die Taufe ist, und daß wir deshalb die Beichte in die Perspektive der Taufe einordnen müssen. (. . .) Als Getaufte sind wir erlöste Menschen«[146]. Die Taufe und ihr Merkmal enthalten dann auch schon den ›dauerhaften‹ Gnadenstatus, wenn der Getaufte sich diesem Status wenigstens nicht widersetzt. »Ein Apfelbaum bleibt ein Apfelbaum, auch wenn er Kürbisse getragen hat. Die Sünde kann unser Christsein aufgrund des Merkmals nicht aufheben«[147].

Da es sich bei der Beichte um die Sündenvergebung der Fehltaten eines Christen handelt, kann Schillebeeckx die Sünde eines Christen relativieren. »Der Taufsegen wirkt also nach bis in die Sündigkeit selbst der Gläubigen. Wie seine natürlichen Tugenden, so sind auch die Sünden eines Christen qualitativ anders als die der

Ungetauften, auch wenn schwere Sünden echte Todsünden bleiben«[148].

Aufgrund dieser beiden Aspekte – die Beichte als ›paenitentia secunda‹ und die qualitative Andersartigkeit der christlichen Sünde – darf man nach Schillebeeckx von einer Beichtfreude um der bleibenden Erlöstheit willen sprechen[149].

2.2.1.2. Die Ablässe

Die historischen Hintergründe, die zur Entstehung der Praxis der Ohrenbeichte führten, haben auch noch weitere Auswirkungen gehabt. Neben der schon erwähnten Abtrennung der kirchlichen Dimension von dem Sakrament der Buße, brachte die ›Tarifbuße‹ und ›Ohrenbeichte‹ auch eine Trennung zwischen ›paenitentia interior‹ (Reue) und ›paenitentia exterior‹ (Buße oder ›satisfactio‹), zwischen ›reatus culpae‹ und ›reatus poenae‹. So kann man der Beichte als Sündenvergebung zuschreiben: paenitentia interna, forum Dei und reatus culpae; dagegen kommt der Buße zu: paenitentia exterior, forum Ecclesiae und reatus poenae.

Spätestens seit dem 11. Jahrhundert existiert eine theologische Tradition, in der gelehrt wird, daß durch die Beichte die Umwandlung einer schweren Sünde in eine »vergebbare Sünde« geschieht. In dieser Theorie zeigt sich eine große Ähnlichkeit mit den ›commutationes‹ und ›redemptiones‹ beim Bußwerk, die schon im 6. Jahrhundert bezeugt sind. Schon diese Praxis des ›Loskaufs‹ oder ›Umtauschs‹ bei der Absolvierung des Bußwerkes barg die Gefahren des Mißbrauchs in sich[150].

Weder die ›redemptiones‹ und ›commutationes‹ noch die theologische Tradition der Umwandlung einer schweren Sünde in eine vergebbare Sünde reichen aus, um die Entstehung der Ablaßpraxis bei der Einführung der Ohrenbeichte zu erklären. In der Bußpraxis der Kirche hatte es priesterliche, allgemeine Segenswünsche an den Büßer in Form der ›absolutiones‹ gegeben. Als nun die Buße nach der Beichte ihren Platz erhielt, bekam »die eigentliche Beichtabsolution (der man noch keine sündenvergebende Kraft zuschrieb) (...) die Bedeutung eines Erlasses von

Sündenstrafen auf Grund der vorhandenen Reue, die zugleich bestimmte, wie viele kirchliche Strafen (Beichtbuße) der Beichtvater noch geben mußte«[151]. Aus einem Zusammentreffen der ›absolutiones‹ und ›redemptiones‹ nun entstand die mittelalterliche Ablaßpraxis. Die Einsicht, daß es Christen gibt, die ein größeres Bußwerk vollziehen, als sie objektiv schulden, führte zu der Theorie des Kirchenschatzes, aus dem die kirchliche Obrigkeit Minderung oder Erlaß der kirchlichen Strafen schöpfen konnte, anfänglich für Kranke, dann auch für alle Büßer. Allerdings stand dabei wohl noch sehr deutlich die Auffassung im Vordergrund, daß Minderung oder Erlaß der kirchlichen Strafen keine Befreiung von einer Buße beinhaltet.

Diese Ablaßpraxis in Verbindung mit einem Beharren auf dem Satz »nullum peccatum impunitum« hat positive Folgen gehabt. »Es geht weniger um Sünde und *Buße,* als vielmehr um Sünde und *Reue*. Im Grunde ist damit das alte Metanoia-Prinzip, als Seele jeder Buße, in Ehren wiederhergestellt. Es ist auch die Seele des Ablasses«[152]. Mißbräuche schleichen sich in die Ablaßpraxis erst ein, wenn die Ablaßprediger in dem Ablaß Geschäfte erblikken.

Der Ablaßpraxis ging eine Theologie des Ablasses voraus. Schillebeeckx gründet seine Theorie über eine Neuinterpretation des Ablasses auf die thomasische Ablaßtheologie. Thomas' Unterscheidung zwischen der Sündenstrafe (reatus poenae) und der ›satisfactio‹ (Beichtbuße als Heilselement) prägte seine Theorie über den Ablaß. Wird die Sünde von Gott im Sakrament der Beichte vergeben, dann ändert sich die eigentliche Sündenstrafe in eine für den Büßer heiligende Buße, denn in der Sündenvergebung ist auch der Wille des Büßers verändert worden[153]. Diese – vielfach übersehene – fundamentale Einsicht des Thomas muß man als Ausgangspunkt seiner Theologie des Ablasses ansehen[154].

Wenn Thomas dann auch behauptet, »daß der Ablaß nicht nur Verminderung oder Nachlaß kirchlich-kanonischer Bußstrafen, sondern auch der ›coram Deo‹ geltenden Sündenstrafen gewährt«[155], muß man das im Rahmen der thomasischen Bußlehre verstehen, in der der innerliche ›reatus poenae‹ (der allgemein, sogar für Gott gilt) in der Beichte in eine faktische, kirchliche Strafe modifiziert wird. Der Ablaß nun verleiht eine Minderung oder einen Erlaß dieser schon modifizierten Strafen, die im Ursprung göttliche Strafen genannt werden können. Der kirchliche Ablaß betrifft also indirekt die göttliche Ebene, insofern nämlich der Ablaß Minderung oder Erlaß der rechtmäßigen Sünden- bzw. Kirchenstrafen vermittelt. Von dieser Thomasinterpretation aus übt Schillebeeckx dann auch Kritik an der Theorie Poschmanns, nach der sich »nach einem vollen Ablaß die Himmelstüren weit auftun sollen«[156]. Der Ablaß bezieht sich ja nur auf die kirchlich-vindikativen Strafen, nicht aber auf die satisfaktorische Reuegesinnung, die zur innerlichen Umkehr des Büßers gehört.

Der Ablaß ist im Grunde nicht Minderung oder Erlaß von Strafen, sondern eine Verlagerung dieser Strafen einer bestimmten Person auf eine andere. Diese andere Person ist für Thomas die »communio sanctorum«, die christologisch verstanden wird. Über diese Verdienste der Heiligen und Christi können Papst und Bischöfe verfügen und sie so dem Ablaß erbittenden Christen zukommen lassen[157]. Nach Schillebeeckx' Thomasinterpretation muß man also – möchte man tatsächlich historische Auswüchse in der Ablaßpraxis vermeiden – scharf unterscheiden zwischen der inneren Bekehrung des Sünders und der ungeordneten Hinwendung zum Geschaffenen (reliquiae peccati) einerseits und den Sündenstrafen andererseits, die durch Ablässe verringert oder aufgehoben werden können und zwar sowohl in Bezug auf das ›forum Ecclesiae‹ als auch auf das ›forum Dei‹.

Eine Neuinterpretation der kirchlichen Ablaßpraxis[158] muß von zwei Sätzen ausgehen: es gibt eine ›communio sanctorum‹, in der der eine die Last des anderen trägt[159]; nach katholischer Glaubenslehre[160] hat die Beichte einen sakramentalen und ekklesialen[161] Charakter. In der Beichte wird die Versöhnung mit der Kirche zum Sakrament für die Sündenvergebung Gottes. Die Versöhnung mit der Kirche findet aber nicht in einem extrinsezistischen, vindikativen Sinne statt, sondern innerlich. Das ist gerade die Absicht der katholischen Kirche und diese Absicht betont Schillebeeckx aufs stärkste[162]. »Um der weiteren ›katharsis‹ willen und im Hinblick auf sie legt der Priester eine kirchliche Buße auf, als kirchliche Konkretisierung oder als Material, an dem diese innere weitere katharsis vollendet werden kann«[163].

Die konkrete Form der Neuinterpretation Schillebeeckx' verzichtet auf jeden Extrinsezismus. Deshalb weist er jede äußere Sündenfolge ab. »Es bleibt (auch nach der Sündenvergebung, Anm. des Verf.) eine unbestimmte ›Sündigkeit‹ übrig als Niederschlag unserer sündigen Handlungen in unserer komplexen menschlichen Struktur. Die noch nicht integrierte Struktur ist nicht nur eine *Folge* von Sünden, sondern auch *Anlaß* zu neuen Sünden«[164]. Es ist klar, daß Schillebeeckx hier seine These der Explizitmachung in dem Sinne anwendet, daß die äußere Handlung in Bezug auf die innere Gesinnung interiorisierend aufgefaßt wird. Dazu dient auch die Aufnahme des christologischen Strukturprinzips der Patristik »quod non assumptum, non est sanatum«, das von Schillebeeckx allerdings gnadentheologisch gedeutet wird: was der Mensch von der Gnade Gottes nicht persönlich annimmt, wird in ihm auch nicht von der Gnade Gottes geheilt[165]. Die Abbüßung der Sündenstrafen ist dann auch für Schillebeeckx eine Angleichung der menschlichen – eventuell noch nicht voll integrierten – Liebe an die Liebe Gottes, ein Prozeß, der sich unter der gnadenhaften Wirkung Gottes vollzieht. Bei diesem Prozeß kann die ganze Kirche fürbittend dem Büßer Hilfe leisten, und diese Hilfe kann ihm von der Hierarchie offiziell zugesichert werden. »Dadurch wird betont, daß unsere ›Genugtuung für die Sünden‹ eine existentielle Teilnahme an der erlösenden Buße Christi unter dem solidarischen Beistand der ganzen schon bei Gott lebenden oder in Glaube und Liebe noch auf Erden kämpfenden Gemeinschaft der Heiligen ist«[166].

Diese Neuinterpretation des Ablasses als persönlich vollzogene Buße mit amtlicher Zusicherung von Gebet und Hilfe seitens der Kirche scheint Schillebeeckx angesichts der tatsächlichen kirchlichen Praxis eines Bußgebetes – eine Reduktion, die »in keiner Hinsicht der noch zurückbleibenden notwendigen katharsis entspricht«[167] – ausreichend zu sein.

»Die beiden Pole des Ablasses, der ›Kirchenschatz‹ und die ›Ablaß-Wirkung‹, deuten somit auf die beiden Pole der gnadenvollen

Intersubjektivität: Gott (in Christus) und der religiöse Einsatz des Büßers, innerhalb des ekklesialen Raumes, des lebendigen Gottesvolkes, geführt von seinen Hirten oder Amtsträgern. Es geht deshalb nicht um einen quantitativen, sondern um einen qualitativen Gnaden- und Bußprozeß: um die Vertiefung des entsündigten innigen Verhältnisses zu Gott unter der sorgenden und amtlich zugesagten Fürsprache der ganzen Kirchengemeinschaft«[168].

Man kann sich allerdings fragen, ob Schillebeeckx aus seiner legitimen Feststellung einer einseitigen Betonung des extrinsezistischen Charakters des Ablasses und aus seiner eigenen Betonung einer auch beim Ablaß erforderlichen inneren Bußgesinnung und Bekehrungsintention nicht die innere Bekehrung in seiner Neuinterpretation zu stark heraushebt. Der lapidare Satz: »Die moderne Theologie akzeptiert nicht mehr den Extrinsezismus der vindikativen Strafe«[169] verleitet Schillebeeckx zu einer Unterbewertung des äußeren Bußwerkes, das sich aus dem inneren Grundwillen zur Angleichung an die Liebe Gottes entwickeln kann. Denn nur in dieser sichtbaren Form ist die Bußgesinnung überhaupt erst kommunikabel und auch erst ekklesial[170]. Auch das äußere Bußwerk hat ja seine Bedeutung, da es als Explizitmachung der Bekehrungsintention andere Christen zur Fürbitte und Hilfe dem Büßer gegenüber anregen kann. Ein stark verinnerlichter Glaube führt leicht zu Isolation und Alleingang.

Es ist bemerkenswert, daß sich Schillebeeckx gerade beim Ablaß für eine Verinnerlichung einsetzt, während er gerade bei den Sakramenten ihre Eigenschaft der Explizitmachung hervorhebt. Man kann dies wohl nur so erklären, daß Schillebeeckx den christlichen Glauben primär als eine innere Wirklichkeit versteht. Als innere Wirklichkeit muß er die reinen Äußerlichkeiten scheuen. Bei den Sakramenten allerdings gehört es zu ihrer Eigenart, daß sie gerade Symbole sind, in denen der Glaube der Kirche ausgesagt wird. Der Ablaß bräuchte dann keine Explizitmachung oder äußere Gestalt.

2.2.2. Die Krankensalbung als Sakrament des Todes und der Auferstehung

2.2.2.0. Vorbemerkung

Die Zahl der Veröffentlichungen von Schillebeeckx zur Krankensalbung ist gering. In der ›Sacramentele heilseconomie‹ finden sich nur einige Ausführungen zur Sakramentenspendung an bewußtlose oder zerstreute Christen[171]. Diese Bemerkungen zielen zwar auf die Krankensalbung, aber sie sind bemerkenswerterweise von einem primär kirchenrechtlichen Interesse getragen und erhellen so wenig die theologische Relevanz der Krankensalbung.

Eine theologische (und spirituelle) Durchforschung der Krankensalbung findet sich bei Schillebeeck nur in einigen kürzeren Zeitschriftenartikeln[172], die sich mit dem Tod des Christen beschäftigen. Sie sind weniger von einer wissenschaftlich-theologischen Fragestellung getragen, und streben eher ein katechetisch-belehrendes Ziel an. Trotzdem müssen sie auch im Kontext dieser Arbeit herangezogen werden, da sie als einzige die Quellen für Schillebeeckx' Verständnis der Krankensalbung eröffnen.

2.2.2.1. Die anthropologisch-theologische Wirklichkeit des menschlichen Todes

Der Tod ist für Schillebeeckx zuerst ein biologischer Prozeß, der infolge eines Abbauvorganges des Organismus, des Auftretens eines Krankheitserregers oder durch einen gewaltsamen Eingriff das Ende des menschlichen Lebens herbeiführt[173]. In dieser Linie des rein biologisch bedingten Endes des menschlichen Lebens können verschiedene alttestamentliche Aussagen zum Tode verstanden werden.

In der religiösen Reflexion nun wird der Tod in Verbindung zur Sünde gestellt[174]. Die philosophische Basis für die Beziehung des Todes zur Sünde legt Schillebeeckx in die absolute Einmaligkeit eines jeden Menschen. Der Persönlichkeitswert eines Menschen wird durch den Tod ›desituiert‹[175]: der Mensch, der immer mittels seiner Körperlichkeit erkennt und in ihr sich äußert, wird durch den Ausfall des Körpers – im Gegensatz zur Auffassung des Platonismus – eingekerkert[176]. Schillebeeckx spricht von einer Proportionslosigkeit in dem Verhältnis zwischen dem doch zufälligen Tod eines Menschen und der Einkerkerung seiner Personalität. Diese Proportionslosigkeit, die philosophisch nicht systematisiert werden kann, verlangt eine Deutung und Sinngebung[177]. Diese Sinngebung unter Zuhilfenahme des Modells der Sünde findet sich in der alttestamentlichen Weisheitsliteratur, im Schöpfungsbericht und in Anschluß daran bei Johannes und Paulus. »Der Tod ist so die *empirische, sichtbare Erscheinung* der Sünde; sie ist die Offenbarung in einer deutlichen Sichtbarkeit – in einem schmerzlichen, historischen Ereignis – des *lebendigen* Gottes in einem *sündigen* Menschen«[178].

2.2.2.2. Der Tod Christi

In der Menschwerdung ist Gott selbst in dem Menschen Jesus in den Unheilsstand eingetreten. Der johanneische Sarx-Begriff umfaßt gerade die Konkretheit der Menschwerdung, und Paulus spricht von der Annahme eines »Sündenleibes«[179]. Auch der Tod Jesu steht in sehr enger Beziehung zur Sünde. Der Tod Christi ist einerseits die Folge der Menschwerdung, andererseits ist »sein Tod genau das Ergebnis der sündigen Intrigen der Juden«[180]. Schillebeeckx versteht den Tod Jesu als ein menschliches Geschenk an Gott, das er in seiner unendlichen Liebe angenommen hat. Die neue Sinngebung des Todes im Tode Jesu ist für Schillebeeckx ein Opfer und Verzicht Jesu. »Sein (Christi, Anm. des Verf.) Tod ist ein Opfer, eine aktive Selbstenteignung und ein Selbstverzicht aus Gottesliebe, eine Tat also, die der auf sich selbst gerichteten Tat der Sünde diametral entgegengesetzt ist«[181]. Der Tod Christi hat in dieser Hinsicht keine höhere Bedeutung jedem anderen menschlichen Tod gegenüber, der immer ein gewaltsamer Abbruch des Lebens ist. »Wir sind nicht durch Christi Tod als schmerzliches Ereignis erlöst, sondern durch seinen Tod als *Liebesopfer*«[182]. Als Liebesopfer ist der Tod Jesu die höchste Tat der Gotteserfahrung, »die tatsächliche Bestätigung des ›Mehr‹ Gottes durch einen allesumfassenden Selbstverzicht«[183]. In dem Tod Jesu erhält der menschliche Tod so eine Sinngebung, die ihm auf philosophischer Ebene nicht gegeben werden konnte. »So wird die Verlorenheit und Absurdität des Todes innerlich zu einem Ereignis umgedeutet, das trotz seines zerrüttenden und gleichsam vernichtenden Charakters doch das Tor zu einer Begegnung mit dem lebendigen Gott wird: der Vater nimmt die Seele in Erbarmen auf«[184].

In Schillebeeckx' Interpretation der ›satisfactio vicarii‹ erhält der Tod des Christen so eine positive Heilsbedeutung aufgrund des Liebesopfers Christi für unsere Sünden. Unser Tod ist so für Schillebeeckx wegen unserer Nachfolge Christi ebenfalls eine heilende Strafe und Buße[185].

2.2.2.3. Der Tod des Christen

Für Schillebeeckx ist der Tod erstens ein Ereignis, das dem Menschen ›zufällt‹; er ist ein passives Ende, das auch dem Christen von außen her zustößt[186]. Dieses Ereignis, das wesentlich aber auch den Menschen selbst betrifft, kann vom Menschen aus auch eine positive Heilsbedeutung im subjektiven Sinne erhalten. »M.a.W. die *Gesinnung,* in der wir sterben, kann dem Tod den Wert einer Tat verleihen«[187]. Der Tod als bewußte Tat erfolgt in einer frei übernommenen Nachfolge des sterbenden Christus. Die Vereinigung mit Christus gestaltet sich nach Schillebeeckx in einer Tat der gehorsamen Liebe, der vollkommenen Reue und der liebevollen Aufnahme des Todes als Buße.

Die Gestaltung des menschlichen Todes als bewußt vollzogene Tat der Gottesliebe ist ein Ideal, das eine tägliche Einübung verlangt. Schillebeeckx weist dann auch eine Rekapitulation oder Endentscheidung im Augenblick des Todes ab[188], weil die letzte Lebenshaltung »gerade zum großen Teil von unseren früheren Lebenshaltungen mitbedingt ist, die die Endentscheidung gleichsam vorbereiten«[189]. Die deshalb geforderte Einübung in die Sterbensgesinnung versteht Schillebeeckx nicht primär als Sicherstellung für den Fall eines plötzliches Todes, sondern als

›Pädagogik‹ in das Sterben als menschliche, frei vollzogene Tat eines Christen.

Das Sterben ist aber nicht nur ein Abschied von allem im Opfer, sondern es ist auch schon Anfang des eschatologischen Geschehens. Der Tod ist ein erster Ansatz der Auferstehung, in der »für die Heiligen die voll-menschliche, auch *körperliche* Begegnung mit dem auferstandenen, sichtbar verherrlichten Christus stattfindet«[190]. So wird die eschatologische Auferstehung die Umkehrung des menschlichen Todes: das Opfer wird zum Geschenk des neuen Lebens; die Individualität des Todes wird zum Ereignis der Gemeinschaft im Gottesvolk.

2.2.2.4. Das Sakrament der Krankensalbung im Rahmen der christlichen Todesauffassung

Die Eingliederung des Todes eines Christen in den Tod Jesu wird in dem Glauben vollzogen, der gerade in den Sakramenten ausgesagt wird. Die sakramentale Eingliederung in den Tod und die Auferstehung Christi gilt nicht exklusiv für die Krankensalbung, sondern sie bezieht sich auf alle Sakramente[191]. Gerade an den wichtigsten Lebensstadien eines Christen finden sich die Sakramente, die den Christen stärken und in die Gemeinschaft der Kirche eingliedern. »Deshalb ist der Sterbensakt das bedeutsamste Risiko-Moment des menschlichen Lebens: Aber immer steht auf den großen Kreuzungen des menschlichen Lebens *Christus* mit seiner helfenden Gnade«[192].

Nach Schillebeeckx wird nun durch die Sakramente, insbesondere durch die Krankensalbung, der Tod christlich. Die Solidarität mit der Sünde, die im körperlichen Tod ihren Ausdruck findet, wird durch die Nachwirkung eines sakramentalen Lebens und durch die in der Krankensalbung ausgedrückte Hoffnung auf die eschatologische Vollendung umgestaltet zu einem menschlich vollzogenen, bewußt hingebenden Sterben. »Durch die Vermittlung der Sakramente, besonders dann noch durch die Hl. Ölung und das Viaticum, lächelt der lebendige Gott den Sterbenden trotz jenes letzten, grimmigen Grinsens der Sünde an, die in diesem Tod triumphieren wollte, aber in ihm wörtlich zerschmettert wird«[193].

Die Krankensalbung wird so ganz geprägt von der menschlichen Wirklichkeit des Todes. Der menschenwürdige Tod und die Voraussicht auf die eschatologische Auferstehung, in der wir Christus auch körperlich begegnen werden, ist das Ziel, zu dem uns die Krankensalbung als Abschluß eines sakramentalen Lebens hinführen will. »Die Hl. Ölung ist das Sakrament des Sterbenden, der auferstehen muß: sie ist das letzte Sakrament, das uns in unserer Todes- und Lebensgemeinschaft mit Christus bestätigt, und das uns die Gnade verleiht, christlich zu sterben: d. h. den Sterbensakt zu vollziehen als höchste Hingabe an Gott, in Anbetung, reuiger Liebe und vollkommener Lebensentsagung, als angemessenste Lebensantwort des erlösten Geschöpfes auf die unglaubliche Liebe des Vaters in Christus«[194].

Bei der Wertung dieser doch recht skizzenhaft gebliebenen Theologie der Krankensalbung bei Schillebeeckx muß man berücksichtigen, daß das Sakrament der Krankensalbung eine geschichtlich schwer zu fassende Entwicklung erlebt hat[195]. Schillebeeckx versucht lediglich, eine mögliche Deutung der Krankensalbung im Ganzen seiner Sakramententheologie darzulegen. Diese Deutung ist bestechend, einerseits, weil sie versucht, die Krankensalbung mit dem sakramentalen Leben des Christen zu verbinden, und andererseits, weil sie eine Beziehung zu dem anthropologischen Ereignis des menschlichen Todes herstellt. Dabei kommt Schillebeeckx aber nicht umhin, eine gewisse Trennung im Todesgeschehen selbst anzusiedeln bzw. vorauszusetzen. Die Krankensalbung steht im Rahmen eines menschlich gedeuteten und interpretierten Todes, der sich von dem empirisch feststellbaren unterscheidet oder diesem empirischen Tod erst einen Sinn gibt. Dabei wäre aber die Frage nach einer möglichen anderen Sinngebung des rein empirischen Todes näher zu untersuchen, als das in der Darstellung seiner rein biologischen Kennzeichnung geschehen ist. Dabei wäre der Frage nachzugehen, ob bei jeder Deutung des Todes eine gewisse Dualität im Todesgeschehen selbst vorausgesetzt werden muß.

Ein anderer Aspekt, den man in Schillebeeckx' Deutung der

Krankensalbung nicht übersehen darf, ist die starke christologische Relation. Nur unter der Voraussetzung des Todes Jesu als Liebesopfer kann auch der menschliche Tod als Hingabe an Gott sinnvoll werden. Dieser christologische Bezug ist in Schillebeeckx' Aufsätzen zur Krankensalbung zwar vorhanden, aber sie scheint doch zu gering begründet zu werden. Schillebeeckx scheint sich zu wenig bewußt, wie stark eine christliche Interpretation des Todes vom Tode Jesu geprägt wird.

Von der heutigen Auffassung der Krankensalbung als Sakrament der ernsthaft Kranken[196] kann man Schillebeeckx zurecht vorhalten, daß er die Krankensalbung zu sehr als Sakrament der Sterbenden betrachtet. Diesen Mangel kann man aber durchaus entschuldigen, indem man die dogmengeschichtliche Situation der Aufsätze (1951–1955) in Betracht zieht[197]. Damals war die Krankensalbung tatsächlich nur ein Sakrament für Sterbende. Die heilende Kraft dieses Sakramentes wurde auf seine endzeitliche Wirkung beschränkt.

2.3. Das Sakrament der Ehe

2.3.0. Vorbemerkung

Schillebeeckx' Theologie der Ehe[198] steht in einer doppelten Perspektive. Einerseits versucht er – in Anschluß an eine thomasisch orientierte fundamentale Sakramentenlehre mit ihrer deutlichen Betonung des Zeichencharakters jedes Sakramentes –, die Ehe als eine Zeichenwirklichkeit mit einer inhärent christlichen Heilsbedeutung zu verstehen. Andererseits muß man berücksichtigen, daß die Theologie der Ehe von Schillebeeckx in einer Zeit entworfen wurde, in der die Säkularität des Christentums in der westlichen Theologie neu entdeckt und positiv aufgenommen wurde[199]. Diese dogmengeschichtliche Komponente begünstigte eine Theologie, die im Blick auf den natürlichen Rahmen des Sakramentes zu einer positiveren Bewertung des anthropologischen Zeichengehaltes eines Sakramentes neigt.

Das Problem der gesellschaftlichen Entwicklungen, die Loslösung der Ehe aus der patriarchalen Großfamilie und die Beschränkung der Bedeutung der Ehe auf den menschlichen Intimbereich sind für Schillebeeckx neuzeitliche Elemente der ehelichen Erfahrung, die eine Neuinterpretation der kirchlichen Eheschließung und des Sakramentes der Ehe erforderlich machen[200]. »Gegen den Hintergrund dieser historischen Situation, durch die ein Freiraum für die Innenseite des ehelichen Lebens entstanden ist, wollen wir die inneren Quellen der Ehe in ihren innerweltlichen und religiösen Dimensionen theologisch erhellen (. . .). Die Eigenart *dieses* Sakramentes liegt nicht so sehr in einer irdischen Erscheinungsform einer überirdischen Wirklichkeit, sondern in einer *irdischen Realität* selbst, die in der Heilsordnung, in der wir leben, eine vertiefte Bedeutung erhalten hat, und gerade deshalb auch eine Verweisung auf etwas Höheres ist«[201].

Diese Sonderstellung der Ehe innerhalb der christlichen Sakramente wird sich auch in der Theologie von Schillebeeckx durchziehen.

2.3.1. Geschichtlich-theologische Untersuchung der wechselnden Ehe-Auffassungen

In der Untersuchung der Thora-, Propheten- und Weisheitsliteratur bezüglich des alttestamentlichen Verständnisses der Ehe[202] stellt Schillebeeckx fest, daß das Alte Testament die irdische Wirklichkeit der Ehe in erster Linie »entsakralisiert«. Die Verhaftung der Ehe und Sexualität in außerjüdischen Fruchtbarkeitsriten und im Baalskult versucht die Schöpfungsgeschichte[203] zu lösen. Dabei wird Ehe und Sexualität nicht verpönt, sondern als eine ›gute Schöpfungsgabe‹ Jahwes vorgestellt. In der Propheten- und Weisheitsliteratur findet sich nun eine Einbindung der aus dem Götterkult entsakralisierten Ehe in den Jahwekult; dabei greifen die Propheten immer wieder auf die Ehe als Verständniskategorie für das einmalige Bundesverhältnis Jahwes zu Israel zurück[204]. Daß die Eheschließung[205] eher ein familiäres als ein kultisches Ereignis war, führt Schillebeeckx auf die starke Familienbindung in Israel und auf das unproblematisierte Schöpfungsempfinden zurück. Neben vielen anderen von Schillebeeckx erwähnten Aspekten – wie eheliche Liebe und Familienstiftung, Monogamie, Trennung einer Ehe und Mischehen in Israel – scheint seine wichtigste Erkenntnis in der Studie der Ehe-Auffassungen in Israel zu sein: die Einordnung der Schöpfungswirklichkeit der Sexualität und Ehe in das Bundesverhältnis Gottes mit dem Volke Israel. Durch diese Einstellung antizipiert das jüdische Eheverständnis schon die christliche Auffassung der Ehe. »Zusammenfassend können wir sagen: die alttestamentliche Ehedogmatik sieht die Ehe fundamental als eine irdische Realität und deshalb als eine gute Gabe Gottes. Aber Jahwe ist ein Gott des Heiles. Sowohl in ihrem Aspekt der spezifisch-menschlichen Intersubjektivität zwischen Mann und Frau, als auch in ihrem Aspekt der Familienstiftung tritt Israels Ehe in die Heilsgeschichte ein, die auf Christus hingeordnet ist: Ehe und Familie haben eine dienende Funktion in dem zu Christus hinführenden Heilsgeschehen«[206].

In einer Weiterführung der alttestamentlichen Eheauffassung wird im Neuen Testament[207] die irdische Wirklichkeit der Ehe von Paulus als Bild für den Bund Christi mit seiner Kirche aufgefaßt. Obwohl die bekannte Aussage im Epheserbrief[208] in erster Linie nicht etwas über die menschliche Ehe bestimmt, sondern über den Bund Christi mit der Kirche, muß man beachten, daß der paulinische Vergleich im Dienste seiner Eheauffassung steht, die hier paränetisch verwendet wird. »Die Ehe ist deshalb ein Bild der unlösbaren, gegenseitig-treuen Bundesrelation zwischen Christus und seiner Kirche«[209]. Die Epheserstelle läßt zwar keine direkten Konsequenzen dieser Eheauffassung zu, aber die fundamentale Vergleichbarkeit von Ehe und Neuem Bund findet hier ihre Basis.

Durch die fundamentale Anwendbarkeit des Bundesgedankens selbst auf die irdische Wirklichkeit der Ehe wird die Verbindung zwischen Mann und Frau eine sich selbst transzendierende Wirklichkeit. Nach Schillebeeckx äußert sich diese Transzendenz in zwei Formen: im Zölibat und in der christlich erfahrenen »Ehe im Herrn«[210]. Die neutestamentliche Grundlage für den Zölibat bildet für Schillebeeckx der Eunuchenspruch aus

Mt 19,12 und Paulus' Antwort an die Korinther (1 Kor 7,1–40; bes. 38–40)[211]. Schillebeeckx' Interpretation dieser Aussagen geht dahin, daß die christliche Ehe und der Zölibat korrelativ sind. Die Christus-Kirche-Beziehung, die in der christlichen Ehe bildhaft dargestellt wird, und durch die die christliche Ehe sich selbst transzendiert, findet in dem Zölibat ›um das Himmelreiches willen‹ ihre eschatologische Erklärung[212]. Der Zölibat als ›nichtirdische‹ Wirklichkeit ist eine deutlichere Explizitmachung der christlichen Hoffnung auf das Reich Gottes als die irdische – zwar transzendierende, aber nicht ohne weiteres durchsichtige – Wirklichkeit der christlichen Ehe. »Diese innere Verbindung zwischen Ehe und christlichem Zölibat und Enthaltsamkeit wird sich so eng zeigen, daß (. . .) im Laufe der Kirchengeschichte die Sakramentalität der Ehe gerade im Lichte der Jungfräulichkeit ausdrücklich anerkannt wurde. Die zwei Lebensformen beeinflussen einander im Christentum gegenseitig«[213].

Obwohl man in der neutestamentlichen Eheauffassung noch keine explizite Erkenntnis der Sakramentalität der Ehe vorfinden kann, sind bei Paulus doch die Elemente für das vorhanden, was man später das Sakrament der Ehe nennen wird. Die irdische Wirklichkeit der Ehe vermag die Funktion des Symbols in der Sakramentalität anzunehmen, während die implizite Heilswirklichkeit des Bundes zwischen Christus und der Kirche den Heilsgehalt des Zeichens erfüllen kann. Die christliche ›Ehe im Herrn‹ kann so als sacramentum aufgefaßt werden, in dem irdische Wirklichkeit und Heilsrealität zu einer Einheit geführt werden. »Auf jeden Fall können wir abschliessend sagen, daß der Ausdruck ›Heiraten im Herrn‹ einerseits die *irdische Wirklichkeit* der Ehe voraussetzt und betont, und andererseits ausdrücklich auch bedeutet, daß diese säkulare Wirklichkeit innerlich in den *Bereich des Heiles* aufgenommen wird«[214].

Wenn man auch behaupten kann, daß sich im Neuen Testament Elemente für die Sakramentalität der Ehe finden lassen, so wird die explizite Erkenntnis sich erst im Laufe der Kirchengeschichte ausprägen[215]. Diese Entwicklung zu einer expliziten Erkenntnis der Sakramentalität der Ehe verläuft nicht einspurig, sondern als irdische Wirklichkeit bleibt die Ehe vor ihrer eindeutigen Sakralisierung und Sakramentalisierung den sozialen Umständen, Gebräuchen und Regeln verhaftet. Die Ehe hat dann auch eine andere Gestalt in der antiken, römischen Kultur als in der germanischen oder gallischen Umwelt[216].

Bei dem schwindenden Einfluß der weltlichen Macht im Niedergang des feudalen Systems tritt der Bischof an die Stelle des weltlichen Herrn, der sonst die Ehegesetzgebung und richterliche Macht innehatte. »Die kirchliche Liturgie hat so die Kulturform integriert: was ein rein weltlicher Brauch war, wird nun *kirchliche* Eheschließung«[217].

Neben diesem liturgischen Aspekt der Integration sakraler und profaner Kulturelemente in die kirchliche Eheschließung entsteht im 11.–13. Jahrhundert die theologisch-kanonische Diskussion um die consensus- oder copula-Theorie[218], die schließlich mit einer Aufnahme der Konsensauffassung der Pariser-Schule in die kirchliche Dekretalien endete. Diese historische Entscheidung nimmt einen eminenten Platz in Schillebeeckx' Interpretation über die Unlösbarkeit der Ehe ein, auf die wir noch näher eingehen müssen[219].

Die theologische Reflexion auf und die Theoriebildung über die Sakramentalität der Ehe schließt sich der kirchlichen Praxis und der volkstümlich, liturgisch orientierten Auffassung an[220]. Daher kann Schillebeeckx die Erörterung der Sakramentalität der Ehe mit der kirchlichen Trauungsliturgie beginnen. Wegen der prägenden Wirkung der stadt-römischen Liturgie auf das christliche Abendland muß man der Verschleierung der Braut (und des Bräutigams) eine große Bedeutung zu messen. Im Anschluß an eine Studie de Jongs[221] interpretiert Schillebeeckx diese Verschleierung in Analogie zur christlichen Jungfrauenweihe, bei der – wie beim christlichen Zölibat – das Glaubensmysterium des Bundes zwischen Christus und der Kirche ausgedrückt wird: »die kirchliche Brautverschleierung kann nicht von dem heidnisch-religiösen Brauch des ›flammeum‹ im antiken Rom her erklärt werden, sondern muß auf die Jungfrauenverschleierung der ›virgines Deo sacratae‹ zurückgeführt werden; die Ehe ist ein in der Welt zu verwirklichendes Abbild der Berufung dieser Jungfrauen«[222]. Mit dieser Auffassung legt Schillebeeckx die in der kirchlichen Liturgie enthaltene Verbindung zum Glaubensmysterium, das zwar kirchlich gelebt, aber noch nicht theologisch-reflektiert als Sakrament empfunden und systematisiert worden ist.

Bei der theologischen Reflexion auf die Sakramentalität der Ehe unterscheidet Schillebeeckx vier verschiedene Denkrichtungen:

a) Die italienische Frühscholastik und auch teilweise Albertus und Thomas bis hin zu Melchior Cano legen die Sakramentalität der Ehe in die priesterliche Einsegnung, wie es auch in der ostkirchlichen Theologie der Fall ist[223].

b) Nach der Herausbildung der Begriffe zum Sakrament als Zeichen legt Anselm von Laon in seinen Sentenzen die Sakramentalität der Ehe in die irdische Wirklichkeit selbst. Jede Ehe, auch die Ehe Ungetaufter, ist ein Sakrament, das je nach religiöser Basis und moralischem Vollzug die ›res sacramenti‹ verleiht oder entbehrt: Sakrament aber ist die Ehe auf jeden Fall. Anselm von Laon folgt auch Hugo von St. Viktor in seiner »De beatae Mariae virginitate« und »De Sacramentis christianae fidei«. Allerdings findet sich bei ihm eine strenge Konsenstheorie, die absieht von einer Interpretation des geschlechtlichen Vollzugs und die Sakramentalität der Ehe lediglich auf das Ja-Wort begründet. Daß er so manchmal in Konflikt mit dem Traditionsstrang der copula-Theorie gerät, erklärt die Verworrenheit, die sich hin und wieder in seinen Ausführungen feststellen läßt. So kann man auch erklären, daß Hugo das äußere Sakrament als eine »ungeteilte Gemeinschaft« auffaßt, die er nach Schillebeeckx allerdings als eine »geistige Lebensgemeinschaft« verstanden haben will: »die Ehe als sichtbare Lebensgemeinschaft – Abbild der Einheit zwischen Christus und seiner Kirche – ist die Gestalt (›sacramentum‹), die die eheliche Liebe und Intersubjektivität (›*res* sacramenti‹) annehmen; ihrerseits ist die Liebe die Gestalt (›sacramentum‹) der geistigen Beziehungen Gottes zum Menschen. Sichtbare Lebensgemeinschaft enthält aber nicht von sich aus Geschlechtsgemeinschaft, so daß auch eine jungfräuliche Ehe das Sakrament der Lebensgemeinschaft Christi mit seiner Kirche ist«[224]. Für Schillebeeckx' eigene Theologie der Ehe und für seine Theorie der (Un)Auflösbarkeit der Ehe wird sich diese Einsicht als relevant erweisen. Schillebeeckx weiß sich dabei gestützt von Bonaventura und Thomas, die die mittlerweile entstandene Theorie des Lombarden und Alexanders III. über die Sakramentalität des ›matrimonium ratum et consummatum‹ auf die Theorie der ›Lebensgemeinschaft‹ hin nuancieren[225].

Schillebeeckx schließt diesen sehr wichtigen Absatz zum Sakramentenverständnis der Ehe in der Hochscholastik in dieser Formulierung ab: »Wesentlich und primär ist also die eheliche Gemeinschaft selbst, die ›coniunctio‹, das Eheband, als Bereich, in dem die Familie gestiftet wird. Aber der unmittelbare Effekt des Konsensus ist die Lebenseinheit selbst, nicht die ›Geschlechtsgemeinschaft‹, denn jede eheliche Einheit kann ohne diese letzte existieren. Andererseits ist die eigene Verwirklichung dieser Lebensgemeinschaft der Geschlechtsakt. Die sakramentale Gnadengabe ist also nicht direkt mit dem Geschlechtsakt verbunden, sondern mit dem ehelichen Liebesband, das im Geschlechtsakt Realität wird. Mittels des Sakramentes wird durch Gottes Kraft eine spezifisch-menschliche Gemeinschaft zu einer Gnadengemeinschaft«[226].

c) In der Auffassung der Ehe als äußeres Zeichen für die Beziehung zwischen Christus und der Kirche fehlte jede Reflexion auf die Gnadenwirksamkeit des Ehebandes. Es ist dann auch sehr bemerkenswert, daß man bei der Aufstellung der Siebenzahl der Sakramente ohne jeden Skrupel die Ehe als Sakrament in diesen Rahmen aufgenommen hat. Andere ›Sakramente‹, denen man wohl eine Gnadenwirksamkeit zuschrieb, wie die Jungfrauenweihe und die Königssalbung, wurden nicht in das Septenarium aufgenommen. Schillebeeckx schreibt diese merkwürdige Lage der zeitlichen Differenz zwischen Glaubensempfinden und theologischer Reflexion zu.

Die Aufnahme der Ehe in das Septenarium ist dann auch in erster Linie eine Äußerung des naiven Glaubensempfindens. In der theologischen Reflexion wird man dann die Sakramentalität der Ehe – in Anschluß an kanonische Auffassungen – in die Unauflösbarkeit der Ehe legen[227]. Das theologische Argument, das Schillebeeckx für diese Entwicklung aufführt, kann aber mangels historischer Realität kaum überzeugen: »Aber dies heißt dann, daß das Logion Jesu über die Unauflösbarkeit der Ehe – dogmengeschichtlich betrachtet – die Grundlage der scholastischen Aussage über die wirkliche Sakramentalität der Ehe ist, und nicht der scholastische Sakramentenbegriff selbst«[228].

d) Die frühscholastischen Theologen schreiben der Ehe als Sakrament überhaupt keine Gnadenwirksamkeit zu. Eigentlich erst mit Alexander von Hales fängt die Theologie an, der Ehe auch eine positive Gnadenwirksamkeit zuzuerkennen. In der patristischen Tradition gab es zwar Aussagen über die Ehe als ›remedium‹, und die mittelalterlichen Theologen haben diese Ansicht auch teilweise aufgenommen und sie im Sinne einer Verhütung der Sünde interpretiert, aber positive Gnadenwirksamkeit wird der Ehe erst ausdrücklich bei Alexander, Albertus und Thomas zugeschrieben[229].

Man braucht keine große Unterscheidungsgabe, um festzustellen, welche theologische Synthese zur Sakramentalität der Ehe Schillebeeckx bevorzugt. Wie die fundamentale Sakramentenlehre und verschiedene Thesen zu den Einzelsakramenten von Thomas inspiriert sind, so ist auch Schillebeeckx' Theologie der Ehe auf thomasischer Basis errichtet.

Thomas unterscheidet in der einen Wirklichkeit der Ehe drei Bereiche: das ›officium naturae‹; das ›officium civilitatis‹ und die Ehe als Sakrament. Dabei muß man berücksichtigen, daß das ›officium civilitatis‹ sowohl die anthropologischen als auch gesellschaftlichen Aspekte der Ehe umfaßt: amicitia, mutuum obsequium, oeconomia und daneben gesellschaftliche Bindungen und Pflichten gegenüber der ›polis‹. Konkret heißt das, daß die Ehe den allgemein-natürlichen Bereich in die anthropologische Dimension der Ehe aufnimmt[230]. Die Natur wird humanisiert. Die Ehe als natürlich-menschliche und soziale Institution wird in der christlichen Ehe zum Sakrament erhoben[231]. »Thomas erkennt also voll und ganz den innerweltlichen Wert der Ehe mit allen Konsequenzen an, die aus dieser Aussage folgen; daneben stimmt er aber auch der eigentlichen Sakramentalität der Ehe als Heilsorgan zu, durch das das ekklesiale Christusmysterium in der Ehe getaufter Personen wirksam ist«[232].

Bei Thomas findet sich also ganz genau diese Doppelpoligkeit der Ehe als irdische Wirklichkeit und Heilsrealität, die Schillebeeckx zum Titel und Ausgangspunkt seiner Darstellung über die Theologie der Ehe gewählt hat.

Zusammenfassend kann man also sagen, daß Schillebeeckx auf dogmengeschichtliche Weise aufzeigt, daß eine dogmatische Theologie der Ehe nicht in einem Abhängigkeitsverhältnis zu einer kirchenrechtlichen Betrachtung der Ehe stehen soll. Etwa tausend Jahre lang hat es in der Kirche keine kanonische Regelung der Eheschließung gegeben. Somit kann eine dogmatische Theologie der Ehe auch noch andere – und wichtigere – Gesichtspunkte hervorheben, als nur kanonische. »Auf jeden Fall hat sich gezeigt, daß eine dogmatische Betrachtung der Ehe von zwei grundsätzlichen Fakten ausgehen muß: die unverkürzte Annahme der innerweltlichen, vollkommen menschlichen und deshalb evolutiven Wirklichkeit der Ehe, und die bedingungslose Annahme, daß gerade diese Wirklichkeit – nicht in einem zugefügten Aspekt, sondern gerade in ihrem total-menschlichen Ausmaß – in das Heil aufgenommen ist; und dies nicht nur – was die Annahme der christlichen Säkularität ist –, weil das Christsein auch in und an dem Innerweltlichen realisiert werden muß, sondern vor allem deshalb, weil diese irdische Wirklichkeit – aufgenommen in das Heil – selbst *sakramental* im eigentlichen Sinne des Wortes geworden ist«[233].

2.3.2. Ehe und Unauflösbarkeit

Schillebeeckx hat in seiner fundamentalen Sakramentenlehre immer die Möglichkeit einer historischen Entwicklung in der Gestalt der Sakramente berücksichtigt und verarbeitet. Gerade diese historischen Entwicklungen in der konkreten Gestalt der Sakramente führten zur fundamentalen Einsicht, daß die Sakramente als historisch bedingte Explizitmachungen des christlichen Glaubens verstanden werden müssen.

Bei der Ehe nun setzt Schillebeeckx eine Korrektur jenes Schemas an. Wenn die Ehe nämlich nur in ihrer Qualität der irdischen Wirklichkeit sakramententheologisch relevant gemacht werden kann, bedeutet dies auch, daß historische Entwicklungen im Sakrament der Ehe einem entgegengesetzten Weg folgen. Während die Sakramente im Grundschema Schillebeeckx' eine ›Christianisierung‹ der Welt in der Bindung an den kirchlichen Glauben anstreben, ist die konkrete Gestalt der Ehe eine irdische Wirklichkeit, die – zumindest viel stärker als andere Sakramente – von gesellschaftlichen, politischen und philosophisch-ideologischen Veränderungen abhängig ist. Die konkrete Gestalt der Ehe stellt sich in einer Großfamilie anders als in der gegenwärtigen Kleinfamilie dar[234]. Auch die christliche Auffassung und Bewertung der ehelichen Gemeinschaft und der Sexualität zeigen sich von philosophischen Voraussetzungen geprägt[235]. Deuten die christlichen Sakramente im allgemeinen eine Christianisierung der Welt oder eine sich verstärkende kirchliche Bindung an, so weist die Ehe in die andere Richtung innerhalb des Christentums: die Säkularisierung. »Das ›Wesen der Ehe‹ ist ein sozialgeschichtliches Kulturphänomen, und dieses wird auch kulturell bestimmt«[236].

Es ist bemerkenswert, daß Schillebeeckx zwar die Gnadenwirksamkeit der Ehe in ihrer historischen Gestalt bei Wilhelm von Auvergne, Alexander von Hales, Bonaventura und Thomas erwähnt, aber sie selbst in seinen Artikeln nicht ausarbeitet[237]. Sogar die Aufnahme in das thomasische reditus-Schema, das für Schillebeeckx' Sakramententheologie bedeutsam ist[238], fehlt. Die Ehe scheint somit für Schillebeeckx eher eine integrale Aufnahme der irdischen Wirklichkeit in die Sakramentalität der Kirche zu sein – die als solche dann Zeichen für den Bund Christi mit seiner Kirche wird –, als eine vom Christentum und dem christlichen Vorverständnis der Eheleute geprägte Wirklichkeit, die in der ›Welt‹ verläuft, aber christliche und christianisierende Züge trägt.

Ein Beispiel für und zugleich ein Hinweis auf diese Auffassung scheint Schillebeeckx' Vorschlag zu einer Lösung des kirchenrechtlichen und pastoralen Problems der zivil getrennten Ehen zu sein[239].

Man könnte der Ehetheologie von Schillebeeckx den Vorwurf machen, daß in ihr die in der Bibel verankerte Unlösbarkeit der Ehe aufgehoben würde. Diese Interpretation würde aber Schillebeeckx und seinem zurecht kompliziert zu nennenden Lösungsvorschlag nicht gerecht werden. Es wäre theologisch unzulässig, das radikale Logion Jesu[240] zur Unmöglichkeit einer Ehetrennung zu übergehen.

Schillebeeckx unterscheidet zwischen der absoluten Unauflösbarkeit einer sakramentalen Ehe und der Frage, wann eine Ehe als sakramental verstanden werden muß. »Was die Ehe ist, von der das Neue Testament sagt, daß sie unauflösbar sei, wird im Neuen Testament selbst nicht zur Sprache gebracht«[241]. Ab wann eine Verbindung zwischen Mann und Frau wohl wirklich Ehe genannt werden kann, ist nach Schillebeeckx von vielen kulturellen, sozialen und psychischen Faktoren abhängig. Zur Unterstützung dieser These trägt Schillebeeckx einige historische Ehebestimmungen vor. Sie haben aber wohl nur insofern Geltung, als sie ein unhistorisches Eheverständnis kritisieren[242], und zugleich nicht in ein anderes System eingeordnet werden können[243].

Wir können hier dann auch als These hinstellen, daß der Hinweis auf historische Entwicklungen in der Eheauffassung und in der Ehebestimmung nicht ohne weiteres die vorgeschlagenen Änderungen legitimiert. Die Legitimation einer Veränderung muß in einer speziellen Untersuchung aufgezeigt werden. Die Überzeugungskraft der dort dargestellten Argumente bestimmt die Qualität des endgültigen Lösungsvorschlags.

Schillebeeckx' Argumente muß man im Kontext seiner in ›Het huwelijk‹ historisch unterbauten Theorie der Selbständigkeit der irdischen Wirklichkeit in der Ehe als Sakrament verstehen. Nach Schillebeeckx wird gerade die irdische Wirklichkeit der Ehe von der Kirche zum Sakrament erhoben, nicht ein dieser irdischen Wirklichkeit beigefügter Zusatz. Deshalb konzentriert Schillebeeckx sich auf die Umstände, die die irdische Wirklichkeit der Ehe heute prägen. Dabei gilt als Ausgangspunkt, daß die Kirche bei der Bestimmung der Sakramentalität der Ehe nicht die sozialen Umstände, die damals die irdische Wirklichkeit der Ehe umgaben und prägten, mitkanonisiert hat. So kann man nicht den sozialen Status der Frau oder des Sklaven im Neuen Testament als in dem Eheverständnis der Kirche bestätigt und konformiert voraussetzen. Ebensowenig darf man die mittelalterliche Identifizierung von ethischer Norm und natürlicher Physiologie so stark betonen, als wäre sie im Sakrament aufgenommen und so konsekriert[244]. Die heutige Eheauffassung bezeichnet Schillebeeckx als eine ›anthropologische‹ und auf Humanität gerichtete[245]. Seine Auffassung begründet Schillebeeckx lediglich aus den geschichtlichen Hintergründen[246]. Obwohl diese Schwäche in der Argumentation Auswirkungen auf Bestimmungen der ›anthropologischen Ungültigkeit einer Ehe‹ hat[247], scheint sie weniger dominierend in der Untersuchung zum Problem der »Zerrüttung einer vorher (wahrscheinlich) ›anthropologisch gültigen‹ Ehe«[248] zu sein. Diese letzte Kategorie umfaßt nämlich Ehen, die man nach gängigem Verständnis gültig (ratum et consummatum) nennt. Die Zerrüttung solcher Ehen wird nach Schillebeeckx durch das Fehlen eines sozialen Druckes gefördert, der früher wohl vorhanden war und solche Ehen scheinbar zusammenhielt[249]. Durch die Häufung zerrütteter Ehen sind wir heute in eine Lage geraten, für die das Neue Testament und die kirchlich-theologische Tradition keine Lösung anbietet, da dieses Problem ihnen unbekannt war. Schillebeeckx plädiert in dieser Situation für die Anwendung des ostkirchlichen ›oikonomia‹-Prinzips. Diese Berufung auf eine Ausnahmeregelung stellt nicht das christliche Ideal in Frage und vermag doch die gegenwärtige Problematik zu lösen. »Die auf *oikonomia* basierenden Anordnungen der Kirchen, die den Willen von Gläubigen, nach ihrer zerrütteten Ehe wieder zu heiraten, respektieren und in Gottes Heilsordnung aufnehmen, darf man nicht als ein unchristliches Aufgeben des Ideals deuten, sondern im Gegenteil als eine Seligpreisung – im ›utopischen‹ Sinn der Bergpredigt – derer, die trotz der Katastrophe der Ehe treu bleiben wollen und sich weigern, wieder zu heiraten, wie jemand, der es genauso aus Treue gegenüber dem verstorbenen geliebten Menschen tun kann«[200].

Schillebeeckx weist darauf hin, daß die Ehe als soziales Institut die Basis für eine Institutionalisierung der Ehescheidung sein muß. Die Ehescheidung aufgrund der vollkommenen Ehezerrüttung als institutionalisierte Rechtsform schützt die Ehepartner vor Ausstoßung aus der Gemeinschaft. Der Weg zu einer Zweitehe eines bei vollkommener Zerrüttung geschiedenen Ehepartners sieht Schillebeeckx in erster Instanz in einer nicht-liturgischen Eheschließung (Zivilehe) geöffnet. Diese Form kann als Abstufung zur ordentlichen, liturgischen Eheschließung verstanden werden, während sie doch als sakramental verstanden werden kann, auch wenn die Zivilehe nicht liturgisch vollzogen wird. Diese vorgeschlagene Lösung läßt aber vom Endpunkt (sakramentale Ehe) wieder die Eheschließung allein in ziviler Form in Frage stellen, so daß Schillebeeckx schließlich diese Schwierigkeit im Gespräch mit den Kirchen ökumenisch gelöst sehen will[251].

Man kann nicht übersehen, daß die von Schillebeeckx vorgeschlagene Lösung fragmentarisch ist und daß noch manche Probleme bewältigt werden müssen.

So bleibt die Frage nach dem Schutz, die eine Ehe vor der Anwendung des ›oikonomia‹-Prinzips braucht, offen. Denn nicht jede scheinbar ›vollkommen‹ zerrüttete Ehe wird unheilbar zerrüttet sein. Eine vorschnelle Anwendung des ›oikonomia‹-Prinzips müßte auf jeden Fall vermieden werden.

Daneben müßte eine fundamentale Bestimmung für das christliche ›Ideal‹ der unlösbaren Ehe in seiner Beziehung zum ›oikonomia‹-Prinzip geschaffen werden.

Grundsätzlich könnte man sich fragen, ob in einer anthropologischen Eheauffassung, die von der ›irdischen Wirklichkeit‹ bestimmt wird, die Eheleute, die in einer zerrütteten Ehe leben, überhaupt Bedürfnis an einer kirchlichen Entscheidung hätten. Schließt die Selbständigkeit der ›irdischen Wirklichkeit‹ andererseits für die Kirche nicht die Notwendigkeit einer kirchlichen Ungültigkeitserklärung oder Anwendung des ›oikonomia‹-Prinzips aus? Besteht hier kein innerer Widerspruch? Diese Bemerkungen weisen schon darauf hin, daß Schillebeeckx' Theorie nur als fragmentarischer Vorschlag verstanden werden kann, der noch einer weiteren Ausarbeitung und Korrektur dringend bedarf.

Zusammenfassend kann man sagen, daß Schillebeeckx' Überlegungen zum Problem der Ehezerrüttungen die These unterstützt, daß die Ehe in erster Instanz eine irdische Wirklichkeit ist, die als solche zum Sakrament erhoben wird. So findet sich auch eine deutliche Erklärung für die Feststellung, daß Schillebeeckx der Ehe keine ausdrückliche Gnadenwirksamkeit im persönlichen Bereich zuschreibt und daß die Fruchtbarkeit (im sakramentalen Sinne) der Ehe nur auf der Ebene der irdischen Wirklichkeit gesucht werden kann.

2.4. Das sakramentale Amt in der Kirche

2.4.0. Vorbemerkung

Schillebeeckx' Auffassung des kirchlichen Amtes[252] ist weder rein sakramententheologisch bestimmt, noch von einer ekklesiologischen Überlegung zur Differenzierung des Amtes und Laientums allein getragen. Vielmehr sind die beiden Bezugspunkte miteinander verbunden: der Unterschied zwischen Amt und Laientum in der Kirche hat sakramententheologische Voraussetzungen und zugleich Auswirkungen auf die Funktionen in der Kirche und namentlich im sakramentalen Kult. Aufs neue wird in der Theologie des Amtes bei Schillebeeckx die zentrale Stellung des sakramentalen Merkmals sichtbar[253], das als Nervenknoten zwischen der Zeichenfunktion und der Wirksamkeit auch die kirchliche Differenzierung der Ämter bestimmt. Aufgrund der christologisch fundierten Befugnis und Sendung des Charakterisierten ist seine Aufgabe ein Dienst, eine Sendung ›ad alios‹.

2.4.1. Amt und Kirche

Für Schillebeeckx ist Augustinus' Aussage »Vobis sum episcopus, vobiscum christianus«[254] eine Schlüsselstelle für das Verständnis seiner Amtstheologie. Der Priester bzw. Bischof hat nur insofern eine Sonderstellung in der Kirche, als er aufgrund seiner Weihe oder Konsekration bestimmte Funktionen in der Kirche wahrnimmt. Schillebeeckx wehrt sich gegen eine Aufteilung der

Kirche in Priester und Laien. In erster Instanz sind Priester und Laien Christen[255]: aufgrund ihrer Taufe und Firmung sind beide Mitglieder des Volkes Gottes, das die sakramentale Kirche ist[256]. »Taufe und Firmung dürfen wir dann auch nicht als Sakramente des christlichen Laientums betrachten, als wären auch die Amtsträger – von Papst über Bischof zu Priestern und Diakonen – nicht an erster Stelle Getaufte und Gefirmte, die wie alle Christen die Aufgabe haben, ihr Christsein existentiell und persönlich-mitteilend – und nicht nur in Amtshandlungen – zum Aufbau des Leibes Christi zu gestalten«[257]. Schillebeeckx stellt sogar die Frage, ob die Gültigkeit der Sakramente nicht von der Anwesenheit der Kirche in ihrer ausgestalteten Form – also inklusiv des getauften Laien als materiales Element der Sakramente – abhängig ist. Er meint in der Linie der thomasischen Sakramentenlehre, diese Frage in der Tat positiv beantworten zu müssen, obwohl dem Amtspriestertum im Sakrament eine durchaus andere Bedeutung als dem gemeinsamen Priestertum zukommt[258].

Es zeigt sich also in Schillebeeckx' Denken eine starke Kontinuität und Korrelation zwischen dem gemeinsamen Priestertum und dem Amtspriestertum, da einerseits die Taufe (und Firmung)[259] Voraussetzung für das Amtspriestertum ist und andererseits die Zweipoligkeit von Amtspriestertum und gemeinsamen Priestertum in je gestufter Weise zur Gültigkeit der Sakramente – oder zumindest zu ihrer Fruchtbarkeit, die bei Schillebeeckx stark betont wird – vorausgesetzt werden muß. Diese aufgezeigte Kontinuität und Korrelation zwischen Laien und Klerus ist schon eine Konsequenz einer ausgearbeiteten Christologie und Ekklesiologie; interessant ist aber, daß Schillebeeckx die Kontinuität und Korrelation im Christsein aus den Erfordernissen für eine gültige und fruchtbare Sakramentenspendung ableitet.

Diese sakramententheologischen Aussagen finden bei Schillebeeckx aber auch eine ekklesiologische Basis. Man kann die Kirche mit verschiedenen Begriffen zu definieren versuchen: societas, communio, übernatürliche Gemeinschaft, congregatio fidelium oder Glaubensgemeinde. Aber all diese Begriffe sind nicht adäquat. »Denn in all diesen Bestimmungen wird das Wichtigste verschwiegen: daß Christus, der Herr selbst, die in

Gott versammelte Menschheit ist, prinzipiell noch bevor die Menschen tatsächlich in Glaube, Hoffnung und Liebe zu einer einzigen historischen Gnadengemeinschaft versammelt werden. Das Volk Gottes *ist* der Leib des Herrn«[260]; Schillebeeckx' Ekklesiologie, wie sie hier ›in nuce‹ erscheint, ist eine christologisch begründete Lehre von der Gnadengemeinschaft der Kirche, die nach dem Vorbilde Christi selbst gestaltet wird. So kann man der Kirche nicht nach einem phänomenologischen oder soziologischen Muster voll und ganz auf die Spur kommen, da man zwar die äußere gesellschaftliche Form zum Objekt der Untersuchung machen kann, aber die der Kirche eigentümliche Identität mit Christus sich dem Objektivieren entzieht. »Es handelt sich also um ein *corpus,* nicht an erster Stelle im sozialen Sinne einer Verbindung oder Gesellschaft, sondern um eine durch den Geist bewirkte sehr eigentümliche Identität zwischen der Kirche und der himmlischen Leiblichkeit Christi. Erst aus dieser mystischen Identität folgt die Bedeutung der Kirche im Sinne einer Gemeinschaft: eine ›societas‹ und eine gegenseitige ›communio‹ aller Gläubigen«[261].

Eine Trennung zwischen Hierarchie und Laientum einzuführen oder zur verborgenen Denkvoraussetzung zu machen, stünde mit einer Aufteilung in Christus selbst gleich. Das Kirchenverständnis von Schillebeeckx, das letztlich christologisch begründet ist, schließt also jeden Gegensatz – nicht jede Differenz – zwischen Hierarchie und Laientum aus[262].

2.4.2. Das Amt in seiner Differenziertheit

»Hermeneutisch und dogmatisch werden wir uns vor allem auf die traditionellen, sogar in ökumenischen Konzilien formulierten Aussagen über das Priestertum besinnen müssen. Ich will sie schematisch so formulieren: Das ›sacerdotium‹, auseinanderfallend in Episkopat, Presbyterat und Diakonat, ist von Christus als eines der sieben Sakramente eingesetzt; dieses Weihesakrament, für das die ›Apostolische Sukzession‹ die Garantie bietet, prägt – nur bei einer ›gültigen‹ Weihe – ein Merkmal ein. Auf dem gemeinsamen Priestertum der Gläubigen gründend, ist das ›amtliche Priestertum‹, in seiner Korrelation zur Gemeinde, trotzdem von den auch kirchlichen Dienstleistungen der Laien ›wesentlich verschieden‹«[263].

In dieser schematischen Darstellung der kirchlichen Lehre bezüglich des Amtspriestertums tritt neben der schon erwähnten Kontinuität und Korrelation zwischen Amtspriestertum und gemeinsamen Priestertum der Gläubigen die Differenziertheit des kirchlichen »sacerdotium« hervor. Abgesehen von der Frage, ob die angeführte Differenzierung die einzig denkbare und mögliche sei[264], stellt sich aber das Problem, wie in einer solchen Differenziertheit des einen ›ordo‹ die Einheit des Amtes dogmatisch begründbar sei.

Schillebeeckx setzt sich mit der Differenziertheit des Amtes in seiner gegenwärtigen Gestalt ausführlich auseinander[265]. Auch in dieser Frage geht Schillebeeckx – ähnlich wie bei der Frage nach dem Verhältnis zwischen Hierarchie und Laientum – von einer christologischen und ekklesiologischen Voraussetzung aus. »In und durch die sichtbare Aktivität seiner (Christi, Anm. des Verf.) Kirche setzt er (Christus, Anm. des Verf.) in seiner Geistsendung die Erlösung fort, deren Grundlagen er als irdischer Messias durch die Sichtbarkeit seiner menschlichen Aktivität legte. Die Kirche ist die innerweltliche, sichtbare Anwesenheit dieser kyrialen Fortsetzungsaktivität«[266].

Schillebeeckx unterscheidet nun in der Christologie zwischen einerseits Christus als Gott in Menschlichkeit und andererseits Christus als Repräsentant der erlösten Menschheit. Die Hierarchie nimmt in der Kirche nun die Stellung ein, die Christus als Gott in seiner Menschlichkeit in der Christologie zukommt[267]. Im Zusammenhang mit der Christologie zeigt sich nicht nur die grundsätzliche Einheit der in Klerus und Laien unterscheidbaren Kirche, sondern ebenso die grundsätzliche Einheit des Amtes in der Kirche.

Die so aufgezeigte Einheitsstruktur des kirchlichen Amtes ist nach Schillebeeckx wesentlich episkopal zu bestimmen[268]. »In seiner nachapostolischen Fortsetzung wird das apostolische Amt Episkopat genannt, das deshalb aber nicht weniger priesterlich ist«[269]. Die Aufgabe des apostolischen Amtes des Episkopates muß ein von der christologischen Grundlage her verstandenes ›Gegenüber‹ zur Gemeinde sein, konkret: prophetisches Priestertum; kultisch-sakramentales, sakrifizielles Priestertum und schließlich verwaltendes und pastorales Priestertum[270]. Somit sieht Schillebeeckx in der Person des Bischofs das Amt in der Kirche hypostasiert: »der bischöfliche Priester ist – immer in Gemeinschaft mit dem ganzen apostolischen Kollegium und in ihm mit dem Papst als obersten Monarchen – das sakramentale ›caput ecclesiae‹, und er erfüllt seine Aufgaben als Diakonia oder Dienst sowohl im Verhältnis zum himmlischen Christus als auch im Verhältnis zu der in Christus versammelten Glaubensgemeinde. Priestertum ist apostolisches Amt oder Episkopat«[271].

Die episkopale Struktur des Amtes[272] in der Kirche bestimmt nun auch die Bedeutung und den Sinn des Priestertums in der normalen Bedeutung des Wortes. Priester sind für Schillebeeckx grundsätzlich ›sacerdotes secundi ordinis‹, Helfer des Bischofs. Die Definition des presbyteralen Priestertums wird von dieser Einsicht getragen: »im Grunde genommen ist dies (das presbyterale Priestertum, Anm. des Verf.) eine Weihe zum ›sacerdos *secundi* ordinis‹, d. h. zum priesterlichen ›coadiutor‹ des apostolischen Priesterkollegs der Bischöfe«[273]. Wenn der Terminus nicht schon eine andere Wirklichkeit andeutete, möchte Schillebeeckx die Bezeichnung ›Hilfsbischof‹ für den Priester vorschlagen[274].

Von diesem sehr rigorosen Verständnis des Priesteramtes als Partizipation an dem apostolischen Amt des Bischofkollegiums aus kann Schillebeeckx einige historische Ereignisse und kirchenrechtliche Bestimmungen bezüglich des Priesteramtes einleuchtend dogmatisch erklären. Es hat in der Kirchengeschichte einige Fälle gegeben, wo Priester, ›sacerdotes secundi ordinis‹, den Auftrag erhielten, selbst Neupriester zu weihen[275]; Priester haben in einigen besonderen Fällen Firmvollmacht; manche deuten diesen Umstand als eine gebundene Vollmacht[276], die in bestimmten Fällen entbunden wird; ein Diakon konnte etwa bis zum Konzil von Trient ›per saltus‹ zum Bischof geweiht werden[277]. All diese Fälle und Bestimmungen finden eine plausibele Erklärung in Schillebeeckx' Modell der Partizipation. »Und gerade deshalb (weil der Priester ›Hilfsbischof‹ ist, Anm. des Verf.) kann der Presbyter – und zwar ›vi suae ordinationis‹, *aufgrund* seiner presbyteralen Priesterweihe – *alles* tun, was er mit der Zustimmung seines Bischofs (des ›ordo episcoporum‹ oder des Papstes) tun darf und zu dem er durch den Episkopat gesandt wird; also notfalls andere zu Presbytern weihen«[278].

Von der möglichen Aufgabenstellung her unterscheiden sich somit Episkopat und Presbyterat nicht. Ein Presbyter könnte theoretisch und unter den geforderten Bedingungen genau dieselben Funktionen ausüben wie ein Bischof. Doch gäbe es sogar in einem solchen Fall noch einen grundlegenden Unterschied: der Priester partizipiert nur an der Fülle des Priestertums des Bischofs. »Denn *in allem* ist der Bischof mehr, auch auf der Ebene der Weihevollmacht. Der Episkopat hat ja die Weihe zum *Nachfolger der Apostel* mit ihren apostolischen Vollmachten, die sie ›potestate propria et ordinaria‹ – in Einheit mit dem apostolischen Kollegium und mit dem Papst – ausüben. Der Presbyterat ist dies in keiner Hinsicht. *Kraft seiner Weihe* ist der Presbyter nur die *priesterliche Hilfe* dieses episkopalen Priestertums und kann also alles (aufgrund jener Weihe), wozu er vom apostolischen Amt gesandt wird«[279].

Es hat sich gezeigt, daß Schillebeeckx eine strikt episkopal strukturierte Amtstheologie hat, die auf den Grundsatz der Apostolizität gegründet ist. Diese Apostolizität ist die kirchlich-sakramentalisierte Gestalt des Mysteriums Christi und seiner Kirche.

Die Spannung, die nun zwischen der Apostolizität als solcher und einem episkopalen Amtsverständnis entstehen kann, hat Schillebeeckx an anderer Stelle[280] herausgearbeitet. Hier kommt er zur Folgerung, daß die römisch-katholische Amtsauffassung biblisch-legitim ist[281], aber gleichzeitig auch, daß sie nicht die biblisch einzig mögliche ist[282]. Andere Amtsauffassungen können sich teilweise auch auf das Fundament der Bibel berufen. Schillebeeckx hat in jüngster Zeit im Dienste der kritischen Basisgemeinden in den Niederlanden – von denen einige eine selbständige Position den Bischöfen gegenüber eingenommen haben – eine alternative Amtstheologie ausgearbeitet. Schillebeeckx hat versucht, das Band zwischen Hierarchie und Amt zugunsten der Beziehungen zwischen Gemeinde und Amt zu lockern. Ziemlich prononziert spricht er von einem »Recht der Gemeinden auf Amtsträger«. Aus seiner Untersuchung der Heiligen Schrift folgert Schillebeeckx: »Von einem *wesentlichen* Unterschied zwischen ›Laien‹ und ›Amtsträgern‹ ist im Neuen Testament keine Rede«. Obwohl Schillebeeckx sich für diese ausgesprochenen Überzeugungen auf das Neue Testament beruft, ist die Frage nach der Kirchlichkeit dieses alternativen Amtes noch keineswegs gelöst[283].

2.4.3. Die Kollegialität als Prinzip des kirchlichen Amtes

Der dritte Pfeiler der Amtstheologie Schillebeeckx' ist die Kollegialität[284]. Sie wird von Schillebeeckx in erster Instanz aus dem liturgisch-historischen Faktum der Konzelebration abgeleitet. Dabei muß man berücksichtigen, daß die Konzelebration zwei Formen kennt: einmal die sogenannte ›vertikale‹ Konzelebration: eine Eucharistiefeier des Bischofs mit seinen Priestern, so wie sie in hauptsächlich innerhalb des lateinischen Ritus in der Weihe-Messe in Erscheinung trat; andererseits hat es auch eine ›horizontale‹Konzelebration gegeben: eine nur von Priestern (ohne Bischof) gehaltene Eucharistiefeier, bei der ein Priester auch Hauptzelebrant ist. Diese letzte Form ist eine historische Entwicklung aus der Grundform der vertikalen Konzelebration. Aus der liturgischen Konzelebration[285] folgert Schillebeeckx jetzt die – schon in seiner episkopalen Struktur des Amtes aufgezeigte – liturgische Notwendigkeit der Kollegialität des Kollegiums der Priester mit ihrem Bischof. Dabei zeigt die horizontale Konzelebration die Kollegialität der Presbyter untereinander, während die Kollegialität des Episkopates schon aus ihrer Relation zum einzigen und einmaligen ›Apostelamt‹[286] folgt. »So steht das Wesen des Priestertums nicht nur im Gegensatz zu jeglichem diözesanen ›Insularismus‹, bei dem der Bischof sich nicht engagiert an den Aktivitäten des ganzen zusammenarbeitenden apostolischen Kollegiums beteiligt, sondern auch zu jedem innerdiözesanen Monopolisieren der priesterlichen Aktivitäten.

Vom Generalvikar an über Dechanten und Pfarrer bis hin zu Kaplänen fordert die presbyterale Weihe eine aktive Zusammenarbeit, bei der die priesterlichen Aufgaben verteilt werden. (. . .) Dies gilt genauso für die presbyterale Zusammenarbeit zwischen Welt- und Ordenspriestern«[287].

Schillebeeckx identifiziert später[288] diese Kollegialität teilweise mit der apostolischen Sukzession. Neue Amtsträger werden in das Kollegium der amtierenden Amtsträger aufgenommen, und so bleiben dem apostolischen Amt Nachfolger[289]. Die Aufnahme in das apostolische Amt umfaßt dann auch – neben der Befragung der Gemeinde – die Aufnahme durch das Kollegium und in das Kollegium. »Die Aufnahme erfolgt normalerweise *durch* das Kollegium der schon bestehenden Amtsträger unter Handauflegung«[290]; »Die Aufnahme erfolgt *in* das Kollegium der schon bestehenden Amtsträger. Die organische Gliedschaft in einem Kollegium von Amtsträgern, das den letzten Stempel seiner Kollegialität in dem petrinischen Amt findet, weist auf die Aufgabe jedes Amtsträgers hin, nicht nur für die innere Einheit und den inneren Frieden seiner Gemeinde unter Christus zu sorgen, sondern auch auf seine Obsorge für den Frieden seiner Gemeinde mit von anderen ›Vorgängern‹ geleiteten Gemeinden und letztlich mit der ganzen Catholica«[291].

Schillebeeckx' Amtsauffassung wird von seiner Konzeption der Kollegialität im Amt mitgetragen. Diese Kollegialität (oder eventuell Sukzession) ist christologisch, ekklesiologisch und liturgisch begründet, und sie wird manchmal konkretisiert in der Kirche, wodurch ihre pastoraltheologische Bedeutung deutlich wird.

2.4.4. Das Merkmal als Ordnungsprinzip des Amtes

Wie man beispielhaft an einem Vergleich zwischen Petrusamt und Bischofsamt in der Kirche aufzeigen kann[292], daß nicht jede Amtstheologie von sich aus auch die Sakramententheologie berührt, so dürfen wir aus den drei genannten Prinzipien der Amtstheologie von Schillebeeckx nicht kontinuierlich eine

Theologie des Sakramentes der Priesterweihe ableiten. Wohl können wir untersuchen, ob die Amtstheologie Schillebeeckx' sich in eine sakramentale Theologie einfügen läßt.

Da die Merkmalauffassung Schillebeeckx' sehr nah mit der Theologie des Thomas verwandt ist[293], könnte man den Eindruck haben, das sakramentale Merkmal deute bei Schillebeeckx lediglich eine ›deputatio ad cultum‹[294] an. Nichts ist aber weniger wahr. Schillebeeckx entfernt sich in dieser Hinsicht von Thomas, da er die thomistische Beschränkung auf die rein kultische Befugnis und Sendung für eine Engführung hält[295]. »Dies impliziert, daß – wenn man diese Charakterisierung nicht ausschließlich als eine Vollmacht zur *Kult*aktivität der Kirche betrachtet, sondern (. . .) als eine vollere Sendung, die auch auf die nicht-direkt *kultischen*, aber doch spezifisch-kirchlichen Handlungen gerichtet ist – man auf diesen Ebenen diese Ermächtigung eine kirchliche, rein juridische Vollmacht nennen kann. Deshalb können wir sagen, daß das Merkmal mehr als die Kultvollmacht sein muß, aber daß es – wegen der Eigenart des christlich-kultischen Gebietes, zu dem Charakterisierte gesandt werden – nur für jenes Gebiet noch eine tiefere ontologisch-selbständige Bedeutung bekommt«[296]. Wegen der Differenziertheit des sakramentalen Merkmals könnte man auch bei den sogenannten ›niederen Weihen‹ von einer gewissen Charakterisierung im Sinne einer juridischen Befugnis sprechen, ohne daß diese Befugnis zum authentischen Sakramentenvollzug im Namen Jesu befähigt[297].

Wenn wir die sakramentale Dimension des kirchlichen Amtes in der Theologie Schillebeeckx' untersuchen wollen, müssen wir somit den Vollsinn des Merkmals zum Ausgangspunkt nehmen: das Merkmal in seiner Bedeutung einer christologisch begründeten, in erster Instanz kultisch gerichteten – aber darüber hinaus zu der Gesamtheit des kirchlichen Handelns hindeutenden – und sakramental übertragenen Befugnis und Sendung. Wiederholt hat Schillebeeckx vor einer Mystifikation des Merkmals gewarnt[298], ohne es seiner Zentralstellung in der Sakramententheologie berauben zu wollen. Wenn er dann auch das Merkmal im Rahmen der Amtstheologie deutet[299], zeigen sich bedeutsame

Parallelen zu der Struktur seiner Amtstheologie selbst. Es ist aber bemerkenswert, daß Schillebeeckx 1968 die Bedeutung des Merkmals in Korrelation zur Kollegialitätsidee setzt. Während man in früheren Werken das Merkmal eher eine Individualbestimmung nennen muß, hat es hier eine breitere Basis: das Merkmal wird ›sozialisiert‹ oder besser ›kollegialisiert‹. »Die Folge der Aufnahme in das Kollegium der schon bestehenden Amtsträger wird in der traditionellen Terminologie der katholischen Kirche ›Merkmal‹ genannt«[300]. Gleichzeitig mit der Kollegialisierung des Merkmals verliert es seinen bei Schillebeeckx früher stark betonten sakramental-christologischen Kontext[301]. Die Aufnahme in das Kollegium der Amtsträger impliziert auch eine Korrelation zu den anderen Gläubigen. »Er (der Begriff ›Merkmal‹, Anm. des Verf.) deutet darauf hin, daß ein Gläubiger erstens kirchlich gültig in das Kollegium der Amtsträger aufgenommen ist und zweitens in seinem Amt *gegenüber* der Gemeinde in besonderer Weise auf seiten des Herrn steht, in einer nur *ministeriellen* Dienstbarkeit hinsichtlich der einzigartigen Priester- und Hirtensorge Christi«[302]. Diese zwei Kennzeichen des Merkmals sind der Kern der kirchlichen Lehre, die sich aus der lehramtlichen Verkündigung und der theologischen Tradition erheben läßt[303]. Dieser Kern der theologischen Deutung des priesterlichen Merkmals sagt im Grunde aus: »Wirklich im Namen Christi einen realen, kirchengültigen, besonderen, nämlich leitenden Dienst leisten zu dürfen, und zwar im Namen und gegenüber der Gemeinde«[304].

In dieser (zwar ökumenisch geprägten) Deutung des Merkmals bei Schillebeeckx zeigt sich, daß das sakramentale Merkmal eine besondere, christusförmige Stellung des Charakterisierten in der Gemeinde angibt. Diese Stellung nimmt er nicht als einzelner ein, sondern als Mitglied des apostolischen Amtes. Das Merkmal als Ausdruck für das Handeln Christi in und gegenüber der Gemeinde erklärt nun in ausgezeichneter und aufhellender Weise die drei Prinzipien der Amtstheologie von Schillebeeckx: Korrelation; Differenzierung in der Einheit und Kollegialität.

Die Tatsache, daß diese Bedeutung des Merkmals unter Abstraktion des sakramentalen Kontextes gewonnen werden konnte, weist nun gleichzeitig auf die ökumenische Tragfähigkeit der Amtstheologie von Schillebeeckx hin, da er den analogen Begriff der nichtsakramentalen Kollegialität entwickelt hat.

Diese Folgerung weist aber auch deutlich darauf hin, daß Schillebeeckx Amtstheologie nicht notwendigerweise bei seiner Sakramententheologie anschließt. Schillebeeckx' Amtstheologie ist mehrdeutig. Je nach Bedeutung, die man dem Merkmal zuerkennt – sakramental-gebunden oder als allgemeines Ordnungsprinzip der Amtstheologie[305] – wechselt auch die Tendenz der Amtstheologie von Schillebeeckx. Diese Erkenntnis ist bedeutsam, da sie die Zentralstellung des Merkmals – sei es in einer allgemeinen, ökumenischen Amtstheologie, sei es in einer sakramental-gebundenen Theologie – in einem je anderen Licht erscheinen läßt. Insofern kann man Schillebeeckx' neuere Amtstheologie, wie er sie im Jahre 1979 vorgelegt hat, kaum mehr zur Sakramententheologie rechnen. Die »Weihe« oder – wohl zutreffender – der juridische Akt der Ernennung zum Amtsträger ist keineswegs eine sakramentale Handlung. Vielmehr wird der Amtsträger ins Gegenüber der Gemeinde und zum Dienst in der Gemeinde berufen. Deshalb ist diese neue Amtsauffassung eher ein Sektor aus der Theologie des Laientums. So könnte sie für eine theologische Besinnung auf die neuen Pastoralämter in der Kirche wertvolle Einsichten beibringen. Es scheint aber unzulässig, das sakramentale, ministerielle Amt in der Kirche mit Laienämtern zu verwechseln.

2.5. Zusammenfassung und Ergebnis

Unsere Untersuchung der Einzelsakramente und ihrer Stellung im Denken von Schillebeeckx hat manche Schwierigkeit erbracht. Der uneinheitliche Kontext der Veröffentlichungen Schillebeeckx' zu den Einzelsakramenten hat eine systematisierende Darstellung erschwert.

Wer aufmerksam die Quellen unserer Darstellungen zu den Einzelsakramenten betrachtet, wird feststellen können, daß das wissenschaftliche Niveau der Veröffentlichungen von Schillebeeckx fluktuiert. Namentlich die Quellenlage zu einer Darstellung seiner Lehre von Buße und Krankensalbung ist schlecht, da man eine Erkenntnis zu diesen Sakramenten nur aus populären Veröffentlichungen schöpfen kann.

Wenn wir davon ausgehen, daß die Theologie der Ehe in Schillebeeckx Sakramentenlehre gewissermaßen eine Sonderstellung einnimmt, bemerkt man, daß Schillebeeckx' wissenschaftliches Interesse bei den Einzelsakramenten offenbar auf Eucharistie, Taufe, Firmung und Priestertum (Amtstheologie) ausgerichtet ist. Taufe, Firmung und Priesterweihe nun sind Sakramente, die ein besonderes, sakramentales Merkmal verleihen, das als ekklesiale Wirkung dieser Sakramente verstanden wird. Von daher dürfte man schon schließen, daß Schillebeeckx der ekklesialen Wirkung der Sakramente seine besondere Aufmerksamkeit widmet.

Auch die ekklesiale Wirkung der Eucharistie (Gemeinschaft und Bruderliebe), Buße (Versöhnung mit der Kirche), Krankensalbung (Einordnung des Kranken in die heilende und todüberwindende Gemeinschaft der Kirche in ihrer Kontinuität mit Christus) und Ehe (Einordnung des Brautpaares in das Brautverhältnis zwischen Christus und seiner Kirche) tritt in Schillebeeckx' Theologie der Einzelsakramente hervor.

Schillebeeckx ist kein Theologe, der die sakramentale Symboltätigkeit der Kirche vollkommen ausschöpft. Auch die Wirksamkeit der Sakramente (im Sinne einer sakramentalen Einzelbegnadigung) nimmt in seiner Theologie der Einzelsakramente keine Zentralstellung ein. Genau der Nervenknoten jedoch dieser beiden Teile der Sakramententheologie, das sakramentale Merkmal, ist der Angelpunkt seiner Sakramententheologie. Seine Vorliebe für das sakramentale Merkmal und seine Bedeutung wirkt sich dann auch weiter auf die ekklesialen Wirkungen der anderen Sakramente aus.

Das Merkmal und die ekklesialen Wirkungen der Sakramente können wir mit Christusbezogenheit oder »Ekklesialität« der Sakramente umschreiben. Daher muß im nächsten Teil dieser Arbeit näher auf die Kirche als Sakrament und auf die sakramentenstiftende Aktivität Christi eingegangen werden. Außerdem müssen wir dabei der Eingliederung des Christen in die Gemeinschaft der Kirche (sowohl ekklesial als auch christologisch zu verstehen!), seiner Gottbegegnung durch Christus mit dem Vater die ihnen gebührende Stellung geben.

3. Christologische Konzentration

3.1. Die Kirche als Sakrament

3.1.0. Vorbemerkung

»Über den ekklesialen Charakter seiner (Schillebeeckx', Anm. des Verf.) Theologie könnte man eine wichtige und ausführliche Studie verfassen. Auch wenn er selbst nie eine Ekklesiologie geschrieben hat, aus seinem Werk wäre eine wirklich-neue und fast integrale Kirchenlehre zusammenzustellen«[1]. In der Tat hat sich in der Sakramentenauffassung von Schillebeeckx ein stark ekklesialer Bezug gezeigt. Die Kirche ist nicht nur der Boden, auf dem die Sakramente stehen und aus dem sie als Zeichenhandlungen hervorgegangen sind, sondern die Sakramente selbst haben ihrerseits auch eine Wirkung auf die Kirche, indem sie die Gemeinschaft der Gläubigen in Verbindung mit Christus bringen. So ist die Kirche bei Schillebeeckx in ihrer Sichtbarkeit gleichsam das in den sieben Einzelsakramenten implizierte Zentralsakrament. Es ist hier nicht unsere Absicht, eine vollständige Ekklesiologie aus den Werken von Schillebeeckx aufzustellen – wie fruchtbar eine solche Arbeit auch wäre –, sondern im folgenden soll nur versucht werden, die Kirche in ihrer Sakramentalität und in ihrer Bedeutung für die Sakramentenlehre näher zu umreißen, um so einen Zugang zum Ursakrament Christus zu schaffen, dem ›Sakrament der Gottbegegnung‹.

3.1.1. Die Kirche als Sakrament in der Welt

Das Verhältnis der Kirche zur Welt wird in den Veröffentlichungen von Schillebeeckx seit dem Vaticanum II problematisiert[2]. Das Vaticanum II hat in einigen Texten die Kirche als Sakrament bezeichnet[3]. Bei einer Analyse dieser Texte zeigt sich, daß die Sakramentalität der Kirche zwei Bereiche umfaßt: einerseits zeigt die Rede von der Kirche als Sakrament eine Kontinuität mit der vor- und außerkirchlichen Heilsgeschichte auf, in der das Heil Gottes sich in verhüllter, zeichenhafter Gestalt manifestiert[4], andererseits richtet sich die Sakramentalität der Kirche auf den Adressaten ihrer Heilsbotschaft: Kirche und Welt stehen in einer innigen Korrelation und in einem wechselseitigen Dialog.

Das Verhältnis zwischen der Kirche und der Welt darf nicht einseitig von der Kirche aus bestimmt werden, sondern die Kirche sieht in der Welt selbst viele Elemente, die dem Guten und Wahren dienen[5]. »Daß die Kirche das sichtbare Sakrament des göttlichen Heiles ist, welches schon überall dort wirksam ist, wo sich Menschen finden, hat das Konzil nicht ausdrücklich ausgesprochen. Aber zahlreiche Konzilstexte weisen in diese Richtung, so daß man sogar sagen kann, es bestehe eine dialektische Spannung, die in den Texten selbst nicht behoben wird und daher einer weiteren theologischen Erhellung bedarf«[6]. Diese theologische Durchdringung der Dialogsituation zwischen Kirche und Welt kann in zwei Richtungen verlaufen: einerseits in Richtung auf die Formulierung: »Gottes Heil kann die Welt in keiner Hinsicht erreichen außer in und durch die allmähliche geschichtliche Konfrontation dieser Welt mit der Kirche«[7]; andererseits umgekehrt: »Das universale Heil, das aufgrund des allgemeinen Heilswillens Gottes schon der ganzen Welt angeboten wird und in ihr schon real am Werk ist, erreicht in der Kirche nur seine vollendete Erscheinung«[8]. Nach Schillebeeckx' Ansicht geht das Konzil deutlich in die Richtung einer positiveren Bewertung der Welt, die in der These zur Vollendung des Heiles in der Kirche ausgesprochen wurde: was in der Welt an Gottes Gnade schon verdeckt – und oft in Abwendung und Sündigkeit verschollen – anwesend ist, erreicht in der Kirche eine vollere Ausgestaltung, die in sich das Mysterium der Gottesliebe birgt[9].

Schillebeeckx versucht, aus den Konzilstexten eine Definition der Kirche zu eruieren: »Die Kirche ist die vollendete, in Dank und Lob gegen Gott ausdrücklich bezeugte wirksame Kundgabe jenes Heils, das schon in der ganzen Menschenwelt wirksam zugegen ist; anders ausgedrückt: Die Kirche ist das ›Ursakrament‹ des Heils, das für alle Menschen nach Gottes ewigen Ratschluß zubereitet ist, das außerdem kein Monopol der Kirche ist, sondern das aufgrund der Erlösung durch den Herrn, der ›um des Heiles der ganzen Welt willen‹ gestorben und auferstanden ist, in der Tat in dieser Welt schon wirksam zugegen ist«[10].

Diese Definition der Kirche versucht Schillebeeckx theologisch zu durchdringen. Dazu bietet sich zuerst die universale Heilsbedeutung der Kirche an. Wenn die Kirche als Sakrament der Welt bezeichnet wird, welche Bedeutung kommt ihr dann für die universale Menschheit zu?

Die Menschheit wird immer als eine Einheit aufgefaßt, doch diese Einheit des Menschengeschlechts kann nicht allein auf einem rein äußerlichen, biologischen Einheitsprinzip errichtet werden, da die Menschheit die Gemeinschaft von Personen umfaßt, die nicht mit nur biologischen Bestimmungen umschrieben werden können, da eine Person mehr als eine nur biologische Existenz führt. »Eine solche spezifisch menschliche Einheit kann nur von einem Wertappell, von der gemeinschaftsbegründeten Kraft wahrhaft menschlicher Lebenswerte aus aufgebaut werden. Das bedeutet nichts anderes, als daß die spezifisch menschliche Einheit ihren Ursprung in der Einheit von Berufung und Lebensbestimmung hat«[11]. Die zwar biologisch, aber nicht anthropologisch erklärbare, tatsächliche Einheit der Menschheit lädt also dazu ein, diese Einheit anthropologisch-theologisch durch die Einheit eines Ursprungs und eines Ziels zu begründen.

Die Einheit in der Berufung und der Lebensbestimmung nun legt Schillebeeckx in die gnadenhafte Offenbarung Gottes, die die Menschen zur Gemeinschaft mit ihm und miteinander einlädt. Diese nur erst inchoative Gemeinschaft mit Gott wird aber im Laufe der Geschichte immer wieder erneuert und intensiviert: »Immer wieder wird ›einer von uns‹ zum auserkorenen Heilsmedium bei der Konstituierung ›der großen Sammlung‹ der Menschen aus der Zerstreuung, bei der Konstituierung des Volkes Gottes«[12]. Die schöpfungstheologische, heilsökonomische Begründung der Einheit des Menschengeschlechts wird von Schillebeeckx schließlich christologisch zugespitzt. Der Begriff der

Mittlerschaft im Alten Testament, der die Sammlung aus der Zerstreuung zur Gemeinschaft mit Gott ausdrückt, findet in Jesus Christus seinen Höhepunkt. »In Jesus Christus wird damit die ›große Sammlung aller Menschen um Gott‹ (. . .) zu einer gegenseitigen ›communio‹ der Menschen um Christus, zu einer ›Kirche Christi‹ (. . .). Die verstreute Menschheit ist in Christus zu einer versammelten Menschheit geworden (Eph. 2,15), gegründet auf den ›eschatologischen Menschen‹, . . .«[13].

Es ist bemerkenswert, daß Schillebeeckx die Einheit der Menschheit mit Hilfe einer theologischen, an der Rekapitulationstheorie des Irenäus erinnernden Begründung erklärt.

»Schillebeeckx treibt in diesem Fall keine ›philosophierende Theologie‹ wie Rahner. Er fragt nicht nach der *ontologischen* Konstitution der zum Heil Berufenen, sondern nur nach der *theologischen*, welche auch für ihn in einer Art transzendentalen Christologie besteht«[14]. Diese Einheit der Menschheit wird sich auch in dem Verhältnis Kirche-Welt auswirken.

In der Verhältnisbestimmung zwischen Kirche und Welt verrät Schillebeeckx seine Herkunft von der Sakramententheologie. Die Sammlung der Menschheit in Christus bekommt ihre volle und sichtbare Gestalt in der Kirche Christi[15]. »Denn gerade in der Kirche erhält – dank der freien Bejahung der Rechtfertigungsgnade, der gläubigen Annahme des Evangeliums oder des Wortes Gottes und dank des Zutritts zur kirchlichen Taufe im Namen der Dreieinigkeit – diese neue Sinngebung einen geschichtlich sichtbaren, öffentlichen, konkret Gemeinschaft begründenden Charakter«[16]. Diese These begründet Schillebeeckx mit einem Hinweis darauf, daß die Verkündigung Jesu sich zu einem verkündigten Christus entfaltet. Der Übergang einer Christologie im Sinne einer Jesulogie[17] zu einer Ekklesiologie schließt die Sichtbarkeit des Heiles im Zeichen mit ein[18]. »Die Umkehr zu Gott, zum Vater – das ›vertikale‹ Thema der öffentlichen Verkündigung Jesu – wird, im Licht des den Aposteln anvertrauten Sinnes seines Sühnetodes, nach Ostern und Pfingsten zu einem auch ›horizontalen‹ Thema: des Aufbaus einer gegenseitigen Gemeinschaft um den Felsen. (. . .) So haben Tod und Verherrlichung Jesu, des Christus, den Zutritt zu dieser Brudergemeinschaft, zur Kirche in ihrer sakramentalen, geschichtlichen Sichtbarkeit zur Bedingung für den Zutritt in das Reich Gottes gemacht«[19]. Die authentische Weiterführung der Verkündigung Jesu ist die zeichenhafte Gestalt der Kirche Christi.

Das Verhältnis zwischen dem Sakrament der Kirche und der Welt wird also bestimmt werden müssen einerseits von der allgemeinen Sammlung der Menschheit in Christus und andererseits von der authentischen Weiterführung der Verkündigung Jesu in der Kirche als sichtbares Sakrament.

Da die Kirche das Sakrament der Sammlung der Menschheit ist, die aber zerstreut auch in der Welt auftritt, kann man in der Welt überall dort eine Ekklesialisierungstendenz feststellen, wo die Gnade zum Durchbruch kommt. »Wo immer diese Gnade wirksam ist – und das ist überall dort, wo Menschengeschichte realisiert wird –, strebt sie auch innerlich nach ihrer eigenen geschichtlichen Sichtbarwerdung, daß heißt nach Kirchlichkeit«[20]. Schillebeeckx kann die Welt dann auch als Vor-Kirche, Inkognito-Kirche oder Vorentwurf der Kirche bezeichnen[21]. Der Durchbruch der Gnade, die die Welt zur Vor-Kirche macht, kann man nicht mit dem Auftreten der Mitmenschlichkeit schlechthin gleichstellen, sondern die Verkirchlichung der Welt aufgrund der heilshistorischen, christologischen Begründung der Einheit der Menschheit ist dort anzusetzen, wo es ein Gespür für Mitmenschlichkeit mit Christus gibt. Solche Zeichen für christuszentrierte Mitmenschlichkeit finden sich dort, wo die Botschaft Jesu an Realität gewinnt: die besondere Qualifizierung der Brüderlichkeit. »Diese besondere Qualifizierung wurde von Jesus selbst bloßgelegt: die helfende Liebe, die sich auf (. . .) die Kleinen und (. . .) die Geringsten unter den Menschen erstreckt, denn diese nennt Jesus ›meine Brüder‹ (Mk 25, 31–46)«[22].

Man kann also sagen, daß das Verhältnis zwischen Kirche und Welt von Schillebeeckx in Anschluß an das Vaticanum II als eine sakramentale Beziehung verstanden wird. Die Kirche ist erstens das wirkliche Zeichen einer großen Sammlung Gottes, die in Christus vollzogen wurde. Die Kirche als Zeichen will aber gleichzeitig bei der ›Kirchlichkeit‹ der Welt Anschluß suchen, insofern in der Welt Elemente einer qualifizierten Bruderliebe auftreten, und ebenso will die Kirche versuchen, diese Elemente zu fördern. Die Kirche ist dann auch nicht nur Zeichen der Sammlung Gottes, sondern auch ein wirksames Instrument. Sie hat diese aktive, wirksame Vermittlerrolle aufgrund ihrer Stellung in der Heilsgeschichte. »Aus all diesen Gründen dürfen wir die Bedeutung der Kirche für die nichtchristliche Menschheit nicht als eine ›stellvertretende Funktion‹ ansehen, welche die nicht kirchliche Menschheit von dieser überströmenden Liebe dispensieren und sie durch ›Substitution‹, das heißt dank des Überflusses an Liebe, retten würde. Stellvertretung und Mittlertum bedeuten in einer authentisch-christlichen Perspektive nie Substitution, sondern eine prototypische Realität, die aus ihrem Überfluß mitteilt, *so daß* auch die anderen wirklich befähigt werden, selbst kraft der erfahrenen Gnade nachzuvollziehen, was im Prototyp vorgelebt wird«[23].

Diese theologisch begründete Stellung der Kirche in der Welt hat auch praktische Konsequenzen für ein Gespräch zwischen Kirche und Welt. Indem die Kirche die möglichen, gnadenhaften Elemente in der Welt, die sich in qualifizierter Bruderliebe äußern, anerkennt, tritt sie auch von einem gewissen Anspruch auf das »Wahrheitsmonopol« zurück[24] und öffnet sich einem Dialog mit der Welt[25]. Wenn Schillebeeckx nun diese Kategorie des Dialogs aufnimmt, um das Verhältnis zwischen Welt und Kirche in ihrer praktischen Gestalt zu formulieren, versucht er, die verschiedenen Elemente dieses Gesprächs und die Stellung der Gesprächspartner so weit wie möglich in den Dialog als Norm aufzunehmen. Dazu bietet der Satz der authentischen Weiterführung der Verkündigung Jesu in der Kirche aber einige Schwierigkeiten. Die Kategorie des Dialogs setzt nämlich eine gleiche Bewertung und Stellung der Gesprächspartner voraus. So ergibt sich die Frage, wie die Kirche mit ihrem Absolutheitsanspruch – der schließlich auf die Authentizität der Kirche als weiterlebenden Leib Christi zurückgeführt werden muß – einen wirklichen Dialog führen kann, ohne von vornherein schon »Ecclesia docens«[26] zu sein. »In Anbetracht dieser Umschreibung (des Dialogs bei R. Howe, The miracle of dialogue, New York 1963, 121, Anm. Verf.) erhebt sich die Frage, wie ein Dialog in Aufrichtigkeit geführt werden kann, wenn einer der Gesprächspartner von vorneherein den Anspruch erhebt, die volle Wahrheit zu besitzen und immer recht zu haben«[27].

Schillebeeckx versucht nun, im Rahmen der Forderungen eines aufrichtigen Dialogs den Wahrheitsanspruch der Kirche so zu formulieren, daß alle Voraussetzungen für einen Dialog gewährleistet sind. »Die Kirche hat eine religiöse Sendung und somit auch eine humanisierende Aufgabe in der Welt. Aber für diese Humanisierung als solche hat sie, innerhalb des Lichtes der Offenbarung, kein anderes Licht als das aller Menschen und ihrer Erfahrungen, und deshalb muß sie tastend nach Lösungen suchen«[28]. Wenn man also die Sendung der Kirche in eine religiöse und in eine humanisierende Aufgabe unterscheidet, so dürfte im Bereich des Humanen und des Humanisierbaren ein wirklicher Dialog möglich sein, da die Kirche hier eine mit der Welt gleichberechtigte Stellung einnimmt.

Auch in Hinblick auf ihren religiösen Auftrag sieht Schillebeeckx Möglichkeiten für einen Dialog. »Außerdem wird ihr *religiöser* Anspruch, ihr ›Ausschließlichkeitsanspruch‹ aufgrund der Verheißung Christi, durch die Tatsache relativiert, daß sie noch eschatologisch ausgerichtet ist, eine in der Geschichte pilgernde Kirche, die auf dem Weg zum Reich Gottes ist und nicht mit diesem zusammenfällt«[29]. Nach Schillebeeckx verhindert die Verhüllung der Wahrheit in der Kirche, m. a. W. ihr Wahrheitsbesitz in der Art einer sakramentalen Inkarnation, einen Ausschließlichkeitsanspruch, der einem wahren Dialog im Wege stünde. Daß die dialogfördernde Wirkung der Kirche gerade in ihrer Sakramentalität begründet liegt, zeigt sich an Schillebeeckx' Sprache vom »Mysterium Gottes«: »Erst im endgültigen Reich Gottes ist der Dialog eine einmütige bejahende Bewunderung des in allem transparent gewordenen Selbstverständlichen, ein einmütig ausgesprochenes ›Amen‹ zu dem unerschöpflich Evidenten, das wir jetzt im Glauben das ›Mysterium Gottes‹ nennen können und dürfen«[30].

Um ihre sakramental-verhüllte Wahrheit aber optimal verkündigen zu können, muß die Botschaft der Kirche auch verstanden werden können. Für ein solches Verständnis ihrer Botschaft ist es für die Kirche notwendig, in Dialog mit der Welt zu treten, um dort die erforderlichen Verständniskategorien zu erlernen. Somit kann Schillebeeckx sagen, daß die Botschaft der Kirche sogar nicht außerhalb des Dialoges formuliert werden kann, da jede Zeit einen anderen Verständnishorizont mit sich bringt. »Was also anfangs ein unüberwindliches Hindernis für einen wahren Dialog zu sein schien, erweist sich bei näherem Zusehen als nicht außerhalb einer dialogischen Haltung vollziehbar: Ohne auf die Menschenwelt zu hören, kommt das einzigartige kirchliche Zeugnis in seiner Echtheit nicht an und ist kirchliche Verkündigung unmöglich«[31].

Schillebeeckx' Ausführungen haben die Einsicht erbracht, daß der Dialog zwischen Kirche und Welt sowohl auf humanitärer als auch auf religiöser Ebene möglich, ja sogar notwendig ist. Die Welt nimmt im Dialog Kenntnis von einer Dimension des Humanen und Menschwürdigen, die ihr sonst nicht oder nur sehr schwer zugänglich wäre. Die Kirche erhält aus einem Dialog mit der Welt die Möglichkeit zu einer je neuen und aus dem Wesen ihrer Botschaft erforderlichen Neuformulierung ihrer Sendung. Nur so kann die Botschaft der Kirche gehört werden.

Trotz der grundsätzlichen Einstimmung und Befürwortung des Dialogs mit der Welt durch Schillebeeckx scheinen noch einige Schwierigkeiten ungelöst zu bleiben. Der Dialog zwischen Kirche und Welt wird zwar nicht durch einen kirchlichen Ausschließlichkeitsanspruch unmöglich gemacht, aber doch scheinen dem Dialog einige Beschränkungen auferlegt werden zu müssen, die in der Eigenart der Kirche und in ihrem Selbstverständnis und ihrer Identität ihren Ursprung nehmen.

Man darf den Dialog zwischen Kirche und Welt nicht als ein Gespräch zwischen Christen und Nicht-Christen auffassen, sondern zwischen dem Arbeitsfeld der Kirche und dem der Welt gibt es viele gemeinsame Berührungsflächen, in denen ein wahres Gespräch fruchtbar ist. Dabei darf aber nicht übersehen werden, daß die Kirche immer von einer religiösen Einstellung her spricht und von dieser Intention aus auch weltliche und humanitäre Fragen in Angriff nimmt. Der typische Verständnishorizont und Sprachhorizont der Kirche bildet also einen gewissen Vorbehalt in dem Gespräch mit der Welt[32]. Da Schillebeeckx – auf dem Hintergrund seiner Sakramentenlehre – immer eine menschliche Vermittlung des Glaubensmysteriums annimmt, kann der Vorbehalt der Kirche nicht auf der Ebene der menschlichen Wahrheitsfindung zu suchen sein, sondern nur auf der Ebene des Mysteriums, das als eschatologische Größe in der Geschichte eingebettet ist[33]. Von daher scheint der Vorbehalt der Kirche im Dialog eschatologischen Charakters zu sein. »Deshalb ist die eschatologische Erwartung der Kirche kein Hemmschuh für den irdischen Ausbau der Welt, sondern eine Förderung desselben durch neue Motive, ein intensiverer Antrieb zur kraftvollen Aktivität für das Wohl der Völker, weil das Endreich auch zur Verwirklichung einer besseren irdischen Welt anspornt. In Christus ist die irdische Geschichte selbst ja zur Heilsgeschichte geworden«[34].

Diese Überlegungen führen dann auch zur Einsicht, daß die eschatologische Hoffnung und die endzeitlichen Erwartungen des Christentums gerade die Christen zu einer kritischen Stellungnahme in der Welt aufrufen[35] und die prophetische Dimension des lehramtlichen Sprechens der Kirche so neu hervorgehoben wird. Jesus als endzeitlicher Prophet prägt aber nicht nur die prophetische Sprache des Lehramtes. Er hat der jüdisch-christlichen Gemeinde überhaupt das prophetische Wesensmodell einer Exodusgemeinde zugemessen. So »ist« (nicht sosehr deskriptiv als wohl performativ) die Kirche mit ihrem Exoduscharakter das Sakrament der Welt[36].

Zusammenfassend kann man sagen, daß Schillebeeckx die Möglichkeit und Notwendigkeit eines Dialogs zwischen der Welt und der Kirche als »Sakrament für die Welt« herausarbeitet und hervorhebt. Wegen der irdischen und menschlichen Vermittlung der Wahrheit in der Kirche kann dieser Dialog alle Bereiche eines möglichen Gesprächs umfassen. Zugleich aber hat die Kirche eine religiöse Einstellung, die sich namentlich in dem eschatologischen Vorbehalt anmeldet. Dieser eschatologische Vorbehalt scheint eine Folgerung aus der Sakramentalität der Kirche selbst sein zu müssen[37]. Dies führt dann zur Aussage, daß die Kirche mit der Welt in einen Dialog treten kann, bei der aber die Sakramentalität der Kirche selbst nicht in das Gespräch eingebracht wird, sondern diese Sakramentalität gerade als eine kritische, prophetische Instanz den möglichen und notwendigen Dialog prägt[38].

3.1.2. Die Kirche als sichtbares Instrument

»Die Kirche verwirklicht diese doppelte Einigung (der Menschen miteinander und der Menschen mit Gott, Anm. des Verf.) unter den Menschen. Im Grunde geht es nicht um die Kirche selbst, sondern um die Stiftung der Einigung und des Friedens zwischen den Menschen und Gott, damit durch diese Einigung die Einheit unter den Menschen selbst gefestigt wird. In diesem Heilshandeln Gottes ist die Kirche nur ein Instrument, Magd Gottes in Christus zum Dienst an der Menschheit«[39].

Nach Schillebeeckx ist die Kirche ein Heilsinstrument. Diese Aussage ist von Schillebeeckx vor allem in einer Auseinandersetzung mit dem Vaticanum II formuliert worden[40], wie auch das oben verwendete Zitat mit seinem konziliaren Kontext schon andeutet. Die Kirche in ihrer sakramentalen Instrumentalität ist Dienerin Gottes zum Heil der Menschheit: die Kirche hat eine grundsätzlich dialogische Existenzweise. Wie sich auch aus anderen Konzilstexten erschließen läßt[41], wendet sich die Kirche von einer ekklesiologischen Selbstbespiegelung und von einer Art Kirchenzentralismus ab. Dezentralisierung der Kirche wird nicht nur ein verwaltungstechnisch geprägtes Schlagwort in der Kirche[42], sondern mit diesem Wort wird auch eine neue theologische Einsicht formuliert.

Von Dezentralisierung in der Kirche kann man nach Schillebeeckx in fünffacher Weise sprechen: eine Schwerpunktverlagerung von der Kirche auf Christus; von Papst und Kurie auf das Weltepiskopat; von Hierarchie zum Volk Gottes; eine Dezentralisierung der römisch-katholischen Kirche in Richtung auf andere christliche Gemeinschaften und auf das Judentum; eine besondere Aufmerksamkeit für die Welt[44].

In der Theologie von Schillebeeckx spiegelt sich die Dezentralisierung seit dem Konzil vor allem in zwei Schwerpunkten wider:

die Welt und die Christologie. Im Kontext des Verhältnisses zwischen Kirche und Welt wird die Kirche ein Instrument, das die Elemente des Guten und Wahren durch die Förderung der Einheit unter den Menschen tatsächlich hervorhebt. Auch in seiner Auffassung von der Kirche findet sich bei Schillebeeckx diese Dezentralisierung. Für die Gläubigen selbst ist die Kirche kein Selbstzweck, sondern ein Instrument, um zu Christus zu gelangen. Bei dem Weg der Gläubigen zu Christus kommt der Kirche eine Vermittlerrolle zu. »In der Peterskirche wurde auf die Tatsache hingewiesen, daß die Kirche – besonders in ihrer Führung – das Zentrum zu stark in *sich selbst* verlegt, daß sie ihre Arbeit zu einseitig ›zur größeren Ehre der Kirche‹ verrichte. Das Wort Triumphalismus wurde ausgesprochen, im Sinne einer gewissen Selbstgenügsamkeit und Selbstsicherheit der Kirche, die in ihrem Auftreten und sogar in der Formulierung der Lehre zum Ausdruck kämen«[45].

Man kann also sagen, daß Schillebeeckx in der instrumentalen Sakramentalität der Kirche zur Welt ihre eigentliche Sakramentalität sieht. Daneben findet sich aber auch die Sakramentalität der Kirche in Gestalt ihrer Sichtbarkeit ausgedrückt.

»Die Kirche ist ein *Zeichen:* die vermittelte Verwirklichung der Kirche findet im *Zeichen* statt, d. h. in dieser Welt ist die Kirche selbst schon die wirkliche Gegenwart einer irgendwie schon realisierten (aber immer ergänzungsbedürftigen) Gemeinschaft der Menschen untereinander mittels der Gemeinschaft derselben mit Gott in Christus. In diesem Sinne ist die Kirche schon die Gegenwart des Heils in unserer Mitte; sie ist die apostolische Fülle aller messianischen Wohltaten, die jedoch in die Welt gesandt wurde, damit diese Gemeinschaft mit Gott und unter den Menschen überall ihre volle Ausgestaltung erreicht. Die Kirche als Sakrament der Welt hat deshalb die Aufgabe, in dieser Welt sichtbar und beispielhaft oder prototypisch das zu ›leben‹ oder auszuüben, was in der ganzen Welt antitypisch verwirklicht werden muß, und was kraft des Liebesbundes Gottes mit der ganzen Menschheit und wegen des allgemeinen Heilswillens Gottes schon verborgen, implizit oder anonym in der ganzen Menschheit sich zu verwirklichen anfängt. Es ist somit Aufgabe der Kirche, die Gemeinschaft unter den Menschen zu verwirklichen, da sie selbst schon *Gemeinschaft* ist: nämlich Volk *Gottes* und deshalb *Brudergemeinschaft*. In dieser Weise ist sie ›ein Zeichen, das unter den Völkern errichtet wurde‹«[46].

Das Verhältnis zwischen Kirche und Welt in ihrem jeweiligen Zeichenwert ist von dem Grad der Sichtbarkeit des Heils geprägt. Nicht so, als gäbe es keinen anderen Unterschied zwischen der Kirchenzugehörigkeit und dem Leben als Nicht-Christ in der Welt als nur einen graduellen. Aus dem Kontext seiner ganzen Theologie muß man den Unterschied in Sichtbarkeit wohl von der Ausdrücklichkeit der Begnadigung Gottes in Kirche und Welt interpretieren. Kirche ist die Sichtbarkeit der Begnadigung und die Sammlung Gottes, die in Christus vollzogen wurde und sich »horizontal« in der Geschichte fortsetzt. Genau wie bei der Besprechung der Instrumentalität der Kirche zeigt sich aber auch in der Erörterung der Sichtbarkeit der Kirche eine Abneigung vor Triumphalismus und Selbstgenügsamkeit in der Kirche bei Schillebeeckx. Die Kirche ist trotz ihres Zeichencharakters und ihrer beispielhaften Sammlung ergänzungsbedürftig und reformabel, damit sie ihren Glanz als Zeichen behält und entfalten kann: Ecclesia semper purificanda[47].

Die Sichtbarkeit der Kirche darf nicht in dem Sinne verstanden werden, daß sie als Zeichen makellos sei[48]. Andererseits bekennt die Kirche aber von sich selbst, daß ihr Unfehlbarkeit zukommt. Diese Unfehlbarkeit kann man als die Ausgestaltung der Zeichenhaftigkeit der Kirche in ihrer Sakramentalität ansehen[49]. Das Verhältnis zwischen Unfehlbarkeit und Reformbedürftigkeit in der Kirche will Schillebeeckx näher bestimmen. Aus dieser Verhältnisbestimmung werden sich dann Konsequenzen für die Sichtbarkeit der Sakramentalität der Kirche ableiten lassen.

Aus der Dualität, die im kirchlichen Selbstverständnis zwischen ihrer Unfehlbarkeit und ihrer Reformbedürftigkeit auftritt, muß man folgern, daß Unfehlbarkeit sich nicht in Triumphalismus äußern kann und darf. »Die Unfehlbarkeit ist deshalb keine statische, sozusagen essentialistische Eigenschaft der Kirche, die ihren existentiellen Glauben und ihren Gehorsam gegenüber der Verheißung außer Betracht lassen könnte. (. . .) Der Begriff Garantie (von katholischen Theologen übrigens weniger oft gebraucht) ist nur eine juridische Extrapolation der Übermacht der Gnade, die so stark ist, daß sie *in* der Glaubensantwort der Kirche zur Geltung kommt«[50]. Diese von der Sichtbarkeit der Kirche geprägte Auffassung der Indefektibilität der Kirche bildet die Basis für einen Ausgleich zwischen Unfehlbarkeit und Reformbedürftigkeit. Es ist bemerkenswert, daß sich in diesem Fundament bei Schillebeeckx also gleich die menschlich-göttliche Verbindung im Glauben und in der Kirche finden läßt. Man kann diese Verbindung so betrachten, daß in ihr die Übermacht der Gnade durchbricht. Schillebeeckx wehrt sich aber gegen eine solche Bestimmung, da in ihr die Endgültigkeit der Inkarnation und der allgemeinen Sakramentalität zu kurz käme. »Nicht die bloße Tatsache, daß seit Ostern und Pfingsten das Volk Gottes zum Leib Christi konstituiert worden ist, begründet die Unfehlbarkeit der Kirche, sondern die Tatsache, daß dieser Leib dadurch zur Wohnung des Heiligen Geistes geworden ist. Dieser ist ja tatsächlich, effektiv und unwiderruflich die eschatologische Gabe und führt deshalb die Kirche von innen her unfehlbar zur Endvollendung«[51]. Auch die Bestimmung der Unfehlbarkeit der Kirche wird von Schillebeeckx im Prinzip der Sakramentalität begründet. In geschaffenen, materiellen Zeichen kann ein Glaubensmysterium, ja sogar die Einwohnung des Hl. Geistes, verborgen anwesend sein. In der Sakramentalität, Inkarnation und Einwohnung des Heiligen Geistes wird dann auch eine Trennung zwischen Natur und Gnade, zwischen dem Handeln Gottes und der Menschlichkeit aufgehoben: nicht in dem Sinne, daß die Natur und das Zeichen mit der Gnade oder dem Mysterium identifizierbar wären, sondern für Schillebeeckx ist die Inkarnation oder – in ihrer Verlängerung – die Sakramentalität ein Weg Gottes, den er zur Gemeinschaftsbildung zwischen den Menschen und ihm gewählt hat. Die Verknüpfung der Inkarnation (nicht als punktuelles Ereignis, sondern als das ganze Leben Jesu in der Menschlichkeit) mit der Sakramentalität ist für Schillebeeckx eine Sakramententheologisch notwendige Folgerung[52]. »Vor der Menschwerdung war Gott in Huld zwar persönlich sorgend um die Menschheit bekümmert in einer absoluten Transzendenz, die

165

der Profangeschichte ihren Lauf ließ und sie doch zur Heilsgeschichte machte. Aber das persönliche Erscheinen des Sohnes als Mensch unter Mitmenschen in einer menschlichen Geschichte hat in der Weltgeschichte eine absolut neue Tatsache sichtbar aufgerichtet: den irdischen, persönlichen Leib Jesu, des Christus, der bei uns Einzug nahm: ›In ihm wohnt die Fülle der Gottheit leibhaftig‹ (Kol 2,9): *corpus Christi*. Nach der Auferstehung Christi bleibt dieser Leib bei uns unter der sakramentalen eucharistischen Gestalt: *corpus eucharisticum*. Und dieser Leib erhält eine bleibende historische sakrale Sichtbarkeit im ›Leib des Herrn, der die Kirche ist‹: *corpus ecclesiasticum*«[53].

In dieser Kirche mit ihrer sichtbaren Sakramentalität hat auch die Unfehlbarkeit ihren Platz. Unfehlbarkeit darf so nach Schillebeeckx weder als Magie, noch als Beschlagnahme der Gnade Gottes verstanden werden; nur in der Sakramentalität kann man die kirchliche Unfehlbarkeit bestimmen. »Wie der Leib Christi nicht nur die Sichtbarkeit der Huld Gottes ist, sondern zugleich das, worin Christus als ›Knecht Gottes‹ seinen bejahenden Gehorsam gegenüber dem Vater zu konstitutivem Ausdruck brachte, so ist der kirchliche ›Leib Christi‹ nicht nur konzentrierte Gnadengegenwart, sondern in Christus zugleich dankende und lobsingende, bejahende Zustimmung zu dieser Huld. Der Leib Christi, der die Kirche ist, ist deshalb nicht nur fortwirkende Gabe und Durchströmung mit Gottes Heilskraft, sondern außerdem bejahende Durchströmung in existentieller Verwirklichung der Gnadengabe selbst«[54].

Für diese existentiell vollzogene Unfehlbarkeit in der Sakramentalität der Kirche benutzt Schillebeeckx dann die Bezeichnung »dynamische Unfehlbarkeit«[55].

Bei der Untersuchung der Sakramentalität der Kirche bei Schillebeeckx hat sich gezeigt, daß die Kirche als Sakrament innerhalb des Denkens von Schillebeeckx einen besonderen Platz einnimmt. Abgesehen von der Frage, wie sich das Verhältnis zwischen Kirche und Einzelsakramenten ausgestaltet[56], kann man hier schon sagen, daß der Kirche eine eigene Sakramentalität zukommt. Als Instrument der Einigung zwischen den Menschen untereinander und zwischen ihnen und Gott versucht sie, die

Einheit zu erreichen, die zeichenhaft und prototypisch in ihr schon zugegen ist. Diese Einheit der Kirche im Zeichen darf man aber nicht als eine schon vollkommen realisierte Einheit betrachten, da das Zeichen der Kirche immer von der Sakramentalität geprägt bleibt: die Manifestation der Gnade in der Kirche ist in irdischen Strukturen und menschlichen Institutionen vermittelt. Die Intersubjektivität der Gnade bewirkt eine menschlich getönte, ja sündenverhaftete Kirche, die immer reformbedürftig bleiben wird und in einer existentiellen Aneignung der Gnade Gottes sich selbst verwirklichen muß. In diesem Streben nach dem vollen Zeichengehalt, in dieser Intentionalität zu ihrer Quelle und zu ihrem Ziel, ist sie aber gerade das Zeichen der Einheit der Menschheit, das von Gott gewählt wurde.

In diesem Sinne ist die Kirche als Sakrament bei Schillebeeckx schon teilweise umschrieben: der Kirche selbst kommt der Begriff ›Sakrament‹ zu, weil sie in der Welt das Universalsakrament ist.

3.1.3. Kirche und Einzelsakramente

Die Kirche ist für Schillebeeckx das Universalsakrament in der Welt. In dieser Interpretation der Sakramentalität der Kirche steht sie also nicht auf einer Linie mit den sieben Einzelsakramenten, sondern sie nimmt in ihrem Kreis eine Sonderstellung ein.

Die Sakramentalität der Kirche wird aber auch anders gedeutet: sie ist das Ursakrament oder Wurzelsakrament, aus dem die sieben Einzelsakramente hervortreten und auf das sie hingeordnet sind[57]. Wir wollen jetzt untersuchen, inwiefern sich auch bei Schillebeeckx eine solche Konzeption der Kirche als Ursakrament findet.

Man kann sagen, daß die Einzelsakramente bei Schillebeeckx immer einen Bezug zur Gemeinschaft der Kirche haben. Die ekklesiale Dimension der Sakramente zeigt sich in ihrer Wirkung auf die Kirche, in die der Empfänger des Sakramentes eingegliedert wird, mit der er versöhnt wird, zu deren eigenen Handlungen er gesandt wird. Die ekklesiale Wirkung der Sakramente steht also im Dienste einer Sammlung aus der Zerstreuung, im Dienste einer Aufnahme in die Kirche oder sie führt zu einer Intensivierung der kirchlichen Einheit.

In diesem Sinne ist die Förderung der kirchlichen Einheit eine der Wirkungen der Einzelsakramente. Daneben findet sich bei Schillebeeckx aber auch eine gewisse kausale Verbindung, in der Sakramente die Existenz der Kirche voraussetzen. Die Kirche ist in einem beschränkten Sinne Möglichkeitsbedingung für das Wesen der Einzelsakramente. Genauso wie die Kirche in der Welt das Zeichen, d. h. das materielle Element für die Einheit der Menschheit ist, so ist auch die Kirche in ihrer Sichtbarkeit und Zeichenhaftigkeit mit der Symbolaktivität der Sakramente verbunden. Sakramente sind ja nach Schillebeeckx Symbolhandlungen Christi in und durch die Kirche.

Die Rolle der Kirche in den verschiedenen sakramentalen Handlungen läßt sich nur aus dem Satz von Schillebeeckx verstehen, daß der irdische Jesus schon im vollen Sinne Kirche genannt werden muß. »Er (der Mensch Jesus, Anm. des Verf.) ist persönlich, als Haupt der von ihm erlösten Menschheit, im Ursprungssinn die Kirche selbst. Im weitesten Sinne des Wortes bedeutet dies, daß die ganze Menschheit im Kreuzesopfer Jesu ›Kirche‹ geworden ist«[58]. Die Fülle der Kirche ist der menschgewordene Jesus in dem Sinne, daß er als Mensch die in ihm repräsentierte Menschheit, die eschatologische Kirche, mit dem Vater versöhnt. Die Fortsetzung dieses einmaligen historischen Christusereignisses in der Geschichte und in der irdischen Sichtbarkeit ist die Kirche. »Die irdische Kirche ist die Erscheinung dieser Heilswirklichkeit auf der Ebene der historischen Sichtbarkeit. Sie ist eine sichtbare Gnadengemeinschaft. Diese Gemeinschaft selbst, bestehend aus Gliedern und einer hierarchischen Führung, ist das irdische Zeichen der triumphierenden Erlösungsgnade Christi«[59].

Diese Verbindung zwischen Christus und der Kirche als irdisch sichtbare, geschichtliche Weiterführung des einmaligen Christusereignisses ist die erste Einsicht, die für ein richtiges Verständnis der Bedeutung der Kirche in der Sakramententheologie von Schillebeeckx erforderlich ist. Die Kirche ist somit nicht die volle Weiterführung des Christusereignisses. Eine solche Auffassung widerspräche der Einmaligkeit des Ereignisses Jesu und der menschlichen Existenzbedingung in der Kirche. Das Menschsein Jesu ist an sich einmalig, da in ihm Gottes Gegenwart Realität geworden ist. Kirche führt dann auch das Menschsein Jesu nur insofern weiter, als die Sichtbarkeit der Gnadengegenwart Gottes ein irdisches Zeichen verlangt[60].

Diese Aussage der sichtbaren Weiterführung des Christusereignisses in seiner irdischen Dimension in der Kirche bedeutet nun aber nicht, daß Schillebeeckx eine Trennung zwischen der sichtbaren Gemeinschaft oder Gesellschaft der Kirche und der Gnadengemeinschaft einführt. »Die sichtbare Kirche selbst *ist* der mystische Leib des Herrn. Die Kirche ist die sichtbare Erscheinungsform der Erlösungsgnade Christi in der Gestalt eines sozialen Zeichens (›societas-signum‹). Jeder Dualismus ist hier vom Übel, als könnte man die innere Gnadengemeinschaft mit Christus gegen die sichtbare, juridische kirchliche Gesellschaft ausspielen, oder umgekehrt. Die Kirche ist daher nicht nur ein Heilsmittel. Sie ist das Heil Christi selbst, nämlich die leibliche Gestalt dieses Heiles: dieses Heil, insofern es in dieser Welt erscheint«[61].

Obwohl Schillebeeckx also keine Trennung zwischen der Sichtbarkeit und Gnadengemeinschaft der Kirche einführt, bleibt doch eine gewisse Spannung zwischen diesen beiden Aussagen bestehen, die nicht weiter innerhalb der Lehre über die Kirche systematisiert werden kann. Diese Spannung nun bildet die eigentliche Sakramentalisierung des Heiles in der Kirche oder anders formuliert: die Sakramentalität der Kirche.

Schillebeeckx hat versucht, diese Sakramentalisierung des Heils in der Kirche mit der ihr eigentümlichen Spannung noch etwas näher in einer heilsökonomischen Perspektive zu entfalten. Die Einheit des Sichtbaren und der Gnade liegt – wie schon kurz erwähnt wurde – in dem Christusereignis selbst. Daneben aber wird die Sakramentalität auch in der Parusie aufgehoben. »Es ist gut für euch, daß ich weggehe‹ hat der Messias gesagt (Joh 16,7). Nicht seine leibliche Abwesenheit war für uns gut (dies würde dem Sakramentalismus des Christentums radikal widersprechen), sondern wohl seine Auferstehung aus dem Tod, aus der dann *für uns* wegen unseres nicht verherrlichten Status seine Abwesenheit folgte. Das bedeutet dann aber auch gerade, daß unsere auch körperliche Gemeinschaft mit Christus – mit ihrem Anfang in der Parusie – der eigentliche Endpunkt des Exodus des Gottesvolkes ist. In Christus, dem Eschaton, ist die fundamentale Möglichkeit unserer späteren, höchsten Gotteserfahrung schon verwirklicht«[62]. Diese Entfaltung der Sakramentalität als Stadium zwischen dem historischen Christusereignis und der Parusie weist nicht nur auf die zeitliche Begrenzung der Sakramentalität auf die »Zeit der Kirche« hin, sondern aus dieser Begrenzung folgen auch gleichzeitig die Zielpunkte der Sakramentalität. Die Sakramentalität in ihrer ›eschatologischen Spannung‹ intendiert einerseits das historische Christusereignis, andererseits den verherrlichten Christus, der uns als das Eschaton auf dem Weg zur Verherrlichung vorausgeht[63].

Dieser Bezug auf das historische Christusereignis und die Parusie erklärt das christologische, näherhin »kyriale«[64], pneumatologische oder eschatologische Verhältnis der Sakramente und der Kirche. Kirche und Sakrament stehen innerhalb der ›Dezentralisierung‹: sie sind kein Selbstzweck, sondern erhalten ihre Kraft und Gnadenwirksamkeit aus dem verherrlichten Christus und seinem Geist. Den Sakramenten kommt so dann auch immer eine Gnadenwirkung des verherrlichten Christus zu. »In und durch die sichtbare Aktivität seiner Kirche vollendet Christus durch seine Geistsendung die Erlösung, deren Grundlage er als irdischer Messias in der Sichtbarkeit seiner menschlichen Aktivität legte. Die Kirche ist die innerweltliche Anwesenheit dieser kyrialen, vollendenden Aktivität«[65].

Innerhalb der Dezentralisierung der Sakramente muß man nun auch die Aufgabe der Hierarchie in der Kirche und die Stellung des sakramentalen Merkmals bestimmen. Hierarchie und Merkmal (auch Tauf- und Firmmerkmal) begründen eine Verbindung zum historischen Christusereignis und zur Person des verherrlichten Kyrios[66].

Aufgrund der Aussage, daß die Kirche einerseits die Fortsetzung des Menschseins Christi ist und daß andererseits in ihrer Sakramentalität die Gnadengemeinschaft mit dem verherrlichten Kyrios untrennbar anwesend ist, kann man jetzt bestimmen, wie diese Sakramentalität der Kirche sich zu den Einzelsakramenten verhält. Schillebeeckx nennt die Kirche das Ursakrament, das jede Handlung der kirchlichen Gemeinschaft prägt. In diesem Zusammenhang gibt Schillebeeckx eine Definition des Sakramentes: »Ein *Sakrament,* das heißt eine Handlung des Ursakramentes, das die Kirche ist, ist eine sichtbare Handlung, die von der Kirche *als Heilsinstitut* ausgeht, eine kirchliche Amtshandlung entweder auf Grund des priesterlichen Merkmals oder auf Grund des Tauf- und Firmmerkmals. Ein solches Sakrament ist also eigentlich mehr als das, was wir heute gewöhnlich die ›sieben Sakramente‹ nennen, und zugleich weniger als das, was wir die allgemeine Gnadensichtbarkeit nennen, das heißt die Sakramentalität als Ausdruck nicht des *Amtes,* sondern unmittelbar der inneren Gnadengemeinschaft (. . .)«[67]. Oder: »Ein Sakrament ist deshalb zuerst und fundamental eine persönliche Tat Christi selbst, der uns auf der Ebene der irdischen Sichtbarkeit der Kirche in einer amtlichen oder institutionellen Erscheinungsform ergreift (. . .)«[68]. Man kann also sagen, daß in der Definition des Sakramentes die Kirche insofern aufgenommen wird, als sie in ihren Amtshandlungen das Sakrament mitkonstituiert. Der Empfänger des Sakramentes tritt also mit der Kirche als »irdisches Mysterium des himmlischen Christus« in Kontakt[69]. »Deshalb darf die Kirche als die irdische Repräsentation des Christusmysteriums selber Ursakrament genannt werden, insofern sie 1. ›sacramentum humanitatis Christi‹ oder ›sakramentaler Christus‹ und 2. Subjekt der sieben Sakramente, der spezifischen Amtshandlungen der sakramentalen Kirche, ist«[70].

Man kann also nach Schillebeeckx die Kirche das Ursakrament und die sieben Einzelsakramente Ausgliederungen dieses Ursakramentes nennen. Diese Bestimmung aber kann man nur unter der Voraussetzung gebrauchen, daß die Kirche die irdische Sichtbarkeit des Christusmysteriums ist. Bei einer Verwendung der Ausgliederungsthese ohne diese Voraussetzung wäre das ›Septenarium‹ eine rein kirchliche, menschliche Verfügung, die des Mysteriengehaltes entbehrte[71]. »Dies bedeutet, daß die sieben Sakramente, noch bevor sie dieses oder jenes Sakrament sind, zuallererst und fundamental das sichtbare, amtliche Handeln der Kirche sind, *oder besser, das Handeln des himmlischen Christu.* (Kursivsetzung vom Verf.), sakramentalisiert in einem sichtbaren Handeln der Kirche«[72]. Für Schillebeeckx gibt es dann auch in der Ausgliederung der Siebenzahl aus dem Ursakrament, in dem die Siebenzahl schon implizit enthalten ist, einen gewissen expliziten Akt Christi. »Gerade weil in den sieben Sakramenten die aktuelle Heilstat des Kyrios uns in der Richtung ergreift, die durch das äußere Zeichen angedeutet wird, muß Christus selbst unmittelbar etwas mit dieser *Sinnrichtung* zu tun haben, da diese nichts anderes ist als seine Erlösungsgnade selbst, abgestimmt auf eine bestimmte christliche Lebensnot. Das bedeutet, daß Christus, der die Gnade in der Kirche und durch die Kirche und somit durch eine sichtbare Tat dieser Kirche mitteilen will, die siebenfache Richtung dieser durch eine sichtbare Tat der Kirche vermittelte Gnade selbst festgelegt haben muß. Wäre dies nicht der Fall, so hätte die Kirche, allerdings auf der Grundlage ihrer fundamentalen Einsetzung als Ursakrament, selbst diese siebenfache Sinnrichtung der Gnade festgelegt. Dies ließe sich aber sowohl mit dem tridentinischen Dogma als auch mit der Eigenart des Sakramentes als einer kirchlichen Symboltat Christi selbst schwer in Einklang bringen«[73].

Zusammenfassend kann man sagen, daß Schillebeeckx neben der Kirche als Universalsakrament für die Welt auch eine Theorie der Kirche als Ursakrament kennt[74]. Das Ursakrament hat aber bei Schillebeeckx eine besondere Bedeutung. Wie in allen sieben Einzelsakramenten die Zeichenhaftigkeit und Sichtbarkeit zum Prinzip und zur Substanz eines jeden einzelnen Sakramentes gehört, so findet sich diese Sichtbarkeit im allgemeinen auch in der Kirche als Ursakrament. Im Sinne der Sichtbarkeit sind die Einzelsakramente Ausgliederungen des Ursakramentes, in dem sie schon immer implizit mitgegeben waren. Es wäre völlig abwegig, bei Schillebeeckx von dem Ursakrament der Kirche in einem solchen Sinne zu sprechen, als könnten aus der Kirche als Ursakrament ohne weiteres die Einzelsakramente abgeleitet werden. Eine solch einseitige Ableitung findet sich bei Schillebeeckx nicht. Sie käme nach seinem Verständnis mit einer Beschlagnahmung der Gnade Gottes durch die Kirche gleich, da in einem solchen Falle von der Kirche frei über das Christusereignis und den verherrlichten Kyrios verfügt würde.

Man kann die Kirche als Subjekt der sieben Einzelsakramente bezeichnen. Aber diese Aussage hat nur Sinn in Hinblick auf die Zeichenhaftigkeit der Sakramente, die in den Amtshandlungen der Kirche sichtbar wird[75].

Daneben spricht Schillebeeckx aber auch allgemein von einer Ausgliederung der Einzelsakramente aus dem Ursakrament. Diese allgemeine Aussage kann aber nur Geltung haben unter der Voraussetzung, 1. daß die Sakramentalität der Kirche impliziert, daß der verherrlichte Kyrios selbst in ihr gegenwärtig ist, und 2. daß sich irgendwie eine explizite Einsetzung des Einzelsakramentes – zumindest in seiner Sinnrichtung der ›significatio‹ – aufzeigen läßt.

Diese sehr komplexe Bedeutung der Kirche als Ursakrament bei Schillebeeckx impliziert, daß die Einzelsakramente nicht ohne weiteres auf die Kirche selbst zurückgeführt oder in ihr zu einer Synthese gebracht werden können. Sowohl die Einzelsakramente als auch die Kirche sind so stark dezentralisiert, daß man sie nur in ihrer Bedeutung als Instrument Christi richtig verstehen kann.

Weiter systematisierend kann man sagen, daß Schillebeeckx auf jeden Fall die Stellung und Funktion Christi in den Sakramenten hervorheben will. Unter diesem dezentralisierenden Vorzeichen kann man dann die Kirche immer Ursakrament nennen. Faßt man die Sakramentalität der Kirche als einen im Zeichen symbolisierten Heilswillen Gottes auf, dann muß man Christus als Initiator aus der Verbindung Ursakrament-Einzelsakramente herausnehmen. Ist die Sakramentalität selbst schon von der Spannung zwischen Christus und der kirchlichen Symbolaktivität geprägt, dann kann man problemlos von dem Ursakrament der Kirche sprechen. Auf jeden Fall soll aber die Handlungsinitiative Christi gewahrt bleiben, da sonst in unserer Glaubensauffassung ein Glaube an Dinge und nicht an die Person Gottes eindringt. Gerade diese Einsicht ist schließlich bestimmend und die Weise wie man sie systematisch in der Sakramententheologie einbaut – entweder durch eine isolierte Betonung des Christusereignisses gegenüber der Sakramentalität oder durch eine Sakramentenbestimmung, in der die Christologie integriert ist (was Schillebeeckx' zutiefst eigenes Motiv ist) – scheint dagegen variabel zu sein.

3.2. Christus und die Sakramente

3.2.0. Vorbemerkung

Im Vorhergehenden hat sich gezeigt, daß die Einzelsakramente nicht ohne weiteres systematisiert werden können. Der Versuch, sie schon in die Kirche selbst als Ursakrament einzugliedern, ist nicht gelungen, da die Kirche selbst keine systematisierungsfähige Größe bei Schillebeeckx ist. Vielmehr muß sie immer so aufgefaßt werden, daß sie sich selbst dezentralisiert. Die Aufgabe, die Sakramente auf einen Einheitspunkt zurückzuführen, ist dann auch jetzt noch dringlicher geworden, da sich zu den sieben Einzelsakramenten die Kirche als Universalsakrament und ›Ursakrament‹ gesellt hat.

In der Untersuchung zur fundamentalen Sakramentenlehre von Schillebeeckx hat sich gezeigt, daß er seinen Sakramentenbegriff als eine Besinnung auf und Neuinterpretation der Sakramentenauffassung des Thomas von Aquin versteht[76]. Die thomasische Sakramentenauffassung kennt aber viele Deutungen. Die Interpretation, in der Schillebeeckx sich am besten wiedererkennt, ist die des Johannes a Santo Thoma. Johannes a Santo Thoma (1589–1644), den letzten großen Thomaserklärer[77], berücksichtigt Schillebeeckx in seiner ›Sacramentele heilseconomie‹ unter dem Aspekt der signum-Lehre des Johannes[78]. Johannes betrachtet das Zeichen als eine Erkenntniswirklichkeit, die durch seinen Inhalt (das significatum) im Erkennen mitgeprägt wird. Der Erkennende kann im Zeichen das Bezeichnete aufgrund einer ›causalitas objectiva‹ erkennen, durch die der Erkennende durch das Zeichen hindurch das Bezeichnete zu erkennen vermag. Die ›causalitas objectiva‹ ist also der Zentralbegriff einer Zeichenwirklichkeit. »Das Zeichen als solches besitzt somit keine effiziente Kausalität: es ist ein *objectum*, das selbst durch ein anderes Objekt bestimmt ist, und das dieses andere somit ins Bewußtsein bringt. Deshalb spricht Johannes von einer ›instrumentalen‹ Ursächlichkeit ›in linea specificationis‹, mit anderen Worten ›signum dicitur *instrumentale objective,* non effective, i. e. vice obiecti‹«[79]. Schon die Andeutung dieser signum-Lehre als ›instrumentale Kausalität‹ weist auf die Verbindung, die zwischen der Lehre des Johannes a Santo Thoma und der Sakramentenlehre von Schillebeeckx liegt[80].

Die Sakramente nun sind signa practica, Zeichen für einen Gnadenprozeß, den sie selbst nicht instrumental wirksam hervorbringen. »Als *signa practica* kann man von den Sakramenten nicht behaupten: ›efficiunt quod significant‹, wohl: ›significant id quod Deus efficit (in anima)‹«[81]. Durch diese Bestimmung des sakramentalen Zeichens tritt eine gewisse Spannung zwischen der Symbolaktivität und der Wirksamkeit auf, die beiden im Sakrament tatsächlich zwar vereinigt, aber – von der Symbolaktivität aus gedacht – nicht notwendig vereint gedacht werden müssen. »Wie Thomas betrachtet Johannes die sakramentale Symbolaktivität als eine mit einem göttlichen, heilskräftigen Mysterium geladene Wirklichkeit; dieses Mysterium bleibt aber außerhalb der erfaßbaren, bestimmbaren Wesenheit der christlichen Sakramente, die trotzdem heilswirksam sind. In der sakramentalen Symbolaktivität vollzieht Christus ein Heilsmysterium; nicht im Anschluß an der Symbolaktivität, sondern die Symbolaktivität ist nur dann christlich und kirchlich, wenn sie gleichzeitig auf Mysterienhandlungen Christi zurückgeht. (. . .) Hierdurch wird deutlich ein Unterschied zwischen der allgemein-menschlichen, religiösen Symbolaktivität und den christlichen Sakramenten als ›sacramenta separata‹ des Ursakramentes, Christus, gemacht«[82].

Diese Darlegung zum Symbolcharakter und zur Wirksamkeit der Sakramente stimmen genau mit dem überein, was wir in der Studie zur Auffassung der Sakramentalität der Kirche bei Schillebeeckx festgestellt haben. Die Einheit zwischen Symbolaktivität und Wirksamkeit wird nach Schillebeeckx weder in den Sakramenten selbst, noch im Ursakrament der Kirche erreicht, sondern einzig und allein in dem eigentlichen Ursakrament, Christus. Schillebeeckx lobt dann auch den Scharfsinn des Johannes, der die Problemlage der christlichen Sakramente richtig einschätzt, ohne dadurch die kirchliche Lehre der Sakramente zu verlassen. »Von den Theologen, die dieses Problem (die Verbindung ›causa efficiens-Symbol‹, Anm. des Verf.) anrühren, (. . .) scheint Johannes a S. Thoma unseres Erachtens am schärfsten die Perspektive einer möglichen Lösung angedeutet zu haben. Das Mysterium der Einheit zwischen Symbolik und Kausalität in den Sakramenten wird so in das Mysterium des menschgewordenen Wortes zurückverlegt: die *sarx* Christi ist – wie die Kirchenväter und Thomas sagen – eine konsistente Realität, die sowohl Symbol als auch instrumentales Heilsorgan der Gottheit Christi ist«[83].

Dieser Dezentralisierung der Sakramente und der Kirche zum Christusereignis hin werden wir jetzt nachgehen müssen.

3.2.1. Christus, Ursakrament der Gottbegegnung

Schillebeeckx geht bei der Bestimmung der Sakramentalität Jesu Christi davon aus, daß der göttliche Logos hypostatisch mit der Menschheit Christi vereint ist. »Bis in seine Menschheit hinein ist Christus der Sohn Gottes. Persönlich ist die zweite Person der Allerheiligsten Dreieinheit Mensch; und dieser Mensch ist persönlich Gott. Deshalb ist Christus Gott auf eine menschliche Weise und Mensch auf eine göttliche Weise«[84]. Die hypostatische Vereinigung faßt Schillebeeckx in Anschluß an Thomas als eine menschliche Seinsweise des Sohnes Gottes auf[85]: der Sohn Gottes ist Mensch und der Mensch Jesus ist Gott auf eine menschliche Weise. »Als Mensch lebt Er sein göttliches Leben *in* der menschlichen Natur und der menschlichen Natur gemäß«[86]. Da diese hypostatische Union nicht nur eine ontologische Aussage zur Verbindung der Gottheit und Menschheit in Jesus ist, sondern auch die konkrete Lebensweise Jesu prägt, hat sie auch ihre Auswirkungen auf das Handeln Jesu. »Alles, was

176

Er als Mensch tut, ist eine Tat des Sohnes Gottes, eine Gottestat in menschlicher Formgebung: Umsetzung und Übertragung einer göttlichen Tätigkeit in eine menschliche Tätigkeit. Seine menschliche Liebe ist die menschliche Gestalt der erlösenden Liebe Gottes«[87].

Dieser Übergang von der hypostatischen Union auf die soteriologische Ebene der Frage nach dem Wert der menschlichen Handlungen Jesu verdeckt in Schillebeeckx' Christusbuch allerdings das Problem einer theologischen Interpretation und Rezeption des chalkedonischen Dogmas. Zwar kann man das Dogma von Chalkedon in seiner Aussage der zwei Naturen in der Person Jesu Christi übernehmen, aber damit ist noch nicht die Frage nach den Möglichkeitsbedingungen für eine Einigung zwischen Gottheit und Menschheit angerührt, wodurch indirekt die Frage nach der je eigenen Bedeutung dieser Naturen ungelöst bleibt[88]. Auch in anderen Veröffentlichungen von Schillebeeckx in denen Christus unter dem Aspekt des Ursakramentes erörtert wird, findet man keine Lösung für die Frage nach der Interpretation der hypostatischen Union[89].

Stattdessen versucht Schillebeeckx, die formale Wiederholung des chalkedonischen Dogmas mit Material zu füllen, das er aus den neutestamentlichen Schriften schöpft. Dieses Material wird auf die Aussagen über die Wirkungsweisen Jesu beschränkt. Schillebeeckx' Beschränkung auf die formale Wiedergabe des chalkedonischen Dogmas und auf die neutestamentlichen Aussagen zum Handeln Christi, darf man aber nicht so werten, als wolle Schillebeeckx die Frage nach der hypostatischen Union umgehen[90]. Vielmehr muß man diese Beschränkung aus der Eigenart seiner Sakramententheologie verstehen, die im Christusereignis eine Konstante findet. Im Rahmen der Sakramententheologie hat Schillebeeckx also nur Interesse für das Mysterium Jesu Christi, das sich besonders in seinem Leiden, Tod und in seiner Auferstehung und Erhöhung offenbart[91].

Die Lebensmysterien Jesu interessieren Schillebeeckx also wegen ihrer Sakramentalität. »Weil die Heilstaten des Menschen Jesus von einer göttlichen Person vollbracht werden, haben sie eine göttliche Heilskraft, aber weil diese göttliche Heilskraft uns in einer *sichtbaren* irdischen Gestalt erscheint, sind diese Heils-handlungen sakramental«[92]. Die Bedeutung dieser Aussage läßt sich nur richtig innerhalb des Verstehenshorizontes von Schille-beeckx begreifen, in dem alle menschliche Kommunikation mit-tels Materialität zustande kommt. Auch Gottes Liebe und sein Heilshandeln vollziehen sich also – um überhaupt von den Men-schen erkannt zu werden – mittels der Körperlichkeit. Eine Be-gegnung kann dann auch nur durch materielle Zeichen hindurch stattfinden. »Die menschliche Begegnung vollzieht sich also durch die sichtbare Anschaulichkeit und in der sichtbaren An-schaulichkeit des Leibes, der ein enthüllendes und zugleich ver-hüllendes *Zeichen* des menschlichen Inneren ist«[93]. Dies gilt auch für eine Begegnung des Menschen mit Gott: die sichtbare Anschaulichkeit Gottes ist eine Möglichkeitsbedingung für die Begegnung zwischen Gott und dem Menschen. So kann Schille-beeckx diesen Satz auf Jesus anwenden und sagen: »Vom Men-schen Jesus persönlich angesprochen werden, war für seine Zeit-genossen eine Einladung zu einer persönlichen Begegnung mit dem lebenschenkenden Gott, denn persönlich ist dieser Mensch der Sohn Gottes«[94].

Vor dem Hintergrund des ›Kommunikationsgesetzes‹ ist Chri-stus für Schillebeeckx dann auch das Ursakrament der Liebe Gottes. »Die menschlichen Heilstaten Jesu sind also ›Zeichen und Ursache der Gnade‹. *Zeichen* und *Heilsursache* liegen dabei nicht nebeneinander wie zwei fremde, zufällig zusammenge-brachte Teile. Anthropologisch *ist* – in inadäquater Identität – das *menschlich* Leibliche das menschliche Innere selbst in sicht-barer Formgebung«[95].

Christus ist im Vergleich zu den sieben Einzelsakramenten und der Kirche das Ursakrament schlechthin, weil in ihm die signifi-catio und causalitas in einer Person, die vollkommen Mensch ist, vereinigt wird. Die Zeichenaktivität und Heilswirksamkeit, die bei den Sakramenten zwar eine Affinität zueinander haben, aber nicht rational voneinander ableitbar sind, erreichen in Christus erst ihre fundamentale und tatsächliche Einheit.

3.2.2. Die Lebensmysterien Christi als Begründung der Einzelsakramente

Da der Mensch Jesus Christus als einziger gleichzeitig Grund und Zeichen für eine wirksame Gottbegegnung ist, ist in seiner Person der Kult dem Vater gegenüber und die Heiligung der Menschen optimal erfüllt. Kult und Heiligung in der Person Jesu Christi sind aber in ihrer Kombination an sein Menschsein gebunden. Dieses Menschsein nun faßt Schillebeeckx einerseits unter Betonung der Menschlichkeit des Sohnes Gottes (= Menschwerdung), andererseits als einen evolutiven Prozeß, in dem die Empfängnis und Geburt zur vollen Gestalt des Menschseins heranwächst[96]. »Die Menschwerdung dürfen wir ja nicht als ein nur punktuelles Ereignis betrachten: der Moment der Empfängnis Jesu in Mariens Schoß oder der seiner Geburt. Sie ist Mensch-*werdung*: eine in dem ganzen menschlichen Leben Jesu sich dynamisch entfaltende Wirklichkeit, die in dem höchsten Inkarnationsmoment des Todes und der Auferstehung gipfelt. Außerdem ist diese Menschwerdung eine *Mensch*-werdung, nicht nur im allgemein-anthropologischen Sinne des Wortes, sondern im biblischen Sinne: *sarx*-Werdung, ›das Wort ist Fleisch geworden‹«[97]. Als fleischgewordener Sohn hat er die menschlichen Existenzbedingungen in Abstand und in der Entfernung zum Vater vollkommen durchlebt. Schillebeeckx versucht durch diese Deutung der Menschwerdung als eine vollmenschliche, dynamische Wirklichkeit, die der Sohn Gottes durchschreitet, eine Verbindung zwischen einer Trennungs- und Einheitschristologie, zwischen alexandrinischer und antiochenischer, zwischen scotistischer und thomistischer Christologie zu legen[98].

Die Lebensmysterien Jesu nun muß man verstehen im Kontext dieser dynamischen Menschwerdung. Die Lebensmysterien Jesu umfassen für Schillebeeckx: die Menschwerdung im strengen Sinne, Tod, Auferstehung, Erhöhung (Himmelfahrt) und Geistsendung[99].

a) Die Menschwerdung Christi und sein ganzes Menschsein überhaupt wird von Gottesferne geprägt. Diese Gottesferne ist die Folge der Fleischwerdung selbst, in der Christus die menschliche Sündigkeit auf sich genommen hat. »Obwohl persönlich ohne Sünde, lebt der irdische Christus in einer Situation der ›Gottesentfremdung‹, nicht so sehr für sich selbst, sondern weil Er persönlich *als unser Stellvertreter* die sündige Menschheit gegenüber dem Vater vertritt«[100]. Obwohl Christus auch in der Gottesferne Sohn Gottes bleibt, fehlt ihm wegen der menschlichen Existenzbedingung die göttliche Herrlichkeit[101]. In Gottesferne, Erniedrigung, Opferkult, Gehorsam, Sendung u. a. m. wird nach Schillebeeckx dann auch gerade die Sohnschaft des Sohnes offenbar. »Christus ist als Gott in allem dem Vater gleich. Jedoch so, daß Er durch den Vater *Er selbst ist:* Indem Er alles von Ihm erhält, ist der Sohn in allem auf den Vater abgestimmt. Doch besteht im Sohn dem Vater gegenüber keine wirkliche Abhängigkeit im gewöhnlichen, eigentlichen Sinne des Wortes. Zwischen Vater und Sohn geht es um eine Lebensintimität, deren Urprinzip innerhalb der Gleichheit und der göttlichen Einheit der Vater ist, so daß der Sohn, obwohl gleichwertig mit dem Vater, in allem auf den Vater bezogen ist in völliger aktiver Empfängnis«[102]. Die Menschwerdung des Sohnes gipfelt in dem Kreuzestod Jesu, »der *höchste* Ausdruck seiner religiösen Hingabe an den Vater«[103].

Die Hingabe an den Vater erhält eine liturgische Gestalt, da Christus sie stellvertretend für die Menschheit vollzieht[104]. »Zwar (wird die Tat der Gemeinschaft, Anm. des Verf.) noch nicht von dieser Gemeinschaft selbst vollzogen, wohl aber vom Vertreter der ganzen Menschengemeinschaft, und somit in ihrem Namen und zu ihrem Vorteil«[105]. Schillebeeckx kann also die Menschwerdung mit ihrem Höhepunkt des Kreuzesopfers ein »liturgisches Kultmysterium«[106] nennen, das Christus in unser aller Namen dem Vater darbringt.

b) Die Antwort des Vaters auf die Menschwerdung des Sohnes ist die Annahme seines Lebensopfers in der Auferweckung. »Die Auferstehung ist das vom Vater beantwortete Kreuzesopfer, und zwar als messianisches Opfer; als das Opfer also der ganzen Menschheit«[107]. Mit dieser Annahme des Opfers durch den Vater ist auch erst die objektive Erlösung der in Christus vertretenen Menschheit abgeschlossen und ist die Schöpfung zu einer neuen Schöpfung in Stellvertretung geworden[108].

Das ›liturgische Kultmysterium‹ der Menschwerdung – mit dem Gipfelpunkt des Kreuzesopfers – und die Annahme der Gottesferne und des Lebensopfers Jesu durch Gott bilden für Schillebeeckx die Basis für die Eucharistie (und das Priesteramt) und für die Sakramente der Toten. Die Bevorzugung der Bezeichnung ›Sakramente der Toten‹ für die Taufe, Beichte (und teilweise für die Krankensalbung) bei Schillebeeckx darf man wohl auf die in ihnen ausgedrückte Parallelität zum Kultmysterium des Todes Jesu zurückführen, aus dem sie alle auch tatsächlich bei Schillebeeckx ihre theologische Bedeutung erhalten[109].

c) Das dritte Ereignis oder besser Motiv, das bei Schillebeeckx eine große Rolle bei der Begründung der Christus-Relation in den Sakramenten spielt, ist Pfingsten oder die Geistsendung Jesu. Namentlich in der Verhältnisbestimmung zwischen Taufe und Firmung verwendet Schillebeeckx die Unterschiedenheit des Passah- und Pfingstmotives.

Nach Thomas kann Christus selbst das Sakrament der Firmung nur durch Verheißung eingesetzt haben, da die Geistsendung die Abgeschlossenheit des irdischen Weges Jesu voraussetzt[110]. Auch Schillebeeckx nimmt diese These der Vollendung des irdischen Lebensweges Jesu zur Voraussetzung für die Offenbarung des Geistes. »Der Kreislauf der gegenseitigen Liebe von Vater und Sohn als Quelle des Heiligen Geistes wird im Menschen Jesus in seiner Geistsendung dargestellt. Erst in dem *vollendeten* religiösen Gehorsam des Menschen Jesus gegenüber seinem Vater, der dieses Liebesopfer in Liebe zu seinem Sohn annimmt, und zwar zu seinem Sohn als Stellvertreter der ganzen Menschheit, als Messias also, kann nun auch der Mensch Jesus, ›in Kraft gesetzt‹, das Mitprinzip der Sendung des Heiligen Geistes auf uns sein«[111]. Die Geistsendung ist für Schillebeeckx dann auch eine Folge der Menschwerdung des Sohnes, in der das Trinitätsgeheimnis, auch die Person des Geistes, in die Oikonomia aufgenommen wird. Schillebeeckx verwendet für den Übergang der Theologia in die Oikonomia oder für die Entwicklung von einer Verkündigung Jesu zum verkündigten Christus[112] gerne das Begriffspaar ›vertikal-horizontal‹ oder den Begriff der Umwandlung. Die Offenbarung der innertrinitarischen Verhältnisse, die im Leben Jesu stattfindet, mündet in einer Umwandlung der Beziehungen zwischen Vater und Sohn im Geist aus: die Lebensmysterien des irdischen Lebens Jesu sind die Möglichkeitsbedingung für die Geistsendung, die eine Umwandlung der innertrinitarischen Verhältnisse in die heilsökonomische Ebene darstellt. »Aus dieser kurzen Analyse (der neutestamentlichen Berichte zur Geistsendung, Anm. des Verf.) geht zur Genüge hervor, daß auf der Ebene der menschlichen Darstellung des erlösenden Trinitätsmysteriums im Christusmysterium und durch das Christusmysterium die innergöttlichen Beziehungen (. . .) umgewandelt werden in das Passah- (Tod, Auferstehung und Erhöhung) und das *Pfingstmysterium*«[113]. Die Rahnersche These der Identität zwischen innertrinitarischer bzw. immanenter und heilsökonomischer Trinität[114], die bei Rahner aus Sorge um die Perichorese der zwei Traktate zur Gotteslehre entstand, findet sich bei Schillebeeckx in der Form einer Umwandlung der innertrinitarischen Verhältnisse in offenbarungstheologische oder soteriologische Ereignisse.

3.2.3. Der Christusbezug der Sakramente. Zusammenfassung und Würdigung

Schillebeeckx faßt die Menschwerdung Jesu als ein dynamisches Geschehen auf, in dem der bis zum Tode menschgewordene Jesus einerseits die innertrinitarischen Beziehungen offenbart und andererseits sein Leben als Kult an den Vater versteht. Das Leben Jesu ist ein Kultmysterium, das eine heiligende Wirkung hat.

Durch die Hervorhebung des Mysteriums im Leben des irdischen Jesus erschließt Schillebeeckx eine Dimension der Theologie, die in einer einseitig intellektualistischen Betrachtung verloren zu gehen drohte: die Gottesoffenbarung umfaßt nicht nur rational erfaßbare Wahrheiten, sondern auch die liebevolle Einladung Gottes zur Gemeinschaft mit ihm. »Es ist auffallend, daß die Theologie der Handbücher nicht immer genau zwischen der

Besonderheit der menschlichen Existenzweise und dem bloßen ›Vorhandensein‹ der Naturdinge unterscheidet«[115]. Diese Einseitigkeit in Richtung einer persönlichen Betroffenheit der Gläubigen in dem Leben der Kirche und namentlich in den Sakramenten zu durchbrechen, ist die Absicht der Sakramententheologie von Schillebeeckx.

In dieser Perspektive stehen seine Abneigung vor jedem Physizismus, der die Sakramente zu »Dingen« oder »Automaten« abwertet, seine strikt christologische Dezentralisierung der Sakramente, seine theologische Spannung zwischen der significatio und causalitas in den Sakramenten, seine Betonung des Merkmals als persönliche Gestaltung Christi in der Person des Spenders und die Hervorhebung des Mysteriums. In diesem Sinne ist Schillebeeckx' Sakramententheologie eine Frucht der Liturgischen Bewegung mit ihrem regen Interesse für die aktive Teilnahme der Gläubigen an der Eucharistie.

Die Betonung des Mysteriencharakters der Sakramente ist sogar so stark, daß Schillebeeckx in der Frage nach der Einsetzung der Sakramente durch Christus sich mit der allgemeinsten These begnügt[116], obwohl diese Frage andererseits auf die Linie der Dezentralisierung der Sakramente und ihres Christusbezuges liegt. Christus hat die Sakramentalität der Kirche und die Sakramente eingesetzt, insofern das Mysterium in Zeichen explizit gemacht werden kann. Diese ›Substanz‹ des Sakramentes ist von Christus eingesetzt, während die konkrete Gestalt der Zeichen (= Handlung und Wort) bis auf einige Ausnahmen (Taufe und Eucharistie) der (apostolischen) Kirche überlassen blieb; bei der konkreten Gestaltung aber griff die Kirche auf die Lebensmysterien Jesu zurück, so daß der Glaubensgehalt der Sakramente eine Parallelität mit den Lebensmysterien Christi aufweist. Die Deutung Schillebeeckx' bleibt von dem konstanten Kernaspekt des Mysteriums bestimmt, das sich in wechselnden, historisch und anthropologisch bedingten Gestalten in der Geschichte zeigt.

Der Mysteriencharakter der Lebenstaten Jesu und der Sakramente erfordert seitens des beteiligten Menschen ein Engagement, das sich mit der Kategorie der Begegnung adäquat umschreiben läßt. Mysterium und Personalität der Sakramente können nicht mit Denkkategorien wie Gnadenvermehrung oder Besitz der heiligmachenden Gnade[117] erschlossen werden, sondern sie fordern zu ihrem Verständnis ebenso das Staunen und die Personalität, die in einer personalen Begegnung und in der Aufnahme in die Gemeinschaft der Kirche ihre ausdrückliche Form finden. Der Aspekt der Aufnahme in eine Gemeinschaft umfaßt für Schillebeeckx immer auch die personale Begegnung. Daneben verlangen die Sakramente von sich aus immer eine Sakramentalität und Sichtbarkeit, die in der Kirche selbst ursprünglich gegeben ist. Deshalb auch ist das Mysterium Christi in der Sichtbarkeit seiner irdischen Lebensmysterien vollzogen, in denen sein Heilswille ausgesagt ist. »Christi Leben, Tod und Auferstehung sind die Ursakramente des Christentums, d. h. die prägnanten, zentralen Äußerungen der Barmherzigkeit und des Heilswillens Gottes uns gegenüber: die Heilstaten Christi schlechthin«[118]. Der Explizitmachung des Heilswillens Gottes in den Lebensmysterien Jesu steht eine Explizitmachung des christlichen Glaubens in den kirchlichen Sakramenten auf der Seite des Menschen gegenüber. Die Sakramente sind wesentlich auch ›sacramenta fidei Ecclesiae‹. In einem und demselben Zeichen, dem Sakrament, wird einerseits die Liebe Gottes zum Menschen in der kirchlichen Fortsetzung der einmaligen Liebesbekundung explizit dargestellt und andererseits die Glaubensantwort des Menschen auf dieses Liebesangebot Gottes in Christus zum Ausdruck gebracht. Gerade diese zwei Linien treffen sich in den Sakramenten, und deshalb sind diese Zeichen eine wirksame, sakramentale Begegnung zwischen Gott und dem Menschen.

Gerade diese Gottbegegnung in ihrer inkarnatorischen und gleichzeitig heiligenden, vergöttlichenden Gestalt sieht Schillebeeckx in Maria verwirklicht[119]. Als Erlöste hat sie sich die Erlösung persönlich auf eine Weise angeeignet, die ihr ganzes Leben prägte. Sie hat sich persönlich bei ihrer Erlösung betroffen gefühlt. Gerade diese persönliche Betroffenheit macht für Schillebeeckx nun einen wesentlichen Aspekt der Erlösung und Offenbarung aus. »Offenbarung ist nicht nur eine Mitteilung von Erkenntnis, von Wahrheiten, sondern auch und vor allem ein

Heilsgeschehen, das gläubig miterlebt und in Liebe betrachtet werden muß, um in ihm das sich in Verhüllung offenbarende Mysterium zu entdecken. Maria gibt uns darin ein eminentes Beispiel: sie ist der Prototyp, das Urbild eines wirklichen christlichen, *sakramentalen Glaubenslebens*, d. h. durch ihre gläubige Beteiligung in den irdischen, sichtbaren Ereignissen des *menschlichen* Lebens Christi ist sie zu einer gläubigen Annahme des göttlichen Mysteriums emporgestiegen, das sich im äußeren ›sakramentalen Zeichen‹ der Menschlichkeit Christi zu erkennen gab; sie hat sich durch die Gnadenkraft, die ihr aus diesem Zeichen entgegen kam, einfangen lassen«[120]. Aber nicht nur in der Annahme der Erlösung bildet Maria für Schillebeeckx den Prototyp der Kirche, sondern in ihrer jungfräulichen Mutterschaft ist sie – zwar in Abhängigkeit von Christus – auch Mitwirkende an der objektiven Erlösung. Die jungfräuliche Mutterschaft impliziert, daß sie Christus nicht als ihren Sohn, sondern als Sohn empfängt, der die Einheit der Menschheit in ihrer Berufung und Zielbestimmung darstellt. »Sie empfängt Christus nicht als Kind, das aus der gegenseitigen Liebe eines Mannes und einer Frau und somit als Besiegelung ihrer gemeinsamen Liebe gezeugt worden ist: Christus ist somit nicht ihr ›Eigentum‹ oder ›Besitz‹. Das impliziert, daß sie Christus empfängt und Mutter des Messias wird *zum Wohl der ganzen Menschheit: propter regnum caelorum*«[121]. Auch diese jungfräuliche Mutterschaft besitzt Maria nicht als Eigentum, sondern als Gabe: Mariens gebende und empfangende Funktionen in der Erlösung liegen beide in der Linie der Gnadengabe Gottes[122]. So kann Schillebeeckx dann auch gerade diese bewußt und engagiert übernommene Mutterschaft Mariens das mariologische Grundprinzip nennen: den Anfang und Zielpunkt aller marianischen Ehrenbezeichnungen[123]. Maria ist Mutter der Kirche[124] in dem Sinne, daß in ihr die empfangende Gestalt der sakramentalen Kirche deutlich wird. Sie ist nicht die priesterliche, Sakramente spendende Mutter, sondern ihre Begegnung mit Christus wird von einem solchen Zusammenspiel von Empfang und Einsatz (im Rahmen der ›Gabe‹) geprägt, daß sie Beispiel für die Kirche wird, die aus der sakramentalen Begegnung mit dem Mysterium Christi lebt. »Es scheint uns dann auch fundamental falsch, in der Vorstellung des Meßopfers Maria an die Seite des zelebrierenden Priesters zu stellen, als würde sie gleichsam konsekrieren. Andererseits ist es auch nicht ganz richtig, sie in der Kirche inmitten der Gläubigen niederknien zu lassen, die an dem Meßopfer teilnehmen. Maria ist die Mutter der ganzen Kirche, sowohl der Gläubigen als auch der Priester«[125]. Maria ist in den Sakramenten insofern aktiv beteiligt, als sie die Mutterschaft hinsichtlich Christi und der Kirche engagiert erlebt hat, d. h. aktiv im Rahmen der Gotteswirksamkeit angenommen hat.

Schillebeeckx' Wahl und Interesse für den persönlichen, mysterienhaften Aspekt der Theologie findet also seinen Ausdruck in der Stellung Mariens in der Heilsgeschichte und in der Kirche. Maria zeigt auf, was die angemessene menschliche Haltung dem göttlichen Mysterium gegenüber ist: die Begegnung. In einer Begegnung wird das Mysterium in seiner Qualität als Gabe respektiert, während die Kategorie der Begegnung ebenfalls die menschliche Komplexität von Aktivität-Passivität nicht zerstört, sondern gerade das Engagement hervorhebt.

Abgesehen von einer philosophischen Anthropologie[126], die einem theologischen Sprechen über den Menschen vorangehen muß, kann man theologisch behaupten, »daß der Mensch erst zu sich selbst kommt, wenn er aus seinem eigenen Lebenszentrum hinaustritt und auf Gott zugeht«[127]. Die theologische Besinnung auf den Menschen wird von der Schöpfungs- und Erbsündenlehre ihren Anfang nehmen, denn der Mensch erfährt sich wesentlich nicht als Eigenbestimmung, sondern als ›Fremd‹bestimmung: er ist von Gott. »Der Mensch ist ›primär‹ von Gott, ›danach‹ erst von sich selbst«[128]. Die menschliche Geschöpflichkeit sagt nicht nur etwas über die Entstehung des Menschen aus, sondern sie ist vor allem ein Bekenntnis, daß der Mensch sich selbst immer wieder von Gott empfängt und auf ihn hingeordnet ist. In dieser Verwiesenheit auf das Mysterium Gottes ist auch der Mensch sich selbst ein Mysterium. »Das Wesen des Menschen kann nur in einer Korrelation zu Gott bestimmt werden«[129]. Diese Verwiesenheit auf Gott ist real, auch schon bevor der Mensch sie existentiell erlebt und aufgenommen hat: »die Gottesbeziehung, die ich als Geist in wesentlicher Inkarnation bin, besteht erst im Modus der ›Essenz‹ und dann erst im Modus der Freiheit und Essenzialisierung, durch die ich mir selbst meine Bestimmtheit schenke«[130]. Die Tragik dieser Gottesbeziehung ist aber, daß der Mensch sie von sich aus nicht realisieren kann: der Mensch kann dem Mysterium Gottes von sich aus nicht begegnen[131]. Erst in einem neuen Begegnungsangebot Gottes – das erste Angebot in Adam wurde nicht erwidert – kann der Mensch zu einer ›theologalen Intersubjektivität‹, zu einer Begegnung mit Gott gelangen[132]. Für Schillebeeckx gehört die Intersubjektivität mit Gott (als in Potenz vorhandene oder als realisierte) zur theologischen Wesenbestimmung des Menschen. »Wollen wir somit das Wesen des Menschen als situierte Freiheit theologisch in den Griff bekommen, dann müssen wir den Menschen in seiner Intersubjektivität mit Gott betrachten (. . .). Wenn wir dann die göttliche Vorsehung als eine Begegnung zwischen göttlicher Freiheit und menschlicher Freiheit ansehen, wird sich von hier aus zeigen, wie Gott die menschliche Person über seine Geschichte schaffende Freiheit zum tiefsten Sinn des menschlichen Lebens bringen will«[133]. Diese dem Menschen eigene Intersubjektivität zu dem persönlichen Gott nennt Schillebeeckx dann auch Begegnung oder heiligmachende Gnade. »So ist das Leben des Menschen mit seinem Gott ein wirklich intersubjektives Leben: theologale Intersubjektivität, Ich-Du-Existenz (was ›heiligmachende Gnade‹ genannt wird). Diese intersubjektive Beziehungen konstituieren den Kern des menschlichen Lebens schlechthin«[134].

Es hat sich gezeigt, daß Schillebeeckx die Intersubjektivität des Menschen mit Gott für eine Wesensbestimmung des Menschen in einer theologischen Anthropologie hält. Die fundamentale, theologale Intersubjektivität oder Begegnung zwischen Gott und dem Menschen läuft parallel mit einer in der Sakramententheologie erkennbaren Wesensbestimmung: die sakramentale Begegnung. Somit ist gerade die Kategorie der Begegnung für Schillebeeckx ein Verbindungsglied zwischen einer ›natürlichen‹ und einer ›übernatürlichen‹ Theologie.

Schillebeeckx' Sakramententheologie spielt sich zwischen zwei Polen ab: dem historischen Christusereignis und dem gegenwärtigen Vollzug der Sakramente. In dem gegenwärtigen Vollzug der Sakramente begegnet der Mensch im Zeichen dem erhöhten Christus. Gerade in dieser Begegnung aber wird die von Christus in seinem Leben und Tod ›verdiente‹ Gnade für die versammelte Gemeinde aktualisiert (rememorativer Aspekt der Sakramente); der Mensch begegnet dem jetzt erhöhten, lebendigen Christus (die aktuelle Gnadengabe); in den Sakramenten ist der erhöhte Christus als Eschaton gegenwärtig und in dieser Hinsicht sind die Sakramente Vorboten der Parusie (der prognostische Aspekt der Sakramente). Der aktuelle Vollzug der Sakramente geschieht immer im Zeichen, da der irdische Christus der Welt und Sichtbarkeit enthoben ist und in seiner Kirche und in den Sakramenten sichtbar weiterlebt. So ist die sakramentale Begegnung immer auf Christus orientiert und konzentriert: die Christusähnlichkeit (als Intention oder significatum) des Merkmals und die Affinität zwischen Zeichenhaftigkeit und Wirksamkeit wird erst in dem konkreten, irdischen Menschen Jesus und in seinen Lebensmysterien erklärbar und systematisch auflösbar.

Gerade diese Auflösung der Spannung zwischen significatio und causalitas aber scheint in Schillebeeckx' Sakramententheologie nicht eindeutig begründet. Schillebeeckx argumentiert von den Lebensmysterien Christi her. Christus als Erlöser und Gnadenspender (Heiligung und Kult) bestimmt bei Schillebeeckx die Sakramententheologie, während der Grund der Verbindung zwischen Zeichenhaftigkeit und Wirksamkeit in Christus kaum näher erläutert wird. Eindeutigkeit kann erst die Christologie schaffen. In der Sakramententheologie scheint die Christologie nur eine Funktion der Soteriologie zu sein. Zentral stehen hier die Lebensmysterien Christi, die göttlich personalisiert sind. Sie bestimmen den christologischen Bezug der Sakramente.

Daher scheint die Frage noch ungenügend gelöst zu sein, wieso in den Heilstaten Jesu ein übergeschichtliches Moment anwesend ist, das ihnen als Heilstaten eine ewig-aktuelle Wirklichkeit zukommen läßt. Dem einmaligen Christusereignis selbst kann nämlich als historisches Ereignis keine beliebige Wiederholbarkeit zukommen. Deshalb muß wohl der Frage nachgegangen werden, ob die Einmaligkeit Christi in seiner hypostatischen Union das übergeschichtliche Moment in den Lebensmysterien Jesu zu erklären vermag.

3.3. Christologie oder Soteriologie?

Die Frage nach der transhistorischen Bedeutung der Mysterientaten Jesu kann nur aus der Christologie eine adäquate Antwort erhalten. In der Sakramententheologie wird diese Frage dann auch nicht direkt beantwortet, sondern dazu muß man Schillebeeckx' Christologie aufgreifen. Um nicht in die Gefahr zu geraten, die ›Wende‹ in Schillebeeckx' Denken[135] in die Begründung der Sakramentenlehre aufzunehmen, müssen wir uns in erster Instanz auf die christologischen Veröffentlichungen von Schillebeeckx beschränken, die deutlich bei der Sakramententheologie anschließen[136].

Als Erbschaft aus der Sakramententheologie und aus ihrem Mysteriencharakter betont Schillebeeckx in der Christologie die Menschwerdung und Menschlichkeit Jesu als das Medium der Gottesoffenbarung. Nur in seiner Menschlichkeit ist Christus für uns der Sohn Gottes, da seine Gottessohnschaft auf eine andere Weise nicht ausdrücklich zu unserer Erkenntnis gelangen kann. »Ebenso hat die Dogmatik aufgrund der nuancierten Einsichten der modernen Anthropologie die impliziten Reichtümer des »wahrhaften Menschseins« Christi zu größerer Erhellung gebracht«[137]. Dieses »wahrhafte Menschsein« Christi nimmt seinen Anfang mit der Menschwerdung des Sohnes. Diese Aussage kann aber nicht zu dem Schluß führen, daß Schillebeeckx eine strenge Christologie von oben verträte, denn diese Menschwerdung ist kein punktuelles Ereignis, sondern ein dynamisches Geschehen, das ein Wachstum der Erkenntnis Jesu (als Exponent eines menschlichen Wachstums) nicht ausschließt[138]. Außerdem ist es gerade das Glaubensinteresse an der Bedeutung Jesu für unser Heil aufgrund seiner messianischen Lebenstaten, das Schillebeeckx zur Menschwerdung und zur Person Jesu führt. Verschiedene Formen und Richtungen der Christologie versucht Schillebeeckx in seinem eigenen System zu vereinen.

Der Ausgangspunkt für die Interpretation der hypostatischen Union in der Christologie von Schillebeeckx ist der Naturbegriff. Natur ist nie ein Instrument einer Person, sondern die Existenzweise selbst dieser Person[139]. In seiner Existenzweise ist der Mensch erst Person. Die Person ist dabei nicht ein vorgegebene statische Größe, sondern sie ist innerhalb der spezifischen Existenzweise entwicklungsfähig, und gleichzeitig personalisiert sie die Natur, indem sie diese Natur gestaltet[140]. Die Natur wird also zu einer persönlichen Existenzweise entwickelt.

Die menschliche Natur Christi ist auch so von seiner Person bestimmt und geprägt. »So auch ist Jesu Menschlichkeit kein Instrument der göttlichen Person, die das Wort ist, sondern ein Inhalt, eine Seinsweise jener Person selbst: das Menschsein des Wortes. In dem Wort und durch es und somit durch die göttliche Person ist die Menschlichkeit Jesu personalisiert«[141]. Die menschliche Natur Jesu wird nicht einfach als ein ›suppositum‹ der göttlichen Person definiert, sondern sie ist die eigene Existenzweise des Sohnes[142]. Die Aussage, daß das Wort Fleich geworden ist, bedeutet für Schillebeeckx, daß die Person des Wortes eine menschliche Natur in dem Sinne aufnimmt, daß die Subsistenz der Menschheit in die Person des Logos aufgeht. »In Jesus ist die Menschheit also nicht ohne Person, sondern sie hat keinen anderen ›Selbstand‹ als den des Wortes Gottes selbst, der jetzt nicht nur als Gott Person ist, sondern – und zwar in diesem einen Personsein und durch es – auch als Mensch«[143]. Jede Frage nach einer möglichen, nicht personalen Subsistenz der Menschheit als Natur wird so zweitrangig, da in Christus die Menschheit nicht apersonal zu existieren braucht. Die Frage nach einer ›menschlichen Personalität‹ der Menschheit Jesu wird zu einer irrealen Frage, da in Wirklichkeit die Menschheit Jesu von dem göttlichen Wort personalisiert wird. In der Menschwerdung und durch sie hat das Wort eine menschliche Existenzweise.

Diese noch recht skizzenhaften Darlegungen erhalten erst in einem heilökonomischen Kontext ihre Bedeutung, indem das liebende Zusammenwirken zwischen Gott und Menschen in der Geschichte tiefer erklärt wird. Das Zusammenwirken zwischen Gott und Menschen muß gewiß intersubjektiv und personal verstanden werden. Dabei nimmt Schillebeeckx weder Stellung für eine ›molinistische‹ Betonung der menschlichen Freiheit, noch für eine ›thomistische‹ Überbetonung der göttlichen Freiheit, sondern Schillebeeckx betrachtet Gott gerade als denjenigen, der durch Interiorität transzendent ist: »Er ist ›intimior intimo meo‹«[144]. Gottes Gott-Sein wird in der Interiorisierung nicht geschmälert, sondern es erreicht in der Einwohnung seine volle Liebesgestalt.

Dieses nicht-konkurrierende Verhältnis zwischen Gott und dem Menschen findet sich nun auch in Christus. »In dem trinitarischen Akt, durch den der Mensch Jesus ins Dasein gesetzt wird, ist Gott, wie in jedem göttlichen Auftreten, lauter mitteilende Liebe. Und diese Liebe betrifft an erster Stelle Christus selbst, die geschichtliche Erscheinungsform der ›höchsten Mitteilung göttlicher Güte‹«[145]. Gott als reine Selbstmitteilung hat in Christus gerade die menschlich vollkommenste Gestalt angenommen, die ihrerseits als Mensch die Liebe Gottes an seine Mitmenschen weiterleitet[146]. Jesus Christus trägt daher den Namen: »der sich selbst Hingebende«[147], sowohl in menschlicher Hinsicht als auch in ethisch-religiösem Sinne als Gnadenschenker. Der menschgewordene Christus lebt somit in einer zweifachen ›communio‹: einerseits das vollkommene Hingeordnet-Sein auf den Vater, aus dessen Liebe er existiert und auf den hin seine eigene Liebe ausgeht, und andererseits – in Verbindung mit der ›communio‹ mit dem Vater – seine vollkommene Liebe für die Menschen, für die er Mensch geworden ist. Wenn Schillebeeckx dann auch von einem Motiv der Menschwerdung spricht, enthält dieses Motiv ein doppeltes Moment: »Christus als ›Glorie des Vaters‹ und Christus als ›Heil des Menschen‹ sind keine Alternativen. Die Herrlichkeit des Vaters in Christus oder die Verherrlichung des Vaters durch Christus bestand gerade darin, bis zum Äußersten der Liebe zu gehen, der Liebe zum Vater im Raume der Mitmenschlichkeit«[148]. Man kann aber diese beiden Momente nicht gegeneinander ausspielen – wie in der skotistisch-thomistischen Diskussion –, sondern beide Momente bilden das eine Motiv der Menschwerdung: gerade die Offenbarung der Herrlichkeit Gottes ist für den Menschen Heil und Gnade. Ebenso weist Schillebeeckx auch das Quasi-Problem ab, ob Gott nun Christus den Menschen schenkt, oder die Menschen an Christus[149].

Gerade dieser Kontext, in den die Menschwerdung des Sohnes gestellt werden muß, kann nun auch die Universalität der Heilsbedeutung nach Schillebeeckx aufzeigen.

Ein erstes Argument, das von Schillebeeckx schon in seinem Christusbuch angeführt wurde, aber erst innerhalb einer Entfaltung der hypostatischen Union seine Kraft bekommt, lautet: »Alles, was Er als Mensch tut, ist eine Tat des Sohnes Gottes, eine Gottestat in menschlicher Formgebung: Umsetzung und Übertragung einer göttlichen Tätigkeit in eine menschliche Tätigkeit«[150]. Die historischen Heilshandlungen des Menschen Jesu sind somit göttliche Taten des Sohnes. »Wir können doch nicht so tun, als wäre der Sohn lediglich eine Art grammatikalisches Subjekt seiner menschlichen Taten; diese sind persönlich die Taten des Sohnes, wenn auch in Menschlichkeit«[151]. Diese Interpretation stimmt nur teilweise mit der Erklärung des Perennitätsgehaltes der Mysterienhandlungen bei Thomas überein[152]. Auch Thomas führte zwar die bleibende Heilsbedeutung der Handlungen Christi auf die besondere Struktur der Person Jesu zurück: die Menschheit Jesu ist ein ›instrumentum coniunctum Divinitatis‹, das die göttlichen Handlungen instrumental vollzieht. Der Interpretationsunterschied zwischen Thomas und Schillebeeckx liegt aber darin, daß Schillebeeckx die menschliche Natur Jesu nicht als Instrument, sondern als Existenzweise des Sohnes betrachtet. Wenn auch die Handlungen Christi für Schillebeeckx wirklich Gottestaten sind, so sind sie doch andererseits Handlungen, denen das Prädikat ›geschichtlich‹ zukommt. Die Eigenart der Geschichtlichkeit ist es aber, daß ihr Einmaligkeit eignet, die mit einer Perennität nicht direkt vereinbar ist. Thomas nimmt in sein Konzept schon eine Art Verzögerung der Wirkung der Heilstaten Jesu durch den göttlichen Autor auf, damit ihnen die Perennität erhalten bleibe. In seiner geschichtlich-existentiellen Interpretation kennt Schillebeeckx aber eine solche Art Deutung nicht[153]. Somit muß man wohl sagen, daß die hypostatische Union an sich bei Schillebeeckx nicht der eigentliche Grund für die Perennität der Mysterienhandlungen Christi sein kann, wohl aber das Band zwischen Kausalität und Signifikation konstituiert.

Die universale Heilsbedeutung der Handlungen Christi wird von Schillebeeckx dann auch auf eine andere Weise erklärt. Es hat sich schon gezeigt, daß der irdische Jesus in einer doppelten, vollkommenen ›communio‹ mit dem Vater und mit seinen Mitmenschen lebte. »Aber diese prinzipielle Unbegrenztheit der menschlichen Intersubjektivität, mag sie in Christus noch so aktuell gedacht werden, erklärt keineswegs die *messianische* Bedeutung seiner menschlichen Liebe. Sie ist lediglich der *Raum*, in dem diese messianische Liebe gelebt werden soll«[154]. Nicht die vorbildliche Mitmenschlichkeit kann die Universalität und Perennität der Heilstaten Jesu sichern, sondern nur seine Messianität. Dazu muß man ein tranzendent fundiertes Element einführen. Die Messianität Jesu und seine Universalität finden einen Ausdruck in der neutestamentlichen Aussage, daß Christus *»an unserer Stelle und in unser aller Namen«*[155] auftritt. Diese Wirklichkeit kann nicht rein phänomenologisch aufgehellt werden, sondern sie fordert eine transzendente Erklärung. »Jeder von uns kann sich zwar mit der Sünde und dem Elend seiner Mitmenschen solidarisch empfinden, und jede unserer Taten hat aufgrund unseres Situiertseins einen sich weithin über die Menschenwelt erstreckenden Einfluß. Das alles ist wahr, aber eine menschliche Tat, und sei es auch die Heilstat eines Gottmenschen, hat *als solche* oder ihrer Natur nach nicht einen *repräsentativen* Wert für die gesamte Menschheit. (. . .) Weder die hypostatische Union (formal als solche) noch die Abstammung des Menschen Jesus aus unserem Menschengeschlecht können die biblische, messianische Heilsbedeutung des für uns alle repräsentativen Wertes von Jesu Mensch-sein und seiner menschlichen Taten erklären oder begründen«[156]. Die repräsentative Universalität der Menschheit Jesu kann für Schillebeeckx nur in der Messianität Jesu liegen, d. h. in einer göttlichen Berufung. »Diese repräsentative Funktion Jesu für die gesamte Menschheit kann nur aus einer göttlichen Einsetzung, einer Berufung dieses Gottmenschen, verstanden werden«[157]. Wie sich schon gezeigt hat, kann die Inkarnation diese Funktion der göttlichen Berufung für Schillebeeckx nicht voll erfüllen, da die von dem Sohn Gottes personalisierte Menschheit nicht von sich aus für die allgemeine Menschheit repräsentativ zu sein braucht. Schillebeeckx versteht die Repräsentation Jesu als ein Werden, nicht als ein Gottmensch-Sein. »Konkret geht es nicht nur um eine Inkarnation, eine Menschwerdung, sondern um ein Werden zu einem für uns alle repräsentativen Menschen; der Sohn wird nicht nur *Mensch*, er wird der Messias, der in unser aller Namen und an unserer Stelle auftritt«[158]. Universale Repräsentation und Messianität sind somit gleichbedeutend. Diese Messianität nun ist gerade ein Hoheitstitel mit einer alttestamentlichen Wurzel, der die göttliche Berufung zum Stellvertreter des Volkes und der Menschheit in sich schließt[159]. Im Alten Testament war die Gemeinschaftsbegründung an das Mittlertum und die göttliche Berufung zum Stellvertreter für die Gemeinschaft gebunden. Gerade diese Gemeinschaftsbegründung durch Mittlertum ist der Inhalt der Messianität Jesu: »Auf Grund einer Berufung ist Jesus der repräsentative Mensch«[160]. Die Repräsentation und Messianität Jesu sieht Schillebeeckx in einer Inklusion der Kirche (und der Menschheit) in dem Menschen Jesus aufgrund einer göttlichen Berufung realisiert. »Der Ratschluß Gottes bringt eine Realität im Menschen Jesus zustande: der Mensch Jesus wird von Gott als Grund gesetzt und zur *Kirche* konstituiert, so daß in seinem Mensch-sein die Menschen grundlegend zu einem Volk versammelt werden und die menschlichen Lebenstaten Christi konkret kirche-begründend sind: was in ihm geschieht, ist prinzipiell an *uns* vollzogen, wie er auch unsere Sünde auf sich nimmt«[161].

Die Möglichkeitsbedingung für die Messianität Jesu sieht Schillebeeckx aber in der Menschwerdung: erst dadurch, daß der Sohn eine menschliche Existenzweise angenommen ist, wird die Möglichkeit geschaffen, daß dieser Mensch die Berufung und Zielbestimmung der Menschheit in sich durch göttliche Einsetzung realisiert, damit diese Einheit von der Menschheit selbst aufgenommen und in menschlichem Engagement und in Aktivität verwirklicht werden kann. »Wie sehr die Einheit der Menschheit ein menschlicher *Auftrag* ist, sie ist doch fundamentaler eine

Gabe Gottes. Auch hieraus geht wiederum hervor, daß einerseits in der Menschwerdung als der Konstituierung des messianischen Menschen Jesus, des Sohnes Gottes, das Heil und die Kirche *fundamental* schon begründet sind, daß aber anderseits diese *göttliche* Stiftung erst in der geschichtlichen Menschheit Jesu zur Vollendung gebracht wird: Erst bei der Auferstehung vom Tode und somit bei der Einsetzung Christi zum Kyrios, zum himmlischen Haupt der Kirche, ist die Erwerbung der Menschheit zum Volk Gottes und zum Leibe Christi, das heißt zur Kirche, eine vollendete Tatsache in der Kraft des Geistes Christi«[162].

In Schillebeeckx' Christologie kristallisieren sich also zwei Problemkreise aus: die Menschwerdung des Sohnes und die universale Repräsentation der Menschheit in diesem konkreten Menschen Jesus. Die zwei Problemkreise sind koextensiv mit der Problematik der Christologie und Soteriologie, da einerseits die Person Jesu, andererseits die Bedeutung Jesu für uns zu erklären versucht wird. Für Schillebeeckx ist es keine Frage[163], ob die Christologie eine Funktion der Soteriologie sei oder umgekehrt. Vielmehr muß man sagen, daß für ihn das Christusereignis die Bedeutung der Person Jesu und seine Heilsbedeutung für uns umfaßt: der konkrete Mensch Jesus ist die persönliche Existenzweise des Sohnes Gottes, der in seinem Menschsein zum Vertreter der Einheit der Kirche und der Menschheit von Gott eingesetzt wird und so eine universale Heilsbedeutung für uns erlangt. Die Einsetzung zum Messias ist kein nachträglicher Akt Gottes, sondern im Leben Jesu ist die Gemeinschaft mit dem Vater schon so vollkommen, daß der Mensch Jesus in allem vom Vater angenommen ist. Für Schillebeeckx ist diese communio des irdischen Jesus mit dem Vater aber nur noch ›sakramental‹ in dem Sinne, daß sie zwar vollkommen, aber gleichzeitig verhüllt ist. Erst mit der Auferstehung wird diese ›Sakramentalität‹ eschatologisch durchbrochen.

Die Lebensmysterien Jesu sind somit einerseits wirklich historische, sichtbare Handlungen des Menschen Jesu, andererseits aber messianische Heilstaten, denen eine Heilsbedeutung für uns aufgrund der göttlichen Annahme dieses menschgewordenen Jesus zukommt. Die Lebensmysterien Jesu sind menschliche Handlungen mit einem Perennitätsgehalt, insofern der Urheber dieser Handlungen der universale Messias ist. Unter dem Vorzeichen der Messianität Jesu müssen wir nun Schillebeeckx' neueste Christologie zu ergründen versuchen.

3.4. Jesus. Die Geschichte eines Lebenden. Ein Ausblick

3.4.0. Vorbemerkung

Viele haben seit dem Erscheinen des Jesus-Buches von Schillebeeckx auf seine christologische Methode reagiert[164]. Für den Zweck, den dieser Abschnitt in einer Arbeit zur Sakramententheologie Schillebeeckx' beabsichtigt, ist es bedeutsam, unser Augenmerk nicht nur auf das Jesus-Buch zu richten, sondern auch auf andere christologische Veröffentlichungen von Schillebeeckx[165]. Außerdem scheint es nicht relevant, für eine Einsicht in Schillebeeckx' Christologie hier die Tragfähigkeit seiner neutestamentlichen Exegese ›in extenso‹ zu überprüfen, wie wichtig eine solche Arbeit an sich auch wäre[166]. Für unseren Zweck scheint ein Vergleich zur Interpretation der hypostatischen Union und der Universalität Jesu in der ›älteren‹ und ›neueren‹ Christologie von Schillebeeckx auszureichen. Vorab wollen wir aber den Grundlinien der christologischen, biblisch orientierten Auffassungen von Schillebeeckx nachgehen.

3.4.1. Die Genese der kirchlichen Christologie

Schillebeeckx geht in seiner ›neueren‹ Christologie der Genese des kirchlichen Jesus-Bildes nach. Wie kamen die Kirche und die ersten Gemeinden zu einer Christologie? Dabei ist die ›neuere‹ Christologie Schillebeeckx' eine konkrete Ausarbeitung der Theorie der Umwandlung. Die Botschaft Jesu von der kommenden Gottesherrschaft, die sich in einer konkreten Lebenspraxis Jesu und in der Verkündigung der Gerechtigkeit äußert, wird von den ersten Christengemeinden in eine Theorie über Jesus umgestaltet. Schillebeeckx will dieser Umgestaltung nachgehen und sie so weit wie möglich verifizieren und auf ihre konstitutiven Elemente hin kritisch und ›metadogmatisch‹ überprüfen[167]. Schillebeeckx nimmt mit seiner Methodenwahl radikal Stellung zur Problematik des historischen Jesus und des geschichtlichen Christus, des ›Jesus der Geschichte‹ und des ›kerygmatischen Christus‹[168]. Entschieden schließt Schillebeeckx sich der Richtung der ›Neuen Frage nach dem historischen Jesus‹ Käsemanns und Marxsens an, und wendet sich so gegen die Auffassung, als wäre nur der von der Gemeinde verkündigte Christus für unseren Glauben relevant[169]. Schillebeeckx lehnt diese letzte Auffassung ab, die vor allen schon deswegen a priori illusorisch ist, weil es sich in Wirklichkeit um viele unterschiedlich akzentuierte Interpretationen handelt. Dabei tritt eine der jeweiligen Gemeinde eigene Heilserwartung in den Vordergrund, die aus einer zeitbedingten Kontrasterfahrung entstanden ist und dem Jesusbild ein (je) eigenes Kolorit gibt. Norm und Kriterium aller Jesusinterpretation muß Jesus selbst sein. »Zuerst möchte ich betonen, daß unseren Jesusinterpretationen irgendwie Grenzen gesetzt sind. Man kann nicht etwas Beliebiges aus ihm machen. Für unsere Auslegung ist er die Norm und das Kriterium, und das setzt Grenzen«[170]. Er ist in der Erfahrung der Jünger mit ihm, sowie sie uns überliefert wurde, die Matrix jeder Christusdeutung. »Erinnerungen an bestimmte Worte und Taten Jesu werden also deshalb überliefert, *weil* diese Urgemeinden in Jesus, wie auch immer, *Heil* fanden. Erkennen von Heil in Jesus war deshalb die Matrix aller Überlieferungen von Jesus«[171]. Somit ist der historische Jesus als im Glauben seiner Jünger erfahrene Heilspräsenz Gottes auch der konstante Einheitsfaktor aller christologischen Hermeneutik. Es zeigt sich, »daß eine moderne christologische Interpretation Jesu nicht vom Kerygma oder Dogma über Jesus ausgehen kann; ebensowenig von einem sogenannten ›rein historischen‹ Jesus von Nazaret, während doch eine historisch-kritische Methode innerhalb einer Glaubensintention der einzig richtige Ausgangspunkt bleibt«[172]. So sieht Schillebeeckx dann auch in der Erfahrung der Jünger von Jesus die bleibende Konstante. »Mit anderen Worten, eine *christliche*

Einheit der Erfahrung, die ihre Einheit in der Tat *aus ihrem Hinweis auf den einen Jesus* bezieht, aber trotzdem in ihrer Artikulation pluriform ist«[173]. Wenn nun die Einheit der Erfahrung des Heils in Jesus der konstante Einheitsfaktor ist, muß die Konsistenz und Kontinuität zwischen einer Jesusinterpretation und dem historischen Jesusereignis in einer authentischen Jesuserfahrung aufgezeigt werden können[174]. Die Einheit der Erfahrung zwischen dem Forscher und den ersten Jesus-Jüngern ist die gemeinsame Basis für eine Studie und ein Gespräch über die Botschaft und Lebenspraxis Jesu.

Damit hat Schillebeeckx sich für eine Methode – seiner Meinung nach die einzig mögliche – entschieden, die die Ergebnisse seiner Arbeit prägen wird. Jesus als erfahrene Person zum Objekt einer Studie zu machen, bedeutet automatisch, in der Person selbst einen Überschuß anerkennen, der nicht weiter thematisierbar oder theoretisierbar ist. Die Person übersteigt die Aussagbarkeit ihrer Eigenschaften und Qualitäten. Die Methodenwahl von Schillebeeckx steht somit in einer Kontinuität mit seiner Theologie der Sakramente, in der er sich auch betont für das Mysterium, das uns in ihnen begegnet, ausspricht. Das in den Sakramenten erfahrene Glaubensmysterium, das letztlich die Person Jesu selbst ist, korreliert mit dem letztlich nur erfahrbaren Wert der Person Jesu. Von Schillebeeckx' Methodenwahl aus ist es dann auch selbstverständlich, daß allen Aussagen über Jesus nur insofern Bedeutung zukommt, als sie eine authentische Jesuserfahrung zum Ausdruck bringen. Aussagen über Jesus dürfen nur im Glauben verstanden werden.

Am klarsten zeigt sich die Tragweite seiner Methode in den Ausführungen zur Abba-Erfahrung Jesu und in seiner Interpretation dieser Abba-Erfahrung[175]. Jesu Botschaft des kommenden Gottesreiches und seine Lebenspraxis, die von seinem Selbstverständnis als eschatologischen Propheten getragen wird, erreichen ihre Einheit in der Person Jesu selbst. Jesus kann aber nur durch seine eigenen Taten näher definiert werden: ein anderer Zugang bietet sich dazu nicht an, da »der Mensch nur *in* seinen Taten sowohl für sich als auch für andere zum Verstehen gebracht wird«[176]. Zu Jesu eigenen Taten sind aber nicht nur seine befreiende Lebenspraxis und seine Botschaft der Hoffnung für die Menschen zu rechnen, sondern auch seine ›Gebetstaten‹. Bei diesen letzten fällt dann vor allem die Abba-Anrede Gottes auf. Das Selbstverständnis Jesu wird so stark von seinem engen Verhältnis zu Gott geprägt, daß man seine ›Vater-Gemeinschaft‹ als das Kernstück seiner Religiösitat, seiner Lebenspraxis und Botschaft betrachten kann[177]. Obwohl diese Abba-Erfahrung Jesu nicht ausreicht, ihn als ›Sohn Gottes‹ zu bezeichnen, zeigt sich doch, daß gerade die Gottesanrede Jesu die historische Basis für die Identifikation Jesu mit dem Sohn Gottes in der nachösterlichen Interpretation wurde[178]. Die Abba-Anrede nun ist aber nicht eindeutig interpretierbar: man könnte einwenden, »gerade diese Abba-Erfahrung sei die große Lebensillusion Jesu gewesen. Diese Haltung ist in der Tat möglich«[179]. Die ›interpretatio christiana‹ der Person Jesu fordert somit eine Glaubenshaltung derjenigen, die Jesus als das Heil oder als Sohn interpretieren wollen. »Grund für sein eigenes Leben in der Vertrauenswürdigkeit Jesu finden, letztlich in der Vertrauenswürdigkeit seiner Abba-Erfahrung (durch die Jesus den Grund seines eigenen Lebens in Gott findet), ist wesensgemäß ein Akt des Glaubens an Jesus, der daher – in einem – ein Akt des Gottesbekenntnisses ist. Rein *geschichtlich* läßt sich das nicht wahrmachen, da man die Abba-Erfahrung als Illusion abqualifizieren kann«[180].

Genau dieselbe Struktur wie bei der Abba-Erfahrung Jesu in der christlichen Interpretation findet sich auch in der Deutung der Auferstehung bei Schillebeeckx. Für Schillebeeckx sind die neutestamentlichen Berichte der Erscheinungen und des leeren Grabes frühe Interpretamente für die Auferstehung, die die Jünger als Bekehrungsereignis, Bekehrungsgnade und erneute Sammlung erfuhren[181]. Schillebeeckx verzichtet also auf apologetische Argumente, die den Manifestationen der Auferstehung gewissen Grad an ›Objektivität‹ zusichern; stattdessen denkt er von der Ostererfahrung aus, die eine Bekehrung und Sammlung der Jünger auf Initiative Jesu hin impliziert. Auch hier wieder kommen den Ereignissen des Todes und der Auferstehung primär und insofern Bedeutung zu, als sie erfahrene und zur Sprache gebrachte Ereignisse angeben wollen. Dabei dürfen diese Ereignisse nicht objektivitätslos verstanden werden: es sind keine Psychologisierungen, sondern immer soll ein gewisser, historisch andeutbarer Wirklichkeitsgehalt anwesend sein. So können auch die Glaubenserfahrungen auf ihren Wirklichkeitsgehalt überprüft werden, damit man eine Kontinuität oder Diskontinuität zwischen Wirklichkeit und erfahrener Wirklichkeit feststellt. »Anderseits müssen solche gläubigen und theologischen Aussagen in der Geschichte Jesu selbst begründet sein; sonst hätten sie eine gebrochene und deshalb ideologische Beziehung zur Wirklichkeit. (. . .) Es handelt sich um eine Aussage des Glaubens, die aber *Wirklichkeit* zu *bestätigen* beansprucht – und sei dieser Anspruch auch ein Glaubensanspruch«[182].

Tod und Auferstehung Jesu nun sind für Schillebeeckx primär Glaubenswirklichkeiten, die nicht nur in greifbaren Tatsachen gründen, sondern in erster Instanz auf die Glaubenserfahrungen der Jünger Jesu zurückgehen. Dabei will Schillebeeckx keineswegs die Realität der Erscheinungen oder des leeren Grabes leugnen, sondern ihnen kommt für die theologische Bewertung und für die Entstehung der Auferstehungsvorstellung keine Priorität zu[183]. Da Schillebeeckx keine Deutung der Auferstehung aus apologetischen Überlegungen vornimmt, sondern den in der Glaubensaussage enthaltenen Wirklichkeitsgehalt auf eine andere Weise bestimmen will, gerät er in eine verzwickte Lage. »So geraten wir in einen bemerkenswerten hermeneutischen Zirkel: Durch das irdische Leben und Sterben Jesu wurde den Christen aufgrund ihrer Erlebnisse nach Jesu Tod der Gedanke an die Auferstehung oder die kommende Parusie nahegelegt, während sie aus ihrem Glauben an den auferstandenen oder kommenden Gekreuzigten die Evangeliengeschichte von Jesus erzählten, mit anderen Worten, diese evangelischen Jesus-Berichte sind selbst eine Auslegung der Parusie und Auferstehung Jesu, während der Glaube an die Parusie oder an die Auferstehung durch die Erinnerung an den historischen Jesus ins Leben gerufen wurde«[184].

Auch bei der Interpretation der Auferstehung Jesu zeigt sich also bei Schillebeeckx die klare Einbeziehung der Glaubensdimension für die tatsächlich erfolgte Interpretation der Auferstehung. Nur in einer Annahme des frühchristlichen Glaubens kann die gegenseitige Interpretation des Lebens Jesu und der Auferstehung verstanden werden.

Genau diese Glaubensdimension wird sich auch in den verschiedenen Credo-Modellen und christologischen Hoheitstiteln wiederfinden. Bei der christlichen Interpretation der Auferstehung finden sich nämlich Modelle, die diese Verquickung der einen Glaubensaussage mit der anderen, des einen Interpretamentes mit dem anderen zur gegenseitigen Unterstützung, in ein einheitliches Gebilde unterzubringen versuchen[185].

In vier Credo-Modellen versucht Schillebeeckx dann, den genetischen Kern festzustellen: das Verbindungsglied zwischen der Personidentifikation Jesu z. B. als Messias und dem Auftreten des irdischen Jesus. Auf welche Einsichten stützt sich das frühe Christentum in Hinblick auf die Erinnerung an den irdischen Jesus einerseits und andererseits in Hinblick auf ihnen schon bekannte, religiöse Hoheitsbezeichnungen? »Aufgrund bestimmter Gegebenheiten aus dem Leben Jesu sind diese Gemeinden, bevor sie zur Formulierung ihres Credos imstande waren, zuerst zu einer *Identifizierung* der *Person* Jesu gekommen, und erst diese anerkennende Namengebung für die Person Jesu (wenn auch immer wieder aus einem bestimmten Lebensaspekt Jesu profiliert gesehen), mit anderen Worten, die Identifizierung der Person Jesu konnte dann zur Quelle der verschiedenen Credo-Richtungen werden. Außerdem ist es so, daß diese Identifizierung der Person Jesu ursprünglich in allen Gemeinden die gleiche gewesen ist, mit anderen Worten, daß sie allen vier Credo-Richtungen zugrunde liegt und daß diese gerade deshalb innerlich zusammenhängen und in den von der Kirche anerkannten Evangelien zusammenfliessen konnten. Die anerkennende Namengebung Jesu ist also das Band zwischen dem irdischen Jesus und dem Credo der Kirchen, zwischen dem verkündenden Jesus und dem verkündigten Christus«[186]. Von den Christen werden nun vorgegebene, jüdische Titel und Modelle[187] aufgenommen, um ihren Erfahrungen mit dem irdischen Jesus Ausdruck zu verleihen. Die frühchristlichen Interpretationen Jesu sind also als jüdisch orientierte Deutungen zu verstehen, die von dem tatsächlichen, historischen Christusereignis normiert werden.

»Ohne daher den Einfluß der beiden anderen Traditionen eschatologischer Heilsgestalten (Menschensohn und Davidssohn im nationalisitischen Sinne, Anm. des Verf.) leugnen zu wollen, muß man aufgrund einer Analyse sagen, daß die Credo-Modelle in ihrem allerersten Ursprung alle vier von der fundamentalen Interpretation des Lebens Jesu unter dem Modell des ›messianischen‹ d. h. *mit Gottes Geist erfüllten*, religiösen ›endzeitlichen‹ Propheten‹ ausgehen. Aufgrund dessen, was sie im Ursprung mit Jesus in seinen irdischen Lebenstagen erfahren hatten, fiel die Wahl der allerersten Jesusjünger und späteren Christen auf das ihnen bekannte jüdische Modell des eschatologischen Propheten. (. . .) Ohne Umschweife gesagt: Wäre das Modell nicht vorgegeben gewesen, dann hätten sie selbst, aus dem Eindruck, den Jesus in seinem ganzen Auftreten auf sie gemacht hatte, eben dieses Modell erfinden müssen«[188]. Für Schillebeeckx ist also die Interpretation Jesu als messianischer, eschatologischer Prophet der grundlegende Titel, mit dessen Hilfe die Jünger Jesu die erste Personidentifikation vollzogen haben: dieser Titel ist die Matrix aller christologischen Hoheitstitel[189]. Er hat außerdem die Kontinuität mit dem vorösterlichen Verständnis Jesu und dem Jesusverständnis seiner Jünger. Diese erste Personidentifikation Jesu bildet nun die Grundlage für alle anderen christologischen Titel wie Christus, Kyrios oder Sohn Gottes[190].

In den interpretierenden Credo-Modellen, die auf der Basis der christologischen Titel entstanden sind, erhält nun auch das eschatologische Geschehen, das den Jüngern nach dem Tode Jesu widerfuhr, verschiedene Interpretationen: Wiederkunft, Erhöhung, Auferstehung[191]. Das Fazit dieser verschiedenen Interpretationen betrachtet Schillebeeckx als ›Anfang eschatologischer Zeiten‹. »Jesus von Nazaret ist der Christus, d. h. der von Gottes, eschatologischem Geist vollkommen Erfüllte. Er ist die endzeitliche und endgültige Offenbarung Gottes und darin zugleich das Paradigma der eschatologischen Menschheit«[192].

Die Entstehung dieser anfänglich kirchlichen Christologie zeigt die Interpretation des Christusereignisses, wie die Jünger Jesu es an sich selbst erfahren haben und wie sie es mit Hilfe ihnen bekannter Modelle zur Sprache gebracht haben. Diese ganze ›interpretatio christiana‹ aber zeigt gerade auf, welch große Rolle dabei die Erfahrung des Glaubens spielte. In ihrer Begegnung mit dem irdischen Jesus haben die Jünger Heil erfahren, da dieser Jesus sich der Sache der Menschen als Sache Gottes (und umgekehrt) annahm. Gerade dieses erfahrene Heil haben die Jünger im Glauben zur Sprache gebracht. So zeigt sich, daß Schillebeeckx' frühere Theorie der Umwandlung, die eine exakte Umkehr postulierte, in seiner neuesten Christologie daraufhin modifiziert wird, daß diese Umwandlung nur unter der Voraussetzung einer frühchristlichen Ergriffenheit der Jünger in ihrer nachösterlichen Jesusinterpretation verständlich ist und Anwendung finden kann[193].

3.4.2. Jesus. Als Mensch gekannt, als Sohn Gottes bekannt[194]?

Schillebeeckx beschreibt das Leben Jesu als einen Einsatz für die Menschen, die Verstoßenen, Aussätzigen, die Kleinen. Ihnen verkündete er in Parabeln die Botschaft des Gottesreiches, der Sache Gottes als Sache des Menschen. Das kommende Gottesreich erhielt schon in seiner eigenen Lebenspraxis und in seiner Abba-Erfahrung Gestalt.

Mit dieser Abba-Erfahrung ist schon ein Element der Personidentifizierung Jesu mit dem Sohn Gottes vorhanden. Die Personidentifikation findet aber erst in der Glaubenserfahrung der Auferstehung statt. Somit ist unter Zuhilfenahme der Kategorie »Glaubenserfahrung« eine Kontinuität zwischen dem christlichen Bekenntnis der Sohnschaft Gottes in Jesus einerseits und dem irdischen Leben Jesu und seinem Selbstverständnis andererseits aufzeigbar. Es ist aber eine bemerkenswerte Eigenart der Theologie von Schillebeeckx, daß in ihr namentlich der Glaube als eine konkrete Personbegegnung gilt, in der der Mensch Heil erfährt. Gerade diese soteriologische Dimension des Christusereignisses bekommt dann auch in der ›neueren‹ Christologie von Schillebeeckx ein großes Übergewicht[195]. »Wenn wir gläubig behaupten, daß Gott in Jesus die Menschen errettet (›first order assertion‹), wie werden wir Jesus selbst dann verstehen müssen, in dem Gottes endgültiges Heilshandeln Wirklichkeit geworden ist (›second order assertion‹)? Man ist schon *Christ*, wenn man die erste Überzeugung hegt, auch wenn es auf der Ebene der ›second order assertions‹ eine Fülle von näheren Präzisierungen geben kann. Die primäre und grundlegende christliche Orthodoxie ist vor allem an den ›first order‹-Aussagen zu messen«[196].

Wenn man nun nach der Interpretation der göttlichen Sohnschaft Jesu fragen will, befindet man sich in dem Bereich der »second order assertions« oder sogar in einer trinitätstheologischen Problematik. Schillebeeckx weist hin auf eine Interpretation innerhalb des Neuen Testamentes, in der die Sohnschaft Jesu sich noch in einem ›primitiven‹ Reflexionsstadium befindet und der somit eine ausgesprochen funktionale, heilsgeschichtliche Dimension zukommt. Aber trotz ihrer heilsgeschichtlichen Ausrichtung geht es hier schon um Aussagen zur Person Jesu und somit um »second order assertions«. Trotz ihres funktionalen Charakters sind es nach jüdischem Verständnis Wesensbestimmungen Jesu: es sind jüdisch-ontologische Hoheitstitel. »In dieser Ontologie hat die alternative Frage, ob Jesus der Sohn ist, *weil* er von Gott zum Heil des Volkes gesandt wurde, oder ob er gesandt ist, weil er *der Sohn* ist, keine sinnvolle Bedeutung«[197]. Der jüdisch-ontologische Titel Sohn impliziert somit eine grundsätzliche Einheit einer ›Christologie von oben‹ und einer ›Christologie von unten‹. Dieser Titel gibt das an, was Schillebeeckx in früheren Werken mit einer dynamischen Menschwerdung[198] anzudeuten versuchte: die präexistente Sohnschaft Jesu zeigt sich in der irdischen Gestalt als eine dynamisch-wachsende Sohnschaft, die erst in der Auferstehung und Erhöhung ihre Vollendung erreicht. Hier vermittelt der jüdisch-ontologische Sohnbegriff diese Einsicht: »es ist ein dynamischer, Geschichte kennender, heilsgeschichtlicher Sohnbegriff«[199]. Diese Doppelpoligkeit des neutestamentlichen Sohnbegriffes kann Schillebeeckx dann, weiter analysierend, umschreiben als: »*Von Gott aus* ist Jesus *für seine Mitmenschen* da, er ist die Gabe Gottes an alle Menschen«[200]. Oder anders formuliert: »*Heil in Jesus von Gott* (. . .). Menschliche Proexistenz (oder Mitmenschlichkeit), aber aus Gott und im Lobpreis Gottes. Dazu ist Jesus der von Gottes Geist Erfüllte und ist sogar sein Dasein als Mensch ganz das Werk des Geistes Gottes. *Welchen (oder welche) neue Namen wir für Jesus auch erdenken können und dürfen, diese beiden Aspekte werden darin vorhanden sein müssen,* wenn man noch vom *Jesus der Evangelien* sprechen will und somit, gemäß der auffallenden Treue der Evangelien gegenüber der Norm und dem Kriterium des irdischen Jesus, von dem *historischen Jesus von Nazaret* schlechthin«[201].

Bei einer – übrigens wesentlich zu kurz gekommenen[202] – Studie der altkirchlichen, patristischen Interpretationen des neutestamentlichen Glaubensmomentes, die namentlich in der Kategorie der Gottessohnschaft zur Sprache gebracht wurden, stellt Schillebeeckx eine gewisse Kontinuität der Glaubenserfahrung fest. Zwar wird die Erfahrung in Begriffen ausgedrückt, die dem jeweiligen konjunkturellen Frage- und Verstehenshorizont entstammen, aber in diesen Begriffen findet sich doch die Aussage »Heil in Jesus von seiten Gottes«. Schillebeeckx' Kritik richtet sich gegen eine Chalkedon-Interpretation der nachchalkedonischen Neu-Chalkedonisten, die das christologische Dogma durch einen Rückgriff auf vorchalkedonische, monophysitisch orientierte Kategorien zu interpretieren versuchten[203]. In seiner Kritik steht Schillebeeckx gewiß nicht allein[204]. Es zeugt aber nicht von historischer Objektivität, wenn man die Interpretation von Chalkedon auf die Richtung der Neu-Chalkedonisten beschränkt. Daneben gibt es auch noch andere nach-chalkedonische Interpretationen, die auf die antiochenische Christologie zurückgehen, oder eine Gruppe Chalkedonisten. Auch diese Richtungen haben eine mehr oder weniger legitime Interpretation und Rezeption[205] des Konzils von Chalkedon begleitet, und ihre Einsichten sind gewiß für unsere Rezeption nicht wertlos. Außerdem ist die Bedeutung des Wortes Enhypostasie und Anhypostasie nicht so eindeutig, wie Schillebeeckx glaubt[206]. Man kann also gewiß die Schuld für eine Vernachlässigung der Menschheit Jesu nicht der nachchalkedonischen Interpretation und Rezeption zuschreiben[207].

Die Kritik Schillebeeckx' an einer nachchalkedonischen Interpretation, die die Menschheit Jesu vernachlässige, scheint illusorisch und sinnlos zu sein. Herkömmlicherweise hat die Theologie die Personalität Jesu der Person des göttlichen Logos zugeschrieben. Diese Überzeugung gründet nicht sosehr in einer falschen Chalkedon-Interpretation, sondern eher in dem innigen Theologia-Oikonomia-Verhältnis, das in der ganzen Patristik lebendig erfahren wurde. Die Art, wie patristische ›Theologen‹ die Verbindung zwischen Trinitätslehre und Christologie hergestellt haben, wird man wohl eher für eine Interpretation Jesu mit einem Übergewicht seiner göttlichen Personalität verantwortlich machen müssen[208].

Schillebeeckx möchte auf jeden Fall das vollkommene Menschsein Jesu hervorheben, und er sieht hierzu keine andere Möglichkeit als eine Interpretation mit Hilfe einer auch menschlichen Personalität Jesu in Anschluß an Thomas und Cajetan[209].

Schillebeeckx entwickelt nun seine eigene Theorie zur Sohnschaft Jesu in dem letzten Teil seiner Christologie[210]. Die Sinnrichtung der neutestamentlichen Christologie, die wir im Vorhergehenden aus Schillebeeckx' Darlegungen erarbeitet haben, hat die Bedeutung des Glaubens angegeben, die Schillebeeckx dem frühchristlichen Interpretationsprozeß zuerkannte. Dieser Glaube in seiner Bedeutung des Vertrauens und des Glaubensaktes (fides qua) ist auch die Möglichkeitsbedingung für die Erkenntnis Jesu als des Sohnes Gottes. »Vertrauen in Jesus setzten heißt sich selbst in dem gründen, in dem Jesu Erfahrung vor allem gründete: *dem Vater*. Das impliziert die Anerkennung der authentischen, nicht illusorischen Wirklichkeit des Abba-Erlebnisses Jesu. Diese Anerkennung ist nur möglich in einem Akt des *Glaubensvertrauens*, der, obwohl nicht abhängig von Vernunftmotiven, doch genügende rationale Motive anbringen kann, um dieses Glaubensvertrauen als menschlich und sittlich nicht unverantwortlich zu bezeichnen«[211]. Schillebeeckx vertritt die Meinung, daß der Akt des Glaubensvertrauens durch das Christusereignis selbst legitimiert wird, da es die Anerkennung des Vaters im Glaubensakt als Möglichkeit in sich schließt. Es gibt einen Begründungszusammenhang zwischen dem historischen Ereignis und der christlichen Interpretation, und aufgrund dessen ist es möglich, von einer Kontinuität zwischen Jesus und dem

Glauben zu sprechen. »Der ›historische Jesus‹ *läßt* die christliche Antwort *zu* als eine aufgrund der Doppeldeutigkeit jedes historischen Phänomens nie zwingende, aber vernunftsgemäß und sittlich *begründete*, am historischen Phänomen erkennbare Interpretation, die als solche die Vernunftmotive übersteigt, ohne sie auszuschließen«[212]. Aufgrund der Botschaft und der Lebenspraxis Jesu ist es also eine legitime Reaktion, bei seinem Scheitern und Tod zu sagen: dies kann nicht das Letzte sein, hier muß Gott – der Anti-Böse – das letzte Wort haben. »Das historische Scheitern Jesu von Nazaret ist für den, der an einem ›Gott der Schöpfung und des Bundes‹ glaubt, unmöglich das letzte Wort. Ist damit die neutestamentliche, ›christliche Antwort‹ nicht – auch rational, wenn auch nicht rationalistisch zwingend! – tief menschlich und real sinnvoll, ›damit ihr nicht trauert wie andere, die keine Hoffnung haben‹ (1 Tess 4,13)? Menschliche Geschichte – mit ihren Erfolgen, Mißerfolgen, Illusionen und Desillusionen – wird transzendiert vom lebendigen Gott. Das ist der Kern der christlichen Botschaft«[213]. So gründet die christliche Interpretation und Neuinterpretation des Christusereignisses auf einer negativen Kontrasterfahrung, die von der Erfahrung gespeist wird, daß der Gott der Schöpfung und des Bundes[214] so nicht sein kann, und daß die Wirklichkeit somit eine tiefere Interpretation zuläßt, ja sogar fordert[215].

Wie sich bei der frühchristlichen Interpretation des Scheiterns Jesu gezeigt hat, vermag der Glaube eine Kontinuität in dem zu finden, was für eine nüchterne Betrachtung gerade eine Diskontinuität ist: das Scheitern Jesu einerseits und seine Botschaft, Lebenspraxis und Auferstehung andererseits. Gerade diese Einsicht führt dazu, das Christusereignis fundamental in die ›Doppeldeutigkeit jedes historischen Phänomens‹ einzuordnen, ein Unternehmen, das in der Kreatürlichkeit des Menschen und der Welt grundgelegt werden muß.

In diesem Zusammenhang kann man dann die fundamentale, christologische Frage nach der Sohnschaft Jesu neu formulieren: »kann dieser fundamentale, kreatürliche Status, dieses ›Von-Gott-Sein‹ – aus allen Menschen gemeinsam und darin zugleich nach dem eigenen, situierten und persönlichen Profil eines jeden differenziert ist –, auch in Jesus *hinreichender* Grund sein, von dem aus sein eigenes, doch sehr profiliertes Abba-Erlebnis erhellt werden kann? Oder: übersteigt diese ursprüngliche Gotteserfahrung die Tragkraft dieses allgemeinen kreatürlichen Status«[216]?

Schillebeeckx versteht die Kreatürlichkeit als ein in allem sich durchziehendes »Von-Gott-Sein«. Fundamental und zuallererst hat die Kreatur also keinen Selbstand, keine Hypostasie, sondern sie ist ›enhypostatisch‹ in Gottes Hypostasie aufgenommen. Man könnte für dieses Kreatürlichkeitsverhältnis den Begriff »hypostatische Union« verwenden, wenn er nicht so streng christologisch bestimmt wäre[217]. Der Mensch erreicht nach Schillebeeckx dann auch erst seinen fundamentalen und primären Selbstand, wenn er seine Identität in Gott selbst findet[218].

Neben der Gottzugehörigkeit ist aber auch die Distanz von Gott ein wesentliches Merkmal der Kreatürlichkeit. Gerade diese Spannung zwischen Gottzugehörigkeit und Distanz von Gott ist für Schillebeeckx in der Kreatürlichkeit impliziert[219]. In der Spannung zwischen Distanz und Nähe neigt Schillebeeckx zu einer starken Betonung der Entfaltungsmöglichkeiten, die potentiell in der Gottzugehörigkeit liegen. »Was z. B. ein Mensch, der sein Leben auf den lebendigen Gott baut, daraus an unzerstörbarer Sicherheit in Hinblick auf letztliche Möglichkeiten ›von Gott her‹ schöpfen und was dadurch an historischen explosiven Kräften entfesselt werden kann, wird mir keine einzige ›spekulative Anthropologie‹ erzählen können. Die eigene, historische Kraft des religiösen Bewußtseins von dem ›Deus, intimior intimo meo‹, d. h. von dem schöpferischen Gott, der in und mittels unserer menschlichen Geschichte durch Immanenz oder auf eine ganz intim-nahe transzendierende Weise *absolute Initiativen* ergreift, läßt sich durch keine einzige nicht-religiöse Betrachtungsweise überblicken oder abmessen«[220].

Für Schillebeeckx sind in einem religiösen Sprachspiel die Entfaltungsmöglichkeiten der Gottesnähe nahezu unbegrenzt. Die Haltung, sein Leben als Gabe Gottes zu verstehen, birgt sogar die Möglichkeit in sich, Gott in einer ursprünglichen Erfahrung Vater zu nennen. In einer religiösen Sprache kann somit auch die

Abba-Erfahrung Jesu in Kontinuität mit dem Schöpfungsver-
ständnis Gottessohnschaft implizieren. »Aufgrund der ursprünglichen Tiefe der Erfahrung, in der Jesus sich selbst als
Gabe Gottes, des Vaters, erkannte, nannte der kirchliche – auch
der christlich-ökumenische – sich mit ihm identifizierende
Glaube Jesus ›den Sohn‹, womit das geschöpfliche Verhältnis
Jesu zu Gott spezifiziert wurde. Was nach der nicht-religiösen
Sprache – mit Recht – *menschliche Person* genannt wird, wird in
der christlichen Glaubenssprache *Sohn Gottes* genannt, aufgrund
des konstitutiven Verhältnisses dieses Menschen zum Vater«[221].
Überspitzt gesagt ist für Schillebeeckx die Gottessohnschaft Jesu
bis zu dieser Stelle also eine glückliche Spielart der Geschöpflichkeit (nicht der Natur, denn das wäre Ausdruck eines profanen
Sprachspiels!)[222].
Schillebeeckx ist sich der Schwäche und Unvollständigkeit dieser
bisherigen Interpretation vollkommen bewußt. Deshalb versucht er auch in einem zweiten Durchgang, dem eigentlichen
Grund für die Abba-Erfahrung Jesu auf die Spur zu kommen.
Für Schillebeeckx liegt die Mitte Jesu nicht in Jesus selbst, sondern in seiner Communio mit dem Vater und in seiner Hingabe
für die Menschen. »Mittelpunkt, Stütze, ›Hypostase‹ im Sinne
von etwas, was Standfestigkeit gibt, war sein Verhältnis zum Vater, mit dessen Sache er sich identifizierte. Jesus ist als dieser
Mensch konstitutiv ›allo-zentrisch‹: ausgerichtet auf den Vater
und auf das ›Heil von Gott‹ für die Menschen; daraus gewinnt
er sein eigenes Profil und Gesicht«[223]. Gerade diese Hinordnung
auf den Vater als Gott des Heils ist für Schillebeeckx nicht aus
Erziehung oder Umwelt erklärbar. Jesus verkündet nicht den
urteilenden Gott, wie Johannes der Täufer ihn verkündete, sondern »Gottes nahendes Heil für den Menschen, mit einer Ent-
schiedenheit, die beim verhängnisvollen Tod nicht nachläßt«[224].
Jesu Botschaft von dem nahenden Heil Gottes für die Menschen
fordert eine Stellungnahme des Hörers heraus. Für jemanden,
der im Bewußtsein des Schöpfergottes Jesus Vertrauen schenkt,
kann diese Stellungnahme nur ein Gottesbekenntnis sein, das
impliziert, daß dieser Jesus mit dem kommenden Heil identifiziert werden muß. Diese menschliche Stellungnahme kann aber

nur im Glauben vollzogen werden. Diese Entscheidung enthält ein Vertrauen in eine Person, die das Schöpfungsverhältnis des Menschen bis zur Botschaft des heilbringenden Gottes ausweiten konnte und in dieser seiner Botschaft nicht enttäuscht werden kann und wird. »Die Identifizierung des kommenden Reiches Gottes mit Jesus Christus ist für den, der nicht der These von der Illusion anhängt, dann die einzig passende Antwort auf Jesu entschiedene Heilsbotschaft. Diese Identifizierung läßt sich aber nicht bloß auf den geschöpflichen Status Jesu gründen, aus dem wohl die Botschaft der Gottesherrschaft genährt und auch, in Kontrasterfahrung mit dem Zeitgeschehen, ein prophetisches Bewußtsein geboren werden kann, aber nicht ein Heil von Gott, das mit dem Menschen Jesus selbst identifiziert ist«[225].

Für Schillebeeckx muß also das Bekenntnis der göttlichen Sohnschaft Jesu implizieren, daß Jesus gerade in seinem menschlichen Kreatürlichkeitsverhältnis zu Gott diesen Gott als Bringer des Heils verkündet, ein Heil, das letztlich für Christen in einer Erfahrung der Befreiung in Jesus selbst begründet ist.

Vom Menschen Jesus aus, in dem Gott sich auf kreatürliche Weise offenbart, kann man dann auch schließlich von einem dreipersönlichen Gott sprechen. In Jesus und namentlich in seinem Gebet wird Gott als interpersonales Gegenüber zu Christus empfunden. Erkenntnistheoretisch wird dann auch die göttliche Trinität in Jesus erst auf menschliche Weise offenbart. Von der Menschheit Jesu aus und von seiner in Menschlichkeit vollzogenen Offenbarung können wir analog zu der menschlichen Personalität von göttlichen Personen sprechen. Gerade diese trinitarische Offenbarung bildet in einem Akt des Zurückdenkens dann den tiefsten Grund für die göttliche Sohnschaft Jesu[226]. Die göttliche Personalität, die in der Selbstgabe keine Verfremdung erfährt, kann auch in der menschlichen Begrenzung gelebt werden, und sie erreicht gerade in der Menschlichkeit ihren Höhepunkt. In dieser Menschwerdung wird dann die göttliche Selbsthingabe in Leben und Tod in einer historischen Realität sichtbar. »Dann ist gerade der Begriff, oder besser die Realität einer menschlich-personalen Seinsweise nötig, um die Tiefe der erlösenden Selbsthingabe Gottes verständlich zu machen und doch Leiden, Tod und Entfremdung nicht in Gott zu verlegen, sondern sie dort zu lassen, wo sie in Wirklichkeit hingehören: in die weltliche Wirklichkeit des menschlichen Daseins. Dadurch werden Begrenzung, menschliche Entfremdung und Tod letztlich *überwunden* und das Endliche erlöst: Die Menschheit des Menschen wird zur *Annahme* seiner *Endlichkeit* und somit seines ›Von-Gott-Seins‹ befreit«[227].

Zusammenfassend läßt sich sagen, daß für Schillebeeckx die Aussage, daß Jesus Sohn Gottes ist, wesentlich ein Bekenntnis, eine Aussage in Glaubenssprache ist. Jesus als Sohn Gottes bekennen, fordert eine Glaubensentscheidung, die auf der Erfahrung des Heils von seiten Gottes für die Menschen in Jesus gründet. Aber nicht nur dieses soteriologisch orientierte Bekenntnis fordert eine Glaubenszustimmung, sondern auch die christologische Erweiterung oder Systematisierung dieses Bekenntnisses. Auch die Gottzugehörigkeit aufgrund der Geschöpflichkeit kann nur unter der Voraussetzung angenommen werden, daß das »Von-Gott-Sein« ein Ausdruck der Glaubenssprache ist. Innerhalb dieses Rahmens der Glaubenssprache nun, die sich mit Recht auf die doppelte Dimension in jedem weltlichen Phänomen berufen kann, versucht Schillebeeckx, die göttliche Sohnschaft Jesu in einem Dreierschritt aufzuzeigen: die Kreatürlichkeit, die in einer Gottzugehörigkeit ausmündet, die Personidentifizierung zwischen Jesus und dem von ihm verkündeten Heil von seiten Gottes und schließlich die trinitarische Durchdringung, die nur in einem Akt der retrospektiven Projektion erfolgen kann. In unserer Fragestellung nach der Perennität der Lebensmysterien Jesu werden wir dann auch sagen müssen, daß im Rahmen der neueren Christologie von Schillebeeckx der Perennität eine *Glaubensaussage* andeutet, die durch das in Jesus erfahrene und zur Sprache gebrachte Heil Jesus selbst eine eschatologische Bedeutung zuspricht.

3.4.3. Universalität und das gesuchte Humanum

Die ersten Christengemeinden haben in Jesus Heil erfahren. Gerade deshalb haben sie dieses erfahrene Heil in einer Personidentifizierung ausgedrückt, die schließlich bekannte, daß Jesus selbst Heil ist. Er ist der Sohn Gottes. Die Frage, die wir hier noch zu beantworten versuchen, geht darauf hinaus, wie Schillebeeckx dem in Jesus erfahrenen Heil Universalität zukommen läßt.

Der Beweis der Universalität des von Christus gebrachten Heils scheint schwieriger zu erbringen, als die Kernfrage vermuten läßt. Schillebeeckx baut dann auch ein breites Fundament für die Frage nach der christlichen Universalität auf[228]. Dabei müssen die Fragen nach einem universalen, strukturalen menschlichen Verstehenshorizont, nach der Möglichkeit einer Universalität in historisch-partikularer Vermittlung und nach der Formulierbarkeit der Universalität innerhalb des menschlichen Verstehenshorizontes zuerst gelöst werden.

Schillebeeckx unterscheidet in Anschluß an namentlich französische Kulturkritiker[229] drei Ebenen in der menschlichen Geschichte, die alle zwar eine Entwicklung kennen, aber unterschiedlich oft Brüche zeigen: strukturale Geschichte bezeichnet eine Ebene, die man fast schon als Konstante betrachten kann; konjunkturale Geschichte umfaßt eine Art Epoche, die dann einen Umbruch erlebt, wenn die Erkenntnis der Menschheit den verfügbaren Erkenntnisrahmen überschreitet und somit sprengt; die Tatsachengeschichte schließlich fluktuiert mit dem Wechsel der sich ablösenden Tagesereignisse. Durch diese Unterscheidung zwischen den drei verschiedenen Ebenen der Geschichte bildet Schillebeeckx schon eine Basis, um von einem ›universalen Verstehenshorizont‹ sprechen zu können.

Ein zweiter Problemkreis, mit der die christliche Universalität zusammenstößt, ist die Aufklärungsthese, daß nur Vernunftwahrheiten Träger einer Universalität sein können. Historischen Wahrheiten und auch der historischen Heilgeschichte kommt nur ein vorläufiger Wahrheitsbegriff in dem Sinne zu, daß historisch verhaftete Offenbarungswahrheiten als göttliche Pädagogik verstanden werden. Durch den Gebrauch der menschlichen Vernunft werden sie zu notwendigen Vernunftwahrheiten auswachsen können und müssen. Schillebeeckx erkennt in vielen christologischen Entwürfen Spuren der Aufklärung und ihrer

212

Ansichten. Im Sog Lessings wird Christus dann verstanden als Inspirator, Katalysator oder Animator. Bei diesen Definitionen spielen für Schillebeeckx immer drei explizite oder implizite ›aufklärerische‹ Voraussetzungen mit: a) Geschichte ist nie absolut[230]; b) geschichtliche Erkenntnis ist offen und reversibel. Glaubenserkenntnis muß dann in der Konsequenz ungeschichtlich sein, wenn sie Universalität beanspruchen will[231]; c) Der Kern der religiösen Erfahrung ist in allen Religionen vergleichbar[232]. Schillebeeckx wehrt sich entschieden gegen die These[233], daß in historisch partikularer Vermittlung keine Universalität übertragen werden könnte. Diese These betrachtet er als ein unkritisches Relikt aus dem Zeitalter der Aufklärung. »Deshalb kann die rationalistische Apriori-Annahme, daß universales Heil dank einer historisch vermittelnden (. . .) Partikularität (. . .) menschunwürdig, unmöglich und vorkritisch ist, kaum als *kritische* These gehandhabt werden; sie ist unhistorisch und unkritisch«[234].

Schillebeeckx hat hiermit aufgezeigt, daß eine historisch-partikulare Vermittlung einer einzigartigen Universalität möglich sein muß, und daß eine solche geschichtliche Vermittlung auch für uns bedeutsam sein könnte, wenn sie Aussagen im Bereich einer strukturalen Geschichte macht, die auch für uns jetzt noch grundsätzlich verständlich sind. Daneben wird aber noch aufgezeigt werden müssen, daß die Vermittlung von Universalität in Jesus auch für uns bedeutsam sein kann, und welche Gestalt die Universalität in Jesus für uns haben könnte.

Schillebeeckx schließt sich bei der erkenntnistheoretischen Frage nach den Möglichkeitsbedingungen für unsere Heilserfahrung in Jesus der Position Hulsboschs und Schoonenbergs[235] an, in der die Heilsfunktion Jesu an seiner Menschheit »ablesbar« sein muß. Für unsere Erkenntnis gibt es in Jesus nur insofern Heil, als sich dies in seiner Menschheit selbst zeigt, und gleichzeitig transzendierend auf Gott hindeutet. Die menschliche Transzendenz Jesu enthält aber einige Probleme. Wie soll die Transzendenz Jesu aufgefaßt werden; ist sie qualitativ oder graduell von der gewöhnlich menschlichen Transzendenz unterschieden? Was heißt überhaupt Menschheit?

Schillebeeckx meint mit Schoonenberg (und weniger ausdrücklich mit Hulsbosch), daß der Transzendenzunterschied zwischen
Jesus und der Menschheit nicht leicht formulierbar ist. »In all
dem findet man also deutliche Tendenzen, die den Anknüp-
fungspunkt des Bekenntnisses der Universalität Jesu *in* seiner
Weise des Menschseins suchen, wenn man der menschlichen
Transzendenz Jesu auch allein im Glauben nahekommen kann.
Das ist keineswegs ein Widerspruch. Menschliches Leben wäre
nicht lebensfähig ohne *Glauben* aneinander; etwas kann echt
menschlich und doch nur in Glaubensvertrauen zugänglich
sein«[236]. Gerade an der Stelle der menschlichen Universalität
Jesu möchte Schillebeeckx also schon einen Unterschied zwischen profaner und religiöser Sprache einführen. Dabei drückt
die Glaubenssprache nicht primär Glaubenswahrheiten aus,
sondern ein interpersonales Vertrauen, das zeichenhaft (sakramental) erfahren wurde und in Sprache ausgesagt wird. Die in der
Menschheit Jesu gelegene Transzendenz ist als »Mysterium« erfahren worden und in religiöser Sprache zum Ausdruck gebracht. Auch unsere Frage nach der Universalität Jesu wird sich
also primär an der Menschheit Jesu orientieren müssen, um so
die in der Menschheit selbst zum Ausdruck kommende Universalität Jesu in Glaubenssprache aufzunehmen.
In der Frage nach dem Menschsein muß man somit versuchen,
Mensch und Menschsein so zu definieren, daß in dieser Definition Raum für ein ›eschatologisches, definitives oder endgültiges‹
Menschsein Jesu offenbleibt. Dazu bieten die herkömmlichen
Bestimmungen[237] für Schillebeeckx gerade die Schwierigkeit,
daß Menschsein auch den Aspekt der ›Sündigkeit‹ impliziert, die
in Jesu Menschsein fehlt. Schillebeeckx zieht dann auch den umgekehrten Weg vor, indem er Jesu Menschsein exemplarisch für
uns bestimmt. »Es ist allerdings deutlich, daß *unser* Verständnis
von ›Menschsein‹ keine Norm und Kriterium für die Beurteilung
Jesu sein darf. Vielleicht ist gerade sein konkretes Menschsein
Norm und Kriterium für unser Verständnis von Menschsein und
sind es gerade jene Elemente im Menschen Jesu, die uns Anlaß
geben, uns *christologisch* in Jesus zu vertiefen«[238]. Auch hier
muß man berücksichtigen, daß Schillebeeckx von Jesu Mensch-

sein in Glaubenssprache sprechen will. Jesu Menschsein gibt Schillebeeckx einen Vorschuß (der letztlich nur im Glauben und in einer Glaubenssprache gegeben werden kann), damit sich in einer Konfrontation zwischen der Aussage des definitiven Menschseins Jesu und der profanen Sprache diese Glaubensaussage bewähren kann. Dabei wird es sich um Verifikation oder Falsifikation des Glaubensanspruchs handeln.

Durch den »Rückzug« auf die Glaubenssprache setzt man sich der Gefahr einer Ideologisierung aus, die nur dadurch unterbunden werden kann, daß man eine Kontinuität zwischen dem historischen Ereignis und dem Glaubensanspruch aufzeigt und daneben auch noch den Glaubensanspruch einer Konfrontation mit der profanen Sprache aussetzt[239].

Schillebeeckx versucht, die Frage nach der Kontinuität zwischen dem historischen Jesus und dem christlichen Anspruch auf Universalität schon teilweise zu lösen, indem er darauf hinweist, daß es eine allgemeine Tatsache ist, daß Religionsstiftern eine gewisse Stellung in der Vermittlung von Universalität zugesprochen wird[240]. Letztlich aber wird sich die Frage nach der tatsächlichen Universalität in Jesus nur in einer Untersuchung des christologischen Problems entscheiden lassen[241]. Dagegen wird die Konfrontation des christlichen Universalitätsanspruches mit der profanen Sprache schon in einem früheren Stadium stattfinden können, bevor noch das christologische Problem erörtert worden ist.

Die Konfrontation des christlichen Glaubensanspruchs mit der profanen Sprache erfolgt bei Schillebeeckx auf der Ebene der Geschichte und der Geschichtsphilosophie. Geschichte arbeitet mit dem Modell einer gewissen universalen Kommunikation zwischen den Menschen. »Der universale Verstehenshorizont der historischen Interpretation ist somit, sehr allgemein, aber real ausgedrückt, in jedem Fall das Menschsein als *Möglichkeit zu gegenseitiger Kommunikation*. So gesehen ist ›die Einheit der Menschengeschichte‹ die Voraussetzung jeder sinnvollen historischen Forschung«[242]. Für die Geschichtsphilosophie ist diese Voraussetzung aber ein historisches Vorurteil, das nicht ohne Schwierigkeiten verifizierbar ist. Ein Einheitsmodell für das

Menschsein würde nämlich alle menschliche Aktivität und jede menschliche Denkrichtung auf einen Nenner bringen wollen. Diese Folgerung ist kaum mit der Verschiedenheit der menschlichen Aktivität und des menschlichen Denkens vereinbar. »Das Ganze der unterschiedlichen Philosophien wäre dann nur *eine* Philosophie, von der die konkret-historischen, einzelnen Philosophien nur Momente sind«²⁴³. Dagegen bringt aber auch der pluralistische Typ der Geschichtsphilosophie, in der die Ereignisse und Denkströmungen nicht weiter aufeinander bezogen werden können, keine Lösung, da tatsächlich Kommunikation zwischen Menschen stattfindet.

Nach Schillebeeckx' Meinung bleibt dann nur noch eine Möglichkeit: »*Die Forderung nach Kommunikation*«²⁴⁴. Aber auch unter dieser Forderung zeigt sich noch ein doppelter Aspekt der Geschichte, der nicht weiter systematisierbar ist. »Gerade dies offenbart uns die Eigenart der Geschichte als Geschichte: sie ist das Feld der Ambiguität, d. h.: Geschichte ist *reale*, kontingente, menschliche Geschichte nur in dem Maß, wie sie weder *absolut eins* noch *absolut plural* ist. Die reale Geschichte der Menschen wird dort vollzogen, wo Sinn und Unsinn neben- und übereinander liegen, miteinander vermengt sind, wo Freude und Leiden ist, Lachen und Weinen, kurzum: *Endlichkeit*«²⁴⁵. Für Schillebeeckx bleibt dann letztlich auch nur die Frage, welchen Sinn die Geschichte schließlich haben wird: wird Übel und Leid²⁴⁶, oder Freude und Glück schließlich triumphieren? Dadurch unterliegt die Geschichte aber der menschlichen, vorläufigen Sinngebung und wird sie zu einer ›theologischen‹ Aufgabe der Deutung. Diese menschliche Sinngebung der Geschichte wird sich gegen alle vorzeitigen Theoretisierungen, Ideologisierungen und gegen die Forderung eines Einzelsinnes wehren, da sie (nach christlichem Verständnis) im Gottvertrauen und von Gott aus diesen Sinn erwartet. »Aus dem Vorausgegangenen folgt schon, daß der christliche Gottesglaube ein Veto gegen alle frühzeitigen, sei es theoretischen, sei es praktischen Sinn-Totalisierungen einlegt, gegen jedes Einheitssystem und gegen jedes totalitäre Aktionsprogramm, das den Anspruch erhebt, *den* Sinn der Geschichte realisieren zu können«²⁴⁷.

Schillebeeckx steigt also dort mit der christlichen Universalität in das profane Sprachspiel ein, wo Sinn und Unsinn in der menschlichen Geschichte von sich aus keine Lösung erhalten können und um eine Sinngebung fragen, die für Schillebeeckx letztlich eine göttliche Sinnstiftung ist: das Ausstehen der Erfüllung und Vollendung der Geschichte. Nun ist für Schillebeeckx gerade Christus imstande, Sinn und Unsinn der Geschichte in seiner Person zu vereinen. Leiden, Tod, Auferstehung und Verherrlichung kommen in seiner Person zusammen und erhalten von daher eine Einheit, die letztlich auf die mögliche Sinnfüllung des »Unsinnes« der Geschichte hinweist. »In dieser noch nicht beendeten menschlichen Geschichte des Leidens auf der Suche nach Sinn, Befreiung und Heil bot sich Jesus von Nazaret, mit einer Botschaft und Praxis von Heil, als ein Mitmensch dar, der gleichwohl durch seine neue Lebenspraxis und sein schuldloses Leiden und Sterben am Kreuz eine neue und erneuernde Lesart unserer alten Geschichte gibt«[248].

Es gibt in Jesus somit eine objektive Universalität, die in der Lage ist, unserer Geschichte einen endgültigen Sinn zu geben. Es ist aber – im Vergleich zu früheren Darlegungen von Schillebeeckx zur Universalität Jesu – bemerkenswert, daß er jetzt die subjektive Annahme dieser Universalität hervorhebt. Nicht nur die Tatsache, daß in Jesus ein endgültiger Sinn gegeben ist, hat seine Bedeutung, sondern vor allem ist dabei wichtig, daß die partikulare Vermittlung der Universalität in Jesus anerkannt wird und Nachfolge findet. »Aus dem Vorausgegangenen geht schon hervor, daß die universale Bedeutung Jesu nicht abstrakt objektivierend und unvermittelt ausgesagt werden kann, ohne die konkret nachwirkende Geschichte Jesu. Diese Nachwirkung liegt dann vor allem in der historisch nachweisbaren, Hoffnung gebenden und befreienden christlichen Lebenspraxis«[249].

In der Geschichte Jesu Christi läßt sich die Universalität in partikularer Vermittlung insofern nachweisen, als gerade sein Schicksal der Geschichte einen Sinn zu geben vermag[250]. Es handelt sich dabei nicht nur um eine gewisse Antizipation des Endziels der Geschichte, sondern vor allem um ein Endziel, auf das hingesteuert werden soll und das unserer Gestaltung unterliegt. Letztlich muß die partikulare Vermittlung der Universalität durch christliche Orthopraxis von uns realisiert werden. Diese christliche Orthopraxis wird Freiheit und Befreiung ankündigen, die in dem Heil Gottes liegen.

Während man in Schillebeeckx' ersten christologischen Studien eine Betonung der Christologie und der Menschwerdung findet, läßt sich in den neueren christologischen Werken eine Hervorhebung des Lebens Jesu und seiner soteriologischen Bedeutung feststellen. Dieser Übergang scheint aber nicht auszureichen, um von einem Bruch in der Christologie Schillebeeckx' sprechen zu können. Allerdings wird man wohl zu Recht von einer Änderung der Methodik und des Begründungsvorganges sprechen können. Gottessohnschaft und Messianität finden sich bei Schillebeeckx in beiden christologischen Epochen. Während aber in der ersten Zeit die Messianität der Höhepunkt der Gottessohnschaft Jesu zu sein scheint, läuft die spätere Christologie auf eine Interpretation der Gottessohnschaft Jesu hinaus.

Wenn wir jetzt von der Christologie aus die sakramententheologische Frage nach der Perennität der Lebensmysterien Jesu erklären wollen, stehen wir vor einem schwierigen Unternehmen. Findet man den Zugang zur Beantwortung dieser Frage in der Messianität oder in der Gottessohnschaft Jesu? Eine sachgemäße Beantwortung der Frage kann wohl nur so gegeben werden, wenn man beide Möglichkeiten auf ihre Stichhaltigkeit überprüft, um so auch die Tragfähigkeit der beiden christologischen Entwürfe – aus der Zeit zwischen 1958 und 1978 – für die Sakramententheologie festzustellen.

Perennität der Heilstaten Jesu bedeutet, daß in den historischen Handlungen eine bleibende Bedeutung anwesend ist. In dem Modell der Messianität Jesu ist Christus durch Berufung und Einsetzung der Repräsentant der gesamten Menschheit. Aufgrund der Auferstehung und der Erhöhung des menschgewordenen Sohn Gottes zum Kyrios haben die historischen Handlungen Christi ihre einmalige Bedeutung, da sie den Weg Jesu zum erhöhten Gottessohn angeben und markieren. Jesu Gottessohnschaft als einmalige Erscheinung ist Beispiel für unsere Menschwerdung zu ›filii Dei in Filio‹. In diesem Modell liegt also die unüberholbare Bedeutung der Heilshandlungen Christi gerade in der Verbindung dieser Taten mit der handelnden Person. Jesu Handlungen sind prototypisch, weil Gott diesen Jesus erhöht und ihn so zum Messias einsetzt oder ihn zum tiefsten Grund für die Einheit der Menschheit, die in ihm aus der Zerstreuung gesammelt wird, erwählt. Die Schwäche dieses Modells liegt darin, daß es die Vermittlung der Heilstaten Jesu auf uns hin nicht aufnimmt und so die Frage nach der sakramentalen oder außersakramentalen Vermittlung nicht löst. Erst aus der Sakramententheologie von Schillebeeckx kann man erkennen, daß diese Vermittlung für ihn nur sakramental sein kann, insofern jede Gnadengabe oder Teilhabe an dem Heilsereignis zeichenhaft auf das Christusereignis hinweist[251]. Außerdem bietet dieses Modell keine ausreichende Antwort auf die Frage, wie man die Einsetzung zum Messias denken soll.

In dem zweiten, mehr soteriologischen Modell tritt die Heilserfahrung stark in den Vordergrund. Gerade die gnadenhafte Erfahrung des Heils in der Person Jesu gibt dem Heil selbst als erfahrenem und zur Sprache gebrachtem eine (vorläufige) Priorität vor der Person Jesu selbst. Die Erfahrung des Heils in Jesu Lebenstaten gibt Jesus selbst einen qualitativen Vorsprung und so eine universale, heilsvermittelnde Rolle. In diesem Modell ist dann auch die Frage nach der Perennität der Heilshandlungen Jesu selbst im Grunde sekundär geworden, da sie auf der Ebene christologischer Aussagen liegt. An erster Stelle ist die Tatsache, daß die Jünger in Jesus Heil erfahren haben, das durchschlagende Argument. Diese Heilserfahrung als in Glaubenssprache ausgesagt muß an dem historischen Jesusereignis und an der Bedeutung für uns, d. h. an der Profansprache, verifiziert werden können. Nur wenn diese Verifikation erfolgreich stattfinden kann, ist der Universalitätsanspruch Jesu in der Erfahrung der Jünger eine authentische, sachgemäße Interpretation des Heilsereignisses, das außerdem auch noch seine Bedeutung für uns hat. In der Untersuchung hat sich gezeigt, daß jede Verifikation unter dem eschatologischen Vorzeichen steht. Jesus bietet einen Endsinn für die Geschichte der Welt an, aber dieser Endsinn harrt auf seine Verwirklichung. Jesu Heilsangebot lädt zu einer neuen christlichen Lebenspraxis ein, die das Bekenntnis zum Messias als eschatologischen Heilbringer einschließt.

Dabei kann die Frage aufgeworfen werden, ob die Sakramente eine materielle, und nicht so sehr personale Weiterführung des Christusereignisses sind. Das aber scheint nicht mit dem Mysteriengehalt der Sakramente selbst in Übereinstimmung gebracht werden zu können. Sakramente sind ja keine Glaubensobjekte im Sinne von Dingen oder Automaten, sondern Symbolhandlungen der Gemeinschaft, denen Wirksamkeit aufgrund des Christusereignisses und des erhöhten Herrn (oder des Pneumas) zukommt. Somit scheint die Sakramententheologie schon die Personidentifizierung Jesu mit dem eschatologischen Heilbringer, Messias oder Sohn Gottes voraussetzen zu müssen, da sonst die Sakramente ihre eigentümliche personale Dimension verlieren[252].

Welches Modell der Christologie man auch bevorzugen mag, auf jeden Fall ist klar, daß die Universalität Jesu oder die Perennität seiner Mysterienhandlungen eine Aussage in Glaubenssprache ist. Man kann diese Glaubensaussage dann entweder mit einer göttlichen Berufung und Einsetzung zum Messias zugunsten der ganzen Menschheit oder als eine historisch partikulare Vermittlung der Universalität in Jesus betrachten, die an dem historischen Jesusereignis und an einer Philosophie der Geschichte verifiziert werden kann. Eine Erklärung der Perennität aus den Heilsmysterien selbst ist nicht möglich und man muß zu ihrer Begründung auf eine Christologie oder eine notwendig christologische Soteriologie ausgreifen.

4. Schluß

Am Endpunkt unserer Arbeit angelangt möchten wir jetzt versuchen, die wichtigsten Schwerpunkte der Sakramententheologie Schillebeeckx' nochmals aufzunehmen und sie in einen Zusammenhang zu stellen.

Sakramente sind Glaubenszeichen, in denen Christus in der Gemeinschaft der Kirche heilswirksam gegenwärtig ist.

Diese Umschreibung enthält zwei verschiedene Ebenen: einmal behauptet man, daß die Sakramente Zeichen einer gläubigen Gemeinschaft sind; andererseits macht man die Glaubensaussage, daß in diesen Zeichen Christus real gegenwärtig und heilswirksam aktiv ist.

Die erste Ebene der Sakramentalität läßt sich aus einer Anthropologie des Zeichens hinreichend erklären. Der Mensch als Person umfaßt in seiner Personalität schon irgendwie die ganze Wirklichkeit, auch wenn seine Wahrheitserkenntnis und sein Wirklichkeitsverständnis durch die Beschränktheit der ausdrücklichen Begriffe begrenzt werden. In der Person ist die Wirklichkeit in ihrer tiefsten Seinsweise zwar implizit, aber doch intuitiv und vollständig anwesend. Dadurch transzendiert der Mensch als Person schon immer sich selbst und ist auf Mitmenschen und Gemeinschaft mit ihnen ausgerichtet. Dabei kann aber wirklich menschliche Gemeinschaft, die immer den Bereich des Geistigen enthalten wird, nur tatsächlich entstehen und sich entwickeln, wenn der Mensch im Stande ist, zu kommunizieren. Menschliche Kommunikation nun ist aufgrund der weltlichen Existenzweise nur möglich, wenn in dieser Kommunikation sichtbare Zeichen als Kommunikationsträger fungieren. Menschliche Kommunikation ist deshalb insofern gegenständlich, als sie Materie als Zeichen benutzt, um geistige Inhalte zu vermitteln.

Auf dieser ersten Ebene kann und muß man schon vom Sakrament sprechen. Den Sakramenten kommt ja eine gemeinschaftsfördernde Bedeutung zu. Sie sind Zeichen einer Gemeinschaft, die in ihnen ihre geistige Überzeugung und ihren Glauben zum Ausdruck bringt. Das Sakrament hat bis zu diesem Stand der Überlegung einen allgemeinen, religionsphilosophischen Wert. Sakramente sind Ausdruck und Bestätigung der religiösen Zusammengehörigkeit einer bestimmten Gemeinschaft. In dieser Bedeutung findet man dann auch ›Sakramente‹ in allen religiösen Kulturen und untergeordneten Gemeinschaften und Gruppen. Eine Exklusivstellung, Isolierung oder Überbetonung dieser an sich legitim erörterten Bedeutung der Sakramente treibt sie, die Kirche und den christlichen Glauben überhaupt aber in eine rein anthropologisch-soziale Richtung. Eine Überbetonung dieser anthropologischen Dimension scheint eine reale Gefahr für unsere Zeit, ein Risiko, das uns aber trotzdem nicht dazu verleiten sollte, dem Sakrament seinen kirchlichen und sozial-anthropologischen Wert abzusprechen.

Wenn diese sozial-anthropologische Dimension eine Gemeinsamkeit aller sozialen Zeichen ist, muß sie auch in den Sakramenten der Kirche auffindbar sein. Tatsächlich finden sich bei allen sieben Einzelsakramenten ekklesiale Wirkungen und kirchliche Dimensionen. Namentlich bei den Sakramenten, die nur einmal gespendet werden, hat die Glaubenssprache und die Theologie für diese ekklesiale Wirkung den Terminus des Merkmals geprägt. In diesen Sakramenten wird eine Person zu einem besonderen Dienst an der Gemeinschaft der Kirche gesandt, in sie aufgenommen oder zur Stärkung der Gemeinschaft der Kirche befähigt. Auch in allen anderen Sakramenten der Siebenzahl – Eucharistie, Beichte, Krankensalbung und Ehe – läßt sich eine solche ekklesiale Wirkung feststellen.

Die kirchlichen Sakramente müssen also innerhalb dieser Einsicht vom menschlichen Vorgriff auf Gemeinschaft und von der tatsächlichen Kommunikation zwischen Menschen verstanden werden. Auf erkenntnistheoretischer Ebene kann man sagen, daß Gottes Offenbarung und sein Heilshandeln Kommunikation mit Menschen darstellt. Auch Gott ist dabei in seiner Offenbarungsweise an die menschliche Existenzweise gebunden. Seine Offenbarung wäre sonst nicht erkennbar und verständlich. Bei der Offenbarung wird es sich nicht nur um eine Mitteilung übernatürlicher Wahrheiten handeln, sondern vor allem um eine Selbstoffenbarung Gottes, in der er die Menschen zu Gemeinschaft mit sich einlädt. Die menschliche Person als Geist-in-Welt wird in einer solchen Selbstoffenbarung Gottes nicht zerstört, sondern über ihre natürliche Seinsmaße hinaus erhöht, da die menschliche Person in der Kommunikation mit Gott ihren Totalitätsvorgriff voll zu realisieren vermag. Dabei dürfen dann auch Schöpfung und Offenbarung nicht in einen Widerspruch zueinander gesetzt werden. Die menschliche Person behält in der Kommunikation mit Gott ihren eigenen Wert und ihre eigene Freiheit, die immer schon eine situierte Freiheit ist. Wenn der Mensch in der Kommunikation mit Gott seine ihm eigene Personalität behält, dann wird es sich bei der Offenbarung Gottes um eine interpersonale oder intersubjektive Kommunikation handeln, in der Gott und Mensch einander aufs innigste begegnen. Offenbarung kann so nur verstanden werden als eine personale, intersubjektive Begegnung.

Man kann so von dem Offenbarungsbegriff als Kommunikation in einer personalen Begegnung aus sagen, daß diese Kommunikation sich dort am intensivsten vorfindet, wo sie in der größten Sichtbarkeit und Historizität auftritt. Gerade in dieser These zeigt sich, daß Historizität keine Schranke für eine wirkliche Begegnung ist, sondern eine Notwendigkeit. In Geschichte findet die Begegnung ihre menschlich höchste Form und Ausgestaltung. Man kann deshalb sagen, daß sich dort optimal Offenbarung ereignet, wo Gott in Immanenz gegenwärtig ist, ohne so seine Transzendenz zu verlieren.

Mit diesen offenbarungstheologischen Überlegungen ist schon eine Vorbereitung auf die zweite Ebene des Sakramentenbegriffes, die Glaubenssprache, vollzogen.

In dem Menschen Jesus haben seine Mitmenschen entweder Heil erfahren und es in Glaubensaussagen zur Sprache gebracht oder sie haben ihn abgelehnt und verworfen. Der Mensch Jesus ist eine Person, an der sich die Geister trennen. Die Glaubenssprache behauptet von ihm, daß in Jesus die Vollgestalt der göttlichen Offenbarung geschieht. Wenn wir davon ausgehen, daß Gott und Mensch nicht miteinander konkurrieren und daß sich im Menschsein selbst Gottes Transzendenz auf immanente Weise zeigen kann, dann muß es möglich sein, in dem Menschen Jesus Zeichen und Spuren für eine Gottesoffenbarung zu finden. Ein solches Bemühen wird elliptisch sein, d. h. es wird sich – theologisch gesprochen – um die zwei Brennpunkte der Universalität in historisch-partikularer Vermittlung Jesu und seiner Gottessohnschaft bewegen.

Man kann die Universalität und Gottessohnschaft Jesu in einer Christologie von oben zu erklären versuchen. Dabei wird das Leben Jesu dann als Entfaltung der Menschwerdung verstanden werden können. Gerade Jesu konkreter Vollzug des Menschseins wird dann von Gott in seiner Auferstehung und Erhöhung bestätigt. Als menschgewordener Sohn Gottes repräsentiert Christus die gesamte Menschheit in Hinsicht auf ihre Berufung und ihr Ziel. Mit der Gottessohnschaft korrespondiert die Heiligung der Menschen; mit der Messianität der universale Kult Jesu dem Vater gegenüber zugunsten und im Namen der ganzen Menschheit. Dieses christologische Erklärungsmodell ist im Grunde trinitarisch, da in ihm die Gegenüberstellung des Vaters und des Sohnes (weniger ausdrücklich auch des Hl. Geistes) vorausgesetzt wird. Die trinitarische Ausgerichtetheit in diesem Modell hat einerseits Charme (und eine deutliche Verbundenheit mit der Tradition), andererseits aber auch gibt sie Anlaß für methodische Kritik. Wenn nämlich erkenntnistheoretisch zurecht behauptet werden kann, daß jede Kommunikation zwischen Gott und Menschen und jede menschliche Erkenntnis Gottes an Zeichenhaftigkeit, Sichtbarkeit und Historizität gebunden ist, dann muß man auch sagen, daß erst im Menschen Jesus und in seinem konkreten Leben die Personalität Gottes und die Trinität erst zugänglich werden.

Universalität und Sohnschaft Jesu kann man auch versuchen, in einer Christologie von unten aufzuzeigen. Bei einer theologischen Methode, die den Werdegang Jesu zum Sohn Gottes in Kraft darstellt, wird der Aufweis der Universalität im Menschen

Jesus selbst erfolgen müssen. In der historisch partikularen Vermittlung Jesu wird sich dann ein solches Verständnis von Menschsein zeigen, das durch seine Einbeziehung in der strukturalen Geschichte auch für uns noch einladend und bedeutungsvoll ist.

Diese Universalität in der partikularen Vermittlung der Menschheit Jesu besteht darin, daß Jesus beispielhaft einen Sinn für die Geschichte vermittelt. Dieser Sinn der Geschichte ist in ihm exemplarisch realisiert, aber diese Realisierung bleibt proleptisch und steht für die gesamte Geschichte noch aus. Das Menschsein Jesu ist eine Antizipation des Endziels und des Sinnes der Geschichte. Jesus hat in seiner Lebensgeschichte des Vertrauens auf Gott Sinn und Unsinn der Geschichte, ihr Leiden und ihre Freude zu einer Einheit geführt, die schließlich in einer Tat Gottes bestätigt wurde. So ist in Christus eine Möglichkeit zur Geschichtsdeutung vorhanden, die erst in einer eschatologischen Erfüllung zum Durchbruch kommt und jetzt schon unsere konkrete Zustimmung und Annahme fordert.

Die Gottessohnschaft Jesu erregt deshalb das Interesse, da in Jesus der Endsinn der Geschichte exemplarisch realisiert ist. Dabei kann die Gottessohnschaft Jesu nur richtig verstanden werden, wenn Gottheit und Menschheit nicht in gegenseitiger Konkurrenz verstanden werden. Ausgehend von diesen Vorüberlegungen bietet sich in dem Geschöpflichkeitsverständnis des Menschen eine gute Zugangsmöglichkeit zur Sohnschaft Jesu. Jeder Mensch hat als Geschöpf eine gewisse Nähe und eine Distanz zu Gott, seinem Schöpfer. Dabei darf man die Gottesnähe so interpretieren, daß es sich um eine Gottzugehörigkeit handelt. Dann liegt schon in jedem Menschen eine Gottessohnschaft im Anfangsstadium der Entwicklung. In dem Menschen Jesus hat diese Gottzugehörigkeit die Gestalt der Gottverbundenheit, die seine Jünger dazu anregte, das erwartete Heil des Schöpfergottes mit seiner Person zu identifizieren. Jesus Christus ist Gottes Heil. Die Verbundenheit Jesu mit dem Vater nimmt besonders in dem Gebet Jesu eine solche Form an, daß man aufgrund des Schöpfungsverständnisses zurecht sagen kann, daß dieser Jesus, das Heil Gottes, auch persönlich Gott ist.

Während in dem Modell der ›Christologie von oben‹ die Messianität Höhepunkt der Gottessohnschaft Jesu ist, bildet in einer ›Christologie von unten‹ die Gottessohnschaft den Kulminationspunkt der Universalität. Beide Modelle aber enthalten eine Antwort auf die Fragen nach dem Inhalt der Botschaft Jesu und nach der Bedeutung der Person Jesu. So kann auf jeden Fall das Christusereignis das Sakrament Gottes schlechthin genannt werden.

Die Frage nach der Weiterführung des Christusereignisses in die Kirche hinein findet ihre Antwort in der Sakramentalität.

Einerseits bietet die These einer Umwandlung gute Perspektiven. Die Botschaft Jesu nimmt nach seinem Tod, Auferstehung und Verherrlichung die Gestalt der hierarchisch strukturierten Kirche an, in der die Botschaft Jesu, sein Werk und seine Person leibhaft gegenwärtig sind und weitergeführt werden. Bei dieser Weiterführung ist die Kirche dann an die menschliche Existenzweise gebunden, so daß reale Kommunikation und Aufnahme in die Gemeinschaft der Christen nur zeichenhaft dargestellt werden können. Aufgrund der messianischen Stellung Jesu und der Einmaligkeit seines Heilswerkes kommt diesen zeichenhaften, kirchlichen Symboltaten außerdem eine göttliche Heilswirksamkeit zu. Eine ›Christologie von oben‹ scheint somit eine starke Betonung der Kirchlichkeit und Sakramentalität zu fordern.

Andererseits kann man sagen, daß die exemplarische Universalität Jesu in ihm zwar realisiert ist, aber gleichzeitig einer subjektiven Annahme, Nachfolge und Realisierung bedarf. Diese Realisierung braucht sich dabei wohl nicht rein kirchlich-gebunden zu verstehen, sondern auch außerhalb der Kirche finden sich viele Elemente der Heiligung und der Wahrheit, mittels deren die Realisierung des christlichen Auftrages mehr oder weniger authentisch vorangetrieben werden kann. Allerdings dürfte sich in diesen ›außerkirchlichen‹ Elementen nicht eine solch starke Christusbindung finden wie in vergleichbaren kirchlichen Elementen. Gerade die Christusbindung fordert das Bekenntnis Christi als Sohn Gottes, das nur aufgrund eines echten Glaubensaktes vollzogen werden kann. Somit scheint eine ›Christologie von unten‹ stärker die allgemein notwendige, subjektive Gnadenannahme zu betonen, die in erster Instanz nicht strikt exklusiv kirchengebunden zu sein braucht. In einer solchen Interpretation verlieren die Sakramente auch ihre doch recht exklusive Stellung. Zusammen mit Mystik und Gebet, mit Politik und Bekämpfung des Leidens in der Welt stehen sie unter dem Motto der orthopraktischen Antizipation. Das heute vorwiegende Interesse der Menschheit ist so dann auch immer schon die Inspiration der Kirche gewesen. Somit scheint eine ›Christologie von unten‹ in ihrer Konsequenz eine kirchliche Konzentration zu verlangen, damit der Christusbezug der Gnade – auch in ihrer konkreten Gestalt – Ausdruck gewinnen kann.

Die kirchlichen Sakramente, deren Beschränkung und Ausdehnung auf die Siebenzahl wohl nur anthropologisch und historisch-gewachsen erklärt werden können, verdanken ihre Existenz als heilswirksame Zeichen einzig und allein dem Christusereignis, dem Sakrament schlechthin. Eine Erklärung der Heilswirksamkeit und Zeichenhaftigkeit der Sakramente innerhalb der eigenen Zweipoligkeit bleibt immer unzureichend. Sakramente können nur in einer Dezentralisierung ihre verschiedenen Dimensionen aufweisen. Nur so findet das Zusammentreffen von Zeichen und Heilswirksamkeit eine hinreichende Erklärung. Nur in einer dezentralisierenden Interpretation können die Rolle Christi und der Anteil des Menschen auf ihren wirklichen Gehalt geschätzt werden.

Kirchliche Sakramente werden so immer einen Christusbezug und eine kirchliche Dimension aufweisen. Sakramente sind kirchliche Handlungen, Zeichen der Gemeinschaft, die in ihrer Christusreferenz tatsächlich von Christus selbst gefüllt werden. In den Sakramenten wird so die Gnade des Christusereignisses auf uns angewendet, damit wir in die Gemeinschaft mit ihm aufgenommen werden oder unsere Gemeinschaft mit ihm intensiviert wird.

Gemeinschaft mit Christus ist ein mysterienhafter Ausdruck, der sakramentale Sichtbarkeit verlangt. Man könnte sagen, daß nun gerade die Gemeinschaft der Kirche und mit der Kirche das äußere Zeichen für die Gemeinschaft mit Christus ist. Diese Ansicht wird dadurch unterstützt, daß namentlich in Taufe, Firmung und Weihesakrament die ekklesiale Wirkung dieser Sakramente die Aufnahme in eine spezielle Christusgemeinschaft ist. Auch bei der Buße zeigt sich, daß gerade die Versöhnung mit der Kirche das äußere Zeichen, das Sakrament, für die Versöhnung mit Gott durch Christus ist. In der Eucharistie ist die Brudergemeinschaft in besonderer Weise Zeichen unserer Christusgemeinschaft. In der Ehe ist die Lebensgemeinschaft der Eheleute das sichtbare Zeichen für die unsichtbare Verbindung Christi mit der Kirche. In der Krankensalbung wird der Kranke in die Gemeinschaft der Kirche gewissermaßen von neuem integriert, damit einerseits diese Gemeinschaft mit der Kirche das Zeichen für die Fürbitte und Hilfe der Christen sei und andererseits sie Ausdruck für die Gemeinschaft mit dem Leiden und Tod überwindenden Christus darstelle. Auch hier ist die Gemeinschaft mit der Kirche das Zeichen für die stärkende Gemeinschaft mit Christus.

Ekklesiale Dimension und Christusbezug ergänzen sich in den Sakramenten gegenseitig. Christusbeziehung ohne ekklesiale Gemeinschaft neigt zu einem Spiritualismus, der dem Christentum fremd sein sollte. Ekklesiale Gemeinschaft ohne Christusbezug ist ein leeres Zeichen. Das kirchliche Sakrament in seiner Allgemeinheit dient der Christusgemeinschaft, aber gerade in der Kirchengemeinschaft.

Anmerkungen

Anmerkungen zu O.:

[1] Obwohl die Darsteller der Theologie Schillebeeckx' darüber streiten, ob Schillebeeckx mit seiner ersten sakramententheologischen Veröffentlichung ein Handbuch anbieten wollte, muß diese Frage eindeutig verneint werden. Die detaillierte Materialfülle und die Tendenz der ›Sacramentele heilseconomie‹ weisen auf eine Studie. Vgl. zu den Darstellungen etwa: Marinus J. Houdijk, Edward Schillebeeckx, in: Modern theologians, Notre Dame (USA) 1967, 85f. T. M. Schoof, Aggiornamento. De doorbraak van een nieuwe katholieke theologie, Baarn: Het Wereldvenster 1968 (Theologische Monografien), 151f. deutsch: M. Schoof, Der Durchbruch der neuen katholischen Theologie. Ursprünge, Wege, Strukturen, Wien 1969.

[2] Eine ausführliche Darstellung der zeitgeschichtlichen Komponenten der Theologie Schillebeeckx' gibt: J.C.A. van Zonneveld, Theologie in de branding. Een schets van de theologie van Prof. Dr. Mag. E. Schillebeeckx O. P., hoogleraar aan de theologische fakulteit van de katholieke Universiteit te Nijmegen, Leuven/Nijmegen 1973 (nur als Manuskript vorhanden, etwa in der ›Bibliotheek Theologisch Instituut‹ Nijmegen), 1–15.

[3] Zu ihrer Darstellung stütze ich mich auf: Henricus Schillebeeckx, De sacramentele heilseconomie. Theologische bezinning op S. Thomas' sacramentenleer in het licht van de traditie en van de hedendaagse sacramentenproblematiek, Antwerpen/Bilthoven: 't Groeit/H. Nelissen 1952 (=SH), 209–227; Colman E. O' Neill, Die Sakramententheologie, in: Herbert Vorgrimler/Robert Vander Gucht (Hrsg), Bilanz der Theologie im 20. Jahrhundert. Perspektiven, Strömungen, Motive in der christlichen und nichtchristlichen Welt, III, Freiburg/Basel/Wien: Herder 1970, 244–294.

[4] Es scheint mir bemerkenswert, daß bis jetzt noch keine klare Auseinandersetzung zu den Leitgedanken und Motiven dieser Schultheologie vorhanden ist.

[5] Vgl. etwa als repräsentativer Zeuge: G. v. Noort, Tractatus de Sacramentis I, Hilversum: Paul Brand [4]1927, 30–74; Die allgemeine Sakramentenlehre umfaßt: 1–123; O' Neill erwähnt einen Artikel aus »Wetzer und Welte's Kirchenlexikon«; vgl.: O' Neill a.a.O. 245f.

[6] Vgl.: v. Noort a.a.O. 83–113.

[7] Vgl.: O' Neill a.a.O. 247.

[8] Vgl.: SH 209ff.

[9] SH 211.

[10] Vgl.: O' Neill 250ff. SH 215ff.

[11] SH 218.

[12] Vgl.: SH 219–227.

[13] M. de la Taille, Mysterium fidei de augustissimo Corporis et Sanguinis Christi sacrificii atque sacramento, Paris: Gabriel Beauchesne 1921 ([2]1924; [3]1931).

[14] Anscar Vonier, A key to the doctine of the Eucharist, London 1925; deutsch: A. Vonier, Das Geheimnis des eucharistischen Opfers, Berlin 1929.

[15] Vgl.: SH 213f.

[16] Die Stellung Voniers ist bei O' Neill und Schillebeeckx verschieden. Während Schillebeeckx Vonier zu den Theologen der Mysteriengegenwart rechnet (SH 222), ordnet O' Neill ihn bei den thomistischen Theologen ein. Als Benediktiner ist Vonier gewiß von einem liturgischen Interesse erfüllt. Dennoch möchten wir ihn lieber zu den Theologen rechnen, die aufgrund einer Neuentdeckung des Sakramentenbegriffes Thomas' die Eucharistie streng sakramental bestimmen. Vonier kann auch kaum zu dem Einflußbereich Maria Laachs gerechnet werden, da seine Einsichten nicht von der Theorie Casels abhängig sind und er vielmehr selbständig eine sakramentale Vertiefung des Eucharistieverständnisses in Anlehnung an Thomas anstrebt.

[17] Eine ausführlichere Beschreibung der kirchengeschichtlichen Situation findet sich in: Jan van Laarhoven, De Kerk van 1770–1970, Nijmegen: Dekker & van de Vegt 1974 (= Handboek van de Kerkgeschiedenis V), 279–411; Gottfried Maron, Die römisch-katholische Kirche von 1870 bis 1970, Göttingen: Vandenhoeck & Ruprecht 1972 (= Die Kirche in ihrer Geschichte IV/N2); Stephen Neill (Hrsg), Twentieth Century Christianity, London: Collins 1962; Zu der holländischen Situation vgl: L. J. Rogier/N. de Rooy, In vrijheid herboren. Katholiek Nederland 1853–1953, 's-Gravenhage: Uitgeversmij Pax 1953, 431–840; L. J. Rogier/P. Brachin, Histoire du catholicisme hollandais depuis le XVIe siècle, Paris: Aubier Montaigne 1974; J. M. Gijsen, Skizze der Geschichte des Katholizismus in Holland namentlich während der Periode von 1700 bis 1970, in: Michael Schmaus u. a., Exempel Holland. Theologische Analyse und Kritik des niederländischen Pastoralkonzils, Berlin: Morus-Verlag [2]1973, 15–42; J. M. G. Thurlings, De wankele zuil. Nederlandse katholieken tussen assimilatie en pluralisme, Nijmegen/Amersfoort: Dekker & van de Vegt/De Horstink 1971, bes. 95–132; Eine stärker ideengeschichtliche Tendenz zeigen: Walter Kasper, Glaube und Geschichte, Mainz: Matthias-Grünewald-Verlag 1970; Joseph Ratzinger, Glaube und Zukunft, München: Kösel-Verlag 1970 (= Kleine Schriften zur Theologie), bes. 65–91; Heinz Zahrnt, Die Sache mit Gott. Die protestantische Theologie im 20. Jahrhundert, München: Verlag Piper 1966; Friedrich Mildenberger, Theologie für die Zeit. Wider die religiöse Interpretation der Wirklichkeit in der modernen Theologie, Stuttgart: Calwer Verlag 1969; J. H. Walgrave, Geloof en theologie in de crisis, Kasterlee: Uitgeverij De Vroente 1966 (= Bezinning en bezieling 1); W. Aalders, Theologie der verontrusting, Den Haag 1969; G. C. Berkouwer, Verontrusting en verantwoordelijkheid, Kampen: J. H. Kok 1969; G. C. Berkouwer, Een halve eeuw theologie. Motieven en stromingen van 1920 tot heden, Kampen: J. H. Kok 1974; T. M. Schoof, Aggiornamento a.a.O.

[18] Eine Lebensbeschreibung Schillebeeckx' braucht hier wohl nicht gegeben zu werden. Sie findet sich in fast allen Werken Schillebeeckx' und in allen unter Anm. 19 genannten Veröffentlichungen.

[19] Vgl.: Bonifac Willems, Edward Schillebeeckx, in: Hans Jürgen Schulz (Hrsg), Tendenzen der Theologie im 20. Jahrhundert. Eine Geschichte in Porträts, Stuttgart u. a.: Kreuz Verlag/Walter Verlag 1946 (²1967), 602–607; Marinus J. Houdijk, Edward Schillebeeckx a.a.O.; T. M. Schoof, Aggiornamento a.a.O.; Schoof (langjähriger Assistent Schillebeeckx') geht der Entstehung und Entwicklung der anthropologischen Wende in der Theologie nach und nimmt dabei Schillebeeckx oft als Repräsentant für die niederländische Situation. Übrigens läßt sich bei der Darstellung der Theologie Schillebeeckx' (bis in die Formulierungen und den Aufbau) eine Übereinstimmung mit Willems feststellen (vgl. etwa Willems a.a.O. 602f. mit Schoof 150f.); Richard Auwerda, Dossier Schillebeeckx. Theoloog in de kerk der conflicten, Bilthoven: H. Nelissen 1969; Auwerda bietet ein journalistisches Werk anläßlich der Schwierigkeiten Schilllebeeckx' mit Rom im Jahre 1968. Trotzdem oft gut informierend. Mark Schoof, The later theology of Edward Schillebeeckx. The new position of theology after Vatican II, in: The Clergy Review 55 (1970) 943–960; Schoof geht hier nicht auf die Sakramententheologie Schillebeeckx' ein, da sie aus der ›früheren Zeit‹ stammt. Lediglich die hermeneutische Phase und die Beziehungen zwischen Theorie und Praxis werden von Schoof recht vereinfacht herausgearbeitet. Paul Bourgy, Edward Schillebeeckx, in: Robert Vander Gucht/Herbert Vorgrimler (Hrsg), Bilan de la théologie du XXe siècle, II, Tournai/Paris: Casterman 1970, 875–890 (nicht in der deutschen Version dieses Werkes vorhanden); es ist recht erstaunlich, daß Bourgy bei der Erörterung der Schwerpunkte in der Theologie Schillebeeckx' die Sakramentenlehre unberücksichtigt läßt! Bourgy ist übrigens stark von Auwerda und Schoofs Aggiornamento abhängig. J. C. A. van Zonneveld, Theologie in de branding a.a.O.; es handelt sich bei diesem Werk um eine ›doktoraal-scriptie‹ (Diplomarbeit). Van Zonneveld hat viel Material (namentlich auch Aufsätze) verarbeitet. Die Arbeit leidet aber an erheblichen methodologischen Schwächen: Zitate sind oft unsauber; Quellennachweise fehlen oder sind nur sehr mangelhaft. Da van Zonneveld die ›Sacramentele heilseconomie‹ überhaupt nicht in seine Arbeit einbezieht, muß er mit einem undeutlichen Sakramentenbegriff arbeiten, und so werden bedeutende Eigenschaften des Sakramentes (Zeichen; Merkmal; menschliche Beteiligung; Intention; die meisten Einzelsakramente) überhaupt nicht erörtert. Außerdem arbeitet van Zonneveld nicht systematisch, sondern rein historisch-chronologisch. Dadurch bleibt die Studie der Sakramentenlehre auf der Ebene der Gemeinplätze. Man muß allerdings van Zonneveld zugute halten, daß das Thema seiner Arbeit (die gesamte Theologie Schillebeeckx'!) einfach zu umfangreich ist, um es im normalen Umfang einer Diplomarbeit abzuhandeln. A. R. van de Walle, Theologie over de werkelijkheid. Een betekenis van het werk van Edward Schillebeeckx, in: TTh 14 (1974) 463–490.

[20] Colman E. O' Neill, Die Sakramententheologie a.a.O. 256.

[21] So Schoof, Aggiornamento a.a.O. 149; 153; 154f.

[22] So Willems a.a.O. 604; Vgl. auch: Schoof, Aggiornamento a.a.O. 150;

231

v.d. Walle, a.a.O. 463 f. v.d. Walle schreibt Schillebeeckx' sprachliche Schwächen seinem eigentümlichen Denk- und Arbeitsstil zu (464).

[23] Vgl.: Edward Schillebeeckx, Der Begriff »Wahrheit«, in: ders., Offenbarung und Theologie, Mainz: Matthias-Grünewald-Verlag 1965 (= Gesammelte Schriften I), 215; auch: Willems a.a.O. 602; Karl Rahner erwähnt ausdrücklich, daß sein Denken der Philosophie Maréchals verpflichtet ist. Vgl.: K. Rahner, Geist in Welt. Zur Metaphysik der endlichen Erkenntnis bei Thomas von Aquin, München: Kösel [3]1964, 33 u. ö. ders., Die Wahrheit bei Thomas von Aquin, in: ders., Schriften zur Theologie, X, Zürich: Benzinger 1972, 23; Eine vergleichende Studie zur Erkenntnistheorie Rahners und Schillebeeckx' liegt leider bis jetzt noch nicht vor.

[24] Der anfänglich starke Einfluß der Philosophie De Petters auf Schillebeeckx wird erwähnt von: Willems a.a.O. 602; Houdijk a.a.O. 86 ff. Schoof, Aggiornamento a.a.O. 150; Auwerda a.a.O. 19; Bourgy a.a.O. 876; van Zonneveld a.a.O. 26–34; v.d. Walle a.a.O. 470.

[25] Vgl.: Willems a.a.O. 607; Houdijk a.a.O. 85 f.; Bourgy a.a.O. 883; 890; v.d. Walle a.a.O. 468; 478; 489.

[26] Vgl. Houdijk a.a.O. 92; O' Neill a.a.O. 259; Schoof, Aggiornamento a.a.O. 151.

[27] Vgl.: v.d. Walle 464 f.; 467; 483 f. u. ö.

[28] Vgl. O' Neill a.a.O. 257.

[29] Vgl. Houdijk a.a.O. 92.

[30] Vgl. hierzu: Houdijk a.a.O. 103 f.; Bourgy a.a.O. 887 f.; v. Zonneveld a.a.O. 95–121; v.d. Walle a.a.O. 467 ff.

[31] Vgl.: v.d. Walle a.a.O. 469 ff.

[32] Diese Abneigung wird uns in der Sakramententheologie noch näher beschäftigen. Auch beim Sakrament sieht Schillebeeckx bewußt von einer Auffassung der Sakramente als Dinge oder ›Automaten‹ ab. Vgl. auch: K. Rahner, Henricus Schillebeeckx, De Sacramentele Heilseconomie (Rezension), in: Zeitschrift für katholische Theologie 75 (1953) 235–236. O'Neill a.a.O. 259; 261 f. Houdijk a.a.O. 91.

[33] So etwa: Willems a.a.O. 603; Houdijk a.a.O. 87; Schoof, Aggiornamento a.a.O. 152; O' Neill a.a.O. 256; v.d. Walle a.a.O. 464; 466; 467; 475.

[34] Henricus Schillebeeckx, De sacramentele heilseconomie (die bibliographische Daten finden sich unter Anm. 3).

[35] E. Schillebeeckx, Het huwelijk. Aardse werkelijkheid en heilsmysterie, I, Bilthoven: H. Nelissen 1963.

[36] Die beste Darstellung der Sakramententheologie Schillebeeckx bietet: O' Neill a.a.O. 256 ff.; Auch Traets verarbeitet in seiner Sakramentenlehre sehr viele Einsichten Schillebeeckx', die er selbständig erarbeitet hat. Seine Veröffentlichung ist aber ein ausgearbeitetes Vorlesungsmanuskript, so daß Schillebeeckx' Ansichten sehr zerstreut dargelegt werden. Vgl.: C. Traets, Sacramententheologie, Boxtel/Brugge: Katholieke Bijbelstichting/Uitgeverij Emmaüs 1975 (= Liturgie. Een serie liturgisch-pastorale en liturgisch-catechetische studiën onder redactie van het Liturgisch Instituut van de K. U. L. en van de Abdij Keizersberg); Van Zonnevelds Darstellung leidet an den schon unter Anm. 19 erwähnten Nachteilen; Bourgy vermittelt den Eindruck, die ›Sacramentele heilseco-

nomie‹ nie gesehen zu haben. Seine ›Tendenzumschreibung‹ der SH bleibt verschwommen. Vgl. Bourgy a.a.O. 877.

[37] Vgl. O' Neill a.a.O. 258; Einen kleinen Hinweis gibt auch: Schoof, Aggiornamento a.a.O. 151.

[38] Vgl. etwa: Houdijk a.a.O. 90 f.; 93 f. O' Neill a.a.O. 257; 259; 264.

[39] Vgl.: Houdijk a.a.O. 95 f.; 104 f. v. Zonneveld a.a.O. 108–114; v.d. Walle a.a.O. 480 f.

[40] Vgl.: O' Neill a.a.O. 261 ff. Auch Traets bietet vereinzelt und zerstreut Ansatzpunkte. Die Kategorie der Begegnung wird herausgestellt von: Houdijk a.a.O. 91.

[41] Vgl.: Willems a.a.O. 607; Schoof, Aggiornamento a.a.O. 154 f. Bourgy a.a.O. 881; O' Neill a.a.O. 278 ff.

[42] Vgl.: Willems a.a.O. 605 f. Houdijk a.a.O. 100 ff.

[43] Die bibliographischen Angaben zur Ehe vgl. Anm. 35. Edward Schillebeeckx, Die eucharistische Gegenwart. Zur Diskussion über die Realpräsenz, o. O. (Düsseldorf): Patmos 1967 (= Theologische Perspektiven).

[44] Vgl.: O' Neill a.a.O. 277 (im Zusammenhang mit der unterschiedlichen Deutlichkeit der eschatologischen Dimension bei Ehe und Priesteramt).

[45] Vgl.: O' Neill 285 f.

Anmerkungen zu 1.:

[1] Vgl.: Henricus Schillebeeckx, De sacramentele heilseconomie. Theologische bezinning op S. Thomas' sacramentenleer in het licht van de traditie en van de hedendaagse sacramentenproblematiek, Antwerpen/Bilthoven: 't Groeit/H. Nelissen 1952 (= SH), 21–235. Wir erörtern in dieser Arbeit nicht die ganzen Forschungen Schillebeeckx' in Hinblick auf die Entwicklung der Sakramentenauffassung, sondern wir beschränken uns auf die Epoche der Entstehung des Sakramentenbegriffes (Patristik) und die Zeit der begrifflichen Klärung des Sakramentenverständnisses (Scholastik). Zur weiteren Begründung vgl.: Anm. 57 dieses Abschnitts.

[2] Die Abhandlung der historischen Entfaltung des Sakramentenbegriffes in der SH läuft nicht parallel mit dem entsprechenden Abschnitt dieser Arbeit. Schillebeeckx geht in der SH chronologisch vor: seine Darstellung geht von einer Untersuchung zum ›Mysterion in der vorchristlichen Zeit und in der außerchristlichen religiösen Kulturwelt‹ zu einer Studie der ›christlichen Sakramente als sacramenta in der Patristik‹. Wir möchten hier eine andere Methode durchführen. Geschichte und Systematik sind nicht so stark getrennt, daß beide Bereiche ohne jeden Zusammenhang verstanden werden könnten: jede geschichtliche Untersuchung wird auch von einem systematischen und systematisierenden Interesse getragen, das sich allerdings von dem zu untersuchenden, historischen Denkmodell bestimmen lassen muß. Diese Überlegungen scheinen die notwendige Voraussetzung für eine kritische Auseinandersetzung.

[3] Schillebeeckx greift auf einige Werke namhafter Autoren zurück. Bei ihnen läßt sich keine Eindeutigkeit finden. Auch neuere Veröffentli-

chungen bieten keine eindeutige Klarheit in der sprachlichen und theologischen Lage: Vgl.: Piet Smulders, Die Kirche als Sakrament des Heils, in: G. Baraúna (Hrsg), De Ecclesia. Beiträge zur Konstitution »Über die Kirche« des Zweiten Vatikanischen Konzils, I, Freiburg/Frankfurt: Herder/Knecht: 1966, 312. Raphael Schulte, Die Einzelsakramente als Ausgliederung des Wurzelsakramentes, in: MySal IV/2, 82–93; K. Prümm, Sakrament (Religionsgeschichtlich), in: LThK IX, 218. Interessant ist Prümms Bemerkung: »Eine vergleichende Unters. (Heidentum-Christentum, Anm. d. Verf.) ist für die Theologie nur insofern interessant, als gefragt wird, wie weit eine außermagisch verstandene Verknüpfung v. Hoffnungen höherer Art mit angeb. göttl. Stiftern v. Mysterien nachweisbar ist. M.-J. Lagrange und H. Schillebeeckx glauben diese mit verschiedenen Abschwächungen zugeben zu können«. J. Finkenzeller, Sakrament (Dogmengeschichtlich), in: LThK IX, 220–225. Finkenzeller erkennt eine geschichtlich wachsende Übereinstimmung in der Wortbedeutung von mysterion und sacramentum. E. Kinder, Sakramente (I. Dogmengeschichtlich), in: RGG V, 1321–1326.

⁴ Die nachpatristische Sakramentenlehre baut fast ohne Ausnahme auf dem Wort sacramentum weiter auf. Abgesehen von einer meist allegorischen Theologie, einer spirituell gerichteten Neubelebung in der ›Französischen Schule‹, und in der heilsgeschichtlichen Theologie findet sich in der Neuzeit kaum eine mysterien-orientierte Sakramententheologie außerhalb der Eucharistie (wie z. B. bei Odo Casel). Vgl.: K. Rahner, Geheimnis II, in: LThK IV, 593–597; B. Neunheuser, Mysterium, in: LThK VII, 727–731.

⁵ Das lateinische Wort ›mysterium‹ ist weniger bedeutend als das griechische Äquivalent ›mysterion‹. Mysterion deutet die Heilswirksamkeit Gottes in Jesus Christus an (und davon abgeleitet die Heilstaten im AT und in der Kirche als mysterion). Schillebeeckx faßt die Untersuchungen nach dem Gebrauch des Wortes ›mysterion‹ im AT und NT auf S. 47f. der SH zusammen: »Im Gegensatz zu den nicht-biblischen Mysterienauffassungen wird das biblisch-christliche ›mysterion‹ weder durch eine konkret-liturgische oder kultische Bedeutung – wie in den Mysterienkulten –, noch durch eine abstrakt – ›theologische‹ – wie in dem philosophischen und gnostischen *mysterion*, das eher die innere, fundamentale, *ontologische* Struktur der Gegenstände andeutet –, sondern durch das Typisch-Eigentümliche des Christentums selbst charakterisiert: das ἐφάπαξ oder die historische Einmaligkeit der Heilstat Gottes (›sub Pontio Pilato passus et sepultus est et ressurexit‹) als ein historisch bestimmtes Ereignis und nicht als ein mythisches Urgeschehen. Das christliche Heilsmysterium begegnet uns in der Hl. Schrift als ein konkret-historisches, heilsgeschichtliches Geschehen: als eine epiphania Gottes in der Menschengeschichte, als sichtbar gewordene Heilstat Gottes, durch die der Unheilszustand des Menschen in Wirklichkeit zu einer Heilslage umgewandelt wird. *Mysterion* ist das Heilsereignis, durch das Gott selbst sich persönlich für das Gelingen des menschlichen Lebens einsetzt: gerade dadurch bezeugt er sich *als Gott* und offenbart er sich in einer Heilsgeschichte. Wenigstens seit dem Ende des 3. Jh. begegnen die Kirchenväter also nicht nur dem biblischen Mysterienbegriff – mit seiner doppelten

Bedeutung: das Messias- oder Christusmysterium (als Ganzes oder im einzelnen) und die verhüllte, symbolische Offenbarungsform dieses Mysteriums –, sondern auch ein heidnisch kultisch-liturgisches mystèrion, in dem eine Gottesübereignung unter symbolischen Kultgestalten zustande kommt, so daß der Initiant das ›geschichtliche‹ (mythische) Urmysterium der Gottheit kultisch wiedererlebt; außerdem finden sie einen doktrinellen, philosophischen Mysterienbegriff und schließlich ein ›Lesemysterium‹ vor, wie es in der Gnosis und dem Hermetismus zu finden war. In all diesen Fällen bedeutet *mysterion* – wie verschieden auch – wesentlich ein Heilsmysterium. Im Synkretismus der patristischen Umwelt kann man μυστήριον also einen fundamentalen Modebegriff nennen«.

Wie wir später noch ausführen werden, zeigt sich in dieser Zusammenfassung der Entwicklungsgeschichte des Mysterienbegriffes in der Patristik eine erste Deutung Schillebeeckx', die er später revidieren wird. Man kann auch wohl kaum den Synkretismus, den Schillebeeckx in einem solchen Mysterium-Begriff unterbringt, vollkommen unterschreiben. Zumindest wäre eine Wertung der verschiedenen Bereiche, wie des kultischen, doktrinellen und theologischen Bereichs durchzuführen. Der theologische Inhalt des Mysteriumbegriffes ist zum größten Teil schon mit dem griechischen mysterion verbunden, während sich gerade dieser Inhalt im lateinischen mysterium kaum ändert. Vgl.: Chr. Mohrmann, Sacramentum dans les plus anciens textes chrétiens, in: Harvard Theological Review 47 (1954) 141–152. Frau Prof. Dr. Chr. Mohrmann verdanke ich den Hinweis auf die besondere Sakramentenauffassung Schillebeeckx' in seiner ersten Sakramentenbestimmung der SH.

⁶ Vgl.: SH 101 ff. Bei diesen Modellen muß man berücksichtigen, daß es sich nicht darum handelt, den ganzen Bedeutungswandel des Wortes ›sacramentum‹ aufzuzeigen; es kann nur darum gehen, jene Bedeutung des Wortes ›sacramentum‹ in der profanen Verwendung zu finden, bei der der christliche Inhalt anschließen kann. Es handelt sich also im Grunde um eine rein theoretische Konstruktion.

⁷ Als Vorbemerkung zu der Mysterien- und Sakramentenauffassung der Patristik gibt Schillebeeckx eine exkursartige Notiz über den nicht-christlichen Einfluß auf die Vätertheologie. Es ist für Schillebeeckx eine Prämisse, daß es in der patristischen Glaubensbesinnung außerchristliche Beeinflussung gegeben hat (vgl. auch Anm. 2 dieses Kapitels). Wie sich weiterhin noch zeigen wird, ist eine solche Beeinflussung in Wirklichkeit (und sicher in dem von Schillebeeckx angenommenen Umfang) ein Postulat Schillebeeckx'. Abgesehen von der Frage nach dem Realitätswert dieser Beeinflussung darf man aber wohl behaupten, daß Schillebeeckx sich dieser verunsichernden Lage unerschrocken gegenüberstellt. Denn in einer Art Apologetik der Sakramentenauffassung der Kirchenväter versucht er aufzuzeigen, daß ein solcher Einfluß mit der besonderen Begnadigung des Menschen im Christentum in keinem Widerspruch steht. Schillebeeckx nimmt also an, daß es seit dem 3. Jh. einen starken Einfluß der Mysterienkulte auf die christliche Theologie und Liturgie gegeben hat. Er begründet diese Abhängigkeit theologisch mit Hilfe der anonymen Offenbarung (SH 50): »›Sakramentale Frömmigkeit‹, betrachtet im allgemein-religiösen Sinne, kann man aufgrund hi-

storischer Tatsachen eine allgemein-menschliche, religiöse Erscheinung nennen. Die ›sakramentale‹ Gottbegegnung ist ja tief in der religiösen und sozialen Psychologie des Menschen verwurzelt. Denn die Religiosität des Menschen äußert sich nach Regeln seiner anthropologischen, stoffverbundenen Geistigkeit, die ihre höchsten Erfahrungen lediglich in einer materiellen, symbolschaffenden Aktivität aussagen kann«. Vgl. dazu auch: Edward Schillebeeckx, Offenbarung, Schrift, Tradition und Lehramt, in: ders., Offenbarung und Theologie, Mainz: Matthias-Grünewald-Verlag 1965, 15–30; bes. 15–17. Die Notwendigkeit der kategorialen Aussagbarkeit transzendentaler Erfahrungen bildet also die philosophische Basis für eine Grundlegung der christlichen Sakramente in die Natursymbole. Neben dieser philosophischen Darlegung gibt Schillebeeckx auch noch eine theologische Begründung der Assimilationsfähigkeit des Christentums (SH 51 f.): »Wegen der existentiellen Einheit von Natur und Übernatur in der gegenwärtigen christlichen Lebensordnung ist die Natur – trotz aller Eigengesetzlichkeit – doch innerlich auf die Übernatur hingeordnet, die in ihrer Transzendenz ihre providentielle Vorstruktur im Naturkomplex findet; dies gilt insbesondere für die natürliche Religiosität. (. . .) Tatsächlich gibt es keine rein natürliche Ordnung und ist eine rein natürliche Religiosität eine Fiktion und Abstraktion. Die Gnade als effektive Einladungskraft Gottes, ›der das Heil aller Menschen will‹, wirkt anonym in der vor- und außerchristlichen Welt«. Nachdem Schillebeeckx die Existenz einer außer- und vorchristlichen, anonymen Offenbarung bestätigt hat, unterscheidet er die objektive und subjektive Ebene einer solchen Offenbarung. Die Anwesenheit der anonymen Offenbarung sagt noch gar nichts über die anonyme Gnadenannahme (subjektiv) aus. Es können also in der anonymen ›Offenbarungsreligionen‹ pervertierte Elemente und moralische Defizienz vorhanden sein, die aber der Existenz einer anonymen Offenbarung selbst (objektiv) nicht widersprechen. Diese theologische Einsicht ist dann auch die Erklärung für die Religiosität der Naturvölker mit ihren oft kosmisch-natürlichen Gottessymbolen. Mit dieser Theorie ist nun für Schillebeeckx die prinzipielle Möglichkeit einer christlichen Assimilation von ›heidnischen‹ Gottessymbolen und Glaubensäußerungen möglich. Obwohl diese Assimilation in der kirchlichen Praxis unterschiedlich gehandhabt wird (vgl. z. B. einerseits Gregor des Großen Brief an den Englandmissionar Augustinus; andererseits der Ritenstreit in China und Indien im 17. und 18. Jh.), wollen wir eine nicht-christliche Beeinflussung auf die konkrete Gestalt des Christentums keineswegs ausschließen, aber es scheint doch, daß eine alleinige Erklärung des Mysterienbegriffes der Patristik mit Hilfe des außerchristlichen Mysterienbegriffes zu einseitig ist. Schillebeeckx selbst distanziert sich von dieser Deutung in späteren Veröffentlichungen. Vgl. dazu auch: Anm. 9 dieses Kapitels.

[8] H. Schillebeeckx, Sacrament, in: H. Brink (Hrsg.), Theologisch Woordenboek, III, Roermond/Maaseik: J. J. Romen & Zonen 1958 (= ThWo III), 4185–4231; bes. 4185.

[9] Dies muß man wohl aus der fundamentalen, wenn auch indirekten Kritik an Schillebeeckx' Theorie über den historischen Verlauf der Applikation des Wortes ›sacramentum‹ in der Patristik verstehen. Zurecht kann man dieser Theorie den Vorwurf machen, daß sie sich zu stark von

linguistischen Erscheinungen leiten läßt, während die semantischen Entwicklungen unterbewertet oder zumindest übersehen werden. Vgl.: Christine Mohrmann, Sacramentum dans les plus anciens textes chrétiens a.a.O., Melchior Verheijen, ΜΥΣΤΗΡΙΟΝ, sacramentum et la synagogue, in: Recherches de science religieuse 45 (1957) 321–337.

[10] Mit der Bezeichnung ›Nimwegener Schule‹ deutet man eine Richtung in der klassischen Sprachwissenschaft an, die die Rolle des Christentums in der Bildung des Spätlateins hervorhebt. Die neue Religion des Christentums mit seinem eigenen religiösen Inhalt hat innerhalb des lateinischen Sprachkreises sprachliche Neuschöpfungen gebildet, die bei der Ausbreitung des Christentums auch ihren Einfluß auf die lateinische Sprache überhaupt ausübten. Überspitzt formuliert kann man sagen: die christliche Gruppensprache hat sich zur spätlateinischen Kultursprache entwickelt. Diese Richtung wurde von Josef Schrijnen auf der Grundlage namentlich deutscher und schwedischer Studien zum Spätlatein begründet, und sie wurde von Schrijnens Schülern weitergeführt und ausgebaut. Unter ihnen nimmt Chr. Mohrmann eine hervorragende Stellung ein. Die Intention der Nimwegener Schule hat in der Sprachwissenschaft große Anerkennung gefunden. Zu den wichtigsten Veröffentlichungen zu der Interpretation dieser Richtung vgl.: J. Schrijnen, Die kulturgeschichtliche Methode und ihre Anwendung beim Studium des christlichen Altertums, in: Collectanea Schrijnen, Nijmegen/Utrecht 1939, 241 ff. Chr. Morhmann, L' étude de la latinité chrétienne. État de la question, méthodes, résultats, in: Conférences de l' Institut de Linguistique de l' Université de Paris 10 (1950/51) 125–141. Weiter finden sich Einzeluntersuchungen in: Christine Mohrmann, Études sur le latin des Chrétiens, 3 Tomes, Roma: Edizioni di Storia e Letteratura 1958 ff. (= Storia e Letteratura. Raccolta di Studi e Testi 65; 87 und 103). Mélanges offerts à Mademoiselle Christine Mohrmann, Utrecht/Anvers: Spectrum Editeurs 1958. Eine gute Darstellung und Bewertung der Ansichten der Nimwegener Schule findet sich in: Carl Becker, Tertullians Apologeticum. Werden und Leistung, München: Kösel-Verlag 1954, 335–345.

[11] Vgl.: SH 86–88.

[12] Die Methodenkritik an Schillebeeckx' patristischen Untersuchungen betrifft nicht ohne weiteres auch seine sachlichen Folgerungen. Aus dem Studium der Väter zeigen sich ja doch einige bedeutungsvolle Aspekte für den Sakramentenbegriff der lateinischen Patristik. Die Methodenkritik stellt nur die theologische und philologische Prozedur in Frage. Man könnte sich fragen, ob die Methode der Patristikforschung Schillebeeckx' nicht zu stark von dem scholastisch-thomasischen Sakramentenbegriff geprägt ist, ob man nicht die gleichen Ergebnisse aus einer Erforschung des A. T., N. T. und der frühchristlichen Theologie der Gottesoffenbarung im Christusereignis findet, wie sie aus einer sehr komplizierten Väteruntersuchung hervortreten. Vgl. zu den Ergebnissen der Patristikstudie Schillebeeckx': SH 104 ff.

[13] SH 105.

[14] Dieser Aspekt dürfte wohl in der patristischen Untersuchung zu geringfügig ausgearbeitet worden sein, da er auf eine vordergründige Übereinstimmung mit dem ›sacramentum militiae‹ beruht.

[15] SH 106.

[16] Dies ist der Fall trotz der vielversprechenden Überschrift des betreffenden Kapitels (SH 21): »Zum Wesen des Sakramentes. Die *Semantik* (Hervorhebung durch den Verf.) der christlichen Bezeichnung ΜΥΣΤΗΡΙΟΝ und ›sacramentum‹.«

[17] Vgl. die ausführliche Besprechung der Sakramentenstudie Chr. Mohrmanns in dem schon erwähnten Artikel (vgl. Anm. 8 dieses Kapitels) 4185 f.

[18] Vgl.: H. Schillebeeckx, Sacrament, in: ThWo III, 4187 f.: »Die fundamentale Bedeutung des ›sacramentum-mysterium‹ betrifft die göttliche *Heilsökonomie,* wie sie in Christus offenbart worden ist, und gleichzeitig die *verhüllte Erscheinungsform* dieser Offenbarung. Sacramentum (mysterium) ist die Heilswirklichkeit und gleichzeitig ihre sichtbare Offenbarungsform (›significatum‹ und ›signum‹). (. . .) In sacramentum-mysterium schwingt dann auch eine vertrauliche Intersubjektivität mit: es handelt sich um eine Tat der herabsteigenden Liebe Gottes und um eine Aufnahme in sein Vertrauen; an der Seite des Menschen geht es um das Bewußtsein dieser entgegenkommenden Liebe. Das ›sacramentum-mysterium‹ befindet sich auf der Ebene des gegenseitigen, persönlichen Vertrauens«.

[19] Am klarsten findet man diese terminologische Unterscheidung formuliert in: H. Schillebeeckx, De sacramentaire structuur van de openbaring, in: Kultuurleven 19 (1952) 786: »Wenn wir einige kleine Nuancen übersehen, dürfen wir dazu sagen, daß in der Patristik – einigermaßen noch nachwirkend in der Hochscholastik – der sichtbare Aspekt, nämlich der sichtbar-historische Vollzug jener göttlichen Heilswirklichkeit ›sacramentum‹ genannt wird, während der unsichtbare Aspkt, nämlich die in jener Heilsgeschichte (oder im ›sacramentum‹) zum Ausdruck gebrachte göttliche Wirklichkeit ›mysterium‹ genannt wird. Diese beiden zusammen, nämlich der *historische Heilsvollzug* und die *transhistorische göttliche Wirklichkeit,* die uns im Vollzug begegnet, nenne ich dann mystèrion in Anlehnung an die Terminologie der griechischen Patristik. Demnach ist das Christentum als Offenbarungsreligion deshalb ein *›sacramentum mysterii‹:* die sichtbare Gestalt der göttlichen Heilswirklichkeiten in *unserer* irdischen Welt«.

[20] In unserer Arbeit werden wir uns diesem terminologischen Vorschlag Schillebeeckx' aufgrund seiner schwachen patristisch-semantischen Grundlage nicht anschließen. Was Schillebeeckx Sakrament nennt, ist für uns Zeichen; sein mysterium ist für uns Heilsgehalt; sein mystèrion nennen wir Sakrament oder Sakramentalität.

[21] Vgl.: Martin Grabmann, Die Geschichte der katholischen Theologie seit dem Ausgang der Väterzeit, [2]Darmstadt: Wissenschaftliche Buchgesellschaft 1961, 21 f. Raphael Schulte, Die Einzelsakramente als Ausgliederung des Wurzelsakramentes, in: MySal IV/2, 105.

[22] Vgl.: Henri de Lubac, Corpus Mysticum. L'Eucharistie et l'Église au Moyen Age. Étude historique, Paris: Aubier [2]1949 (= Théologie 3), 248–277; deutsch: Henri de Lubac, Corpus Mysticum. Kirche und Eucharistie im Mittelalter. Eine historische Studie, Einsiedeln: Johannes Verlag 1969, 271–303.

[23] Schillebeeckx sieht in der isidorischen Auffassung des Sakramentes als Verhüllung keinen grundsätzlichen Bruch mit der augustinischen Tradi-

tion des Sakramentes als Zeichen. Denn Isidor von Sevilla geht in seinen Ausführungen deutlich von der Zeichenidee des Augustinus aus (vgl. Etymol. VI, 19, 39, in: PL 82, 255). Schillebeeckx möchte eher sprechen von einem praktischen Bruch, der sich klar in der Eucharistie-Auffassung des Isidors herausstellt. Vgl. dazu SH 109.

[24] Schillebeeckx führt die symbolisierende Sakramentenauffassung Berengars auf eine Vernachlässigung des kultischen Kontextes zurück. Vgl.: SH 110: »So deutet er (Berengar, Anm. d. Verf.) beim Hl. Augustinus sieben Aussagen an, in denen die Sakramente in verschiedener Weise bestimmt werden, aber doch jeweils so, daß ihre Zeichenfunktion hervorgehoben wird. Er vernachlässigt hierbei aber den liturgischen Handlungsaspekt, der in der griechischen und lateinischen Patristik so stark betont wurde. Er beschränkt den echten Sinn des *sacramentum* also nicht nur auf ein *signum externum*, (. . .) sondern er objektiviert auch nicht die *significatio* in eine sinnvolle liturgische Handlung, sondern in ein materielles Ding«.

[25] Schillebeeckx weist darauf hin, daß es sich bei dieser Aussage um eine eindeutig augustinische Idee handelt, obwohl der Satz in dieser Formulierung nicht in den Werken Augustins zu finden ist. Vgl.: SH 111.

[26] Hugo von St. Viktor umschreibt den Kern seiner Sakramentenauffassung folgendermaßen: »Sacramentum est corporale vel materiale elementum foris sensibiliter propositum ex similitudine repraesentans, et ex institutione significans, et ex sanctificatione continens aliquam invisibilem et spiritualem gratiam« (De sacr. I, 9, 2, in: PL 176, 317). Schillebeeckx analysiert diese Formel und kommt auf drei Merkmale, die in ihr enthalten sind. Vgl. dazu SH 115: 1. Ein natürlicher Symbolismus; 2. diesem natürlichen Symbolismus schließt sich aufgrund der Einsetzung der Sakramente durch Christus der eigentlich sakramentale Symbolismus an; 3. das ›elementum‹ wird somit zum ›Ort der Gnade‹.

[27] S. Sent IV, 1, in: PL 176, 117.

[28] Sent IV, d. 1, c. 4, in: Quaracchi, II, 746.

[29] Vgl. dazu: SH 117f. Übrigens zeigt die Beschreibung und Einteilung der frühscholastischen Sakramentenauffassung bei Schillebeeckx eine auffallende Übereinstimmung mit: A. Michel, Sacrements, in: Dictionaire de la théologie catholique, XIV/1, Paris: Librairie Letouzey et Ané 1939, 527–534. Die Frage, ob Schillebeeckx in seiner Beschreibung der Geschichte der frühscholastischen Sakramentenbestimmung von A. Michel abhängig ist oder ob beide eine gemeinsame Quelle benutzt haben, läßt sich nicht ohne größere Untersuchung nachweisen. Allerdings scheint die erste Möglichkeit zutreffend zu sein, da Schillebeeckx in seiner Literaturliste (SH XXVIII) – allerdings nicht in den Anmerkungen – Michel mit der oben erwähnten Seitenangabe aufführt.

[30] Schillebeeckx verweist noch kurz auf Wilhelm von Auxerre, Simon von Doornik, Herbert von Auxerre, Alexander von Hales, Hugo a S. Caro, Albertus und Bonaventura, die aber im Vergleich zu den früheren Sakramentenbestimmungen nichts Neues mehr hinzufügen. Es bleibt bei den drei Bestimmungen des Sakramentes als ›signum‹, ›secretum‹ und ›causa‹. Vgl. dazu: SH 119–125.

[31] Der Abschnitt, der von Thomas von Aquin handelt, nimmt mit fast 60 Seiten einen bedeutenden Teil der SH in Anspruch. Aber nicht nur

von der rein seitenmäßigen Einteilung des Buches aus kann man behaupten, daß Schillebeeckx eine Vorliebe für Thomas hat: die ganze SH ist ja als eine ›theologische Besinnung auf die Sakramentenlehre des Hl. Thomas‹ konzipiert. Wie sich außerdem noch in der systematischen Sakramentenlehre Schillebeeckx' zeigen wird, ist auch seine eigene Theologie sehr stark von Thomas geprägt.

[32] Vgl. SH 125 mit dem Zitat aus: In IV Sent d. 1, q. 1, a. 1, sol. 1: »Sacramentum secundum proprietatem vocabuli videtur importare sanctitatem active, ut dicatur sacramentum quo *aliquid sacratur*«.

[33] Vgl.: SH 125: »Dennoch muß diese sakramentale Heilskausalität den menschlichen Existenzmodus, die Grundsituation des Menschen als ›Geist in Welt‹ berücksichtigen, denn der Mensch kommt mittels des Materiellen zu geistigen Erkenntnissen und Erfahrungen; m. a. W. die Kausalität muß die anthropologische Struktur der menschlichen Akte berücksichtigen, in denen immer aufgrund der materiellen Gebundenheit des Geistes ein Moment der Symbolbildung anwesend ist«. Wir finden schon sehr früh (1952) bei Schillebeeckx eine seiner fundamentalen Denkkategorien: Mensch als rein geistiges Wesen gibt es nicht; nur in der materiellen Gebundenheit kann der Mensch rezipieren und sich selbst aussagen. Wir werden diese Einsicht im Folgenden ›Kommunikationsgesetz‹ nennen. Diese Denkkategorie steht an dieser Stelle in einem anthropologischen Kontext (De Petter!) mit einem verdeckten Hinweis auf Rahners ›Geist in Welt‹. Vgl.: Karl Rahner, Geist in Welt. Zur Metaphysik der endlichen Erkenntnis bei Thomas von Aquin, München: Kösel-Verlag ³1964 (Erstauflage: Innsbruck: Rauch 1939). Für gegenwärtiges Theologieverständnis ist es bemerkenswert, daß dieser heute doch selbstverständliche Satz ausdrücklich von Schillebeeckx auf Thomas' Sentenzenkommentar gegründet wird.

[34] In IV Sent d. 1, q. 1, a. 1, sol. 1.

[35] Vgl. auch: SH 126: »Nach dieser Einteilung, deren Fundament die Begnadigung ist, bedeutet Sakrament also dasjenige, was eine Beziehung zur *sanctificatio* aussagt, entweder als Ursache der Heiligung: das Erlösungsmysterium; oder als Ursache und gleichzeitig Zeichen der Heiligung: die christlichen Sakramente; oder auch als reines Zeichen der Heiligung: die jüdischen Sakramente«.

[36] Vgl.: SH 128 f. In dem Sentenzenkommentar (d. 1, q. 1, ad 1, sol. 1, ad 2) findet sich folgender Satz: »Sacramentum autem debet intelligi signum rei sacrae *ut est sacrans*. Et ideo non oportet quod omnes res sensibiles sint sacramenta«. Das ›ut est sacrans‹ kann sowohl ›signum‹ verdeutlichen als auch ›rei sacrae‹. Mit einem Hinweis auf die Summa Theol. III, q. 60, a. 2 entscheidet Schillebeeckx sich für die Möglichkeit: ›signum rei sacrae sacrantis‹. Hugo a S. Caro verstand das Sakrament als heiligendes Zeichen, das den Geist des Empfängers von sich aus (als Zeichen also) heiligt (Sacramentum est sacrae rei sacrum signum sacrans mentem). Schillebeeckx stützt sich in seinen frühscholastischen Ausführungen auf: D. v. d. Eynde, Les définitions des sacrements pendant la prémière periode de la théologie scolastique (1050–1240), Roma/Louvain 1950.

[37] Vgl.: SH 129 f.: »Der Unterschied zwischen *sacramentum* im Sinne der alttestamentlichen und der christlichen Sakramente ist kein Unterschied zwischen *genus* und *species* (. . .). Gerade weil die Grundbedeu-

tung von *sacramentum* die *sanctificatio activa* ist – ›quo aliquid sacratur‹
(. . .) –, die das Hauptanalogon darstellt (wodurch alles, was eine Beziehung zu diesem Hauptanalogon hat, *sacramentum* genannt werden
kann), wird dasjenige, was aktiv das Heil bewirkt, an erster Stelle und
ohne weiteres *sacramentum* genannt werden, und alles andere nur *secundum quid*, d. h. in Beziehung zu dieser Heilsursache (. . .). So findet
der Hl. Thomas eine Möglichkeit, um das ›esse causa‹ in die Definition
selbst aufzunehmen (. . .), allerdings mit dem Verständnis, daß es sich um
eine *diffinitio analoga, analogia attributionis,* nicht um eine *diffinitio
univoca* handelt«.
[38] SH 130.
[39] Vgl.: SH 134: »Obwohl in den Sentenzen die aktive Bedeutung von
sacramentum – quo aliquid sacratur – betont wird und sogar die Basis
für die Sakramentenlehre bildet, bemüht der Hl. Thomas sich in dem *ad
primum* seines ersten *Summa*-Artikels (STh, III, q. 60, a. 1, Anm. d.
Verf.) aufzuzeigen, daß die Heiligkeit als Hauptanalogon und Bezugs-
punkt der *analogia attributionis* nicht von sich aus gemeint ist als Heiligung ›per modum causae efficientis, sed magis per modum causae forma-
lis vel finalis‹ (III, q. 60, a. 1, ad 1). So verdient die *relatio causae* keinen
Vorzug vor der *relatio signi*«.
[40] SH 135.
[41] SH 138.
[42] Nach der Definitionsskala der Scholastik ist eine beschreibende Definition erst dann vollständig und ausreichend, wenn diese Definition aufgrund besonderer Merkmale des Gegenstandes mit dem zu definierenden
Gegenstand vertauschbar ist (definitio convertibilis). Die Beschreibung
der Sakramente mit Hilfe der signum-Kategorie ist – wie wir gesehen haben – eine definitio communis, die sowohl die christlichen als auch die
nicht-christlichen Sakramente umfaßt. Man kann nun den christlichen
von dem nicht-christlichen Bereich durch die Einführung einer Analogie
abheben. Diese Lösung befriedigt aber nicht ganz, da auf diese Weise die
nichtchristlichen Symbolhandlungen in einer einseitigen Abhängigkeit
von den christlichen Sakramenten interpretiert werden. Vgl. zu den verschiedenen Definitionen: J. de Vries, Definition, in LThK III, 190.
[43] SH 141 f.
[44] Indem die Sakramente nach der Thomasinterpretation Schillebeeckx'
äußere Zeichen der inneren Glaubens- und Heilswirklichkeit der Gemeinschaft darstellen, gründen sie in erster Instanz auf den Glauben
selbst. Bis zu dieser Stelle ist also durchaus eine Parallele mit den nicht-
christlichen Sakramenten zu ziehen, und es zeigt sich daneben auch noch
eine gewisse Übereinstimmung mit der evangelischen Sakramentenauffassung.
[45] Vgl.: STh III, q. 60, a. 3.
[46] SH 145.
[47] Vgl.: SH 151.
[48] In einem anderen Kontext stellt sich diese Frage als ›Mysteriengegenwart‹ etwa in der Sakramententheologie des Odo Casel oder Gottlieb
Söhngen.
[49] SH 163 f.
[50] SH 164.

[51] Vgl. auch noch SH 169f., wo Schillebeeckx diese Einsicht exemplifiziert an der verschiedenen Heilsbedeutung der jüdischen und christlichen Sakramente in der Auffassung von Thomas.

[52] In seinem Artikel ›Sacrament‹ in ThWo III, 4191 umschreibt Schillebeeckx das Verhältnis zwischen significatio und causalitas bei Thomas folgendermaßen: »Der menschliche Aspekt und der Mysterienaspekt können nicht ›per modum unius‹ in einer einzelnen *eindeutigen* Bestimmung zusammengebracht werden. Wenn wir doch jene zwei Momente der christlichen Sakramente gemeinsam aussagen wollen, dann haben wir keine *eigentliche* Definition, sondern eine ›definitio analoga‹.«

[53] SH 179f.

[54] Vgl. hierzu: H. Schillebeeckx, Sacrament, in: ThWo III, 4204. Dort findet sich auch der Hinweis auf den »Christus perennis« (Hebr. 13, 8).

[55] Das Trienter Konzil hat in seinem Dekret ›De iustificatione‹ und in den betreffenden Kanones keine bestimmte Sakramentenauffassung verbindlich gestellt, sondern seine Formulierungen sind so weiß gefaßt, daß sowohl Scotisten, Thomisten, die Anhänger einer moralischen Kausalität als auch die Theologen, die eine dispositive physische Kausalität vertraten, sich in diesen Formulieren vereinigen konnten. Zur Lehre des Trienter Konzils bei Schillebeeckx vgl.: SH 185–198. Wenn nun die kirchliche Lehre den Theologen Freiheit in der Frage nach dem Verhältnis von significatio und causalitas läßt, muß man nach Schillebeeckx die Interpretation wählen, die a) am besten den biblischen und patristischen Gegebenheiten gerecht wird; b) für das gegenwärtige Denken die meisten Perspektiven bietet und c) mit den liturgischen Gewohnheiten und Regeln am meisten übereinstimmt. Vgl. dazu: SH 232ff.

[56] Wie sich bei der patristischen Untersuchung gezeigt hat, ist die Forschungsmethode Schillebeeckx' nicht zutreffend. Die gleiche Kritik kann man auch wohl seiner exegetischen Methode machen. Dennoch muß man m. E. zugeben, daß diese Theorie auf eine authentische Einsicht Schillebeeckx' in der Sakramentenauffassung des Thomas beruht. Insofern ist sie also zumindest ein legitimer Ansatz. Die Konsolidierung dieser Theorie mit biblischen und patristischen Untersuchungen kann man – wenigstens in der SH – als nicht gelungen betrachten.

[57] Vgl. hierzu: SH 236. Wir werden in dieser Arbeit den Verlauf dieser historischen Fakten nur insofern berücksichtigen, als es für das Verständnis der Theologie Schillebeeckx' wichtig erscheint. Durch eine Auseinandersetzung mit den Einzelheiten dieser historischen Studie Schillebeeckx', die auch hauptsächlich auf Werke anderer Theologen aufbaut, würde unsere Arbeit in detaillierte Einzelanalysen auseinanderfallen, die eine Einsicht in Schillebeeckx' Denken nur erschwerten.

[58] Vgl. etwa: E. Gutwenger, Hylomorphismus II, in: LThK V, 557f. J. Finkenzeller, Sakrament III, in: LThK IX, 220–225. Johann Auer, Allgemeine Sakramentenlehre und das Mysterium der Eucharistie, Regensburg: Verlag Friedrich Pustet ²1974 (= Johann Auer/Joseph Ratzinger, Kleine Katholische Dogmatik VI), 47f. Michael Schmaus, Katholische Dogmatik, IV/1 (Die Lehre von den Sakramenten), München: Max Hueber Verlag 1964, 37–42. Michael Schmaus, Der Glaube der Kirche. Handbuch katholischer Dogmatik, II, München: Max Hueber Verlag 1970, 283f.

[59] Vgl. zur Taufe: SH 240–283. Für eine neuere Studie über die Bedeutung der Taufe in ihren Wesenszügen und in ihrem Verhältnis zur Zugehörigkeit zur Kirche vgl.: Joseph Ratzinger, Taufe, Glaube und Zugehörigkeit zur Kirche, in: IKaZ Communio 5 (1976) 218–234 (Dort auch neuere Literatur zur Geschichte der Taufliturgie).

[60] Vgl. zur Firmung: SH 284–306. Eine neuere Studie zur Geschichte der Firmung bietet: Jean Amougou-Atangana, Ein Sakrament des Geistempfangs? Zum Verhältnis von Taufe und Firmung, Freiburg/Basel/Wien: Herder 1974 (= Ökumenische Forschung III/1).

[61] Obwohl Tertullian und Hippolyth beide die Salbung kennen, stützen sie sich doch wohl auf verschiedene Traditionen. So: Virgil E. Fiala, Die Handauflegung als Zeichen der Geistmitteilung in den lateinischen Riten, in: Mélanges liturgiques offerts au R. P. Dom Bernard Botte O. S. B. de l' Abbaye du Mont César, Louvain: Abbaye du Mont César 1972, 121–138. Kritisch hinsichtlich einer Verbindung dieser Salbungen und Handauflegungen mit der Firmung äußert sich: J. Amougou-Atangana, Ein Sakrament des Geistempfangs? a.a.O. 147–151.

[62] Vgl.: SH 295 ff. In dem Artikel: H. Schillebeeckx, Vormsel, in: ThWo III, 4848 korrigiert Schillebeeckx die in der SH (296) gemachte Aussage, daß in der römischen Liturgie die Salbung von der Handauflegung verdrängt wurde. In diesem Artikel weist Schillebeeckx darauf hin, daß im Gelasianum und in der ältesten Ausgabe des Gregorianums (6. Jh.) noch immer die Salbung und Handauflegung nebeneinander bestehen. Vgl. weiter auch: Fiala, Die Handauflegung a.a.O. 128 f. Amougou-Atangana, Ein Sakrament des Geistempfangs? a.a.O. 208–215; bes. 214 ff.

[63] Es ist ein weitverbreiteter – und teilweise auf Schillebeeckx zurückgehender – Irrtum, daß die Handauflegung wieder von Benedikt XIV. eingeführt wurde. Wie J. Hermans in seiner Dissertation mit guten Argumenten aufzeigt, bestand der Ritus der Handauflegung schon vor Benedikt XIV. »Benedikt XIV. ist auf keinen Fall der Papst gewesen, der diesen Ritus in seiner Ausgabe des Pontifikale im Jahre 1752 eingeführt hat«. Vgl. zum Ganzen: J. Hermans, Benedictus XIV en de liturgie. Een bijdrage tot de liturgiegeschiedenis van de Moderne Tijd, Brugge/Boxtel: Emmaüs/KBS 1979, 237–241 (Zitat: 241).

[64] Vgl. zur Eucharistie: SH 307–354. Weiter auch: Balthasar Fischer, Eine ausdrückliche Geistepiklese im bisherigen Missale Romanum, in: Mélanges liturgiques Bernard Botte a.a.O. 139–149. An der Fragestellung Schillebeeckx' bemerkt man schon, daß diese historische Studie auch von den Interessen der Zeit (1952) getragen ist. In unserer Zeit, wo es neben dem römischen Kanon auch noch andere Eucharistische Hochgebete mit ausgeprägt(er)en Epiklesen gibt, würde man wohl eine andere Fragestellung wählen, die weniger von der Polarität »Einsetzungsbericht oder Epiklese« getragen wird. Grundsätzlich gilt für das Verhältnis Wandlung-Epiklese die fundamentale Einsicht, daß eine Betonung des pneumatologischen Charakters des Sakramentes keineswegs den Wirklichkeitsgehalt reduziert. Vgl. dazu: Wilhelm Breuning, Pneumatologie, in: Herbert Vorgrimler/Robert Vander Gucht (Hrsg), Bilanz der Theologie im 20. Jahrhundert. Perspektiven, Strömungen, Motive in der christlichen und nichtchristlichen Welt, III, Freiburg: Herder 1970, 120–126; hierzu bes. 124. Vgl. auch: John H. McKenna, Eucharist and the Holy

Spirit. The eucharistic epiclesis in xxth-century theology (1900–1966), Great Wakering: Mayhew-McCrimmon 1975 (= Alcuin Club collections 57).

⁶⁵ Man kann als gesichert annehmen, daß auch früher der römische Kanon keine Geistepiklese gekannt hat; Schillebeeckx hält in seiner SH diese Frage allerdings noch für offen. Vgl.: SH 324: »Ob es in der römischen Liturgie je eine Geistepiklese gegeben hat, ist sehr umstritten. (. . .) Es ist aber eine Tatsache, daß Papst Gelasius I. in einer *Epistula ad Elpidium* eine Anspielung auf eine Geistepiklese zu machen scheint«. Dagegen hält Jungmann diese Erwähnung in dem Gelasiusbrief für mehrdeutig. Vgl.: Josef Andreas Jungmann, Missarum Sollemnia. Eine genetische Erklärung der römischen Messe, II, Wien: Verlag Herder 1952, 242. Fischer betrachtet es gerade als Eigenart des römischen Canon Missae, daß er keine Geistepiklesen enthielt. Vgl.: Balthasar Fischer, Eine ausdrückliche Geistepiklese a.a.O. 139.

⁶⁶ In den östlichen Liturgien mit ihrer stärkeren Betonung der deprekativen Art der Wirksamkeit Gottes in den Sakramenten gibt es in der Kategorie der ost-syrischen Hochgebete die Anaphora der »Apostel« Mari und Addai, die sogar keinen Einsetzungsbericht kennen. Vgl. für den Text dieser Anaphora: A. Hänggi/I. Pahl, Prex Eucharistica. Textus e variis liturgiis antiquioribus selecti, Fribourg/Suisse 1968 (= Spicilegium Friburgense 12), 375–380. Vgl. weiter zu der Anaphora der »Apostel« Mari und Addai: O. Raquez, Oosterse Ritussen, in: L. Brinkhoff u. a. (Hrsg), Liturgisch Woordenboek, Roermond/Maaseik: J. J. Romen & Zonen 1968, 2019 (dort auch weitere Literatur). H. Manders, Sens et fonction du récit de l' Institution, in: Questions liturgiques 53 (1972) 203–217; bes. 208f.

⁶⁷ Vgl.: SH 332. Schillebeeckx will durch einen Rückgriff auf die kirchliche Lehre und durch eine Untersuchung der patristischen Eucharisti-Auffassung eine Möglichkeit suchen, um sowohl den Einsetzungsbericht als auch die Epiklese in das Sakramentenverständnis aufzunehmen.

⁶⁸ Vgl.: SH 333–335.

⁶⁹ SH 353f.

⁷⁰ Zum patristischen ›Binarium‹ vgl.: SH 355–364.

⁷¹ Vgl.: STh III, 1. 60, aa. 4–8. Schillebeeckx' Interpretation findet sich in: SH 374–383.

⁷² SH 381.

⁷³ Vgl. dazu auch art. 5 derselben quaestio, in dem Thomas die beiden Dimensionen des Sakramentes analysiert. In diesem Artikel werden die Sakramente – in Nachfolge der Patristik – dem göttlichen Heilshandeln zugeordnet. Somit ist Thomas jeder Physizismus in der Sakramentenlehre fremd.

⁷⁴ Schillebeeckx spricht bei einer Anwendung des physizistischen Hylemorphismus auf diese Sakramente von einer ›Analogie im Quadrat‹ (SH 386), da in einem ersten Durchgang die Analogie des Hylemophismus aufgestellt wird, die dann ›analog‹ auf alle Sakramente Anwendung finden soll.

⁷⁵ Vgl.: SH 387.

⁷⁶ Vgl.: SH 394–403. Diese anthropologisch-philosophische Betrach-

tung findet sich in modifizierter Form auch in Schillbeeckx Interpretation der eucharistischen Gegenwart. Vgl. dazu: Edward Schillebeeckx, Die eucharistische Gegenwart. Zur Diskussion über die Realpräsenz, Düsseldorf: Patmos ²1968 (= Theologische Perspektiven), 84–90.

[77] Diese phänomenologische Anthropologie ist bei Schillebeeckx nicht auf das ›bloß Wahrnehmbare‹ beschränkt. Vielmehr wird das materiell Wahrnehmbare von einem den Materiellen transzendierenden Geist geleitet. Diese Einstellung hebt also die menschliche Wahrnehmung von einer ›tierischen‹ Wahrnehmung ab, da jede menschliche Erkenntnis und Wahrnehmung a priori menschlich-personal, geistgeleitet, ist. Phänomenologie bedeutet somit bei Schillebeeckx etwas anderes als in der gängigen Sprache.

[78] SH 394. Dieser anthropologisch-phänomenologische Ansatzpunkt verrät eine starke Übereinstimmung mit der Anthropologie D. De Petters. Vgl. D. M. De Petter, Het persoon-zijn onder thomistisch-metaphysische belichting, in: Bijlage, Studia Catholica 1948, 43–64; besser zugängig ist dieser Artikel als: D. M. De Petter, Persoon en personalisering. Het persoon-zijn onder thomistisch-metafysische belichting, in: ders., Begrip en werkelijkheid. Aan de overzijde van het conceptualisme, Hiversum/Antwerpen: Paul Brand 1964, 186–216. Zu De Petters Anthropologie vgl. auch: D. Scheltens, De filosofie van P. D. M. De Petter, in: Tijdschrift voor Filosofie 33 (1971), 439–506; zur eigentlichen Anthropologie bes. 454–489.

[79] SH 395.

[80] SH 395f. Diese Konsequenz der Integration der allgemein menschlichen Aktivität in die Personebene der Anthropologie hat ebenfalls ihre Bedeutung für das menschliche, theologische Reden von Gott. Wenn nämlich alle menschliche Aktivität – auch die geistige – der Körperwelt verhaftet ist, dann sind auch alle Begriffe, einschließlich Glaubensbegriffe, der Körperwelt verbunden oder entnommen. Die Rede von Gott ist dann aber auch immer als analoges Sprechen zu betrachten, ein Sprechen in Metaphern, Gleichnissen und Symbolen, die aber aufgrund der Konstitution des menschlichen Geistes realen Wirklichkeitswert haben. Vgl. dazu auch: H. Schillebeeckx, Theologie, in: ThWo III, 4485–4542; oder deutsch: Edward Schillebeeckx, Was ist Theologie?, in: ders., Offenbarung und Theologie, Mainz: Matthias-Grünewald-Verlag 1965, 77–135; bes. 101–105. Edward Schillebeeckx, Das nicht-begriffliche Erkenntnismoment in unserer Gotterkenntnis nach Thomas von Aquin, in: ders., Offenbarung und Theologie a.a.O. 225–260; bes. 240–260.

[81] Vgl. näheres unter dem Kapitel über die Philosophie De Petters.

[82] SH 396.

[83] Es hat sich in den Ausführungen gezeigt, daß jedes materielle Ding Symbolträger sein kann. Die Symbolfähigkeit der Materie ist aber keine ausschöpfende Beschreibung der Welt und der Materie. Schillebeeckx weist auch ausdrücklich darauf hin, daß er nicht beabsichtigt, das Materielle auf eine Symbolwelt zu reduzieren, sondern er will hier nur einen bestimmten Aspekt der Materie und der Schöpfung beschreiben, nämlich die Symbolaktivität des Menschen und die Symbolfähigkeit des Materiellen. Vgl. dazu bes. SH 397.

Es scheint, daß die fundamentale Kritik einiger Theologen auf die anthropologische Sakramentenlehre Schillebeeckx' weniger auf seine tatsächliche Theologie zurückgeht, in der er nur einen ganz bestimmten anthropologischen Ausgangspunkt nimmt, als auf eine ungenügende Kenntnis der theologischen Methode Schillebeeckx' und ihre Verbindungen mit der Anthropologie De Petters. Vgl. etwa: Colman E. O' Neill, Die Sakramententheologie, in: Herbert Vorgrimler/Robert Vander Gucht, Bilanz der Theologie im 20. Jahrhundert a.a.O. III, 259; 261. Johann Auer, Allgemeine Sakramentenlehre und das Mysterium der Eucharistie a.a.O. 185. Schillebeeckx selbst gibt eine – wenn auch kleine – Skizze des Verhältnisses zwischen göttlicher und menschlicher Sinngebung. Menschliche Sinngebung kann man nicht ›ad infinitum‹ zurückverfolgen, denn der Mensch steht nicht zuerst als Sinngebender in der Welt, sondern er findet sich in der Welt vor. Sinngebung und Symbolschöpfung ist dann auch nicht rein willkürlich und ›einstellungs‹ bedingt: ein Ding kann als Symbol nicht alles bedeuten. Vielmehr knüpft jede Symbolschöpfung bei dem ursprünglich Gegebenen an. »Bei der Symbolaktivität wird es (. . .) irgend einen Grund für Verwandtschaft oder Gleichnis zwischen dem Bezeichneten und der bezeichnenden Materie geben, die in der Symboltat zu einem Zeichen umgestaltet wird« (SH 397). Materie in ihrer geschaffenen Gegebenheit ist grundsätzlich symbolfähig, aber nicht auf eine bestimmte Deutung absolut festgelegt. Sie ist begrenzt mehrdeutig. Nur die Idee oder die Intention des Symbolschöpfers kann in ihr Eindeutigkeit schaffen. Vgl. auch die Ausführungen zur Eucharistie unter dem Kapitel der Einzelsakramente.

[84] Vgl.: SH 398 f.

[85] Wie sich im Vorhergehenden gezeigt hat, bedarf der Mensch zur Kommunikation der Materie, die damit zum Symbolträger wird. Der Akt, in dem der Mensch seine Geistigkeit in Symbole auszudrücken bemüht ist, nennt Schillebeeckx (in Anschluß bei De Petter) treffend ›veruitwendiging‹ oder ›explicitering‹. Wenn wir in Zukunft von ›Explizitmachung‹ sprechen, deuten wir damit diesen menschlichen Wesenszug an.

[86] SH 401.

[87] Vgl.: SH 403. Durch diese Andeutung wird schon unmittelbar eine Verbindung zur Sakramentenauffassung des Thomas von Aquin gelegt. Auch er ließ der significatio ja Priorität vor der causalitas zukommen. Vgl. hierzu: SH 131–183.

[88] Wir werden diese Frage nach dem sozialen Bezug der menschlichen Person in unserer Untersuchung zum Personbegriff De Petters zu beantworten versuchen.

[89] SH 405.

[90] SH 406.

[91] Vgl.: SH 408–412. Schillebeeckx spricht bei den Worten im Sakrament nicht nur von einem psychologischen Vorzug gegenüber der Handlung, da das Wort die Handlung vor Mißdeutung schützt. Außerdem kennt er dem Glaubenswort einen theologischen Vorzug zu. In Anschluß an Augustinus und Thomas vertritt Schillebeeckx die Meinung, daß es im sakramentalen Wort eine Art Doppelsymbolik gibt, in der einerseits die Handlung von dem Wort erklärt wird und andererseits die natürliche Haltung durch das Glaubenswort auf die Ebene des Glaubens gebracht

wird. »Die Worte haben dann nicht nur die Bedeutung einer genaueren Bestimmung der schon ausgedrückten, übernatürlichen Symbolik, sondern sogar die Bedeutung einer genaueren Bestimmung einer natürlichen Symbolik durch eine übernatürliche; sie haben eine *erhöhende Funktion* im strengen Sinne, die das *dromenon* zur kirchlichen Symboltat *konstituiert*«. (SH 410).

[92] Vgl.: SH 407.

[93] SH 408.

[94] Vgl.: SH 421–423.

[95] SH 424.

[96] Schillebeeckx nennt als Vertreter dieser These: M. D. Chenu, A. Malvy und H. Dondaine. Vgl. dazu: SH 425.

[97] SH 425.

[98] Es geht hierbei um die Bedeutung der Form auf der Ebene der Exteriorität und der Interiorität.

[99] SH 429.

[100] Vgl. SH 429–441. Hier vergleicht Schillebeeckx die kirchlichen Bestimmungen zur Überreichung der priesterlichen Gefäße, die »porrectio instrumentorum« im »Decretum pro Armenis« (dem Schillebeeckx übrigens dogmatische Bedeutung zukommen läßt) des Florentinums mit den Änderungen in der Constitutio Apostolica »Sacramentum Ordinis« Pius' XII. Schillebeeckx schließt aus diesem Vergleich, daß das kirchliche Lehramt implizit auch einen Unterschied zwischen der ›substantia sacramenti‹ und dem ›konkret wechselnden Erfahrungsfeld der kirchlichen Symboltat‹ (SH 441) kennt.

[101] In Anschluß an diese Überlegungen zeigt Schillebeeckx noch einige theologisch-dogmatische Konsequenzen (SH 442–454), die aber mehr auf praktisch-kasuistischer Ebene liegen und die wir deshalb nur gerafft und thesenhaft nennen möchten:
– Die dogmatische Gültigkeit wird von der ›substantia sacramenti‹ bestimmt.
– Im Laufe der Geschichte hat eine ›Kernisolierung‹ im sakramentalen Geschehen auf die ›forma verborum‹ stattgefunden.
– Die Gültigkeit sakramentaler Formeln kann mit der Zeit wechseln, da auch der kirchliche Glaube eine Entwicklung zu einer volleren und reicheren Ausgestaltung kennt.
– Die Frage nach der Gültigkeit eines Sakramentes ist oft verfehlt; es geht in erster Instanz nicht um ein ›sacramentum validum‹, sondern um ein ›sacramentum verum‹: um die wahrhafte Explizitmachung der sakramentalen Glaubensintention.

[102] Die Intention des Spenders eines Sakramentes ist nach gängiger Auffassung ein wesentlicher Bestandteil des Sakramentes selbst. Nach Schillebeeckx ist sie der Interiorität des Sakramentes und so der Substanz zuzurechnen, da in der Intention des Spenders der Glaube der Gemeinschaft repräsentiert wird. Die Frage, wie die notwendige Intention des Spenders interpretiert werden muß, ist in der Theologie Anlaß zu schweren Auseinandersetzungen gewesen. Die Umschreibung der Intention des Spenders als ›facere quod facit Ecclesia‹ stellt eine Mindestforderung dar, die noch weiter entfaltet werden muß. Reicht es schon zur Vollständigkeit der Intention aus, wenn der Spender der kirchlichen Praxis folgt

(intentio externa), oder soll er sich die kirchliche Intention zu eigen machen (intentio interna)? In der nachtridentinischen Diskussion kreisen die Probleme eigentlich nur noch um die Personen des Catharinus und Farvacques. Die Positionen beider Theologen, die oft unmittelbar miteinander verbunden werden, möchte Schillebeeckx klar voneinander trennen. Die Verurteilung Farvacques' durch Alexander VIII. trifft dann auch keineswegs Catharinus. »Bei Farvacques geht es um ein *fiktives* Wollen des äußeren Ritus der Kirche; der Spender *will* jenen Ritus nicht vollziehen, sondern äußerlich gibt er den Anschein, es zu tun. So wird seiner Meinung nach der Sakramentenspender zu einem reinen Funktionär; es gibt keine äußere Handlung als *Beweis* eines inneren Willens, sondern ein inneres Nicht-Wollen und ein äußeres Vortäuschen. Catharinus fordert einen inneren Willen, um den äußeren Ritus *der Kirche* zu vollziehen und meint außerdem, daß dieser innere Wille mit einer inneren *ungläubigen* Verspottung des Ritus und *nur in dem Sinne* mit einem Nicht-Wollen des Sakramentes vereinbar ist« (SH 472). In Anschluß an Catharinus fordert auch Schillebeeckx eine innere Intention (die notfalls mit Spott oder Zweifel zusammengehen kann), die im äußeren Ritus explizit dargestellt wird und in ihm seine eigentliche Vollgestalt erlangt. Vgl. zur Intention: SH 457–479 (beim Spender); 481–484 (beim Empfänger). Vgl. weiter auch: H. Schillebeeckx, Het »opus operantis« in het sacramentalisme, in: Theologica 1, Gent 1953, 59–68.

[103] Das Wort ›Nervenknoten‹ fordert eine kurze Erklärung. Schillebeeckx selbst verwendet ›zenuwknoop‹, ein nicht-theologisches, sondern der Anatomie entnommenes Bild. Wie die Nervenzelle verschiedene Ganglienbahnen verbindet, so werden im Merkmal auch die einzelnen sakramentalen Momente in ihrer Einheit betrachtet. Wir verwenden die Übersetzung ›Nerven*knoten*‹ da in ihr die verbindende Funktion zum Ausdruck gebracht wird.

[104] SH 485. Vgl. zum Ganzen des ›charakter sacramentalis‹ auch: E. H. Schillebeeckx, Christus. Sakrament der Gottbegegnung, Mainz: Matthias-Grünewald-Verlag ²1965 (= Schillebeeckx, Christus), 157–178.

[105] Zur Bedeutung des Thomas für Schillebeeckx' Theologie vgl.: De toekomst van het christendom. Gesprek met Prof. Dr. Mag. Edward Schillebeeckx O. P., in: RO. Maandblad Reünisten Organisatie Societas Studiosorum Reformatorum, H. 4 (1974) 5–41. Aus diesem Artikel stammen auch die unterstehenden Zitate.

Den Einfluß des Denkens von Thomas auf die Theologie von Schillebeeckx kann man kaum überschätzen. Dabei geht es nicht um die doch oberflächliche »Verpflichtung«, als Dominikaner auch Thomist zu sein. Schillebeeckx hat sich auch persönlich eingehend mit Thomas beschäftigt. Sein Eintritt in den Dominikanerorden wurde stark von seiner Liebe für Thomas getragen: »dabei (bei der Berufung zum Dominikaner, Anm. des Verf.) haben übrigens Albertus Magnus und Thomas (. . .) meine Entscheidung mitbeeinflußt« (15). In der Pariser Studienzeit hat Schillebeeckx gelernt, Thomas historisch zu verstehen. »Namentlich père Chenu folgte derselben Richtung, die père Martin mich schon in Löwen gelehrt hatte: Thomas historisch studieren: ein Studium der karolingischen Theologie bis zum 13. Jh. einschließlich ist unerläßlich, um Thomas richtig zu verstehen« (21). Auch seine eigene Vorlesungszeit in Löwen fing er mit einer Vorlesung über Thomas an. »Im ersten Jahr fing ich mit einer historischen Analyse der Situation zur Zeit Thomas an: ich behandelte seine Traktate« (22). Gefragt nach der Bedeutung Thomas' für seine eigene, gegenwärtige Theologie sagt Schillebeeckx: »für jede Frage, über die ich mir auf theologischem Gebiet ein Urteil bilden muß, werde ich immer zuerst auf Thomas und seine Gedanken zurückgreifen. Gewiß, ich kenne sie oft auswendig, denn zwölf Jahre lang habe ich Thomas studiert. Aber immer werde ich auf ihn zurückgreifen, wenn es um die Taufe, Christologie oder Eucharistie und besonders um die Gotteslehre geht (29).«

[106] Schillebeeckx erwähnt, daß neben Thomas auch nach ihm sich Duns Scotus und Scheeben eingehend mit dem sakramentalen Merkmal beschäftigt haben. Vgl.: SH 498.

[107] STh III q. 63, a. 1 c.

[108] Den mit einem Merkmal Versehenen nennt Schillebeeckx normalerweise ›de gekarakteriseerde‹. Hugo Zulauf übersetzt diesen auch im Holländischen nicht gängigen Ausdruck mit ›der Gekennzeichnete‹ (Vgl. etwa: Schillebeeckx, Christus a.a.O. 160). Da es im Zusammenhang mit dem Merkmal eigentlich ›der Bemerkmalte‹ heißen müßte, liegt eher die Übersetzung ›der Charakterisierte‹ auf der Hand, da über diesen Begriff eine Verwandtschaft mit dem ›charakter indelebilis‹ klarer zum Ausdruck kommt.

[109] Vgl.: SH 507f.

[110] SH 508.

[111] SH 510.

[112] H. Schillebeeckx, Merkteken, in: ThWo II, 3235.

[113] SH 515. Es geht bei dieser Einsicht um eine oft zurückkehrende Aussage von Schillebeeckx. Vgl. etwa noch: H. Schillebeeckx, De broederlijke liefde als heilswerkelijkheid, in: Tijdschrift voor geestelijk leven (= TGL) 8 (1952) 600–619; Zitat 601: »Übrigens ›Gott wohltun‹ kann nie bedeuten, daß wir Gott durch unsere Gottesliebe bereichern oder beglücken. Wenn Gott sein Geschöpf um etwas bittet, tut er das nie für sich. Er bittet nur um die Antwort auf seine Güte, eine Reaktion, die sich auf die Geschöpfe richtet«. Später findet sich diese Aussage auch noch mal klar in einer der ›amerikanischen Vorträge‹ (zu Detroit nach: Richard Auwerda, Dossier Schillebeeckx. Theoloog in de kerk der conflicten, Bilthoven: H. Nelissen 1969, 59), der veröffentlicht wurde als: Edward Schillebeeckx, Weltlicher Kult und kirchliche Liturgie, in: ders. Gott. Die Zukunft des Menschen, Mainz: Matthias-Grünewald-Verlag ²1970, 80–99.

[114] Vgl. dazu: SH 515–519. Schillebeeckx betrachtet das Kreuzesopfer Christi in seiner Heilswirkung und Heilswirksamkeit. Beide sind für Schillebeeckx primär in der hypostatischen Union begründet, obwohl erst die vom Vater tatsächlich angenommene Selbstgabe Christi die Möglichkeitsbedingung für eine sinnvolle Selbstgabe des Menschen im Kult ist. Vgl. dazu die Aussage (SH 518): »In der heutigen Lebensordnung kann Gotteskult nur einen Sinn haben, wenn er in Anschluß an und durch die Verbindung mit dem Opfer Christi als höchste Realisierung des religiösen Kultes stattfindet«. Dieser Gedanke wird in der Christologie Schillebeeckx' noch weiter entfaltet werden.

[115] SH 521.

[116] Schillebeeckx arbeitet diese Zweipoligkeit des sakramentalen Merkmals stärker in der systematischen Sakramentenlehre heraus, wo sie dann auch zum Ausgangspunkt für die Besinnung über das Merkmal wird. In der SH ist diese Zweipoligkeit nur ein Anhang. Zur stärkeren Hervorhebung vgl.: Schillebeeckx, Christus a.a.O. 156. Ein anderer Anhang bildet die Erörterung der Frage, ob das Merkmal *nur* kultische Bedeutung hat oder ob es auch der charakterisierten Person eine besondere nicht-kultische Sendung verleiht, die nicht ausschließlich im Dienste des Kultes steht, sondern breiter verstanden werden muß. Dann umfaßt diese Befugnis und Sendung auch einen Dienst am Apostolat der Kirche. Schillebeeckx entscheidet sich für die letztere Antwort. Vgl.: SH 524–527. Diese Frage nach dem Umfang und nach der Bedeutung des Merkmals könnte man auch zum Ausgangspunkt einer Interpretation des Merkmals machen, bei der man dann – wie Ruffini wohl zurecht bemerkt – davon ausgehen kann, daß der Apostolat keine von der Sakramentalität der Kirche getrennte Dimension ist. Wenn man davon ausgeht, daß auch das Merkmal im Wesen eine sakramentale Kategorie ist, bleibt man gegen eine Juridifizierung oder Mystifizierung geschützt und kann man leichter eine Verbindung zwischen dem christlichen Merkmal und der jüdischen Beschneidung legen, wie sie – nach Daniélou – für die Kirchenväter maßgebend war. Vgl.: Eliseo Ruffini, Der Charakter als konkrete Sichtbarkeit des Sakramentes in Beziehung zur Kirche, in: Concilium (D) 4 (1968) 52. Jean Daniélou, Bible et Liturgie, Paris: Éditions du Cerf 1951 (= Lex orandi 11).

[117] Erstmals wird diese Frage von Schillebeeckx in der SH abgehandelt. Es ist dann auch bemerkenswert, daß die Reihenfolge dieser Abhandlung zuerst ist: Priestertum–Taufe–Firmung (SH 528–555); später ändert sich die Reihenfolge in: Taufe–Firmung–Priesteramt. Vgl.: H. Schillebeeckx, Sacrament, in: ThWo III, 4225f. Schillebeeckx, Christus a.a.O. 162–176.

[118] Vgl.: STh III, q. 63, a. 2.

[119] Vgl.: In IV Sent d. 24, q. 1, sol. 2, ad 3; In IV Sent d. 4, q. 1, a. 4, sol. 3. Allerdings wird dieses Problem der Befugnis und Sendung zum aktiven Dienst in der Kirche in historischer Hinsicht von Schillebeeckx nicht befriedigend gelöst. Er beschränkt sich bei seiner thomasischen Fundierung auf den Hinweis, daß Thomas selbst hier auch nicht eindeutig ist. In der anschließenden, systematisch-theologischen Ausführung wird der anscheinende Vorzug Thomas' für eine ›potestas passiva‹ – aber doch hinreichend dahingehend interpretiert, daß der Charakterisierte als menschliche Person in der kirchlichen Symbolaktivität eine durchaus aktive Rolle haben muß.

[120] SH 538.

[121] Inwiefern die ›Liturgische Bewegung‹ die ›participatio activa‹ bei Schillebeeckx mitbeeinflußt hat, wird aus seinen Ausführungen nicht klar. Die ›Liturgische Bewegung‹ mit ihrem Eintreten für eine aktive Teilnahme der Gläubigen im liturgischen Handeln der Kirche dürfte aber am Anfang der fünfziger Jahre schon in theologischen Kreisen so stark zu Allgemeingut geworden sein, daß eine solche Beeinflussung auf der Hand liegt. Außerdem referiert Schillebeeckx einige bedeutende Vertre-

ter der ›Liturgischen Bewegung‹, ohne sie eingehend zu diskutieren. Vgl.: SH 540 (Anm. 205).

[122] Vgl.: SH 532 f.; 541.

[123] SH 542.

[124] Aus der allgemeinen Aussage, daß alle sakramentalen Merkmale eine ›potestas activa‹ darstellen, darf man nicht ohne weiteres ableiten, daß das Amtspriestertum nach Schillebeeckx nur graduell vom allgemeinen Priestertum der Getauften verschieden wäre. Für eine solche Schlußfolgerung ist die Aussagen der ›potestas activa‹ zu schmal und Schillebeeckx selbst macht auch keine Andeutung in diese Richtung. Vielmehr heißt es in SH 543 f.: »Priester und Empfänger erfüllen hierbei (in der Sakramentenordnung, Anm. d. Verf.) aber nicht dieselbe Rolle. Wir können deshalb aufgrund der von Thomas noch nicht völlig ausgearbeiteten Tatsachen und in ihrer Weiterführung behaupten, daß ein bestimmtes Sakrament seine Gültigkeit und Heilswirksamkeit dem priesterlichen Merkmal als *formales Element* und dem Taufmerkmal als *materiales Element* entnimmt. (. . .) Der Unterschied liegt in der Art der beiden Merkmale: das priesterliche Merkmal ist ›ad alios‹, das Taufmerkmal aber nicht; das Taufmerkmal ist vielmehr ein Kultvermögen des Christen und für ihn selbst und nur auf diese Weise gleichzeitig zum Nutzen der ganzen Kirchengemeinschaft«.

[125] Vgl.: SH 536–544. Schillebeeckx, Sakrament a.a.O. 4225. Schillebeeckx, Christus a.a.O. 164–173.

[126] Vgl.: SH 544–552. Schillebeeckx, Sacrament a.a.O. 4225. Schillebeeckx Christus a.a.O. 163–173. Das Verhältnis zwischen dem Tauf- und Firmmerkmal sieht Schillebeeckx in Analogie zum Verhältnis zwischen dem irdischen Sohn Gottes und dem verherrlichten, in-Kraft-gesetzten Sohn Gottes.

[127] Vgl.: SH 528–536 (mit einem Exkurs über das ›Merkmal‹ der ›ordines minores‹ und Bischofskonsekration). Schillebeeckx, Sakrament a.a.O. 4225 f. Schillebeeckx, Christus a.a.O. 173–176. In seinem Christusbuch setzt Schillebeeckx die liturgische, verkündigende und leitende Gewalt des Priesteramtes in Zusammenhang mit dem Merkmal des priesterlichen Amtes. Trotzdem bildet aber auch hier die Grundaussage: der Priester ist aufgrund des Merkmals der sakramentale ›alter Christus‹ (vgl. Schillebeeckx Christus a.a.O. 176).

[128] SH 552 f.

[129] Man kann sagen, daß für Schillebeeckx die Kirche in erster Instanz eine Kultgemeinschaft ist. Diese Auffassung beruht bei Schillebeeckx einerseits auf der thomasischen Definition des Merkmals als ›deputatio ad cultum‹ andererseits auf der theologischen Rückführung der Kirche auf Christus. Christus als Messias und Erlöser ist derjenige, der in seiner irdischen Existenz eine Mittlerstellung zwischen Gott und den Menschen einnimmt. Er vollzieht in seinem sakramentalen Menschsein kultische Heiligung und heiligenden Kult (vgl.: Schillebeeckx, Christus a.a.O. 26 ff.). Als sakramentale Weiterführung der irdischen Menschheit des jetzt verherrlichten Kyrios kann die Kirche dann auch nur eine heiligende Kultgemeinschaft sein. Wie sich noch in der Darstellung der Einzelsakramente bei Schillebeeckx zeigen wird (vgl. bes. die Firmung) ist für ihn die Kirche aber nicht nur Kultgemeinschaft, sondern sie hat durchaus

eine breitere Basis und Funktion, die sich deutlich in der eigenständigen Aufgabe des christlichen Laien in der Welt zeigen. Vgl. zur kultischen Bedeutung der Kirche und zu ihrer Apostolizität bes. Schillebeeckx' Auseinandersetzung mit J. Beyer in: H. Schillebeeckx, Priesterschap en episcopaat. Beschouwingen bij een recent boek, in: TGL 11 (1955) 357–367; bes. 361. H. Schillebeeckx, Priesterschap, in: ThWo III, 3987 f.

[130] In einer solchen Interpretation scheint die sakramentale Stellung des Merkmals doch etwas überspannt; man könnte mit einer solchen Interpretation in unendliche Diskussionen geraten, ob denn das Merkmal als Wesenseigenschaft (ontologisch) einen Anspruch auf die doch freie, göttliche Gnade darstellt. Man kann sich fragen, ob durch die Aufnahme der Ontologie in die sakramentale Befugnis und Sendung nicht eine sakramentalitätsfremde Kategorie in die Theologie eingeführt wird. Vgl. zur Sakramentalität und Sichtbarkeit des Merkmals: Eliseo Ruffini, Der Charakter als konkrete Sichtbarkeit des Sakramentes in Beziehung zur Kirche a.a.O. 50 f.

[131] Dieser erste Teil umfaßt: SH 21–555.

[132] Der zweite Teil umfaßt: SH 559–663.

[133] Schillebeeckx macht einen Unterschied zwischen dem würdigen Empfang eines Sakramentes und dem des Begnadigungsaktes (vgl. SH 656). Während für den würdigen Empfang eines Sakramentes ein ›inchoativer Liebesakt‹ neben Glauben und Hoffnung (Furcht) von dem Tridentinum (vgl. DS 1528 f.) gefordert wird, bedarf es für eine Begnadigung einer ›praeparatio perfecta et proxima‹ (contritio). In seiner Auffassung schließt Schillebeeckx sich also eher an eine thomasische Auffassung als an die tridentinische an, die er als Minimalforderung für den würdigen Empfang betrachtet.

[134] SH 567.

[135] Zu den schon erwähnten Begriffen der ›attritio‹ und ›contritio‹ müssen noch einige Erklärungen gegeben werden, da diese Bedeutung dieser Begriffe bei Schillebeeckx näher differenziert wird. Während die gängige Interpretation der ›attritio‹ und ›contritio‹ sich auf den psychologischen Unterschied im Motiv der Reue richtet (entweder aus Furcht oder aus Liebe), weist Schillebeeckx darauf hin, daß die ursprünglich scholastische Bedeutung sich von der psychologischen Bedeutung unterscheidet: in der scholastischen Terminologie deutet die ›attritio‹ die ›praeparatio imperfecta et remota‹ an; ›contritio‹ die schon als Wirkung der Gnade erfolgte ›praeparatio perfecta et proxima‹. Während also die ›attritio‹ nicht unter dem direkten Einfluß der Begnadigung steht, enthält die ›contritio‹ schon eine von Gott geschenkte Aufnahme in die göttliche Liebe. Vgl. dazu: SH 572–575 (contritio und attritio bei der allgemeinen Begnadigung). SH 579–585 (contritio und attritio in der sakramentalen Begnadigung). Weiter auch: Henricus Schillebeeckx, De akte van volmaakte in: TGL I/1 (1945) 309–318. Gegen die Auffassung von Schillebeeckx, nach der die attritio im Sinne einer ›praeparatio imperfecta et remota‹ außerhalb des Wesens der göttlichen Begnadigung stehe (vgl. SH 574), wendet sich O. H. Pesch, der Thomas im Sinne eines größeren Gnadenprimates interpretiert. Pesch erklärt, daß Schillebeeckx sich hier zu unrecht auf Thomas' Auffassung berufe. Vgl.: Otto Hermann Pesch, Theologie der Rechtfertigung bei Martin Luther und Thomas von Aquin.

Versuch eines systematisch-theologischen Dialogs, Mainz: Matthias-Grünewald-Verlag 1967 (= Walberberger Studien der Albertus-Magnus-Akademie 4), 659–669; bes. 667 f. Auch Schillebeeckx selbst wendet sich in jüngerer Zeit einer stärkeren Betonung des Gnadenprimates zu. Vgl. E. Schillebeeckx, Das tridentinische Rechtfertigungsdekret in neuer Sicht, in: Concilium (D) 1 (1965) 452–454.

[136] SH 569.

[137] SH 569 f.

[138] SH 572.

[139] Vgl.: SH 576: »Die Gnadenempfänglichkeit ist also mit der religiösen Intensität des menschlichen, persönlichen Einsatzes in Glaube, Hoffnung und reuender Liebe zu identifizieren, die auf der Ebene der menschlich-bewußten Aktivität den Grad der Begnadigung proportional andeuten«.

[140] Vgl.: SH 579. Auch: H. Schillebeeckx, Het »opus operantis in het sacramentalisme, in: Theologica, Gent 1953, 64.

[141] SH 589.

[142] SH 590.

[143] H. Schillebeeckx, Het »opus operantis« in het sacramentalisme a.a.O. 64 f. Vgl. ähnlich auch: SH 594 f.

[144] Am klarsten findet man diesen Vorwurf formuliert in: Schillebeeckx, Het »opus operantis« in het sacramentalisme, a.a.O. 65: »Man hat bei der Bestimmung der sakramentalen Begnadigung zu viel die Kindertaufe als Norm angewendet. Dort findet man nicht im geringsten einen religiösen Einsatz des Subjektes; man schreibt dies dann an dem Dispensationscharakter und der Gratuität der sakramentalen Begnadigung zu, während es nur auf das Konto der Abwesenheit eines persönlich bewußten Lebens des Kindes geht«. Zur Kindertaufe als Ausgangspunkt für die Bestimmung des sakramentalen Einsatzes des Subjektes vgl. auch: SH 606–614.

[145] Vgl.: SH 591: »Der sogenannte evangelische Aspekt der Sakramente als Besiegelung und Beruhigung ist ein authentisches, ursprünglich-katholisches Erbe und wurde von den Protestanten nur aus dem Ganzen des katholischen Sakramentalismus gehoben. Die ›certa fiducia salutis‹, die die Sakramente uns verleihen, ist eine Aussage, die wir nicht aus Luther oder Melanchton, sondern aus Thomas zitieren«.

[146] Schillebeeckx setzt sich in der SH noch ausführlich mit möglichen Gegenargumenten auseinander, von denen der ›praktische‹ Einwand am schwerwiegendsten scheint. Wenn man nach der Auffassung Schillebeeckx' den Einsatz und das persönliche Engagement in den Sakramenten nicht als eigentliches ›opus operantis‹, sondern als Wirkungen des Sakramentes selbst im Empfänger sehen muß, dann steht man vor dem praktischen Problem, daß viele Christen kaum eine Intensivierung oder Vertiefung ihres religiösen Einsatzes (von ›attritio‹ zu ›contritio‹) im Sakrament bemerken oder erfahren. Schillebeeckx tritt dieser Schwierigkeit entgegen, indem er – ausgehend von der Wirkung der Sakramente ›humano modo‹ – unterscheidet zwischen einer ontologischen und psychologischen Ebene. Der ontologische Übergang von ›attritio‹ zu ›contritio‹ ist nun nicht empirisch-psychologisch feststellbar, da das Motiv der Reue gleichbleiben kann (diese Art Reue heißt dann »timor paenae, sed secundarius peccati« oder »timor simpliciter servilis«). Durch diese Zwi-

schenstufe der Reue zwischen attritio und contritio kann Schillebeeckx erklären, daß aus einer ontologischen Gnadeneinwirkung nicht immer auch eine Motivationsänderung folgen muß: Gnadenwirkung braucht nicht empirisch feststellbar zu sein. M. E. wird dieser praktische Einwand nur schwach entkräftet. Die Berufung auf die thomasische Zwischenform der Reue vermag es kaum, die empirische Ebene zu erfassen. Allerdings braucht Schillebeeckx m. E. in seiner Auffassung des ›opus operantis‹ als sakramentale Wirkung des ›opus operatum‹ nicht einen Vorwurf der praktischen Reue-Erfahrung zu entkräften (wie er es in der SH tut), sondern nur ein Erklärungsmodell für dieses Phänomen zu geben. In dem Kontext der gesamten ›opus operantis‹-Interpretation kann eine Thomasreferenz zwar eine sinnvolle Erklärung geben, aber als alleinige Basis gegen einen praktischen Vorwurf scheint sie zu schwach. Das Problem der psychischen Unwirksamkeit der contritio wird von Schillebeeckx schon angerührt in: H. Schillebeeckx, De H. Kommunie als menschelijk-godsdienstige daad, in: Ons Geloof 28 (1946) 283–288. Andere Schwierigkeiten, die sich in der Konzeption von Schillebeeckx zeigen könnten, wie die Kindertaufe, das an Bewußtlose gespendete Sakrament oder auch der Sakramentenempfang durch zerstreute Gläubige, löst Schillebeeckx mit der ›fictio‹. Es darf beim Sakramentenempfang keine Täuschung vorliegen, die einen inchoativen religiösen Einsatz verhindert. In all diesen Fällen möchte Schillebeeckx von einem Sakrament ›suo modo‹ sprechen, wenn eine Täuschung ausgeschlossen werden kann.

[147] Schillebeeckx' Kritik an einer solchen Prozedur findet sich in: H. Schillebeeckx, Het »opus operantis« in het sacramentalisme a.a.O. 65: »Daß nur der Gnadenstand ausreiche, um würdig ein Sakrament der Lebenden zu empfangen, ist mit der ganzen Patristik und Hochscholastik und vor allem mit der Grundeinsicht der Begnadigung einer Person als Person strittig. Auch hier nahm man die Fälle einer Begnadigung der Kinder oder Bewußtlosen zur Norm, während es in jenen Fällen keinen Unterschied in der sakramentalen Begnadigungsweise, sondern nur in dem Bewußtseinsgrad des Subjektes gibt; m.a.W. nur in der Tatsache, daß die Gnade ›ad modum pueri‹ empfangen wird, liegt der Unterschied«.

[148] Vgl. dazu: SH 621–623.

[149] Schillebeeckx beruft sich für die allgemeine Lehre der Gnadenvermehrung vor allem auf: STh I–II, q. 114, a. 8, STh II–II, q. 24, aa. 4–7.

[150] Vgl.: SH 624: »die entfernte Vorbereitung auf die Sakramentengnade und somit das Sich-würdig-der-Kirche-Anbieten (um von ihr ein Sakrament der Lebenden zu empfangen) ist nicht nur der Gnadenstand, sondern eine positive Tat der Liebe (. . .). Im realen Empfang des Sakramentes und durch ihn ermöglicht Gott es, daß der Mensch zu einer intensiveren Liebestat fähig ist, bei der dann die heiligmachende Gnade vermehrt wird«.

[151] Schillebeeckx setzt sich noch eingehend mit dem Dekret Pius' X. über den Kommunionempfang auseinander (vgl.: Decretum »De dispositionibus requisitis ad frequentem et quotidianam Communionem eucharisticam sumendam«, in: ASS 38 (1905/6) 400–406; auch: DS 3375–3383). Schillebeeckx stellt fest, daß seine Theorie vollkommen mit diesem Dekret übereinstimmt. »Wenn wir dieses Dekret ohne Vorurteil

lesen, können wir unsere Theorie vollkommen mit ihm in Übereinstimmung nennen« (SH 626). Was Schillebeeckx zusätzlich für den würdigen Empfang der Sakramentengnade fordert, ist der »actus ferventior caritatis«. Aber auch diese zusätzliche Forderung scheint ihm aus dem allgemeinen Satz der *persönlichen* Gnadenvermehrung verantwortbar, die immanent in der Person wirkt, wenn wenigstens keine besondere Umstände (Bewußtlosigkeit, Kinder, Zerstreuung) dies verhindern.

[152] Vgl. dazu besonders: E. Schillebeeckx, De sacramenten, in: Ons Ziekenhuis 29 (1967) 294–298; deutsch: Schillebeeckx, Die Sakramente im Plan Gottes, in: Krankendienst 40 (1967) 278–281. Weiter auch: Edward Schillebeeckx, Weltlicher Kult und kirchliche Liturgie, in: ders., Gott. Die Zukunft des Menschen a.a.O. 80–99.

[153] John A. T. Robinson, Honest to God, London: SCM Press 1963; deutsch: John A. T. Robinson, Gott ist anders. Honest to God, München: Chr. Kaiser-Verlag 1964.

[154] E. Schillebeeckx, Evangelische zuiverheid en menselijke waarachtigheid, in: TTh 3 (1963) 283–326; deutsch: E. Schillebeeckx, Personale Begegnung mit Gott. Eine Antwort an John A. T. Robinson, Mainz: Matthias-Grünewald-Verlag 1964. E. Schillebeeckx, Herinterpretatie van het geloof in het licht van de seculariteit. Honest to Robinson, in: TTh 4 (1964) 109–150; deutsch: E. Schillebeeckx, Neues Glaubensverständnis. Honest to Robinson, Mainz: Matthias-Grünewald-Verlag 1964.

[155] Vgl.: E. Schillebeeckx, Glaubensverständnis a.a.O. 7 (Anm. 1).

[156] Schillebeeckx erklärt dies in der Robinson-Rezension anhand des traditionellen Unterschiedes zwischen der heiligmachenden und geschaffenen Gnade. Vgl.: Schillebeeckx, Personale Begegnung a.a.O. 59 ff. Früher schon – und interpretierbar als Verbindungsglied – findet sich eine Erörterung der heiligmachenden und geschaffenen Gnade im Rahmen der Begegnung in: E. Schillebeeckx, Godsdienst en sacrament, in: Studia Catholica 34 (1959) 267–283; bes. 268–271. Hier legt Schillebeeckx die absolute Priorität bei der heiligmachenden Gabe, während die geschaffene Gnade nur eine Implikation der ersten ist. Sie deutet auf die ontologische Dimension der Gottbegegnung.

[157] Vgl.: H. Schillebeeckx, De broederlijke liefde als heilswerkelijkheid, in: TGL 8 (1952) 600–619.

Anmerkungen zum Exkurs (De Petter):

[158] Vgl.: SH 394 ff. Schillebeeckx, Christus a.a.O. 75.

[159] Gerade diesen christologischen Bezug der kirchlichen Sakramente bei Schillebeeckx übersehen zu haben, ist der Nachteil der Schillebeeckx-Interpretation G. Colombos. Gewiß hat Colombo recht, wenn er betont, daß Schillebeeckx' Sakramentenauffassung anthropologisch ausgerichtet ist. Wenn man die anthropologische Dimension aber als einziges Merkmal der Sakramentenauffassung Schillebeeckx' nennt, macht man sich einer einseitigen Interpretation schuldig. Vgl.: G. Colombo, De christologische dimensie van de Eucharistie, in: Communio (NL) 2 (1977) 341–356.

¹⁶⁰ Für die biographische Daten stütze ich mich auf: D. M. De Petter, Begrip en werkelijkheid. Aan de overzijde van het conceptualisme, Hilversum/Antwerpen: Paul Brand 1964. D. M. De Petter, Naar het metafysische, Antwerpen/Utrecht: Uitgeverij De Nederlandsche Boekhandel 1972 (= Filosofie en Kultuur 16). Eine kurze biographische Notiz zu De Petter findet sich auch bei: J. van Zonneveld, Theologie in de branding a.a.O. 19.

¹⁶¹ Eine fast vollständige Bibliografie der Veröffentlichungen De Petters findet sich bei: G. A. de Brie, Bibliografie van Prof. Dr. D. M. De Petter, in: Tijdschrift voor Filosofie 33 (1971) 415–417.

¹⁶² So etwa: D. Scheltens, De filosofie van P. D. M. De Petter, in: Tijdschrift voor Filosofie 33 (1971) 440 ff.

¹⁶³ Scheltens, De filosofie a.a.O. 440.

¹⁶⁴ Vgl. zum Ganzen: De Petter, Naar het metafysische a.a.O. 65–70; 125–134.

¹⁶⁵ Scheltens, De filosofie a.a.O. 443.

¹⁶⁶ Vgl.: D. M. De Petter, Een geamendeerde phenomenologie, in: Tijdschrift voor Philosophie 22 (1960) 286–306.

¹⁶⁷ Vgl.: W. Luijpen, Existentiële fenomenologie, Utrecht/Antwerpen: Het Spectrum 1959 (= Aula-Boeken 68).

¹⁶⁸ De Petter, Een geamendeerde phenomenologie a.a.O. 290.

¹⁶⁹ De Petter, Een geamendeerde phenomenologie a.a.O. 290 f.

¹⁷⁰ Luijpen, Existentiële fenomenologie a.a.O. 41 (zitiert nach De Petter, Een geamendeerde phenomenologie a.a.O. 295). In etwa findet sich dieser Text auch in: W. Luijpen, Nieuwe inleiding tot de existentiële fenomenologie, Utrecht/Antwerpen: Uitgeverij Het Spectrum 1971 (= Aula-Boeken 415), 89.

¹⁷¹ Vgl.: De Petter, Een geamendeerde phenomenologie a.a.O. 295 f.

¹⁷² De Petter, Een geamendeerde phenomenologie a.a.O. 296. De Petter verwendet das Beispiel des Wassers in Analogie zu einer von Luijpen (a.a.O. 40) gebrachten Ausführung zu den verschiedenen Bedeutungen, die Wasser für den Menschen haben kann.

¹⁷³ De Petter, Een geamendeerde phenomenologie a.a.O. 296.

¹⁷⁴ De Petter, Een geamendeerde phenomenologie a.a.O. 297.

¹⁷⁵ Es scheint, daß Pieter van Rossum in seiner übrigens scharfsinnigen Analyse der Erkenntnistheorie Schillebeeckx' diese primäre Dimension der Erkenntnis absoluter Wahrheiten bei De Petter unterschätzt. Er vertritt die Meinung, daß De Petter eine rein subjektbedingte Intentionalität kennt, für die De Petter sich zu Unrecht auf Thomas berufe. Thomas kenne auf der Ebene der Erkenntnis nur eine Intentionalität, die von dem Erkenntnisobjekt ausgeht. Vgl.: Pieter van Rossum, L' epistemologia di Schillebeeckx e la dottrina della fede, in: La Rivista del Clero Italiano 57 (1976) 988–999 (hier: 994). Eindeutig dagegen spricht: D. M. De Petter, Intentionaliteit en identiteit, in: Tijdschrift voor Philosophie 2 (1940) 515–550; auch in: ders., Begrip en werkelijkheid a.a.O. 44–73; bes. 54; 67 f.; 72.

¹⁷⁶ Vgl.: Het waarheidsbegrip en aanverwante problemen, in: Katholiek Archief 17 (1962) 1169–1180 (Dieser Beitrag ohne Autorenandeutung stammt von Schillebeeckx); auch in: E. Schillebeeckx, Het begrip »waarheid«, in: ders., Openbaring en theologie, Bilthoven: H. Nelissen 1964,

185–200; deutsch: Edward Schillebeeckx, Der Begriff »Wahrheit«, in: ders., Offenbarung und Theologie, Mainz: Matthias-Grünewald-Verlag 1965, 207–224 (hierzu: 215). In seinem Jesus-Buch distanziert Schillebeeckx sich wieder von der ›impliziten Intuition‹ De Petters, in der die Partizipation an dem Gesamtsinn der Wirklichkeit ausgedrückt wird. Schillebeeckx zieht der Partizipation dort den Gedanken einer Antizipation des Gesamtsinnes vor. Vgl.: Edward Schillebeeckx, Jesus. Die Geschichte von einem Lebenden, Freiburg/Basel/Wien: Herder 1975, 548. Auf die Sakramente angewandt führt dies zu einer Betonung der eschatologischen Dimension des sakramentalen Handelns der Kirche. In der Linie des »signum prognosticum« hat Thomas das Sakrament schon »ultimus finis nostrae santificationis, qui est vita aeterna« nennen können (STh III, 60, 3). Auch die östliche Theologie hat immer stärker den eschatologischen Aspekt betont (vgl. SH 151). Indem Schillebeeckx sich von der Partizipation zur Antizipation wendet, bekommen auch die Sakramente eine stärker eschatologische Prägung: wie Mystik und Gebet, Leiden und Politik stehen auch die Sakramente unter einer »orthopraktischen Antizipation«. Vgl. Schillebeeckx, Die Auferstehung Jesu als Grund der Erlösung, Freiburg: Herder 1979 (= QD 87) 121 f. Schillebeeckx, Christus und die Christen, Freiburg: Herder 1977, 787–822.

[177] Zu Schillebeeckx' Begriff der Dogmenentwicklung vgl.: Edward Schillebeeckx, Exegese, Dogmatik und Dogmenentwicklung, in: Herbert Vorgrimler (Hrsg), Exegese und Dogmatik, Mainz: Matthias-Grünewald-Verlag 1962, 91–114; auch als: Edward Schillebeeckx, Bibel und Theologie, in: ders, Offenbarung und Theologie a.a.O. 136–156.

[178] Schillebeeckx, Der Begriff »Wahrheit« a.a.O. 217.

[179] Scheltens, De filosofie a.a.O. 439.

[180] D. M. De Petter, Impliciete intuïtie, in: Tijdschrift voor Philosophie 1 (1939) 84–105; auch als: D. M. De Petter, Impliciete intuïtie, in: ders., Begrip en werkelijkheid a.a.O. 26–43; hier 26. Zum Ganzen der erkenntnistheoretischen Problematik vgl. auch: D. M. De Petter, Naar het metafysische a.a.O. 75–89.

[181] Vgl.: J. Maréchal, Le point de départ de la métaphysique, Bruxelles/Paris: L' Edition Universelle/Desclée de Brouwer ²1927, Bd Bd. 1, (= Museum Lessianum. Section philosophique 3) 207 ff. J. Maréchal, Le dynamisme intellectuel dans la connaissance objective, in: Revue néoscolastique de philosophie 29 (1927) 137–165.

[182] De Petter, Impliciete intuïtie a.a.O. 26.

[183] De Petter, Impliciete intuïtie a.a.O. 27.

[184] De Petter, Impliciete intuïtie a.a.O. 29.

[185] De Petter, Impliciete intuïtie a.a.O. 29.

[186] Vgl.: De Petter, Impliciete intuïtie a.a.O. 29–33.

[187] Vgl.: De Petter, Impliciete intuïtie a.a.O. 33–39.

[188] Vgl.: De Petter, Impliciete intuïtie a.a.O. 39.

[189] De Petter, Impliciete intuïtie a.a.O. 39 f.

[190] De Petter, Impliciete intuïtie a.a.O. 40.

[191] Vgl.: De Petter, Impliciete intuïtie a.a.O. 41 f. Auch: Jan H. Walgrave, Die Erkenntnislehre des hl. Thomas von Aquin, in: Joseph Ratzinger (Hrsg), Aktualität der Scholastik?, Regensburg: Verlag Friedrich Pustet 1975, 23–36; bes. 27–31.

[192] Vgl. zu der theologischen Aufnahme dieses Modells De Petters für die Glaubensbegründung: Edward Schillebeeckx, Das nicht-begriffliche Erkenntnismoment in unserer Gotteserkenntnis nach Thomas von Aquin, in: ders., Offenbarung und Theologie a.a.O. 225–260. Edward Schillebeeckx, Das Freiheit-nicht-begriffliche Erkenntnismoment im Glaubensakt, in: ders., Offenbarung und Theologie a.a.O. 261–293. De Petter hat den erstgenannten Beitrag Schillebeeckx' deutlich als eine theologische Rezeption verstanden. Vgl. De Petter, Over de grenzen en de waarde van het begrippelijk kennen, in: ders., Begrip en werkelijkheid a.a.O. 172: »Seinerseits hat H. Schillebeeckx aufgezeigt, wie schon bei Thomas von Aquin ein nicht-begriffliches Erkenntnismoment in der Struktur unserer natürlichen, und also auch philosophischen und metaphysischen Gotteserkenntnis für wesentlich gilt«. Zurückhaltend zu Schillebeeckx' Interpretation des ›instinctus fidei‹ äußert sich: Otto Hermann Pesch, Theologie der Rechtfertigung bei Martin Luther und Thomas von Aquin. Versuch eines systematisch-theologischen Dialogs, Mainz: Matthias-Grünewald-Verlag 1967 (= Walberberger Studien der Albertus-Magnus-Akademie 4), 523, Anm. 35.

[193] De Petter, Persoon en personalisering. Het persoon-zijn onder thomistisch-metafysische belichting, in: ders., Begrip en werkelijkheid a.a.O. 187.

[194] De Petter, Persoon en personalisering a.a.O. 188.

[195] De Petter, Persoon en personalisering a.a.O. 189.

[196] Vgl.: De Petter, Persoon en personalisering a.a.O. 190.

[197] De Petter, Persoon en personalisering a.a.O. 190.

[198] De Petter, Persoon en personalisering a.a.O. 192. Zum Ganzen vgl. auch: D. M. De Petter, De psyche van mens en dier. Graadverschil of wezensverschil, in: Thomas (Gent) 3 (1949/50) H.6, 2–4; H.7, 7–9. D. M. De Petter, Twee vormen van menselijk Zu-Sein. De oorsprong van de mens, in: Tijdschrift voor Filosofie 33 (1971) 215–225.

[199] Scheltens, De filosofie a.a.O. 467.

[200] Vgl. auch: Scheltens, De filosofie a.a.O. 456f.

[201] Vgl.: De Petter, Persoon en personalisering a.a.O. 193ff.

[202] Vgl.: De Petter, Persoon en personalisering a.a.O. 194.

[203] De Petter, Persoon en personalisering a.a.O. 195.

[204] Nach De Petter ist aber Sartres Position im Grunde keine Lösung, da die normlose Freiheit mit einer Willkür und einer Verneinung der Freiheit gleichgesetzt werden kann. Vgl.: De Petter, Persoon en personalisering a.a.O. 199: »Im Lichte unserer Darstellung ist eine solche Auffassung (Sartres, Anm. des Verf.), die auf den ersten Blick eine Verabsolutierung der Freiheit scheinen kann, offenbar in Wirklichkeit – da sie der Freiheit ihre einzig mögliche Begründung beraubt – nichts anderes als die Negation der Freiheit selbst«. Vgl. auch weiter: De Petter, Persoon en personalisering a.a.O. 207.

[205] De Petter, Persoon en personalisering a.a.O. 199.

[206] De Petter, Persoon en personalisering a.a.O. 200.

[207] De Petter, Persoon en personalisering a.a.O. 204.

[208] Durch Schillebeeckx' Beschränkung der menschlichen Einheit auf das Verhältnis zwischen Leib und Seele ist gerade dieser Aspekt in seiner Begründung verloren gegangen. Vgl.: SH 394ff.

[209] De Petter, Persoon en personalisering a.a.O. 205. Zur Offenheit und sozialer Kommunikation in der menschlichen Erkenntnis nach De Petter vgl.: Scheltens, De filosofie a.a.O. 460 f.; 464 ff.
[210] Vgl.: De Petter, Persoon en personalisering a.a.O. 206 ff.
[211] Vgl. zu diesem letzten Aspekt auch: D. M. De Petter, Mens worden met of zonder God, in: F. van Doorne (Hrsg), Mens worden met of zonder God?, Nijmegen/Utrecht: Dekker & van de Vegt 1964, 99–112.

Anmerkungen zu 2.:

[1] So hat Schillebeeckx sich in diesem Sinne vereinzelt wohl zu stark an die damalige Gestalt der Eucharistiefeier angelehnt, in der Wandlung und Kommunion stark einseitig betont wurden. Schillebeeckx schließt sich dieser Struktur der Messe kritiklos an, obwohl er aus historischen Studien deutlich die Relativität dieser Form hätte erkennen können. Vgl. z. B.: H. Schillebeeckx, Beschouwingen rond de Misliturgie, in: TGL 7 (1951) 306–323.
[2] Damit haben wir keine ›autorfremde‹ Kategorie in unsere Methode eingeführt, sondern Schillebeeckx selbst hat sich oft in dieser Richtung ausgesprochen. Vgl. dazu: H. Schillebeeckx, Priesterschap en episcopaat, in: TGL 11 (1955) 362 f.: »Denn eine theologische Einsicht, eine ›Theorie‹, ist – namentlich in der Sakramentenlehre – doch die *Intelligibilität* selbst der liturgischen Fakten«. Energisch verteidigt diese Doppelstruktur auch: Eberhard Jüngel, Das Sakrament – Was ist das? Versuch einer Antwort, in: ders./Karl Rahner, Was ist ein Sarkament. Vorstösse zur Verständigung, Freiburg/Basel/Wien: Herder 1971 (= Ökumenische Forschungen; Kleine ökumenische Schriften 6), 24 ff.
[3] Die Literatur zum Taufverständnis Schillebeeckx' besteht im Wesentlichen aus: SH 240–283 (Entwicklung des Rituals). SH 536–544 (Taufmerkmal). Schillebeeckx, Christus a.a.O. 143–155 (Begierdetaufe und Reviviszenz). Schillebeeckx, Christus a.a.O. 163–173 (Taufmerkmal). H. Schillebeeckx, Begierdetaufe, in: LThK II, 112–115. H. Schillebeeckx, Sacrament, in: ThWo III, 4219–4241 (Begierdetaufe).
[4] Vgl. z. B.: B. Neunheuser, Taufe IV (Systematisch), in: LThK IX, 1317–1319 (bes. die Nrr. 1 und 3).
[5] Schillebeeckx, Christus a.a.O. 137 f.
[6] Ausführlicher findet sich die Darstellung der contritio- und attritio-Interpretation Schillebeeckx' in unserer Erörterungen zur fundamentalen Sakramentenlehre (vgl. 1. 3.).
[7] Wie sich schon im ersten Teil gezeigt hat, möchte Schillebeeckx in einer Theologie der Taufe nicht von der Kindertaufe ausgehen, die er als eine verkürzte Form betrachtet. Vgl. auch: Schillebeeckx, Christus a.a.O. 141–143.
[8] Schillebeeckx, Christus a.a.O. 138.
[9] Vgl.: Schillebeeckx, Begierdetaufe a.a.O. 112 f. Schillebeeckx, Christus a.a.O. 144.
[10] Es ist deutlich, daß die theologischen Erklärungen zur Begierdetaufe eng mit dem Problem der »Anonymen Christen« verwandt sind. Bei dem Problem der »Anonymen Christen« handelt es sich um die Frage einer

außersakramentalen Rechtfertigung. Allerdings muß man wohl vor Augen halten, daß die Begierdetaufe ein implizites Verlangen nach der Kirchenzugehörigkeit enthält, während das bei den »Anonymen Christen« nicht der Fall zu sein braucht. Unten werden wir noch näher auf diese Problematik eingehen.

[11] Vgl.: SH 561–578. Schillebeeckx, Begierdetaufe a.a.O. 113. Schillebeeckx, Christus a.a.O. 146.

[12] Vgl.: Schillebeeckx, Begierdetaufe a.a.O. 113.

[13] Vgl. zum Text etwa: DS 1351.

[14] Es ist ein Mißbrauch, diesen Satz im Sinne einer Kirchenexklusivität zu interpretieren. Das Vaticanum II hat in der Konstitution über die Kirche ›Lumen Gentium‹ Nr. 8 die theologische und lehramtliche Tendenz zu einer gemäßigten Interpretation – namentlich in Korrelation zum ›votum Ecclesiae‹ – fortgesetzt und die Aussage gemacht, daß »außerhalb ihres (der katholischen Kirche, Anm. des Verf.) Gefüges vielfache Elemente der Heiligung und der Wahrheit zu finden sind, die als der Kirche Christi eigene Gaben auf die katholische Einheit hindrängen« (zitiert nach: LThK.E I, 173). Vgl. zur Einstellung des Vaticanum II auch: Ad Gentes 7. Gaudium et Spes 22; 57. Lumen Gentium 16. Nostra Aetate 1 u. a. Vgl. zu »Extra Ecclesiam nulla salus« und zur notwendig dazu gehörenden gemäßigten Interpretation: J. Beumer, Extra Ecclesiam nulla salus, in: LThK III, 1320 f. (mit weiterführender Literatur). Otto Semmelroth, Heilsnotwendigkeit der Kirche, in: MySal IV/1, 334 ff. (schon systematisierend). Aus protestantischer Sicht ist sehr informationsreich: G. C. Berkouwer, Vaticaans Concilie en Nieuwe Theologie, Kampen: J. H. Kok 1964, 230–241. Weiter auch: Hans Küng, Die Kirche, Freiburg/Basel/Wien: Herder 1967 (= Ökumenische Forschungen I/1), 371–378. Joseph Ratzinger, Das neue Volk Gottes. Entwürfe zur Ekklesiologie, Düsseldorf: Patmos-Verlag 1969, 339–361. Für das patristische Verhältnis zwischen dem Satz »Extra Ecclesiam nulla salus« und der typologischen Exegese der »Arche Noachs«: Hugo Rahner, Symbole der Kirche. Die Ekklesiologie der Väter, Salzburg: Otto Müller Verlag 1964, 504 ff. Erik Peterson, Das Schiff als Symbol der Kirche in der Eschatologie, in: ders., Frühkirche, Judentum und Gnosis. Studien und Untersuchungen, Rom/Freiburg/Wien: Herder 1959, 92–96. Auch im französischen Sprachkreis findet sich zu diesem Thema erwähnenswerte Literatur: Henri de Lubac, Catholicisme. Les aspects sociaux du dogme, Paris: Les Éditions du Cerf [5]1952, 179–205; deutsch: Henri de Lubac, Katholizismus als Gemeinschaft, Einsiedeln/Köln: Verlagsanstalt Benziger & Co. 1943, 189–215; oder: Henri de Lubac, Glauben aus der Liebe. »Catholicisme«, Einsiedeln: Johannes Verlag 1970, 189–215. Henri de Lubac, Geheimnis aus dem wir leben, Einsiedeln: Johannes Verlag 1967 (= Kriterien 6), 150 f. Yves Congar, Ecclesia ab Abel, in: M. Reding (Hrsg), Abhandlungen über Theologie und Kirche. Festschrift für Karl Adam, Düsseldorf: Patmos Verlag 1952, 79–108. Yves Congar, Außer der Kirche kein Heil, Essen: Hans Driewer Verlag 1961. Yves Congar, Sainte Église. Études et approches ecclésiologiques, Paris: Les Éditions du Cerf 1964 (= Unam Sanctam 41), 417–432. Neuerdings zu einer »Kirche der Schwelle« auch: Yves Congar, Veränderung des Begriffs »Zugehörigkeit zur Kirche«, in: Internationale katholische Zeit-

schrift Communio 5 (1976) 207–217. Schillebeeckx selbst beurteilt in einer Nachbetrachtung zum Vaticanum II die Auflockerung des Axioms der Alleinseligkeit der Kirche als einen wirklichen Gewinn für die Ekklesiologie und die Ökumene. Vgl.: E. Schillebeeckx, Besinnung auf das Zweite Vatikanum. Vierte Session. Bilanz und Übersicht, Freiburg: Herder 1966, 13; 40–47.

[15] Schillebeeckx, Begierdetaufe a.a.O. 114.

[16] In der jansenistischen Kontroverse wurde der Satz Quesnels, daß nur in der Kirche von Gott Gnade verliehen wird, verurteilt. Vgl.: DS 2429.

[17] Vgl. dazu auch die Ausführungen Jüngels in: Eberhard Jüngel, Extra Christum nulla salus – als Grundsatz natürlicher Theologie. Evangelische Erwägungen zur »Anonymität« des Christentums, in: Elmar Klinger (Hrsg), Christentum innerhalb und außerhalb der Kirche, Freiburg: Herder 1976 (= QD 73), 122ff.

[18] Vgl.: Schillebeeckx, Begierdetaufe a.a.O. 113.

[19] Wir müssen bedenken, daß Schillebeeckx schon von dem »Ursakrament« Christus her denkt. Diese christologische Konzentration kommt in unserer Arbeit erst später zur Sprache.

[20] Schillebeeckx, Begierdetaufe a.a.O. 114. Schillebeeckx weist die äußere Bindung von Begierdetaufe und sakramentaler Taufe von der Hand; diese Argumentation geht genau umgekehrt vor, indem sie die Begierdetaufe schon als eine Vorauswirkung der sakramentalen Taufe ansieht. Die Taufe als erstes Initiationssakrament kann aber kaum eine Vorauswirkung ›ex sacramento‹ haben, da sie erst in das Christusmysterium einführt, noch abgesehen von dem Problem bei einem Fall der zwar votierten aber nie tatsächlich gespendeten sakramentalen Taufe. Vgl. hierzu auch sehr klar: Schillebeeckx, Christus a.a.O. 145ff.

[21] Unter Mystifikation versteht Schillebeeckx die direkte Beziehung zwischen einem Menschen und Gott ohne Vermittlung der Sakramentalität. Vgl. E. Schillebeeckx, Bezinning en apostolaat in het leven der seculiere en reguliere priesters, in: TGL 19 (1963) 109: »Wir hatten in Wirklichkeit die Religion oft zu einer leeren Gottesliebe mystifiziert, die nicht am realen Einsatz für konkrete Menschen in Not geprüft werden konnte. Wir haben gesprochen von unserer Liebe zu Gott und haben damit die innere Problematik der Menschen bedeckt, die wir sich selbst und ihrem Schicksal überlassen haben. Aber die Menschheit ist jetzt zu sich selbst gekommen und bekam so unausweichlich den Eindruck, daß die Religion – wie sie sich oft präsentiert hatte – eine Mystifikation ist, da der Bruch zwischen der Gottesliebe und der realen, aktiven Menschenliebe wohl auffallend groß gewesen war«.

[22] Schillebeeckx, Christus a.a.O. 171f.

[23] Schillebeeckx, Christus a.a.O. 172.

[24] Vgl. auch: H. Schillebeeckx, Merkteken, in: ThWo II, 3235: »Im Normalfalle ist eine solche Ermächtigung zur Teilnahme an den besonderen Handlungen einer Gemeinschaft eine reine ›Jurisdiktion‹, d. h. eine juridische Wirklichkeit oder eine ›potestas moralis‹. Aber wegen der Eigenart der kirchlichen sakramentalen Kulthandlungen, die die irdische Sakramentalisierung der persönlichen Heilstaten des verherrlichten Christus sind, genügt hier eine rein juridische Bevollmächtigung nicht«.

[25] Schillebeeckx, Christus a.a.O. 172. Schillebeeckx behandelt an dieser

Stelle das Tauf- und Firmmerkmal, während wir in dieser Arbeit uns hier‑
beschränken auf das Taufmerkmal. Im Grunde aber stimmen beide
Merkmale in ihrer fundamentalen Konstellation überein, so daß die Behandlung des Taufmerkmals schon auf das Firmmerkmal hinausweist.
[26] Vgl. dazu: SH 536–542.
[27] Vgl.: SH 544.
[28] Vgl.: SH 544.
[29] Diese Einsichten dürften bedeutungsvoll für eine Bestimmung des
Verhältnisses zwischen ›Allgemeinem Priestertum‹ und ›Amtspriestertum‹ und für eine Theologie des Laientums sein. Vgl. zu einer direkten
Verbindung dieser Aussagen mit einer Theologie des Laientums: Schillebeeckx, Christus a.a.O. 172 f. Weiter auch: H. Schillebeeckx, Theologische grondslagen van de lekenspiritualiteit, in: TGL 5/1 (1949) 146–166.
H. Schillebeeckx, Pogingen tot concrete uitwerking van een lekenspiritualiteit, in: TGL 8 (1952) 644–656 (Rezension). H. Schillebeeckx, Het
apostolisch ambt van de kerkelijke hiërarchie, in: Studia Catholica 32
(1957) 258–290. H. Schillebeeckx, Vormsel, in: ThWo III, 4868f.
E. Schillebeeckx, De leek in de kerk, in: TGL 15 (1959) 669–694.
E. Schillebeeckx, Derde Orde, nieuwe stijl, in: Zwart op Wit (Huissen)
30 (1960) 113–128. E. Schillebeeckx, Dogmatiek van ambt en
lekestaat, in: TTh 2 (1962) 258–294. E. Schillebeeckx, Communicatie
tussen priester en leek, in: Ned. Kath. Stemmen 59 (1963) 210–222.
E. Schillebeeckx, Een uniforme terminologie van het theologisch begrip
»leek«, in: Te elfder Ure 10 (1963) 173–176. E. Schillebeeckx, De typologische definitie van de christelijke leek volgens Vaticanum II, in: G. Baraúna (Hrsg), De Kerk van Vaticanum II. Commentaren op de Concilie-
constitutie Over de Kerk, II, Bilthoven: H. Nelissen 1966, 285–304;
deutsch in: G. Baraúna (Hrsg), De Ecclesia. Beiträge zur Konstitution
»Über die Kirche« des Zweiten Vatikanischen Konzils, II, Freiburg/
Frankfurt: Herder/Knecht 1966, 269–288; oder in: Edward Schillebeeckx, Gott-Kirche-Welt, Mainz: Matthias-Grünewald-Verlag 1970 (=
Gesammelte Schriften II), 140–161. E. Schillebeeckx, De leken in het
volk van God, in: Godsvolk en leek en ambt, Hiversum/Antwerpen:
Paul Brand 1966 (= Do-C Dossiers 7), 49–58. E. Schillebeeckx, Un nou-
veau type de laic, in: La nouvelle image de l' Église. Bilan du concile Vati-
can II, Paris 1967, 172–185; deutsch in: E. Schillebeeckx, Gott-Kirche-
Welt a.a.O. 162–172. Zum Verhältnis des ›Allgemeinen Priestertums‹
zum ›Amtspriestertum‹ vgl. auch: Internationale Theologenkommission,
Priesterdienst, Einsiedeln: Johannes Verlag o. J. (= Sammlung Horizonte. Neue Folge 5). Max Keller, Theologie des Laientums, in: Mysal
IV/2, 393 ff.
[30] Die Literatur Schillebeeckx' zur Firmung ist ausführlicher als bei der
Taufe. Vgl.: SH 284–306 (Entwicklung des Rituals). SH 544–552 (Firmmerkmal). Schillebeeckx, Christus a.a.O. 163–173 (Firmmerkmal).
H. Schillebeeckx, Vormsel, in: ThWo III, 4840–4870. H. Schillebeeckx,
Investituur tot meerderjarigheid. De gevormden zijn de veroveringskracht van het Christendom, in: De Bazuin 36, Nr. 32 (23 mei 1953), 4–5.
[31] Vgl.: SH 284–286. Schillebeeckx, Vormsel a.a.O. 4845–4848. Auch:
Jean Amougou-Atangana, Ein Sakrament des Geistempfangs? Zum Verhältnis von Taufe und Firmung, Freiburg/Basel/Wien: Herder 1974 (=

Ökumenische Forschungen III/1) 106 ff. Sigisbert Regli, Firmsakrament und christliche Entfaltung, in: MySal V, 305–311. Burkhard Neunheuser, Taufe und Firmung, Freiburg: Verlag Herder 1956 (= Handbuch der Dogmengeschichte IV/2).

[32] Vgl. zur Deutung und Relevanz dieser terminologischen Unterscheidung: Jean Amougou-Atangana, Ein Sakrament des Geistempfangs? a.a.O. 274; 304 ff.

[33] Schillebeeckx, Vormsel a.a.O. 4858.

[34] Vgl.: SH 549–552. Schillebeeckx, Christus a.a.O. 165–168.

[35] Die Befugnis und Sendung zur Eucharistie aufgrund der gespendeten Taufe bildet für Schillebeeckx ein Problem, das aus seiner Interpretation der Taufe und Firmung in Analogie zum Christusmysterium herührt. Denn obwohl der Getaufte ›nicht-qualifiziertes‹ Kirchenmitglied ist, wird er doch schon zum Mysterium der Kirche schlechthin (Eucharistie) zugelassen. Deshalb findet sich die Aussage der Befähigung zur Eucharistie aufgrund der Taufe allein immer als eine nicht integrierbare Tatsache außerhalb der systematischen Ausführungen. Vgl. z. B.: Schillebeeckx, Vormsel a.a.O. 4858: »andererseits kann nicht gesagt werden (die ›consuetudines Ecclesiarum‹ widersprechen dies), daß die Kommunion eines Nicht-Gefirmten sinnlos ist«. Schillebeeckx, Christus a.a.O. 167. An dieser letzten Stelle scheint die Aussage doch etwas nuancierter. Kritik an Schillebeeckx' Einstellung übt: Eliseo Ruffini, Der Charakter als konkrete Sichtbarkeit des Sakramentes in Beziehung zur Kirche, in: Concilium (D) 4 (1968) 53, Anm. 22.

[36] Vgl.: Schillebeeckx, Christus a.a.O. 165.

[37] Wilhelm Breuning, Der Ort der Firmung bei der Erwachsenentaufe, in: Concilium (D) 3 (1967) 127.

[38] So: Breuning a.a.O. 130, Anm. 22.

[39] Schillebeeckx, Vormsel a.a.O. 4860.

[40] Schillebeeckx, Vormsel a.a.O. 4860.

[41] Inwiefern diese Identifizierung des historischen Jesus mit dem trinitarischen Christus auch in der späteren, mehr christologisch gerichteten Theologie Schillebeeckx' zum Ausdruck kommt, soll in dem Teil der christologischen Konzentration weiter untersucht werden. Innerhalb der Sakramententheologie wird auf jeden Fall das Christusmysterium bei Schillebeeckx von der trinitarischen Stellung Christi bestimmt. Vgl. dazu: Schillebeeckx, Christus a.a.O. 23–49. Schillebeeckx, Sacrament, in: ThWo III, 4199 ff.

[42] Vgl. dazu: Schillebeeckx, Investituur tot meerderjarigheid a.a.O. 4. Mit einer starken Reminiszenz an dem Philipperhymnus finden sich die verschiedenen Aspekte des Christusmysteriums sehr klar dargestellt in: Edw. H. Schillebeeckx, De Christusontmoeting als sacrament van de Godsontmoeting. Theologische begrijpelijkheid van het heilsfeit der sacramenten, Antwerpen/Bilthoven: 't Groeit/H. Nelissen o. J. (1958) 18 f. Das Christus-Buch Schillebeeckx' ist eine überarbeitete Ausgabe dieser ersten systematisierenden, nur im Holländischen erschienenen Sakramententheologie (zwei Auflagen).

[43] Vgl. dazu auch: Schillebeeckx, Sacrament a.a.O. 4224: »Das Tauf- und Firmmerkmal schenken die Initiation in die Kirche an zwei Zeitpunkten nach der Eigenart des Christusmysteriums und der Kirche, bei der sie uns

einverleiben: das *Passahmysterium* oder der vom Vater angenommene Sohneskult Christi und seiner Kirche, und das *Pfingsmysterium*, durch das erst Christus und dann die Kirche selbst ›in Kraft gesetzt‹ werden«.

[44] Vgl. z. B.: Schillebeeckx, Christus a.a.O. 50–56 (»Die Notwendigkeit einer irdischen Weiterführung des verherrlichten Ursakramentes«).

[45] Vgl. zur Unterbewertung der zeitlichen Differenz: SH 546 ff. Schillebeeckx, Vormsel a.a.O. 4860 f. In dem Christus-Buch tritt die vermittelnde Rolle des Mysteriums der Kirche besser hervor. Vgl.: Schillebeeckx, Christus a.a.O. 163; 166.

[46] Vgl.: Schillebeeckx, Vormsel a.a.O. 4861: »Die Tradition fordert uns jetzt auf, daß wir sowohl die Taufe als auch die Firmung als eine Einverleibung in das Christusmysterium, in das Christentum betrachten, und zwar so, daß der eigene Initiierungscharakter der Firmung sich auf die Geistsendung bezieht«.

[47] Vgl. Breunings Kritik: Breuning, Der Ort der Firmung a.a.O. 128.

[48] Dies betonen zurecht: Breuning, Der Ort der Firmung a.a.O. 128. Regli, Firmsakrament a.a.O. 300 f.; 321.

[49] Schillebeeckx, Vormsel a.a.O. 4861 f.

[50] Schillebeeckx, Vormsel a.a.O. 4862.

[51] Schillebeeckx' große Sorge um den eigenen Heilsinhalt der Firmung scheint mir vor der besonderen Stellung, die er dem Merkmal in seiner Sakramententheologie zuerkennt, getragen zu sein. Den eigenen, pneumatologischen Heilsinhalt der Firmung zu umschreiben scheint insofern gelungen zu sein, als er diesen als Befähigung zur aktiven Geistspendung in der Kirche betrachtet.

[52] Eine Deutung der Firmung im Sinne eines ›Sakramentes des Apostolates‹ (wohl in Anschluß an G. Dix, Theolgy of Confirmation in relation to Baptism, Westminster 1946) findet sich in: SH 548 f. Schillebeeckx, Investituur tot meerderjarigheid a.a.O. 4.

[53] Sigisbert Regli, Firmsakrament a.a.O. 323.

[54] Vgl. das dogmengeschichtliche Material, das sich findet bei: Burkhard Neunheuser, Taufe und Firmung a.a.O. J. Neumann, Der Spender der Firmung in der Kirche des Abendlandes bis zum Ende des kirchlichen Altertums, Meitingen: Kyrios-Verlag 1963. A. Mostaza Rodriguez, Der Spender der Firmung, in: Concilium (D) 4 (1968) 578–581. Sigisbert Regli, Firmsakrament a.a.O. 300–317.

[55] Vgl. etwa: Jean Amougou-Atangana a.a.O. 177 ff.

[56] Als Argument für diese Deutung sprechen einige Texte, die die Spendung der Firmung dem Bischof reservieren. Vgl.: Der Brief Innozenz I. an Decentius von Gubbio, III, 6, in: PL 20, 554–555 oder in: DS 215. Gregorius der Große, Epistula ad Januarium, in: PL 77, 677. Zur Deutung vgl.: Sigisbert Regli, Firmsakrament a.a.O. 312 f. Hans Küng, Was ist Firmung, Einsiedeln: Benziger 1976 (= Theologische Meditationen 40), 15 ff. Bemerkenswerterweise ist Küngs Auffassung als Artikel in der Festschrift für Schillebeeckx erschienen. Vgl.: Hans Küng, Het vormsel als voltooiing van de doop, in: Leven uit de geest. Theologische peilingen aangeboden aan Edward Schillebeeckx, Hilversum: Gooi en Sticht 1974, 105–131.

[57] Vgl. zur Interpretation der Kindertaufe in der Geschichte: Wilhelm Breuning, Die Kindertaufe im Licht der Dogmengeschichte, in: Walter

Kasper (Hrsg), Christsein ohne Entscheidung oder soll die Kirche Kinder taufen? Mainz: Matthias-Grünewald-Verlag 1970, 72–95; bes. 72–88. Jean Amougou-Antangana a.a.O. 286–299. Hans Küng, Was ist Firmung a.a.O. 29ff.

[58] Vgl.: H. Schillebeeckx, Priesterschap, in: ThWo III, 3959–4003; bes. 3967–3979.

[59] Diesen Rahmen wird bei der Deutung der Theologie Schillebeeckx' oft übersehen. Wenn man nur Schillebeeckx' Ausführungen zur Firmung berücksichtigt, ohne auf seine allgemeine Sakramentenauffassung einzugehen, gerät man in die Gefahr, ihn falsch zu interpretieren. So z. B.: Amougou-Atangana a.a.O. 254ff.

[60] Dabei wird man auch die Schwierigkeiten einer dogmengeschichtlichen Erklärung berücksichtigen müssen. Die bischöfliche Spendung mag zwar dogmengeschichtlich als eine Aufnahme in die überlokale Kirche und in ihre Apostolizität zu begründen sein, aber die Dogmengeschichte ist andererseits auch wieder nicht so eindeutig, wie man es sich vielleicht wünschen möchte. In dem Brief Gregorius des Großen an Januarius gestattet der Papst den Priestern Sardiniens, gemäß dem bestehenden Brauchtum bei Abwesenheit des Bischofs selbst die Firmung zu spenden. Vgl.: Gregorius Magnus, Epistula ad Januarium, in: PL 77, 696. Zur Deutung vgl.: A. Mostaza-Rodriguez, Der Spender a.a.O. 478 (dort auch noch weitere Belege, die eine ähnliche Regelung in anderen Ländern aufweisen). Neben diesen ›Ausnahmefällen‹ im Westen steht aber auch die stark zu bewertende Praxis der Ostkirche, in der die postbaptismale Salbung von dem Spender der Taufe vollzogen werden kann. Allerdings ist hier die Myronweihe streng dem Bischof vorbehalten. Vgl. dazu: B. Neunheuser, Taufe und Firmung a.a.O. 101ff.

[61] Inwiefern es doch eine Theologie der Taufe und Firmung geben kann, die von der Person des Spenders ausgeht und unter Benutzung einer dogmengeschichtlichen Methode die Eigenart der verschiedenen Initiationssakramente – und somit auch ihres Merkmals – wahren kann, braucht hier nicht ausführlich erörtert zu werden. Vgl. dazu: Jean Amougou-Atangana a.a.O. 267ff. Wilhelm Breuning, Der Ort der Firmung a.a.O. 128–129. J.-P. Bouhot, La confirmation. Sacrement de la communion ecclésiale, Lijon: Éditions du Chalet 1968, bes. 112f.

[62] Bei dieser Differenzierung bleiben die Beziehungen zwischen Christus und der Kirche ungeklärt, obwohl die Theologie Schillebeeckx' auf eine Beziehung im Sinne einer ›Nachfolge des Lebensweges Jesu‹ hinzuweisen scheint. Vgl.: H. Schillebeeckx, Vormsel a.a.O. 4866f.

[63] Vgl.: SH 552f.

[64] Diese Erklärung scheint mir die einzige Möglichkeit zu sein, die Firmtheologie Schillebeeckx' zu begründen. Die Zentralstellung des Merkmals in der fundamentalen Sakramententheologie Schillebeeckx' fordert eine unmittelbar christologische Basis, die Schillebeeckx in den Lebensmysterien Jesu findet. Genau diese Prozedur aber führt zu einer Unterbewertung der Vermittlungsrolle der Geschichte und der Kirche.

[65] Vgl. dazu unsere Ausführungen zu Schillebeeckx' fundamentalen Sakramentenlehre und besonders auch zur Firmung.

[66] Vgl. dazu: H. Schillebeeckx, De sacramentaire structuur van de openbaring, in: Kultuurleven 19 (1952) 796: »Die sieben Sakramente der Kir-

che nun, die alle um das eigentlichste Sakrament zentriert sind, aus dem
– nach Thomas – die sechs anderen Sakramente ihre ganze Kraft und Bedeutung schöpfen, nämlich die Eucharistie, sind gerade das *mystérion*, in
dem das Erlösungsmysterium Christi vergegenwärtigt wird, ...«.
H. Schillebeeckx, De H. Kommunie als menschelijk-godsdienstige daad,
in: Ons Geloof 28 (1946) 284: »Die Sakramente – besonders die Eucharistie, die das eigentliche Sakrament ist, da Christus selbst, das Ur-Sakra-
ment, in ihr gegenwärtig ist – lassen uns die Kraft der Erlösung zuteil
werden«. Zu einer Differenzierung der sieben Sakramente kann der Begriff der »sacramenta maiora« gute Dienste erweisen. Vgl.: STh III, q. 62,
a. 5. Zur Deutung besonders: Yves Congar, Die Idee der »sacramenta
maiora«, in: Concilium (D) 4 (1968) 9–15.
[67] Vgl. dazu schon früh: H. Schillebeeckx, De broederliefde als heilswerkelijkheid, in: TGL 8 (1952) 600–619; bes. 616–619. Hier versteht
Schillebeeckx die Bruderliebe als eine Wirkung der Eucharistie. Die
Liebe Christi, die uns in der eucharistischen Tischgemeinschaft begegnet,
ist ein Beispiel für die christliche Bruderliebe. So a.a.O. 619: »Der *Christus eucharisticus* ist das Bindeglied jeder christlichen Gemeinschaft«.
Eine stärkere Reziprozität der Bruderliebe und der Eucharistie findet
sich in: E. Schillebeeckx, De Dienst van het Woord in verband met de
Eucharistieviering, in: Tijdschrift voor Liturgie 44 (1960) 44–59; oder als:
E. Schillebeeckx, Werkelijkheidsopenbaring en woordopenbaring, in:
ders., Openbaring en theologie, Bilthoven: H. Nelissen [2]1966 (= Theologische Peilingen I), 33–49; deutsch: Edward Schillebeeckx, Werkoffenbarung und Wortoffenbarung, in: ders., Offenbarung und Theologie
a.a.O. 37–54 (Wir werden nach der deutschen Ausgabe in ›Offenbarung
und Theologie‹ zitieren). So etwa a.a.O. 45: »Die Kirche ist das große
Sakrament, von dem verschiedene sakramentale, dynamische Bewegungen ausgehen. Im Mittelpunkt dieser sakramentalen Kirche steht die Eucharistie, der eigentliche Brennpunkt der realen, wirksamen Gegenwart
Christi unter uns. Rund um diesen Brennpunkt sehen wir die ersten hel-
len Ausstrahlungen, die sechs anderen Sakramente«. In seiner Studie über
die eucharistische Gegenwart wird – wie sich später noch zeigen wird –
die Reziprozität zwischen der Kirche und der Eucharistie noch stärker
hervortreten.
[68] Die Einsichten, die anfänglich nur in den Kreisen der Liturgischen
Bewegung Anklang fanden, wurden schon weit vor dem Vaticanum II
auch in der Dogmatik ausdrücklich erkannt. Vgl. zur Geschichte der Liturgischen Bewegung: Walter Birnbaum, Die deutsche katholische liturgische Bewegung, Tübingen: Katzmann-Verlag 1966 (= Walter Birnbaum, Das Kultusproblem und die liturgischen Bewegungen des
20. Jahrhunderts I). B. Neunheuser, Die klassische liturgische Bewegung
(1909–1963) und die nachkonziliare Liturgiereform, in: Mélanges liturgiques Bernard Botte a.a.O. 401–416 (Dort auch neuere Literatur zur Liturgischen Bewegung). Colman E. O' Neill, Die Sakramententheologie
a.a.O. 250 ff. Zur konziliaren Einstellung vgl.: Sacrosanctum Concilium
Nr. 50, in: AAS 56 (1964) 114; oder in: LThK.E I, 52 ff.
[69] So noch in: H. Schillebeeckx, Beschouwingen rond de Misliturgie, in:
TGL 7 (1951) 307: »Die Vormesse, bei der wir uns nicht länger aufhalten,
damit wir uns auf das eigentliche Meßopfer besinnen können ...«. Da-

gegen heißt es 1960 in: Schillebeeckx, Werkoffenbarung und Wortoffenbarung a.a.O. 51: »Es wäre falsch, die sogenannte Vormesse *im Gegensatz* zum eigentlichen Opferdienst als Dienst des Wortes zu bezeichnen«.
[70] Vgl.: Institutio generalis Missalis Romani, Cap. II, art. 24–57, in: Missale Romanum ex decreto Sacrosancti Oecumenici Concilii Vaticani II instauratum auctoritate Pauli PP. VI promulgatum, Vatikan: Typis Polyglottis Vaticanis ²1971, 33–42.
[71] Vgl.: Josef Andreas Jungmann, Missarum Sollemnia. Eine genetische Erklärung der römischen Messe, 2 Bde, Wien: Verlag Herder 1952. A. Hollaardt, De rituele vormgeving van de Ordo Missae, in: ders. (Hrsg), Liturgisch Woordenboek. Supplement. Liturgische oriëntatie na Vaticanum II, Roermond: J. J. Romen & Zonen 1970, 36–38. Theodor Maas-Ewerd/Klemens Richter, Gemeinde im Herrenmahl. Zur Praxis der Messfeier, Einsiedeln/Freiburg u. a.: Benziger/Herder 1976 (= Pastoralliturgische Reihe in Verbindung mit der Zeitschrift »Gottesdienst«).
[72] Die erste ausdrückliche Beschäftigung Schillebeeckx' mit den anderen Teilen der Messe findet sich im Jahre 1960 in: Schillebeeckx, Werkoffenbarung und Wortoffenbarung a.a.O.
[73] Diese Beschränkung auf die zwei »Hauptteile« der Messe findet sich auch in kirchlichen Texten: Vgl. etwa: Sacrosanctum Concilium Nr. 56, in: AAS 56 (1964) 115; oder in: LThK.E I, 58f. S. Congr. Rituum, Instructio Eucharisticum Mysterium Nr. 10, in: AAS 59 (1967) 547f. Institutio generalis Missalis Romani a.a.O. Cap. II, art. 8, in: Missale Romanum a.a.O. 29.
[74] Vgl.: Schillebeeckx, Werkoffenbarung a.a.O. 50f.
[75] Vgl.: Schillebeeckx, Werkoffenbarung a.a.O. 50: »Das Evangelium als Wort Gottes im Menschenmund erhält ja, weil es der Kirche, nämlich dem apostolischen Amt, in die Hände gegeben ist, verschiedene neue Schattierungen. Der Ort des Wortdienstes ist im Prinzip das versammelte Volk Gottes, die Glaubensgemeinde, die sich zu religiösem Tun und zum Lobpreis Gottes vereinigt. Das versammelte Gottesvolk ist also die innere Situation, in der das Wort Gottes erklingt. Aber durch diese Situation wird die Form des Wortes Gottes auch beeinflußt. So entstehen in dem einen Wortdienst die verschiedenen Aspekte. (. . .) Es ist nicht nur ein Wort, das als apostolisches ›Kerygma‹ oder als apostolische ›didascalia‹ (als Ermahnung und Lehre) verkündigt wird, sondern es kann außerdem ein ›Wort des Gebetes‹, ein ›Wort des Lobpreises‹ oder ein göttlicher Lobgesang, eine Doxologie, eine Akklamation, ein priesterlichen Segen sein«.
[76] Die Ansätze für diese fundamentaltheologische Einstellung finden sich schon in der Anthropologie der fundamentalen Sakramentenlehre in der »Sacramentele heilseconomie«. Primär hat Offenbarung für Schillebeeckx immer ihren Platz in der Sakramentalität des Handelns Gottes. Vgl. dazu: H. Schillebeeckx, Het »opus operantis« en het sacramentalisme a.a.O.; bes. die Diskussion zu diesem Beitrag in: Theologica I, Gent 1953, 69f. SH 557–663. Wenn sich in der Sakramententheologie zeigt, daß menschliche Aktivität immer schon auch eine Wirkung der sakramentalen Gnade ist, dann kann man in der Offenbarungsauffassung auch den menschlichen Adressaten und seine Aktivität als Bedingung und

Komponente der eigentlich göttlichen Offenbarung betrachten. Vgl. dazu: H. Schillebeeckx, Christendom als uitnodiging en antwoord, in: Thomas (Gent) 9 (1955/56) H. 3, 4f. Der Ausgangspunkt, daß die menschliche Aktivität immer schon eine Wirkung der Gnade ist, bietet interessante Perspektiven für eine Interpretation des sog. allgemeinen Heilswillens Gottes, die von Rahner, de Lubac u. a. mit der Theorie des ›impliziten oder anonymen Christentum‹ aufgenommen wurde. Vgl. dazu: Karl Rahner, Das Christentum und die nichtchristlichen Religionen, in: ders., Schriften zur Theologie, V, Einsiedeln: Benziger 1962, 136–158; bes. 154ff. Karl Rahner, Die anonymen Christen, in: ders., Schriften zur Theologie, VI, Einsiedeln: Benziger 1965, 545–554. Karl Rahner, Anonymes Christentum und Missionsauftrag der Kirche, in: ders., Schriften zur Theologie, IX, Einsiedeln: Benziger 1970, 498–515. Karl Rahner, Bemerkungen zum Problem des »anonymen Christen«, in: ders., Schriften zur Theologie, X, Einsiedeln: Benziger 1972, 531–546 (dort auch noch weitere Literatur). Henri de Lubac, Paradoxe et mystère de l' Église, Paris: Aubier-Montaigne 1967, 149ff.; deutsch: Henri de Lubac, Geheimnis aus dem wir leben, Einsiedeln: Johannes Verlag 1967 (= Kriterien 6) 149ff. Der Sache nach findet sich die Theorie des »anonymen Christen« bei Rahner auch in: Karl Rahner, Grundkurs des Glaubens, Einführung in den Begriff des Christentums, Freiburg: Herder 1976, 303–312. Weiter sind bedeutsam: Anita Röper, Die anonymen Christen, Mainz: Matthias-Grünewald-Verlag 1963. Elmar Klinger (Hrsg), Christentum innerhalb und außerhalb der Kirche, Freiburg: Herder 1976 (= QD 73). Besonders Thüsings Aufsatz in diesem Band versucht die christologischen Implikationen zu erhellen: Wilhelm Thüsing, Strukturen des Christlichen beim Jesus der Geschichte. Zur Frage eines neutestamentlich-christologischen Ansatzpunktes der These vom anonymen Christentum, in: Elmar Klinger (Hrsg), Christentum a.a.O. 100–121; bes. 102f. Kritik an der These Rahners üben: Leo Elders, Die Taufe der Weltreligionen. Bemerkungen zu einer Theorie Karl Rahners, in: Theologie und Glaube 55 (1965) 124–131. H. Kruse, Die »Anonymen Christen« exegetisch gesehen, in: Münch. Theol. Zeitschrift 18 (1967) 2–29. Schillebeeckx selbst spricht lieber von einer ›anonymen Offenbarung‹. Diese anonyme Offenbarung muß man als eine Implikation der christlichen Offenbarung betrachten. Vgl. dazu: Edward Schillebeeckx, Offenbarung, Schrift, Tradition und Lehramt, in: ders., Offenbarung und Theologie, Mainz: Matthias-Grünewald-Verlag 1965 15–30; bes. 15. Anläßlich dieses Beitrages Schillebeeckx' hat sich eine interessante Diskussion über die Existenz einer anonymen Offenbarung entfaltet, die zu finden ist in: Werkgenootschap van katholieke theologen in Nederland, Jaarboek 1962. Voordrachten en discussies, Hilverum: Gooi en Sticht 1963, 151–162. Wir müssen aber beachten, daß zwischen der Theorie Rahners zum anonymen Christen und der Schillebeeckx' ein wesentlicher Begründungsunterschied besteht. Während Rahner aufgrund des ›übernatürlichen Existentials‹ und einiger konkreter Bedingungen (das Vorhandensein der ›christlichen‹ Tugenden: Glaube, Hoffnung und Liebe) argumentiert, kommt Schillebeeckx von der sakramententheologischen Einsicht her, daß Gottes Handeln im Menschen seine Auswirkungen hat (das ›opus operantis‹ ist eine Folge des ›opus operatum‹).

Schillebeeckx hat dann auch seine ernsten Bedenken bei der Theorie des
›anonymen Christentums‹. Vgl. dazu: Edward Schillebeeckx, Das Korrelationskriterium. Christliche Antwort auf eine menschliche Frage? in:
ders., Glaubensinterpretation. Beiträge zu einer hermeneutischen und
kritischen Theologie, Mainz: Matthias-Grünewald-Verlag 1971, 108 f.
E. Schillebeeckx, Bezinning en apostolaat in het leven der seculiere en reguliere priesters, in: TGL 19 (1963) 309: »Es stimmt natürlich, daß Menschen, die außerhalb der Wortoffenbarung stehen, in ihrer realen, selbstlosen Mitmenschlichkeit wirklich implizit-christlich sein können (auch
wenn sie das selbst widersprechen) oder wenigstens auf dem Wege zu
wirklichem Christentum sind. Aber! der Christ selbst wird doch nicht
aufgefordert, in ein vorchristliches Stadium des impliziten Christentums
zurückzufallen! Wenn wir einige Veröffentlichungen lesen, bekommen
wir dennoch den Eindruck, daß das nur implizite Christentum – ich
meine den anonymen Kern, der in dem selbstlosen Einsatz für den Mitmenschen und für die innerweltlichen Lebensordnung aufgeschlossen
liegt – nun eigentlich der Höhepunkt der authentischen Religiosität heißen soll (. . .), und daß die direkte Gottesliebe und deshalb das Gebet eine
reine Mystifikation ist«. Die aus der Sakramententheologie stammende
Konzeption Schillebeeckx' zur Natur-Gnade-Beziehung findet sich in
verschiedenen Veröffentlichungen. Sehr klar ist sie nochmals zum Ausdruck gekommen in: Edward Schillebeeckx, Das Problem der Amtsunfehlbarkeit. Eine theologische Besinnung, in: Concilium (D) 9 (1973)
198–209; bes. 198.

[77] Vgl.: Schillebeeckx, Werkoffenbarung a.a.O. 43–47.
[78] Schillebeeckx, Werkoffenbarung a.a.O. 46.
[79] Schillebeeckx, Werkoffenbarung a.a.O. 47.
[80] Vgl. dazu: Bespreking (anläßlich des Vortrages Schillebeeckx', Anm.
des Verf.), in: Tijdschrift voor Liturgie 44 (1960) 60.
[81] Vgl.: Bespreking, in: TL 44 (1960) 60. Schillebeeckx weist hier darauf
hin, daß eine Sakramentalisierung des Wortes ein patristisches Erbstück
ist. Diesen Gedanken verwendet Schillebeeckx häufiger. Unterschiede
zwischen katholischer und reformatorischer Sakramentenauffassung
müßten seines Erachtens oft von einem kontroverstheologischen Stand-
punkt aus verstanden und bewertet werden. Tatsächlich zeige sich aber
oft eine gemeinsame Wurzel in der Patristik oder Scholastik, die dann von
der Gegenreformation einseitig interpretiert wurde. Vgl. auch: SH 591
(zur ›certa fiducia salutis‹ der Sakramente). Man muß Schillebeeckx zu-
gestehen, daß er sich durch seinen Rückgriff auf die Patristik vor einer
falschen Kontroverstheologie schützt. Allerdings fordert eine These, wie
die zur Sakramentalität des Wortes, eine detaillierte historische Studie,
die man gewiß in Schillebeeckx' Beitrag zum Wortgottesdienst vermißt.
[82] Vgl. dazu: Richard Auwerda, Dossier Schillebeeckx a.a.O. 33. Die
Diskussion über die ›realis praesentia‹ wurde in den sechziger Jahren in
Holland in einigen Zeitschriften und Zeitungen geführt. Vgl.: P. Schoonenberg, Tegenwoordigheid, in: Verbum 31 (1964) 395–415. P. Schoonenberg, Eucharistische tegenwoordigheid, in: De Heraut 95 (1964)
333–336. P. Schoonenberg, Nogmaals: Eucharistische tegenwoordigheid, in: De Tijd 21. 12. 1964; auch in: De Volkskrant, Gründonnerstag
1965. Luchesius Smits, Van oude naar nieuwe transsubstantiatieleer, in:

269

De Heraut 95 (1964) 340–344. Weitere Literatur zur Transsubstantiationsdiskussion im allgemeinen und in Holland im besonderen findet sich bei: Wolfgang Beinert, Die Enzyklika »Mysterium Fidei« und neuere Auffassungen über die Eucharistie, in: TThQ 147 (1967) 159 ff. Neuerdings auch: G. Hintzen, Die neuere Diskussion über die eucharistische Wandlung. Darstellung, kritische Würdigung, Weiterführung, Frankfurt: Lang 1976 (= Disputationes Theologicae 4). Schillebeeckx skizziert selbst die historischen Hintergründe dieser Diskussion gut in: E. Schillebeeckx, Transsubstantiation, Transfinalisation, Transfiguration, in: Worship 40 (1966) 324–338; bes. 328 ff. Eine Darstellung findet sich auch in: Edward Schillebeeckx, Die eucharistische Gegenwart. Zur Diskussion über die Realpräsenz, o. O. (Düsseldorf): Patmos 1967 (= Theologische Perspektiven), 70–81 (Für dieses Werk werden wir demnächst das Sigel EG verwenden).

83 Diese Studie wurde erstmals veröffentlicht in zwei Artikeln in TTh: E. Schillebeeckx, Christus' tegenwoordigheid in de eucharistie, in: TTh 5 (1965) 136–173. E. Schillebeeckx, De eucharistische wijze van Christus' werkelijke tegenwoordigheid, in: TTh 6 (1966) 359–394. 1967 erschienen dann beide Artikel gesammelt in einem Band: E. Schillebeeckx, Christus' tegenwoordigheid in de eucharistie, Bilthoven: Nelissen 1967. Die deutsche Übersetzung erfolgte im gleichen Jahr (vgl. Anm. 82 dieser Arbeit). Wir werden nach der deutschen Übersetzung zitieren. Zur Vorgeschichte der Transsubstantiationsdiskussion vgl.: EG 61–81.

84 Vgl.: EG 12.
85 Vgl.: EG 7–9.
86 Vgl.: SH 125–183.
87 Vgl.: SH 648–651. Schillebeeckx, Christus a.a.O. 23–26 u. ö.
88 EG 84.
89 EG 85.
90 EG 86. Wichtig scheint hier Schillebeeckx' Aussage, daß die Wirklichkeit im allgemeinen schon einen Symbolcharakter hat.
91 EG 87. Diese Unerreichbarkeit der Wirklichkeit deuten andere Theologen mit dem Phänomen ›Geschenk oder Gabe‹ (L. Smits) oder mit der ›frei geschenkten persönlichen (im Gegensatz zu ›räumlichen‹) Gegenwart‹ (P. Schoonenberg) an. Vgl. dazu die in Anm. 82 genannten Artikel. Dazu auch: J. Möller, De transsubstantiatie, in: Ned. Kath. Stemmen 56 (1960) 1–14. Möller versucht die semitische Denkweise für die heutige Zeit zu aktualisieren.
92 Vgl. auch: SH 413 f.
93 EG 91.
94 EG 92.
95 EG 92. Im Vergleich zur ›Sacramentele heilseconomie‹ kann man hier eine Akzentverschiebung feststellen. Während Schillebeeckx sich in der ›Sacramentele heilseconomie‹ sehr viel Mühe gibt, die Sakramente auch in dem historischen Christusereignis zu begründen (mittels der verzögerten Wirkung einer Instrumentalursache, in der Gott allerdings selbst der Urheber ist), begnügt er sich in EG damit, Christus als den Sich-selbst-Hingebenden zu bezeichnen, und die versammelte Gemeinde in einer Anamnese (die hier nicht als *Wirk*moment aufgefaßt wird) auf das Christusmysterium rekurrieren zu lassen. Die Verbindung zwischen der

Gemeinde und Christus beruht jetzt auf der Tatsache, daß Christus zu Rechten des Vaters sitzt und in seiner Kirche gegenwärtig ist. Es ist also eine Verschiebung feststellbar von einer theo-logisch-christologischen zu einer eschatologisch-ekklesiologischen Begründung. Inwiefern diese Verschiebung auch unter dem Einfluß der Konzilskonstitution über die Liturgie steht, zeigt Schillebeeckx in diesem Kontext nicht auf. Einen Hinweis findet sich allerdings in EG 27. Vgl. dazu auch: Sacrosanctum Concilium Nr. 7, in: LThK.E I, 20–23. Diese Erklärung ist aber noch unvollständig, da man sich auch für den theo-logisch-christologischen Begründungszusammenhang auf Konzilsaussagen berufen kann. Vgl. dazu etwa: Sacrosanctum Concilium Nr. 6 und 47, in: LThK.E I, 20 f.; 48–51.

[96] EG 93. Im gleichen Zusammenhang übt Schillebeeckx Kritik an einer Interpretation der eucharistischen Gegenwart mit Hilfe einer Phänomenologie des Geschenkes. Diese Interpretation wäre unzureichend. So EG 93: »Die Transsubstantiation bedeutet nicht, daß der in der Kirche lebende Christus in dieser neuen Sinn-Stiftung *etwas* gibt, einen inkarnierten Erweis der Liebe, wie wir in jedem sinnvollen Geschenk die schenkende Hand und vor allem das schenkende Herz und damit letztlich den Schenkenden selbst miterfahren. Die Beziehungen liegen viel tiefer: Was geschenkt wird, ist der Geber selbst, in einer Weise, welche die Phänomenologie der ›Selbsthingabe *im* Geschenk‹ radikal versagen läßt«.

[97] Vgl.: EG 94. Diese Wechselwirkung kommt sehr prägnant zum Ausdruck in der Formulierung: »Der ›Leib des Herrn‹ im christologischen Sinne ist die Quelle des ›Leib des Herrn‹ im ekklesiologischen Sinn. Christi ›eucharistischer Leib‹ ist die Gemeinschaft der beiden«. In einem mehr spirituellen Kontext hat Schillebeeckx diesen doppelten Einheitsfaktor schon 1952 beschrieben. Vgl.: H. Schillebeeckx, De broederlijke liefde a.a.O. Nachdem Schillebeeckx in diesem Aufsatz auf die besondere Bedeutung der christlichen Nächstenliebe hingewiesen hat, führt er diese Liebe auf die Eucharistie zurück. Die christliche Bruderliebe ist eine Antwort, ja sogar die angemessenste Antwort des Menschen auf die in der Eucharistie offenbar gewordene Liebe Gottes zum Menschen. In diesem Kontext wird die Liebe eines Christen gegenüber einem anderen Menschen zu einer christlichen Sichtbarkeit eines göttlichen Mysteriums. Bruderliebe ist die Form des Christseins. Man bemerkt in diesem Artikel deutlich einen Unterschied zu Schillebeeckx' späterer Theologie. Die Tendenz dieses Artikels ist sakramental-spirituell, während eine explizit christologische Rückführung fehlt. Die Bruderliebe wird dann auch in besonderer Weise von der Eucharistie genährt. So a.a.O. 617: »In dem eucharistischen Vollzug werden wir uns deutlich bewußt, daß Christus selbst das Bindeglied der christlichen Gemeinschaft und der kleineren Gemeinschaften ist, in denen wir leben (. . .): all diese Gemeinschaften beziehen ihre tiefste Intimität aus der Christlichkeit der Bruderliebe, die in ihnen zu einer besonderen, eigenen Gestalt heranwächst«. Die Bruderliebe ist aber ein Zeichen für das göttliche Myterium der Liebe. Bruderliebe trägt dann auch nach Schillebeeckx einige Merkmale des Sakramentes. Vgl. a.a.O. 619: »Denn wie jedes christliche *mysterium* ist auch die Liebe der Erlösten ein Durchbruch der göttlichen Wirklichkeit in irdi-

sche Sichtbarkeit, so daß in der christlichen Liebe die spätere (eschatologische) Herrlichkeit immer mehr im Werden und im Kommen ist: sie ist das Kommen des Reiches Gottes«.

[98] Der historische Christus steht auch in dieser Interpretation der eucharistischen Gegenwart im Hintergrund.

[99] Obwohl die Theologie des Triduum Paschale in dem vorliegenden Werk nicht ausgiebig dargelegt wird, ist sie als Voraussetzung mitbedacht. Vgl. etwa: EG 91.

[100] Ob man dieses Gedächtnis der Selbsthingabe Christi als Mess*opfer* ansehen kann, bleibt in diesem Kontext ungeklärt.

[101] Wenn die eucharistische Gegenwart einerseits die ekklesiale Gegenwart des Herrn in der Einheit der Gemeinde voraussetzt, andererseits aber auch einheitsstiftend ist, haben diese Überlegungen eine sehr starke ökumenische Bedeutung. Verschiedene Fragen der Interkommunion stehen in einem unmittelbaren Zusammenhang mit der Bewertung der Voraussetzung (Einheit der Christen) und Wirkung (Weg zur Einigung) der Eucharistie. Letztlich wird sich die Frage nach der Interkommunion an der Frage entscheiden müssen, ob die Eucharistie selbst zum Mittel werden darf.

[102] Vgl.: EG 15–49. Alexander Gerken kritisiert die dogmengeschichtliche Studie Schillebeeckx', die durch ihre Beschränkung auf die Texte des Konzils von Trient zu einseitig sei. Vgl.: Alexander Gerken, Theologie der Eucharistie, München: Kösel-Verlag 1973, 15; 197. Obwohl Gerken in seiner Kritik zuzustimmen ist, dürfte er übersehen haben, daß es sich bei der EG nicht um eine vollständig ausgearbeitete Theologie der Eucharistie handelt.

[103] Vgl.: EG 28 f. So auch: W. Beinert a.a.O. 168 f.

[104] Vgl. dazu Schillebeeckx' Hinweis auf Melchior Canos Erklärung, in der er die Trienter Konzilsväter auf die unterschiedliche Bedeutung der drei genannten Ebenen aufmerksam machte. Vgl.: EG 30.

[105] EG 30.

[106] Vgl.: EG 31–45.

[107] EG 45.

[108] Vgl. dazu: EG 49–57; 98–100.

[109] Die einzig theologische Konsequenz, die Schillebeeckx in der EG herausarbeitet, ist die Bewertung der Neuformulierung ›Transsignifikation‹. Schillebeeckx betrachtet ›Transsignifikation‹ unter Umständen als eine sachgerechte Bezeichnung, da sie die neue Sinnstiftung der Wirklichkeit von seiten Gottes betrachtet, die auch um eine neue Sinngebung des Menschen fragt. So wäre diese Deutung dann eine Implikation des Terminus ›Transsubstantiation‹«. Transsignifikation als ein rein menschlicher Akt der neuen Sinngebung der Eucharistie lehnt Schillebeeckx ab. Alexander Gerken dürfte bei seiner Beurteilung des Verhältnisses zwischen Transsubstantiation und Transsignifikation bei Schillebeeckx übersehen haben, daß Transsignifikation die metaphysische Ebene der Sinnstiftung – und nicht nur der menschlichen Sinngebung – berührt. Sonst ist Gerkens Frage nach dem allgemeineren Begriff (entweder Transsubstantiation oder Transsignifikation) nicht verständlich. Vgl. hierzu: Alexander Gerken a.a.O. 198 f.

[110] In einigen früheren Artikeln berührt Schillebeeckx die Kausalitäts-

frage. Die Messe ist wesentlich unsere sakramentale Eingliederung in das
Kreuzesopfer Christi und die Explizitmachung dieser Eingliederung.
Vgl.: H. Schillebeeckx, Spanning tussen Misoffer en Kruisoffer? Twee
groepen van theologen? in: De Bazuin Jg. 35, H. 28, 28. Juni 1952.
H. Schillebeeckx, Het offer der Eucharistie. Het sacrament van óns, in:
De Bazuin Jg. 38, H. 36, 4. Juni 1955, 6–7.
[111] Ein Großteil dieser Themen ist wohl in der ›Sacramentele heilseconomie‹ abgehandelt. Die Erklärung für den Verzicht auf diese doch be-
deutsamen Themenkreise in der EG muß man wohl auf die von Schillebeeckx gewählte Einschränkung auf die ›Eucharistische Gegenwart‹
zurückführen.
[112] Die eucharistische Gegenwart sagt eine Glaubenslehre aus, die auf
der Ebene der Sakramentalität liegt, nicht in erster Linie auf die einer ontologischen Wirklichkeit. Vgl. dazu: EG 95–97.
[113] Zu diesem Begriff vgl.: SH 561–619. Schillebeeckx, Christus a.a.O.
137 ff.
[114] Hier braucht nicht nochmals die ›attritio‹- und ›contritio‹-Auffas-
sung Schillebeeckx erörtert zu werden. Dazu sei auf den betreffenden
Abschnitt der fundamentalen Sakramentenlehre verwiesen.
[115] Neben der SH und dem Christusbuch findet sich die bedeutendste
Literatur Schillebeeckx' zur Beichte in: H. Schillebeeckx, Het sacrament
van de biecht, in: TGL 8 (1952) 219–242. H. Schillebeeckx, Is biechten
nog ›up to date‹? in: Thomas (Gent) 6 (1952/53) H. 3, 5–6. H. Schillebeeckx, Is de biecht nog up to date?, in: Thomas (Gent) 6 (1952/53) H. 5,
3–4.
[116] Vgl.: SH 561 ff.
[117] Schillebeeckx, Het sacrament van de biecht a.a.O. 219. Ähnlich auch:
Schillebeeckx, Is biechten nog ›up to date‹? a.a.O. 5. Diese Erklärung mag
wohl zutreffen, aber es können sicherlich auch noch andere psychologische Erklärungsmodelle für die Existenz eines Schuldbewußtseins herangezogen werden: so etwa die Diskrepanz zwischen gelernten Haltun-
gen und realisierten Handlungen.
[118] Schillebeeckx, Is de biecht nog up to date? a.a.O. 3. Ähnlich auch:
H. Schillebeeckx, Het sacrament van de biecht a.a.O. 224.
[119] Wie bei der Taufe kann man auch bei der Beichte von einem ›votum
sacramenti‹ sprechen. Diese Begierde-Beichte hat auch dogmengeschichtliche Bedeutung gehabt und hat zu konkreten Ausgestaltungen
z. B. in der Laienbeichte geführt. Vgl. dazu: Karl Rahner, Laienbeichte,
in: LThK VI, 741 f. Herbert Vorgrimler, Der Kampf des Christen mit der
Sünde, in: MySal V, 416.
[120] Die Frage nach der Sakramentalität der Bußandachten, in denen kein
Einzelbekenntnis gesprochen wird, berührt dann auch sehr eng die
Theorie einer Vorgängigkeit der vergebenden Liebe Gottes. Trotzdem
scheint es nicht angebracht, diese Frage hier zu behandeln, da beim Problem der Bußandachten und ihrer Sakramentalität noch andere Aspekte
eine Rolle spielen, wie z. B. die Versöhnung mit der Kirche, die Forderung nach dem Einzelbekenntnis einer Todsünde (Can. 7 des Tridentinums; vgl. DS 1707). Außerdem wird diese Frage von Schillebeeckx in seinen Veröffentlichungen nicht explizit behandelt. Sie tritt nur als
Überleitung zum Sinn der Beichte auf. So: Schillebeeckx, Is de biecht nog

up to date? a.a.O. 3: »Wenn die reuige Einkehr, Glaube, Hoffnung und Liebe zur Vergebungsgnade ausreichen, – wenn die innere Beseelung eigentlich schon ›geistlich beichten‹ heißt, weshalb dann noch das unangenehme Zwischenglied einer äußeren Beichte, in dem wir einem Priester unsere Schuld bekennen, von ihm das ›absolvo‹ vernehmen und von ihm die dankende und aussühnende Buße zugemessen erhalten?« Ähnlich auch in: Schillebeeckx, Het sacrament van de biecht a.a.O. 225.

[121] Schillebeeckx, Het sacrament van de biecht a.a.O. 224.

[122] Schillebeeckx, Het sacrament van de biecht a.a.O. 225.

[123] Die Sakramentalität der Heilshandlungen Christi und die vermittelnde Stellung der Kirche wird in dem Teil zur ›Christologischen Konzentration‹ ausführlich erörtert werden.

[124] Schillebeeckx, Het sacrament van de biecht a.a.O. 226f. Ähnliche Aussagen finden sich in: Schillebeeckx, Is de biecht nog up to date? a.a.O. 3. Schillebeeckx, Christus a.a.O. 179. Schillebeeckx, Sacrament a.a.O. 4226.

[125] Vgl.: STh III, q. 84, a. 1 ad 3: »Res autem et sacramentum est poenitentia interior peccatoris«. Vgl. auch: Bernhard Poschmann, Buße und Letzte Ölung, Freiburg: Herder 1951 (= HDG IV/3) 89 ff.; 111. Herbert Vorgrimler, Der Kampf des Christen mit der Sünde a.a.O. 418 f. (dort auch weiterführende neuere Literatur). Vgl. zur ganzen Dogmengeschichte der Buße und Beichte neuerdings auch: Anton Ziegenaus, Umkehr – Versöhnung – Friede. Zu einer theologisch verantworteten Praxis von Bußgottesdienst und Beichte, Freiburg: Herder 1975. Herbert Vorgrimler, Buße und Krankensalbung, Freiburg: Herder 1978 (= HDG IV/3).

[126] So: Poschmann a.a.O. 90.

[127] So ebenfalls: Poschmann a.a.O. 111.

[128] B. Xiberta, Clavis Ecclesiae. De ordine absolutionis sacramentalis ad reconciliationem cum Ecclesia, Rom 1922.

[129] M. de la Taille, Mysterium fidei de augustissimo Corporis et Sanguinis Christi sacrificio atque sacramento, Paris: Gabriel Beauchesne 1921.

[130] 1952 war auch das Erscheinungsjahr der ›Sacramentele heilseconomie‹. Dieser Tatbestand läßt ein Fehlen der ekklesialen Wirkung der Sakramente in der SH (außer dem Merkmal, das wohl ausführlich behandelt wird) um so bemerkenswerter erscheinen. Allerdings wird in dem Inhaltsverzeichnis des nie publizierten, aber wohl angekündigten zweiten Teils der SH (S. XX der SH) ein Kapitel über das Verhältnis zwischen dem Merkmal und der sakramentalen Gnade vorgesehen (Kap. VII).

[131] Einen guten Überblick über die neuere Entwicklungen in der Theologie der Beichte, bei der auch die Neubewertung der ekklesialen Wirkung der Sündenvergebung und Versöhnung herausgearbeitet wird, gibt: Herbert Vorgrimler, Der Kampf des Christen mit der Sünde a.a.O. 430–434.

[132] Anderorts beruft Schillebeeckx sich wohl auf einige Autoren mit hohem ekklesialen Interesse. Vgl.: Schillebeeckx, Sacrament a.a.O. 4227. In diesem Artikel aus dem Jahre 1958 nennt Schillebeeckx: M. Schmaus, Katholische Dogmatik IV/1: Die Lehre von den Sakramenten, München 1952. K. Rahner, Kirche und Sakrament, in: GuL 28 (1955) 434–453. O. Semmelroth, Die Kirche als Ursakrament, Frankfurt/M 1953. J. Ty-

ciak, Der siebenfältige Strom aus der Gnadenwelt der Sakramente, Freiburg 1954. P. Smulders, Sacramenten en kerk, in: Bijdr. 17 (1956) 391–418. (Alle Werke sind an dieser Stelle nach Schillebeeckx a.a.O. zitiert). Diese Veröffentlichungen können aber wohl kaum wegen ihres Erscheinungsjahres (alle 1952 oder später) Schillebeeckx' Auffassung aus dem Jahre 1952 beeinflußt haben.

[133] Neben der schon in Anm. 132 erwähnten Literatur könnte hier eine wahre Fülle an Veröffentlichungen über die Kirche und ihre Sakramentalität angegeben werden. Wir beschränken uns auf die bedeutendsten: E. Biser, Das Christusgeheimnis der Sakramente: Heidelberg: F. H. Kerle Verlag 1950. H. de Lubac, Corpus Mysticum. L' Eucharistie et l' Église au Moyen Age. Étude historique, Paris: Aubier ²1949 (= Théologie 3); deutsch: H. de Lubac, Corpus Mysticum. Kirche und Eucharistie im Mittelalter. Eine historische Studie, Einsiedeln: Johannes Verlag 1969. H. de Lubac, Méditation sur l' Église, Paris: Aubier/Éditions Montaigne 1953; deutsch: H. de Lubac, Die Kirche. Eine Betrachtung, Einsiedeln: Johannes Verlag 1968; oder: H. de Lubac, Betrachtung über die Kirche, Graz/Wien/Köln: Verlag Styria 1954. Yves Congar, Ecclesia ab Abel, in: M. Reding (Hrsg), Abhandlungen über Theologie und Kirche. Festschrift für Karl Adam, Düsseldorf: Patmos-Verlag 1952, 79–108. Yves Congar, Marie et l' Église, Paris 1955; deutsch: Yves Congar, Christus, Maria und die Kirche, Mainz: Matthias-Grünewald-Verlag 1959. Erik Peterson, Die Kirche aus Juden und Heiden, in: ders., Theologische Traktate, München: Hochland Bücherei im Kösel-Verlag 1951, 241–292. K. Rahner S. J., De paenitentia tractatus historico-dogmaticus, Innsbruck 1952 (als Manuscript vervielfältigt). In diesem Traktat nennt Rahner nach Semmelroth (Die Kirche als Ursakrament a.a.O. 238, Anm. 35) die Kirche als erster ›sacramentum radicale‹. Sebastianus Tromp, Corpus Christi quod est ecclesia, I (Introductio generalis), Romae: Aedes Universitatis Gregorianae 1946. Die Beziehungen zwischen diesem erneuerten Interesse für die Kirche und ihre Sakramentalität und der Enzyklika Pius XII. ›Mystici Corporis‹ vom 29. Juni 1943 (vgl.: DS 3800–3822) brauchen hier wohl nicht näher erörtert zu werden. Vgl. dazu: Leonardo Boff, Die Kirche als Sakrament im Horizont der Welterfahrung. Versuch einer Legitimation und einer struktur-funktionalistischen Grundlegung der Kirche in Anschluß an das II. Vatikanische Konzil, Paderborn: Verlag Bonifacius-Druckerei 1972 (= Konfessionskundliche und kontroverstheologische Studien 28), 217–227. Hubert Schnackers, Kirche als Sakrament und Mutter. Zur Ekklesiologie von Henri de Lubac, Frankfurt: Lang 1979 (= Regensburger Studien zur Theologie 22).

[134] Eine kleine Skizze der altkirchlichen Bußpraxis findet sich bei Schillebeeckx in: Schillebeeckx, Het sacrament van de biecht a.a.O. 227. Ausführlicher bespricht er die verschiedenen Formen der Buße und Beichte in: Edward Schillebeeckx, Der Sinn der katholischen Ablaßpraxis, in: Lutherische Rundschau 17 (1967) 328–353; bes. 329–335 (dort auch ein ausführliches Literaturverzeichnis).

[135] Schillebeeckx, Der Sinn der katholischen Ablaßpraxis a.a.O. 331.
[136] Schillebeeckx, Der Sinn der katholischen Ablaßpraxis a.a.O. 331.
[137] Vgl. zu diesen Ausführungen auch: Schillebeeckx, Het sacrament van de biecht a.a.O. 227.

[138] Vgl.: Schillebeeckx, Het sacrament van de biecht a.a.O. 227.

[139] Vgl.: Schillebeeckx, Het sacrament van de biecht a.a.O. 227. Daneben nennt Schillebeeckx noch andere Argumente, die aus der kirchlichen Disziplin stammen (a.a.O. 227 ff.).: – Vergebung einer Todsünde aufgrund der ›vollkommenen Reue‹ verleiht noch keinen Zugang zur Eucharistie (vgl. auch C I C Can. 856). – Vergebung der Sünden aufgrund einer ›vollkommenen Reue‹ muß ein Verlangen zur Beichte implizieren. – Ein Priester kann nur gültig absolvieren, wenn er neben der ›potestas ordinis‹ auch eine Jurisdiktionsvollmacht besitzt.

[140] Schillebeeckx, Het sacrament van de biecht a.a.O. 228.

[141] Vgl.: Schillebeeckx, Sacrament a.a.O. 4207. E. Schillebeeckx, De sacramenten van de Kerk, in: E. Schillebeeckx (Hrsg), Theologisch Perspectief, II (Dogmatiek), Hilversum: Paul Brand 1959, 187. Das parallele deutsche Original bietet den Ausdruck: instrumentale Heilskausalität. Vgl.: Heinrich Schillebeeckx, Sakramente als Organe der Gottbegegnung, in: Johannes Feiner, Josef Trütsch, Franz Böckle (Hrsg), Fragen der Theologie heute, Einsiedeln: Benziger 1957, 396. Aus den Darlegungen zur SH dürfte klar geworden sein, daß Schillebeeckx eine sakramentale Kausalität vertritt, in der die Wirksamkeit zwar im Zeichen liegt, aber nicht aus diesem begründet werden kann.

[142] Vgl.: SH 209–227.

[143] Vgl. in dieser Hinsicht: Schillebeeckx, Het sacrament van de biecht a.a.O. 229.

[144] Vgl.: etwa: SH 599. Schillebeeckx, Het sacrament van de biecht a.a.O. 238. Schillebeeckx, Is de biecht nog up to date? a.a.O. 4.

[145] Vgl.: Schillebeeckx, Het sacrament van de biecht a.a.O. 233.

[146] Schillebeeckx, Het sacrament van de biecht a.a.O. 232.

[147] Schillebeeckx, Het sacrament van de biecht a.a.O. 233.

[148] Schillebeeckx, Het sacrament van de biecht a.a.O. 235.

[149] Vgl.: Schillebeeckx, Het sacrament van de biecht a.a.O. 235 ff.

[150] Vgl.: Schillebeeckx, Der Sinn der katholischen Ablaßpraxis a.a.O. 329–335. B. Poschmann, Der Ablaß im Lichte der Bußgeschichte, Bonn 1948, 36 ff. Neuerdings auch: Herbert Vorgrimler, Buße und Krankensalbung, Freiburg: Herder 1978 (= HDG IV/3), bes. 96 ff.

[151] Schillebeeckx, Der Sinn der katholischen Ablaßpraxis a.a.O. 336.

[152] Schillebeeckx, Der Sinn der katholischen Ablaßpraxis a.a.O. 339.

[153] Vgl.: Schillebeeckx, Der Sinn der katholischen Ablaßpraxis a.a.O. 340.

[154] Vgl.: Schillebeeckx, Der Sinn der katholischen Ablaßpraxis a.a.O. 341. Schillebeeckx weist darauf hin, daß Thomas keine Theologie des Ablasses mehr in der STh hat vorlegen können, und daß man somit auf sein ›Jugendwerk‹, den Sentenzenkommentar, zurückgreifen muß. Der Ausgangspunkt für die Ablaßtheorie hat Schillebeeckx allerdings aus dem sakramententheologischen Teil der Summa erarbeitet (I–II, q. 87; III, q. 86).

[155] Schillebeeckx, Der Sinn der katholischen Ablaßpraxis a.a.O. 341.

[156] Schillebeeckx, Der Sinn der katholischen Ablaßpraxis a.a.O. 342. Diese Kritik bezieht sich auf: Poschmann, Buße und Letzte Ölung a.a.O. 119.

[157] Vgl.: Schillebeeckx, Der Sinn der katholischen Ablaßpraxis a.a.O.

343–346. Hierzu auch: H. Schillebeeckx, Schat der kerk, in: ThWo III, 4247 f.

[158] Vgl.: Schillebeeckx, Der Sinn der katholischen Ablaßpraxis a.a.O. 349 ff.

[159] Vgl.: Gal 6,2.

[160] Die deutliche Abhebung dieser zwei Sätzen muß man wohl auf den ökumenischen Hintergrund dieses Aufsatzes (veröffentlicht in der Lutherischen Rundschau) zurückführen.

[161] Dieses ekklesiale Moment der Beichte wird von Schillebeeckx immer stark hervorgehoben. Vgl. dazu auch den Abschnitt zum Sakrament der Beichte.

[162] Vgl.: Schillebeeckx, Der Sinn der katholischen Ablaßpraxis a.a.O. 350.

[163] Schillebeeckx, Der Sinn der katholischen Ablaßpraxis a.a.O. 350. Dieses sakramental-ekklesiale Prinzip, das man als typisch katholisch umschreiben könnte, verliert durch die Begrenzung auf den innerlichen Bereich jede kontroverstheologische Spitze, da auch die reformatorischen Christen annehmen, daß die Heiligung des Menschen ohne eigenes Verdienst aus dem Heilsereignis Christi geschöpft wird.

[164] Schillebeeckx, Der Sinn der katholischen Ablaßpraxis a.a.O. 350 f. Vgl. dazu auch ähnlich: Piet Schoonenberg, Der Mensch in der Sünde, in: MySal I (1967), 845–941; bes. 852 ff.; 878 ff. Piet Schoonenberg, Theologie der Sünde, Einsiedeln: Benziger 1966. Beide werden von Schillebeeckx bemerkenswerterweise nicht erwähnt.

[165] Die Transposition dieses inkarnationstheologischen Prinzips auf die Gnadenlehre scheint an dieser Stelle unvermittelt und vorschnell, da ein Begründungszusammenhang fehlt. Die Einsicht, daß das Gnadenhandeln Gottes im Menschen auch anthropologisch aufzeigbar sein muß, findet sich schon in Schillebeeckx' Deutung der sakramententheologischen Begnadigung. Später wird diese Einsicht so entfaltet, daß die Orthodoxie auch zu einer feststellbaren Orthopraxie hinstreben muß. Vgl. dazu Schillebeeckx Darstellung des Korrelationskriteriums in: Edward Schillebeeckx, Theologische Kriterien. Der »rechte Glaube« und seine Kriterien, in: ders., Glaubensinterpretation a.a.O. 48–82. Edward Schillebeeckx, Das Korrelationskriterium. Christliche Antwort auf eine menschliche Frage?, in: ders., Glaubensinterpretation a.a.O. 83–109.

[166] Schillebeeckx, Der Sinn der katholischen Ablaßpraxis a.a.O. 351.

[167] Schillebeeckx, Der Sinn der katholischen Ablaßpraxis a.a.O. 352.

[168] Schillebeeckx, Der Sinn der katholischen Ablaßpraxis a.a.O. 352.

[169] Schillebeeckx, Der Sinn der katholischen Ablaßpraxis a.a.O. 350.

[170] Diese kritische Note richtet sich eigentlich an die von Schillebeeckx in diesem Aufsatz vertretene These der Verinnerlichung. Abgesehen von der Kontinuitätsfrage, die Schillebeeckx ja mit einer Berufung auf Thomas beantwortet, stellt sich auch die Frage nach der Bewertung der Sozialisationsfaktoren in der Kirche und im Glauben. Schillebeeckx neigt dazu, diese zu unterschätzen. Vgl. dazu auch: Edward Schillebeeckx, Kirche und Religionssoziologie, in: ders., Gott-Kirche-Welt a.a.O. 115–139.

[171] Vgl.: SH 614–619.

[172] Vgl.: H. Schillebeeckx, De dood, schoonste mogelijkheid van een

christen, in: De Bazuin 35, H. 9, 24. Nov. 1951, 4–5. H. Schillebeeckx, De dood van een christen, in: Kultuurleven 22 (1955) 421–430; 508–519. H. Schillebeeckx, De dood, lichtende horizon van de oude dag, in: De Bazuin 38, H. 36, 4. Juni 1955, 4–5.

[173] Vgl.: Schillebeeckx, Schoonste mogelijkheid a.a.O. 4. Schillebeeckx, De dood van een christen a.a.O. 421. Später auch in Relation zum Bösen und Leid in der Menschengeschichte: E. Schillebeeckx, Mysterie van ongerechtigheid en mysterie van erbarmen. Vragen rond het menselijk lijden, in: TTh 15 (1975) 3–25.

[174] Vgl.: Schillebeeckx, Schoonste mogelijkheid a.a.O. 4f.

[175] Das Wort ›desituiert‹ ist wieder eine sprachliche Neuschöpfung von Schillebeeckx. ›Situiert‹ tritt bei ihm meist in Verbindung mit der menschlichen Person und ihrer Freiheit auf. Menschliche Freiheit ist im Gegensatz zur göttlichen Freiheit durch ihre eigenen Naturmöglichkeiten und durch die vorgegebenen Umstände beschränkt. Genau diese dem Menschen eigene und für seine Existenz und seine Ausdrucksmöglichkeiten notwendige Einschränkung nennt Schillebeeckx ›situierte Persönlichkeit‹ oder ›situierte Freiheit‹. Da sie für den Menschen notwendig ist, wird das ›Desituiert‹-Sein ihn seiner menschlichen Möglichkeiten berauben. Vgl. hierzu etwa: Eduard Schillebeeckx, Die Heiligung des Namens Gottes durch die Menschenliebe Jesu des Christus, in: Johannes Baptist Metz u. a. (Hrsg.), Gott in Welt. Festgabe für Karl Rahner, II, Freiburg: Herder 1964, 53.

[176] Es läßt sich eine deutliche Parallelität zwischen den Darlegungen Schillebeeckx' und der Unsterblichkeitsauffassung De Petters feststellen. Abhängigkeitsverhältnisse sind aber nicht aufzeigbar, da beide Artikel um dieselbe Zeit veröffentlicht wurden. Vgl. D. M. De Petter, Onsterfelijkheid, in: Kultuurleven 27 (1956) 11–22; auch im Sammelband: D. M. De Petter, Dood en onsterfelijkheid, in: ders., Begrip en werkelijkheid a.a.O. 217–233. Hierzu auch Scheltens, der bei der Todesdeutung De Petters von einem ›Kataklysmus‹ spricht: D. Scheltens, De filosofie van P. D. M. De Petter a.a.O. 474 ff.

[177] Vgl.: Schillebeeckx, De dood van een christen a.a.O. 423f.

[178] Schillebeeckx, De dood van een christen a.a.O. 425. In einem spirituellen Kontext, der diese Verbindung zwischen Tod und Sünde aktualisiert, findet sich diese Aussage auch schon in dem Artikel: Schillebeeckx, De dood, lichtende horizon van de oude dag a.a.O. 4.

[179] Vgl.: Röm 6,6. Vgl. auch: E. Schillebeeckx, Maria. Moeder van de verlossing. Religieuze grondlijnen van het Maria-mysterie, Antwerpen: Apostolaat van de Rozenkrans ⁴1959, 53f.

[180] Schillebeeckx, De dood van een christen a.a.O. 428. Vgl. auch: Schillebeeckx, Sakramente als Organe der Gottbegegnung a.a.O. 393.

[181] Schillebeeckx, De dood van een christen a.a.O. 428.

[182] Schillebeeckx, De dood van een christen a.a.O. 429. Diese Deutung des Todes Jesu als *Liebe*sopfer dem Vater gegenüber ist für die Theologie der Krankensalbung bei Schillebeeckx wesentlich. Der Tod in der Interpretation des reinen Opfers steht nämlich unter derselben Kritik wie eine Theorie des Kultes, mit der Schillebeeckx sich im Rahmen des sakramentalen Merkmals auseinandersetzt (vgl.: SH 514 ff.). Gott bedarf nicht des Opfers eines Menschen. Nur unter der Voraussetzung des Lebensopfers

278

des geliebten Sohnes, das von Gott angenommen wurde, kann das Opfer eines Menschen eine Bedeutung erhalten. So wird die Zentralstelle für die christliche Interpretation des Todes bei Schillebeeckx eine (allerdings wohl zu verdeckte) Verbindung mit dem Liebesopfer Christi.

[183] Schillebeeckx, De dood van een christen a.a.O. 429.

[184] Schillebeeckx, De dood van een christen a.a.O. 429. Ausführlicher wird auf den Tod Jesu in den christologischen Werken eingegangen. Die Aufnahme der dort gegebenen Deutekategorien erbringt für unser theologisches Verständnis der Krankensalbung keine neue Gesichtspunkte. Vgl.: Edward Schillebeeckx, Jesus a.a.O. 242–283. Edward Schillebeeckx, Christus und die Christen a.a.O. 776–784. Vgl. zum neutestamentlichen Forschungsstand zum stellvertretenden Leiden und Sterben: Martin Hengel, Der stellvertretende Sühnetod Jesu. Ein Beitrag zur Entstehung des urchristlichen Kerygmas, in: IKaZ Communio 9 (1980) 1–25; 135–147.

[185] Vgl.: Schillebeeckx, De dood van een christen a.a.O. 430. In gerafften Zügen findet sich eine Darstellung dieser Soteriologie auch in: Schillebeeckx, Schoonste mogelijkheid a.a.O. 5.

[186] Zur Negativität des Todes (allerdings ohne sakramententheologischen Zielpunkt) vgl. auch: E. Schillebeeckx, Leven ondanks de dood in heden en toekomst, in: TTh 10 (1970) 415–452.

[187] Schillebeeckx, De dood van een christen a.a.O. 508.

[188] Vgl.: Schillebeeckx, De dood van een christen a.a.O. 510–513.

[189] Schillebeeckx, De dood van een christen a.a.O. 512.

[190] Schillebeeckx, De dood van een christen a.a.O. 516.

[191] Vgl.: Schillebeeckx, De dood van een christen a.a.O. 517.

[192] Schillebeeckx, Schoonste mogelijkheid a.a.O. 5.

[193] Schillebeeckx, De dood van een christen a.a.O. 518.

[194] Schillebeeckx, Schoonste mogelijkheid a.a.O. 5. Dabei ist der christliche Sterbensakt ein in der Gemeinschaft der Kirche vollzogener Akt. Er wird somit in der von der Kirche vermittelten Erlösung mitgetragen. Vgl. Schillebeeckx, Sacrament a.a.O. 4226f. Schillebeeckx, Christus a.a.O. 179 (der gleiche Text wie in dem Artikel ›Sacrament‹).

[195] Vgl. hierzu: M. Fraeyman, Krankensalbung, in: LThK VI, 587–589. Bernhard Poschmann, Buße und Letzte Ölung a.a.O.; bes. 125–133. M. Fraeyman, Het sacrament der zieken, Tielt/Den Haag: Lannoo 1964 (= Woord en Beleving 17), 13–21.

[196] So die Aufforderung der Kultkongregation im Rituale Romanum zur Spendung der Firmung an »gefährlich Erkrankte«. Vgl.: Ordo unctionis infirmorum eorumque pastoralis curae, Editio typica, Vatikan: Typis polyglottis vaticanis 1972, 15 (Praenotanda Nr. 8).

[197] Dies zeigen die sehr skizzenhaften Gedanken zur Krankensalbung (im richtigen Sinne des Wortes) aus 1967, in denen Schillebeeckx die Krankensalbung mit der Sorge des Menschen für Kranke und Schwache verbindet. Diese Sorge wird in der Krankensalbung sakramental zum Ausdruck gebracht und in Relation zur Übel und Tod überwindenden Erlösung Christi gesetzt. Mit dieser Deutung will Schillebeeckx nicht die »Effikazität« der Krankenpflege minimalisieren, sondern lediglich diese mit dem Phänomen der menschlichen und christlich gefüllten Explizitmachung verbinden, um so den Boden für ein Sakramentenverständnis

fruchtbar zu machen. Vgl.: E. Schillebeeckx, De sacramenten, in: Ons Ziekenhuis 29 (1967) 294–298; bes. 298; deutsch: Schillebeeckx, Die Sakramente im Plan Gottes, in: Krankendienst 40 (1967) 278–281 (war mir nicht zugänglich).

[198] Zum Sakrament der Ehe hat Schillebeeckx eine Fülle Veröffentlichungen verfaßt, die fast alle aus den sechziger Jahren stemmen: E. Schillebeeckx, De zegeningen van het sacramentele huwelijk, in: De Bazuin 43, H. 18 (7. Febr. 1960), 2–12. E. Schillebeeckx, De natuurwet in verband met de katholieke huwelijksopvatting, in: Werkgenootschap van katholieke theologen in Nederland, Jaarboek 1961. Voordrachten en discussies, Hilversum: Gooi en Sticht 1963, 5–61.E. Schillebeeckx, Het moderne huwelijkstype. Een genadekans, in: TGL 19 (1963) 221–233 (vgl. zu diesem Artikel: Het Huwelijk 13–22). E. Schillebeeckx, Het huwelijk. Aardse werkelijkheid en heilsmysterie, I, Bilthoven: H. Nelissen 1963. E. Schillebeeckx, De wisselende visies der christenen op het huwelijk, in: Kerk en wereld, Hilversum/Antwerpen: Paul Brand 1966 (= Do-C dossiers 10), 91–114. E. Schillebeeckx, Het huwelijk volgens Vaticanum II, in: TGL 22 (1966) 81–107. E. Schillebeeckx, Het christelijke huwelijk en de menselijke realiteit van volkomen huwelijksontwrichting, in: (On)ontbindbaarheid van het huwelijk, Hilversum: Paul Brand (= Annalen van het Thijmgenootschap 58,1 (1970), 184–214; deutsch: Edward Schillebeeckx, Die christliche Ehe und die menschliche Realität völliger Ehezerrüttung, in: P. J. M. Huizing (Hrsg.), Für eine neue kirchliche Eheordnung. Ein Alternativentwurf, Düsseldorf: Patmos-Verlag 1975, 41–73. Neuerdings vgl. auch: Edward Schillebeeckx, Christus und die ›Christen Christen 573 f. Vgl. dazu: L. J. Elders, El pensamiento de Schillebeeckx en su »Justice et amour, grâce et liberation«, in: Etica y theologia ante la crisis contemporanea, Navarra 1980, 223–237.

[199] Schillebeeckx setzt sich früh mit dem Problem der Säkularität und Säkularisierung auseinander. Vgl. dazu schon die 1958 in Nimwegen gehaltene Antrittsvorlesung: E. Schillebeeckx, Op zoek naar de levende God, in: ders., God en mens, Bilthoven: H. Nelissen 1965 (= Theologische Peilingen II), 20–35; deutsch: Edward Schillebeeckx, Auf der Suche nach dem lebendigen Gott, in: ders., Gott-Kirche-Welt a.a.O. 13–29.

[200] Vgl.: Schillebeeckx, Het moderne huwelijkstype a.a.O. 221–225. Schillebeeckx, Het huwelijk a.a.O. 13–16.

[201] Schillebeeckx, Het moderne huwelijkstype a.a.O. 231 f. Derselbe Text in: Schillebeeckx, Het huwelijk a.a.O. 21.

[202] Das alttestamentliche Eheverständnis wird behandelt in: Schillebeeckx, Het huwelijk a.a.O. 25–88. Schillebeeckx, De zegeningen a.a.O. 5.

[203] Vgl.: Schillebeeckx, Het huwelijk a.a.O. 28–41. Schillebeeckx, De zegeningen a.a.O. 5.

[204] Vgl. Schillebeeckx, Het huwelijk a.a.O. 41–62. Schillebeeckx, De zegeningen a.a.O. 5.

[205] Das einzige Formular einer alttestamentlichen Eheschließung (Tob 7,15–16) vermittelt ein gutes Bild von der alttestamentlichen Verquikkung der amtlichen und religiösen Dimension der Trauung.

[206] Schillebeeckx, Het huwelijk a.a.O. 72.

207 Vgl.: Schillebeeckx, Het huwelijk a.a.O. 89–159. Schillebeeckx, De zegeningen a.a.O. 6.

208 Vgl.: Eph 5,21–33.

209 Schillebeeckx, Het huwelijk a.a.O. 99.

210 Vgl.: Schillebeeckx, Het huwelijk a.a.O. 99.

211 Es ist klar, daß diese Hervorhebung der Ehelosigkeit wohl die Bedeutung des Zölibats unterstützt, aber kein Iunktim mit einem kirchlichen Stand nahelegt. Diese Überlegung bildet das Fundament für eine vielleicht seltsame Bewertung des Zölibats bei Schillebeeckx. Einerseits stimmt er dem Zölibat in der Kirche voll und ganz zu (vgl. hierzu etwa: Schillebeeckx, Het huwelijk a.a.O. 99–109); andererseits aber bestimmt er die Verbindung zwischen Priesteramt und Zölibat als eine innere Affinität oder sinnvolle Verwandtschaft, die aber keine zwingende Verkoppelung fordert. Vgl. hierzu: Edward Schillebeeckx, Der Amtszölibat. Eine kritische Besinnung, Düsseldorf: Patmos 1967, bes. 77 f.

212 In ›Het huwelijk‹ stimmt Schillebeeckx der eschatologischen Begründung des Zölibats kritiklos zu, während in ›Der Amtszölibat‹ das eschatologische Motiv neben dem christologisch-ekklesialen (marialen) Motiv steht. Außerdem setzt er sich in dem späteren Werk (S. 71 f.) mit der Kritik an dem eschatologischen Motiv auseinander.

213 Schillebeeckx, Het huwelijk a.a.O. 107.

214 Schillebeeckx, Het huwelijk a.a.O. 113.

215 Vgl. zu diesem Abschnitt: Schillebeeckx, Het huwelijk a.a.O. 160–262.

216 Wir brauchen hier nicht ausführlich auf die verschiedenen Gestalten der Ehe einzugehen. Die rein positiven Fakten findet man vielerorts; die Deutung dieser Verschiedenheit scheint uns in der Theologie Schillebeeckx' von dem Phänomen ›irdische Wirklichkeit‹ bestimmt zu sein. Die theologische Bewertung und Auswirkung des Interpretationsschemas ›irdische Wirklichkeit‹ wird sich unten allerdings als bedeutsam erweisen.

217 Schillebeeckx, Het huwelijk a.a.O. 192.

218 Vgl.: Schillebeeckx, Het huwelijk a.a.O. 193–208.

219 Vgl. hierzu Abschnitt 2.3.2.

220 Vgl.: Schillebeeckx, Het huwelijk a.a.O. 226 f.

221 J. P. de Jong. Brautsegen und Jungfrauenweihe. Eine Rekonstruktion des altrömischen Trauungsritus als Basis für theologische Besinnung, in: Zeitschrift für katholische Theologie 84 (1962) 300–322 (zitiert nach: Schillebeeckx, Het huwelijk a.a.O. 209).

222 Schillebeeckx, Het huwelijk a.a.O. 214.

223 Vgl.: Schillebeeckx, Het huwelijk a.a.O. 216–219.

224 Schillebeeckx, Het huwelijk a.a.O. 222 f.

225 Vgl. zu diesem ganzen Abschnitt: Schillebeeckx, Het huwelijk a.a.O. 215–225.

226 Schillebeeckx, Het huwelijk a.a.O. 225.

227 Vgl. zu diesem Abschnitt: Schillebeeckx, Het huwelijk a.a.O. 225–228.

228 Schillebeeckx, Het huwelijk a.a.O. 228.

229 Vgl. dazu: Schillebeeckx, Het huwelijk a.a.O. 229–233.

230 Während man also sagen kann, daß bei Thomas das ›officium naturae‹

in das ›officium civilitatis‹ aufgenommen worden ist, muß man hier auch noch auf eine andere Interpretation hinweisen. Das ›officium naturae‹ umfaßt die Arterhaltung oder (besser) die prokreative Funktion der menschlichen Ehe, während das ›officium civilitatis‹ die gegenseitige Liebe der Eheleute impliziert. Wenn man nun nach der porphyrischen Philosophie das genus über die species einordnet, kann man folglich die prokreative Funktion der Ehe ihr Hauptziel nennen und das ›mutuum adiutorium‹ untergeordnetes Ziel. Dabei muß man dann allerdings berücksichtigen, daß diese Deutung nur im Denkrahmen des Baumes des Porphyrius zutrifft. Thomas selbst dagegen integriert die natürliche Ebene in die menschliche und gibt so eher Anlaß zu einer umgekehrten Interpretation: eine wahrhaft menschliche Kindererzeugung und Kindererziehung, die nur im Rahmen des Humanen stattfinden kann. Vgl. hierzu: Schillebeeckx, De wisselende visies der christenen op het huwelijk, 99 ff.

[231] Vgl. zum Ganzen: Schillebeeckx, Het huwelijk a.a.O. 233–237.

[232] Schillebeeckx, Het huwelijk a.a.O. 236.

[233] Schillebeeckx, Het huwelijk a.a.O. 272.

[234] Insofern bietet »Het huwelijk« schon in seiner jetzigen Form (1. Band) auf die in der Einleitung des Buches (S. 13–22) gestellte Frage eine erste Antwort. Auch die sich unter gesellschaftlichen Einflüssen gewandelte Ehe erfüllt die Voraussetzungen für das christliche Sakrament der Ehe, das im Grunde eine irdische Wirklichkeit ist.

[235] Die Verbindungen zwischen dem philosophischen Denkschema über den Menschen und seine Beziehungen zur Natur und zu seinen Mitmenschen einerseits und dem theologischen Ehe-Ethos andererseits hat Schillebeeckx untersucht in: Schillebeeckx, De wisselende visies der christenen op het huwelijk a.a.O. 91–114. Wir brauchen hier diesen Überlegungen Schillebeeckx' nicht ausführlich nachzugehen, da sie nur indirekt die Ehe als Sakrament berühren und für eine Sakramententheologie keine Schlußfolgerungen zulassen.

[236] Edward Schillebeeckx, Christus und die Christen. Die Geschichte einer neuen Lebenspraxis, Freiburg: Herder 1979, 574.

[237] Zu den mittelalterlichen Theologen vgl.: Schillebeeckx, Het huwelijk a.a.O. 216f.; 229ff. Die Aussage zur fehlenden Ausarbeitung ist im gewissen Sinne relativ. Wie sich schon gezeigt hat, bildet für Schillebeeckx' Theologie der Ehe nämlich die Säkularität der Ehe den Ausgangspunkt. Insofern hat er kein gnadentheologisches Modell, sondern ein ›säkulares‹. Wenn man die Wirksamkeit der Sakramente in Hinsicht auf die Gnade unterteilt in eine persönliche Wirkung und eine ekklesiale, dann kann man zu beiden schon Aussagen Schillebeeckx' auffinden. Alle scheinen aber zu unvermittelt und zu wenig in dem Grundschema integriert. Zur ekklesialen Wirkung vgl.: Schillebeeckx, Sacrament a.a.O. 4227. Schillebeeckx, Christus a.a.O. 180 (derselbe Text wie im Artikel ›Sacrament‹). Zur persönlichen Wirkung vgl.: Schillebeeckx, De zegeningen a.a.O. 6f. Nur wenn Schillebeeckx die ekklesiale Wirkung der Ehe auf die eheliche Sichtbarkeit des Bundesverhältnisses Christi und seiner Kirche bezieht, hat diese Wirkung Verbindungslinien mit dem Grundschema ›irdische Wirklichkeit – Heilsmysterium‹.

[238] Vgl. dazu die Stellung, die Schillebeeckx der Sakramententheologie

in Thomas' Summa zuerkennt: SH 17 f.: »Dieser großartigen Perspektive (die Einsicht, daß die Sakramente ›signa Christi‹ und Verweisungen nach Christi historischen Heilsmysterien sind, Anm. des Verf.), in der Thomas die Sakramentenlehre betrachtet, wollen wir in unserer Darlegung Platz schaffen. Wir wollen Christus wirklich betrachten als die Fülle des sakramentalen Kultmysteriums und so als Intelligibilitätsmoment der Sakramentenliturgie, die wir ihrerseits als die allmähliche Vergöttlichung oder *reditus* des Menschen zu Gott in der Kraft des mysteristisch-sakramentalen Kommens Christi zu uns betrachten«.

[239] Vgl. zum nachfolgenden Abschnitt: Schillebeeckx, Die christliche Ehe a.a.O. 41–73.

[240] Vgl.: Mk 10,11; Mt 5,32; Mt 19,9; 1 Kor 7,10 f.

[241] Schillebeeckx, Die christliche Ehe a.a.O. 42 Vgl. auch: Schillebeeckx, Christus und die Christen a.a.O. 574 Hier tritt stärker die prophetische Inspiration hervor.

[242] Ein Eheverständnis, das als einzige Möglichkeit für eine Ehe die in Konsens geschlossene, geschlechtlich vollzogene und in der Öffentlichkeit bestätigte Verbindung zwischen Mann und Frau gelten läßt, wird von diesen historischen Fakten erschüttert. Ein grundsätzlich evolutives Verständnis der Ehe – auch als Sakrament – wird diese historischen Ehebestimmungen durchaus einordnen können.

[243] Die historischen Fakten können in ein evolutives System eingebracht werden, ohne so die heutige Praxis zu kritisieren. Auch Schillebeeckx' Zweifel bei der Praxis der Anwendung des paulinischen und petrinischen Privilegs können durch einen Hinweis auf eine Intensivierung des sakramentalen Zeichenwertes entkräftet werden. Eine Ehe, die zugunsten einer neuen vollchristlichen Ehe aufgelöst worden ist, hat ja einen geringeren Zeichenwert als die neue vollchristliche Ehe. Diese Relativierung der Kritik Schillebeeckx' ist grundsätzlich. Es soll hier nicht behauptet werden, daß eine rigorose Anwendung dieser Prinzipien nicht zu Härtefällen führen könnte, die man auf jeden Fall vermeiden sollte.

[244] Vgl.: Schillebeeckx, Die christliche Ehe a.a.; 49 ff.

[245] In der anthropologischen Wirklichkeit der Ehe unterscheidet Schillebeeckx drei Bereiche: die Interpersonalität, die soziale, ehe-überschreitende Dimension und die religiöse, christliche Ebene.

[246] Vgl.: Schillebeeckx, Die christliche Ehe a.a.O. 51. In einer Anmerkung (Nr. 6) verweist Schillebeeckx auf den noch nicht erschienenen Band der Studie zur Ehe. Eine kurze Inhaltsbestimmung zu diesem Band findet sich auch in: Schillebeeckx, De wisselende visies der christenen op het huwelijk a.a.O. 105–114. In dieser, oben erwähnten Anmerkung relativiert Schillebeckx aber zugleich den interpersonalen Denkrahmen als ein Produkt des Bourgeoisie-Denkens. Somit scheint die anthropologisch-interpersonale Einstellung doch auf recht schwachen Füßen zu stehen.

[247] Vgl.: Schillebeeckx, Die christliche Ehe a.a.O. 57–59. Eine anthropologisch-ungültige Ehe ist nach Schillebeeckx z. B. eine Jungehe, eine Ehe frühzeitig schwangerer Frauen, eine Ehe von Leuten, die nicht zu interpersonalen Beziehungen fähig sind usw. Anthropologisch ungültig können auch solche Ehen sein, die noch nicht zum interpersonalen Höhepunkt gekommen sind (in Analogie zu ›ratum, sed non consummatum‹

283

– Ehen). All diese Ehen sind nach Schillebeeckx schon auf der Ebene der irdischen Wirklichkeit ungültig und somit auch sakramental ungültig. Zur Kritik der Auffassung der Ehe als Lebens- und Liebesgemeinschaft in kanonischer Sicht vgl.: Dinus Card. Staffa u. a., Iurisprudentia supremi tribunalis Signaturae Apostolicae. Diocesis Ultraiectem, in: PRMCL 66 (1977) 297–325. Die Kategorie der Lebens- und Liebesgemeinschaft, die vom Vaticanum II zur Beschreibung der christlichen Ehe verwendet wurde, scheint nur dogmatische, moraltheologische und pastorale Relevanz zu besitzen; für die Jurisprudenz scheint sie zu vage. Vgl. hierzu auch: Pastoralkonstitution »Gaudium et Spes« Nr. 48, in: LThK. E III, 428f. (vgl. auch den Kommentar Härings). P. J. M. Huizing, Alternativentwurf für eine Revision des kanonischen Eherechts, in: ders., Für eine neue kirchliche Eheordnung a.a.O. 83–104; bes. 83f.

[248] Vgl.: Schillebeeckx, Die christliche Ehe a.a.O. 60ff.
[249] Vgl.: Schillebeeckx, Die christliche Ehe a.a.O. 63.
[250] Vgl.: Schillebeeckx, Die christliche Ehe a.a.O. 69.
[251] Vgl. hierzu: Schillebeeckx, Die christliche Ehe a.a.O. 69–73.
[252] Schillebeeckx hat sich sehr eingehend mit der Theologie des Amtes (und des Laientums) beschäfigt. Eine Theologie des Laientums ist bei ihm primär im Tauf- und Firmmerkmal grundgelegt; sie wurde schon kurz bei den Initiationssakramenten berücksichtigt. Die wichtigsten Aussagen Schillebeeckx' zur Amtstheologie finden sich in: SH 423–442 (die Entwicklung des Rituales des Priesterweihe). SH 528–536 (das Merkmal) H. Schillebeeckx, Priesterschap en episcopaat. Beschouwingen bij een recent boek, in: TGL 11 (1955) 357–367 (eine ausführliche Besprechung des Buches: J. Beyer, Les instituts seculiers, Brugge: Desclée de Brouwer 1954). H. Schillebeeckx, Het apostolisch ambt van de kerkelijke hiërarchie, in: StC 32 (1957) 258–290. H. Schillebeeckx, Priesterschap, in: ThWo III, 3959–4003. H. Schillebeeckx, Wijding, in: ThWo III, 4967–4982. E. Schillebeeckx, Dogmatiek van ambt en lekestaat, in: TTh 2 (1962) 258–294; auch als: E. Schillebeeckx, Dogmatiek van ambt en lekestaat, in: ders., Zending van de Kerk, Bilthoven: H. Nelissen 1968 (= Theologische Peilingen IV), 104–129. E. Schillebeeckx, Bezinning en apostolaat in het leven der seculiere en reguliere priesters, in: TGL 19 (1963) 307–329. E. Schillebeeckx, Communicatie tussen priester en leek, in: NKS 59 (1963) 210–222. E. Schillebeeckx, Theologische kanttekeningen bij de huidige priestercrisis, in: TTh 8 (1968) 402–434; deutsch: Edward Schillebeeckx, Theologische Überlegungen zur heutigen Priesterkrise, in: ders., Gott-Kirche-Welt a.a.O. 173–210. Edward Schillebeeckx u. a., Basis & Ambt. Ambt in dienst van nieuwe gemeentevorming, Bloemendaal: Nelissen 1979. Edward Schillebeeckx, Creatieve terugblik als inspiratie voor het ambt in de toekomst, in: TTh 19 (1979) 226–292.
[253] Vgl.: SH 485–555.
[254] Augustinus, Sermo 340, in: PL 38, 1483. Vgl. auch: Augustinus, Sermo ined. S., 17, 8, in: PL 46, 880: »Aliud est quod sumus propter nos, aliud quod sumus propter vos. Christiani sumus propter nos, clerici et episcopi nonnisi propter vos«. Diese Zitate finden sich bei Schillebeeckx in: Schillebeeckx, Dogmatiek van ambt en lekestaat 267 (in TTh.) Schillebeeckx, Communicatie a.a.O. 210.

255 Vgl.: Schillebeeckx, Communicatie a.a.O. 210: »Die Einsicht, daß wir die Christenheit nicht in die zwei Gruppen des Klerus und der Laien aufteilen dürfen, steht hierbei zentral«. Schillebeeckx, Bezinning en apostolaat a.a.O. 311: »Wenn wir über das Priestertum sprechen, müssen wir gut berücksichtigen, daß der Priester primär *Christ* mit dem vollen Auftrag des Christentums ist«.

256 Ansatzweise und im Rahmen der Bedeutungsumschreibung des Merkmals findet sich diese Aussage zum allgemeinen Charakter der Taufe schon in: SH 528. Schillebeeckx, Christus a.a.O. 176.

257 Schillebeeckx, Dogmatiek van ambt en lekestaat a.a.O. 261.

258 Vgl.: SH 542–544. Diese Ansicht wird konkreter, namentlich in Hinsicht auf die Eucharistie ausgearbeitet in: Schillebeeckx, Christus a.a.O. 175 f. Hier bringt Schillebeeckx auch geringfügige, aber bedeutsame Korrekturen an, die Fehlschlüsse (etwa zur Gültigkeit einer Privatmesse) verhindern.

259 Schillebeeckx neigt zu einer vorschnellen Kombination der Taufe und Firmung als Voraussetzung zur Priesterweihe. Vgl. etwa: Schillebeeckx, Christus a.a.O. 176. Das Fehlen der Firmung beeinträchtigt aber nicht die Gültigkeit einer später erfolgten Priesterweihe. Vgl.: CIC Can. 968: ›vir baptizatus‹. Amougou-Atangana, Ein Sakrament des Geistempfangs? a.a.O. 58.

260 Schillebeeckx, Dogmatiek van ambt en lekestaat a.a.O. 262. Vgl. auch: Schillebeeckx, Het apostolisch ambt a.a.O. 258–268.

261 Schillebeeckx, Dogmatiek van ambt en lekestaat a.a.O. 262.

262 Im nächsten Teil werden wir noch ausführlicher auf die Ekklesiologie Schillebeeckx' eingehen müssen.

263 Schillebeeckx, Theologische Überlegungen a.a.O. 180 f.

264 Diese Frage wird von Schillebeeckx deutlich verneint, indem er eine Neugestaltung des Amtes als wünschenswert ansieht. Vgl.: Schillebeeckx, Theologische Überlegungen a.a.O. 178–180; 189; 198. In dem systematisch ausgerichteten Artikel über das Amt (in: ThWo III, 3959 ff.) vertritt Schillebeeckx die Meinung, daß die Verteilung des Amtes in Episkopat, Presbyterat und Diakonat eine unabänderliche Festlegung der Kirche ist: »Unter all diesen Partizipationen (an dem hierarchischen Apostolat, Anm. des Verf.) nehmen aber das Presbyter (und das Diakonat) eine Sonderstellung ein, da sie auf die apostolische Zeit zurückgehen und zur konstitutiven Phase der Kirchenordnung gehören, so daß sie (. . .) eine definitive Einsetzung in der Kirche sind, an der die nachapostolische Kirche nicht rütteln kann, auch dann nicht, wenn die *soziologische Physionomie* und die Art des Apostolates des Presbyters (und des Diakons) im Laufe der Zeit beträchtlich variieren können« (Zitat: a.a.O. 3984). Die Beurteilung des konkreten Falles, den Schillebeeckx über die Euchariestiefeier unter Leitung eines Nicht-Ordinierten (vgl.: Theologische Überlegungen a.a.O. 206–209) aufführt, scheint mir in keinem Zusammenhang mit der Entwicklungsfähigkeit des kirchlichen Amtes in prinzipieller Hinsicht zu stehen. Übrigens scheint es eher »ein Wunsch von Schillebeeckx« zu sein, als der Realität zu entsprechen – wie Schütte zurecht bemerkt –, daß dieser Fall »einmütige Anerkennung bei den Theologen finde«. Vgl. hierzu: Heinz Schütte, Amt, Ordination und Sukzession im Verständnis evangelischer und katholischer Dogmatiker

der Gegenwart sowie in Dokumenten ökumenischer Gespräche, Düsseldorf: Patmos-Verlag 1974, 323–326 (Zitat: 326). Es ist mir unerklärlich, weshalb Schütte zur Amtstheologie Schillebeeckx' nur zwei Aufsätze zu kennen scheint, die beide auch noch Übersetzungen desselben holländischen Originals (Schillebeeckx, Theologische kanttekeningen a.a.O.) sind. Schütte erwähnt eine deutsche und eine englische Übersetzung (vgl. Schütte a.a.O. 456) dieses Artikels. Der deutsche Text ist außerdem gleichfalls in Gott-Kirche-Welt zugängig. So stimmt z. B. Schüttes Zitat (a.a.O. 324f.) mit Gott-Kirche-Welt a.a.O. 194 (fast wörtlich) überein.
[265] Die am meisten systematisierte Form findet sich in: Schillebeeckx, Priesterschap a.a.O. 3980ff.
[266] Schillebeeckx, Priesterschap a.a.O. 3981.
[267] Vgl.: Schillebeeckx, Priesterschap a.a.O. 3981f. Schillebeeckx, Het apostolisch ambt a.a.O. 258–268.
[268] Vgl.: Schillebeeckx, Priesterschap en episcopaat a.a.O. 363f. Schillebeeckx, Samenwerking der religieuzen met het episcopaat, met de seculiere clerus en met elkaar, in: ders., Zending van de Kerk a.a.O. 281. Schillebeeckx, Apostolaat en bezinning a.a.O. 317.
[269] Schillebeeckx, Priesterschap a.a.O. 3982.
[270] Vgl.: Schillebeeckx, Priesterschap a.a.O. 3983. Diese Einzelbestimmungen kommen mit den kirchenrechtlichen Aufgabestellungen des Amtes (magisterium, ministerium und regimen) überein. Vgl. zur kirchenrechtlichen Unterscheidung. K. Mörsdorf, Lehrbuch des Kirchenrechts auf Grund des Codex Iuris Canonici, I, München: Schöningh [11]1964, 247.
[271] Schillebeeckx, Priesterschap a.a.O. 3983. In dieser Hinsicht ist es interessant festzustellen, daß Schillebeeckx auch eine Art bischöfliches Merkmal kennt. Diese Auffassung vertritt er in Anschluß an Thomas von Aquin (Vgl.: In IV Sent d. 24, q. 3, a. 2, sol. 2, ad 2), dessen historischen Argumenten Schillebeeckx sich aber nicht anschließt. Schillebeeckx versteht das bischöfliche Quasi-Merkmal als eine ›potestas activa‹, um »Neupriester für die sakramentale Kirche zu erzeugen. So ist der Episkopat die letzte Garantie für die authentische Sakramentalität der kirchlichen Symbolaktivität«. Vgl. hierzu: SH 533–536 (Zitat: 536).
[272] Schillebeeckx räumt also der Richtung einer ›presbyteralen Struktur‹ in seiner Synthese überhaupt keinen Platz ein, obwohl er sie als geschichtliche Erscheinung kennt und als solche berücksichtigt. Vgl. hierzu: Schillebeeckx, Priesterschap a.a.O. 3975ff.
[273] Schillebeeckx, Priesterschap a.a.O. 3984.
[274] Vgl.: Schillebeeckx, Priesterschap a.a.O. 3984.
[275] Die Fälle können hier nicht auf ihren Realitätsgehalt untersucht werden. Die beste, zugängige Aufzählung dieser Fälle findet sich bei: P. Fransen, Ordo, in: LThK VII, 1215ff.
[276] Die delegierte Firmvollmacht des Priesters wird in Can 782 § 2 des CIC geregelt. Durch das Dekret ›De confirmatione administranda iis, qui ex gravi morbo in mortis periculo sunt constituti‹ der Sacra Congregatio de Disciplina Sacramentorum (vgl.: AAS 38 (1946) 349–354) wurde die priesterliche Vollmacht auf die Spendung der Firmung an Kranke in Todesgefahr ›sui iuris‹ ausgebreitet. Im neuen Pontificale Romanum erhält außerdem jeder Priester bei einer Erwachsenentaufe die Firmvollmacht.

Vgl.: Ordo confirmationis, Vatikan: Typis polyglottis Vaticanis 1973, 18. Zur These der gebundenen Vollmacht und ihrer kritischen Würdigung vgl.: Kl. Mörsdorf, Lehrbuch des Kirchenrechts auf Grund des Codes Iuris Canonici, II, München: Schöningh [11]1967, 28. Kritik an dieser These findet sich auch bei Schillebeeckx in: Schillebeeckx, Priesterschap en episcopaat a.a.O. 359f.

[277] Vgl.: SH 535. Schillebeeckx, Priesterschap a.a.O. 3985. Schillebeeckx, Wijding a.a.O. 4974.

[278] Schillebeeckx, Priesterschap a.a.O. 3984. Vgl. hierzu und zum Folgenden auch: Schillebeeckx, Het apostolisch ambt a.a.O. 272–277.

[279] Schillebeeckx, Priesterschap a.a.O. 3984f.

[280] Schillebeeckx, Theologische Überlegungen a.a.O. bes. 180–195.

[281] Vgl.: Schillebeeckx, Theologische Überlegungen a.a.O. 186.

[282] Vgl.: Schillebeeckx, Theologische Überlegungen a.a.O. 186; 189 u. ö.

[283] Vgl.: Edward Schillebeeckx u. a., Basis en ambt a.a.O. (die Zitate stammen von S. 71). Zur ökumenischen Verständigung zur Amtsfrage vgl.: Heinz Schütte, Amt, Ordination und Sukzession a.a.O.

[284] Es ist bemerkenswert, daß Schillebeeckx diese Kollegialität im kirchlichen Amt schon einige Zeit vor dem Vaticanum II (ThWo III erschien 1958) vertritt, auf dem diese Kollegialitätsidee in Lumen Gentium gewürdigt wurde (vgl.: Lumen Gentium Nr. 22, in: LThK. E I 220–229). Vgl. weiter auch: Schillebeeckx, Samenwerking der regulieren met het episcopaat a.a.O. 281. Schillebeeckx, Apostolaat en bezinning a.a.O. 327f. Schillebeeckx, Die Signatur des Zweiten Vatikanums. Rückblick nach drei Sitzungsperioden, Wien/Freiburg/Basel: Herder 1965, 161–171.

[285] Vgl.: Schillebeeckx, Priesterschap a.a.O. 3987. Hier weist Schillebeeckx auf einige altkirchliche Texte, in denen die Konzelebration angedeutet wird: Didaskalia 2, 57, 4; 2, 28, 4. Ignatius, Smyrna 8, 1–2. Canones Hippolyti 20. Constitutiones Apostolorum 8, 12, 4. Cyprian, Ep. 16, 2; 18, 1. Zur 1958 geltenden Praxis der Konzelebration vgl.: F. V. (F. Vandenbroucke), Concelebratie, in: L. Brinkhof (Hrsg.), Liturgisch Woordenboek, I, Roermond: Romen 1958, 447–451 (dort auch weitere Literatur).

[286] Die Bezeichnung ›Apostelamt‹ widerspricht hier nicht der grundsätzlichen Einmaligkeit der Apostel und ihrer Stellung in der Kirche. Vgl. hierzu: Schillebeeckx, Theologische Überlegungen a.a.O. 182.

[287] Schillebeeckx, Priesterschap a.a.O. 3992f. Vgl. auch: Schillebeeckx, Het apostolisch ambt a.a.O. 277 (gleicher Text). Zur Zusammenarbeit zwischen Bistums- und Ordensklerus Vgl. auch: Schillebeeckx, Samenwerking der regulieren met het episcopaat a.a.O. 275–286.

[288] Namentlich findet sich diese Identifizierung in: Schillebeeckx, Theologische Überlegungen a.a.O. 191–198.

[289] Vgl.: Schillebeeckx, Theologische Überlegungen a.a.O. 193f.

[290] Schillebeeckx, Theologische Überlegungen a.a.O. 196.

[291] Schillebeeckx, Theologische Überlegungen a.a.O. 197.

[292] Diesen Vergleich hat H. Jorissen durchgeführt in: Hans Jorissen, Bemerkungen zum »charakter indelebilis« des Amts-Priestertums, in: Franz Groner (Hrsg), Die Kirche im Wandel der Zeit (Festgabe seiner

Eminenz dem hochwürdigsten Herrn Joseph Kardinal Höffner, Erzbischof von Köln, zur Vollendung des 65: Lebensjahres am 24. Dezember 1971), Köln: Verlag J. P. Bachem 1971, 217–225; hier: 217f.

[293] Vgl.: SH 508; 510; 520–522 u. ö.

[294] Vgl. z. B.: Schillebeeckx, Merkteken, in: ThWo II a.a.O. 3234.

[295] Vgl.: Schillebeeckx, Priesterschap en episcopaat a.a.O. 361: »Dieser überraschende Bruch zwischen der priesterlichen Kirche und der regierenden Kirche, zwischen Autorität und liturgischem Amt, gibt uns zu denken! Hat der Autor (J. Beyer, Anm. des Verf.) sich in der christlichen und kirchlichen Idee des *Priestertums* nicht vergaloppiert, das er ohne weiteres mit der Kultvollmacht identifiziert? Gewiß: die thomistische Lehre über das Merkmal gibt dazu Anlaß (›deputatio ad cultum Eucharistiae‹), . . .«.

[296] Schillebeeckx, Merkteken a.a.O. 3235.

[297] Diesen Schluß zieht Schillebeeckx selbst nicht. In etwa findet man ihn angedeutet in der Bezeichnung »›Mandat‹ im hierarchischen Laienapostolat« (so: Schillebeeckx, Wijding a.a.O. 4980). In einem späteren Artikel plädiert Schillebeeckx für ein auch sakramentales (!) Amt »praeter ordinem« (vgl.: Schillebeeckx, Theologische Überlegungen a.a.O. 206ff.). Diese hier von Schillebeeckx gestellte Frage kann man wohl kaum innerhalb des sakramentalen Rahmens erörtern. So plädiert Breuning für eine Lösung dieser Frage außerhalb eines verengt sakramentalen Rahmens. Vgl.: W. Breuning, Zum Verständnis des Priesteramtes vom Dienen her, in: Lebendiges Zeugnis H. 1, 1969, 25. Allerdings scheint Schillebeeckx' doppelte Interpretation des Merkmals gute Ansätze für eine heute sehr wünschenswerte Theologie der kirchlichen, namentlich liturgischen Laienämter zu bieten. Vgl. zu einer solchen Theologie: Die Deutschen Bischöfe, Zur Ordnung der pastoralen Dienste, Bonn: Sekretariat der Deutschen Bischofskonferenz 1977, bes. 11–19. Zu den liturgischen Laienämtern: Otto Nußbaum, Lektorat und Akolythat. Zur Neuordnung der liturgischen Laienämter, Köln: Wienand-Verlag 1974 (= Kölner Beiträge 17).

[298] Vgl. etwa: Schillebeckx, Christus a.a.O. 171f. Schillebeeckx, Theologische Überlegungen a.a.O. 205.

[299] Vgl.: Schillebeeckx, Theologische Überlegungen a.a.O. 199–206.

[300] Schillebeeckx, Theologische Überlegungen a.a.O. 199.

[301] Man findet in dem Artikel ›Theologische Überlegungen‹ keine sakramententheologische Begründung des Merkmals. Allerdings hat Schillebeeckx an dieser Stelle die Frage nach dem Merkmal in einen ökumenisch-theologischen Rahmen gestellt, in dem »der doch schon analoge und vieldeutige Gebrauch des *Wortes* ›Sakrament‹ im Zusammenhang mit der Einführung in das Amt eigentlich ziemlich sekundär« (199) ist. Man könnte wohl zurecht fragen, ob die Loslösung des Merkmals aus seinem sakramententheologischen Kontext nicht eine wohl kaum zu unterschätzende Verletzung seiner Bedeutung darstelle, da das Merkmal eine sakramental übertragene Befugnis und Sendung ist. Schillebeeckx' Antwort auf diesen Einwand scheint nicht voll zu befriedigen, wenn er sagt: »Die traditionelle Auffassung, daß das Merkmal, im Gegensatz zur Gnade, nicht außerhalb des Sakramentes gegeben werden kann und hier ein ›Begierdesakrament‹ (in voto) unmöglich ist, folgt zwar in etwa aus

der versachlichten ontologischen Deutung des Merkmals, aber nicht aus dem Glaubenskern, den man darin zu artikulieren versuchte (Amt in der Kirche im Namen Christi *gegenüber,* aber *innerhalb* der Gemeinde)«. Da der ökumenische Rahmen wohl kaum für die Entsakramentalisierung verantwortlich gemacht werden kann, könnte man eine andere Begründung in dem gewachsenen Interesse für die allgemeine, auch außersakramentale Gnadenimmanenz suchen, die schon die Frage nach dem Merkmal als bedeutungslos erscheinen läßt. Vgl. zur Gnadenimmanenz etwa: Schillebeeckx, Communicatie tussen priester en-leek a.a.O. 218: »Unsere Zeit hat zweifelsohne ein besseres Gespür für die allgemeine Gnadenimmanenz in allen Menschen und somit auch für ihre persönlichen Entscheidungen als für die gleichsam kondensierte Gnadenpräsenz in der Kirche. Früher sprachen die Priester nur von den Sakramenten (. . .). Jetzt hat man eine größere Offenheit für die weniger institutionellen Aspekte der Gnadenwirksamkeit Gottes . . .«. So auch in: Schillebeeckx, Bezinning en apostolaat a.a.O. 315. Auch dieses Argument besitzt aber wenig Überzeugungskraft, da gerade das Merkmal sonst bei Schillebeeckx (auch in einer nicht-versachlichenden Sakramentenbestimmung) die Authentizität der kirchlichen Symboltätigkeit bezeugt. Von dem sakramentalen Gehalt des Merkmals zu abstrahieren, hieße, seiner eigenen Sakramentenlehre untreu zu werden. Die einzig mögliche Lösung der Frage nach dem Grund der Entsakramentalisierung des Merkmals scheint uns zu sein, daß Schillebeeckx hier die katholische Sakramentalität des Merkmals in den Begriff der Kollegialität unterzubringen versucht. An sich ist dieser Schritt möglich und begründbar. Dabei muß man aber dann wohl berücksichtigen, daß dem Begriff Kollegialität in einem ökumenischen Kontext eine analoge Bedeutung bekommt.

[302] Schillebeeckx, Theologische Überlegungen a.a.O. 201.

[303] Vgl. hierzu: Schillebeeckx, Theologische Überlegungen a.a.O. 201–204.

[304] Schillebeeckx, Theologische Überlegungen a.a.O. 205.

[305] Es ist bemerkenswert, daß die Internationale Theologenkommission unter dem Kapitel »Die Infragestellung des priesterlichen Charakters« auch den Aufsatz Schillebeeckx' »Theologische Überlegungen a.a.O.« aufführt. Die von uns erarbeitete Poly-Interpretabilität des Merkmals in der Amtstheologie von Schillebeeckx läßt in der Tat diese Deutung zu, die sich in dem erwähnten Artikel findet. Diese Feststellung der Internationalen Theologenkommission kann man aber nicht für die ganze Sakramententheologie Schillebeeckx' übernehmen, da das Merkmal bei ihm auch eine sakramentale Bedeutung haben kann. Vgl. zu diesem Thema: Internationale Theologenkommission, Priesterdienst, Einsiedeln: Johannes Verlag o. J.(= Sammlung Horizonte. Neue Folge 5) 128f. In seiner neueren Amtstheologie setzt Schillebeeckx sich entschieden für ein Amt ein, das von der Gemeinde einem Leiter übertragen wird. Schillebeeckx vertritt die These, daß die Gemeinde ein apostolisches Recht auf die Eucharistie und auf Amtsträger besitzt. Dieses Recht ist unveräußerlich. Auch kirchliche Zulassungsbestimmungen können dieses apostolische Recht nicht aufheben (vgl. Schillebeeckx, Basis & Ambt a.a.O., 75). In dieser Auffassung ist es nur konsequent, wenn auch das Interesse für das sakramentale Merkmal schwindet. In der Traditionslinie einiger mit-

telalterlichen Theologen stellt Schillebeeckx das priesterliche Merkmal in Verbindung mit anderen Charakterisierungen (u. a. bei den sog. »niederen Weihen«). Hierdurch wird die Eigenart des priesterlichen Merkmals relativiert, und es stellt sich die Frage, ob die mittelalterlichen Theologen, auf die Schillebeeckx sich beruft, nicht zwischen verschiedenen Stufen des Merkmals differenziert haben (vgl. hierzu: Schillebeeckx, Basis & Ambt a.a.O. 71 f.). Schillebeeckx selbst ist übrigens in seiner SH für eine solche Differenzierung eingetreten (vgl. SH 533–536).

Anmerkungen zu 3.:

[1] A. R. van de Walle, Theologie over de werkelijkheid. Een betekenis van het werk van Edward Schillebeeckx, in: TTh 14 (1974) 480.
[2] Vgl. dazu: E. Schillebeeckx, De betekenis van het niet-godsdienstig humanisme voor het hedendaagse katolicisme, in: Het modern niet-godsdienstig humanisme, Nijmegen 1961, 74–112; auch als: E. Schillebeeckx, Het niet-godsdienstig humanisme en het Godsgeloof, in: ders., God en mens a.a.O. 36–65; deutsch: Edward Schillebeeckx, Der nicht-religiöse Humanismus und der Gottesglaube, in: ders., Gott-Kirche-Welt a.a.O. 30–61. E. Schillebeeckx, Kerk en wereld, in: TTh 4 (1964) 386–399; auch als E. Schillebeeckx, Kerk en wereld, in: Kerk en wereld, Hilversum/Antwerpen: Paul Brand 1966 (= Do-C Dossiers 10), 7–21. E. Schillebeeckx, Kerk en wereld, in: ders., Wereld en Kerk, Bilthoven: H. Nelissen 1966 (= Theologische Peilingen III), 127–142; deutsch: Edward Schillebeeckx, Kirche und Welt im Licht des Zweiten Vatikanischen Konzils, in: ders., Gott-Kirche-Welt a.a.O. 228–242. E. Schillebeeckx, Kerk en mensdom, in: Conc (N) 1 (1965), Nr. 1, 63–86; auch als: E. Schillebeeckx, Kerk en mensdom, in: ders., Wereld en Kerk a.a.O. 142–160; deutsch: Edward Schillebeeckx, Kirche und Menschheit, in: Conc (D) 1 (1965) 29–41. Edward Schillebeeckx Kirche und Menschheit, in: ders., Gott-Kirche-Welt a.a.O. 243–262. E. Schillebeeckx, Ecclesia in mundo huius temporis, in: Angelicum 43 (1966) 340–352. E. Schillebeeckx, Christelijk geloof en aardse toekomstverwachtingen, in: De Kerk en de wereld van deze tijd, Hilversum/Antwerpen: Paul Brand 1967 (= Vaticanum 2, 2) 78–109; auch als: E. Schillebeeckx, Christelijk geloof en aardse toekomstverwachting, in: ders., Zending van de Kerk a.a.O. 46–72; deutsch: Edward Schillebeeckx, Christlicher Glaube und irdische Zukunftserwartung, in: ders., Gott-Kirche-Welt a.a.O. 270–298. Edward Schillebeeckx, De ecclesia ut sacramento mundi (Communicatio, 26 sept. 1966), in: Acta congressus internationalis de theologia concilii Vaticani II, Vatikan 1968, 48–53; auch als: E. Schillebeeckx, De Kerk, »sacrament van de wereld«, in: ders., Zending van de Kerk a.a.O. 40–45; deutsch: Edward Schillebeeckx, Die Kirche, »Sakrament der Welt«, in: ders., Gott-Kirche-Welt a.a.O. 263–269. E. Schillebeeckx, De Kerk als sacrament van dialoog, in: TTh 8 (1968) 155–169; deutsch: Edward Schillebeeckx, Die Kirche als Dialogsakrament, in: ders., Gott. Die Zukunft des Menschen, Mainz: Matthias-Grünewald-Verlag [2]1970, 100–118. Wenn möglich werden diese Artikel im Folgenden nach ›Gott-Kirche-Welt‹ oder ›Gott. Die Zukunft des Menschen‹ zitiert.

³ Vgl.: Lumen Gentium Nr. 1; 9; 48, in: LThK.E I, 156f.; 180f.; 314f. Gaudium et Spes Nr. 45, in: LThK.E II, 420f. Sacrosanctum Concilium Nr. 5, in: LThK.E I, 18f. (Der deutsche Text übersetzt hier ›sacramentum‹ mit ›Geheimnis‹). Auch an anderen Stellen benutzt das Konzil Ausdrücke für die Kirche, die sakramental zu verstehen sind. Vgl. dazu: Schillebeeckx, Die Kirche, »Sakrament der Welt« a.a.O. 263ff.

⁴ Die Sakramentalität in ihrer heilsökonomischen Perspektive werden wir in 3.1.2. und 3.1.3. noch näher erörtern.

⁵ Vgl. auch: Schillebeeckx, Ecclesia in mundo huius temporis a.a.O. 341: »Concilium in hac Constitutione (Gaudium et Spes, Anm. des Verf.) prima vice clare affirmat, mundum non tantum recipere benificia ab Ecclesia, sed et Ecclesia ab ipso mundo in huius crescentia«. Diese grundsätzliche Wertschätzung der Welt stimmt mit den Erwartungen und Hoffnungen überein, die Schillebeeckx in einer Besprechung des ›Schema 13‹ ausgesprochen hat. Vgl.: Schillebeeckx, Kirche und Welt im Licht des Zweiten Vatikanischen Konzils a.a.O. 234ff.

⁶ Schillebeeckx, Die Kirche, »Sakrament der Welt« a.a.O. 265.

⁷ Schillebeeckx, Die Kirche, »Sakrament der Welt« a.a.O. 266.

⁸ Schillebeeckx, Die Kirche, »Sakrament der Welt« a.a.O. 266f.

⁹ Vgl. dazu: Schillebeeckx, Ecclesia in mundo huius temporis a.a.O. 344. Ähnlich auch in: Schillebeeckx, Christlicher Glaube und irdische Zukunftserwartung a.a.O. 282; 288f.

¹⁰ Schillebeeckx, Die Kirche, »Sakrament der Welt« a.a.O. 267. Vgl. auch: Schillebeeckx, De sacramenten in het heilsplan Gods a.a.O. 296.

¹¹ Schillebeeckx, Kirche und Menschheit a.a.O. 243. Vgl. auch schon: Schillebeeckx, Het apostolisch ambt van de kerkelijke hiërarchie a.a.O. 261f. Schillebeeckx, Maria. Moeder van de verlossing a.a.O. 49; 79.

¹² Schillebeeckx, Kirche und Menschheit a.a.O. 244.

¹³ Schillebeeckx, Kirche und Menschheit a.a.O. 245.

¹⁴ Leonardo Boff, Die Kirche als Sakrament im Horizont der Welterfahrung a.a.O. 322.

¹⁵ Leonardo Boff (Die Kirche als Sakrament a.a.O. 322–325) dürfte Schillebeeckx zu stark in Richtung einer Gleichsetzung von Sakrament und Instrument interpretieren. Gewiß ist das Sakrament für Schillebeeckx immer ein wirksames, fruchtbares Instrument des Heils, aber die Betonung der Instrumentalität geht bei Schillebeeckx nicht so weit, als würde er die Zeichenhaftigkeit des Sakramentes abweisen. Sakrament hat bei Schillebeeckx immer die Bedeutung einer Heilsvermittlung in *Sichtbarkeit*.

¹⁶ Schillebeeckx, Kirche und Menschheit a.a.O. 247.

¹⁷ Der Entwurf, ›Prolegomenon‹, einer Christologie im Sinne einer Geschichte Jesu und einer Sinngebung dieser Geschichte findet sich ausführlich in: Edward Schillebeckx, Jeus. Die Geschichte von einem Lebenden, Freiburg/Basel/Wien: Herder³1975.

¹⁸ Natürlich erfordert das anthropologische ›Gesetz‹ der materiellen Vermittlung geistiger Inhalte immer eine Zeichenhaftigkeit des Heils. So ist auch die Menschheit Jesu für Schillebeeckx immer das sichtbare Zeichen seiner göttlichen Heilsbotschaft und seiner Göttlichkeit überhaupt.

¹⁹ Schillebeeckx, Kirche und Menschheit a.a.O. 248.

[20] Schillebeeckx, Kirche und Menschheit a.a.O. 252.
[21] Vgl.: Schillebeeckx, Kirche und Menschheit a.a.O. 251; 253; 256.
[22] Schillebeeckx, Kirche und Menschheit a.a.O. 258.
[23] Schillebeeckx, Kirche und Menschheit a.a.O. 260.
[24] Vgl.: Schillebeeckx, Die Kirche als Dialogsakrament a.a.O. 100–104.
[25] Diese Kategorie des Dialogs hat seine Nützlichkeit in den kirchlichen Verlautbarungen erwiesen. Vgl.: Pacem in terris, in: AAS 55 (1963) 257–314. Ecclesiam suam, in: AAS 56 (1964) 609–659. Populorum progressio, in: AAS 59 (1967) 257–299.
[26] Vgl.: Schillebeeckx, Die Kirche als Dialogsakrament a.a.O. 107.
[27] Schillebeeckx, Die Kirche als Dialogsakrament a.a.O. 105.
[28] Schillebeeckx, Die Kirche als Dialogsakrament a.a.O. 105.
[29] Schillebeeckx, Die Kirche als Dialogsakrament a.a.O. 105 f.
[30] Schillebeeckx, Die Kirche als Dialogsakrament a.a.O. 106.
[31] Schillebeeckx, Die Kirche als Dialogsakramenta.a.O. 106.
[32] Vgl. hierzu: Schillebeeckx, Die Kirche als Dialogsakrament a.a.O. 110–112.
[33] So auch bei Schillebeeckx' Einordnung der Sakramente in das eschatologisch gerichtete Leben der Kirche. Vgl.: Edward Schillebeeckx, Das neue Gottesbild, Säkularisierung und Zukunft des Menschen auf Erden, in: ders., Gott. Die Zukunft des Menschen a.a.O. 172.
[34] Schillebeeckx, Die Kirche als Dialogsakrament a.a.O. 113 f.
[35] Vgl.: Schillebeeckx, Die Kirche als Dialogsakrament a.a.O. 116.
[36] Zur prophetischen Sprache des Lehramtes vgl.: Edward Schillebeeckx, Kirche, Lehramt und Politik, in: ders., Gott. Die Zukunft des Menschen a.a.O. 172. Zum Exoduscharakter der jüdisch-christlichen Gemeinde vgl.: Edward Schillebeeckx, Christus und die Christen a.a.O. 542.
[37] Der kirchliche Vorbehalt (hier nicht der eschatologische, sondern der Vorbehalt, der im Mysterium der Gottesliebe liegt) tritt schon klar und konkret hervor in: Schillebeeckx, Der nicht-religiöse Humanismus und der Gottesglaube a.a.O. 30–61.
[38] Das kritische und prophetische Moment in der Kirche entsteht nach Schillebeeckx aus Kontrasterfahrungen, Differenzen zwischen Ist- und Sollwert, die nur möglich sind aufgrund der eschatologischen Hoffnung. Vgl. hierzu: Schillebeeckx, Die Kirche als Dialogsakrament a.a.O. 116 Schillebeeckx, Kirche, Lehramt und Politik a.a.O. 130 ff.
[39] Schillebeeckx, Ecclesia in mundo huius temporis a.a.O. 341 f. Vgl. auch: E. Schillebeeckx, »Het leed der ervaring van Gods verborgenheid«, in: ders., Wereld en Kerk a.a.O. 125.
[40] Vgl. dazu auch: Schillebeeckx, Die Signatur des Zweiten Vatikanums a.a.O. 127 ff.
[41] Vgl. etwa noch: Dei Verbum Nr. 1, in: LThK.E II, 504 ff. (auch den unterstehenden Kommentar Joseph Ratzingers: keine »ekklesiologische Selbstbespielglung«, sondern der Kirche »ganzes Sein (ist) in den Gestus des Hörens zusammengefaßt« (504).
[42] Vgl.: Schillebeeckx, Die Signatur des Zweiten Vatikanums a.a.O. 91 ff.
[43] Vgl.: Schillebeeckx, Die Signatur des Zweiten Vatikanums a.a.O. 129 ff.

[44] Einige dieser Bereiche wurden schon im Vorhergehenden analysiert. Hierin zeigt sich dann auch, daß diese vom Konzil vorgeschlagene fünffache Dezentralisierung teilweise schon in früheren Werken Schillebeeckx' zu finden ist.

[45] Schillebeeckx, Die Signatur des Zweiten Vatikanums a.a.O. 131.

[46] Schillebeeckx, Ecclesia in mundo huius temporis a.a.O. 342. Vgl. auch: Schillebeeckx, »Het leed der ervaring van Gods verborgenheid« a.a.O. 124f.

[47] Vgl.: E. Schillebeeckx, Ecclesia semper purificanda, in: Ex auditu verbi. Theologische opstellen aangeboden aan Prof. Dr. G. C. Berkouwer ter gelegenheid van zijn vijfentwintigjarig ambtsjubileum als hoogleraar in de faculteit der godgeleerdheid van de Vrije Universiteit te Amsterdam, Kampen: J. H. Kok 1965, 216–232; auch als: E. Schillebeeckx, Hervorming van de kerk, in: ders., Zending van de Kerk a.a.O. 11–24; deutsch: Edward Schillebeeckx, Reform der Kirche, in: ders., Gott-Kirche-Welt a.a.O. 83–98 (Wir zitieren im Folgenden den deutschen Text).

[48] Lumen Gentium Nr. 8, in: LThK.E I, 174f.

[49] Vgl. Schillebeeckx' Analyse der Dogmatischen Konstitution über die Kirche und ihrer Textgeschichte in: Schillebeeckx, Reform der Kirche a.a.O. 84–91.

[50] Schillebeeckx, Reform der Kirche a.a.O. 93.

[51] Schillebeeckx, Reform der Kirche a.a.O. 95.

[52] In der Sakramententheologie wird diese Verknüpfung von Schillebeeckx in der Zweipoligkeit der »sacramenta separata« und des »sacramentum coniunctum« angedeutet. Durch diese Verknüpfung wird bei Schillebeeckx die Gnadenimmanenz auch sakramententheologisch fruchtbar gemacht. Abgesehen von dieser sakramententheologischen Folgerung spielt aber auch die Gnadenimmanenz in seiner Theologie schon eine bedeutsame Rolle. Sie bildet die Grundlage für eine recht optimistische Interpretation der theologischen Anthropologie, die ihre Auswirkungen auf viele Bereiche seiner Theologie hat: Offenbarungslehre, Gnadenlehre, Säkularisierung, Christologie (Spuren des transzendenten Gottes und der Gottessohnschaft Jesu!). Einerseits sieht Schillebeeckx diese Gnadenimmanenz als einen Bestandteil der dominikanischen Spiritualität: Vgl.: Schillebeeckx, Das neue Gottesbild a.a.O. 171f. (Anm. 17). Andererseits scheint sie von De Petter schon formuliert worden zu sein. Vgl.: D. M. De Petter, Intentionaliteit en identiteit, in: TPh 2 (1940) 515–550; auch als: D. M. De Petter, Intentionaliteit en identiteit, in: ders., Begrip en werkelijkheid a.a.O. 44–73; bes. 72f. Jedenfalls betrachtet Schillebeeckx diese Einsicht als authentisch thomasisch. Vgl.: E. Schillebeeckx, Arabisch-neopolatoonse achtergrond van Thomas' opvatting over de ontvankelijkheid van de mens voor de genade, in: Bijdr. 35 (1974) 298–308.

[53] Schillebeeckx, Reform der Kirche a.a.O. 95.

[54] Schillebeeckx, Reform der Kirche a.a.O. 96.

[55] Vgl.: Schillebeeckx, Reform der Kirche a.a.O. 97. Es ist interessant, diese Deutung der Unfehlbarkeit im Lichte der Sakramentalität der Kirche mit der Situationsbeschreibung der ›heutigen Dogmatik‹ zu vergleichen, in der Schillebeeckx eine größere Hinwendung zur Subjektivität, Natur oder ›condition humaine‹ feststellt. Vgl. E. Schillebeeckx, De

nieuwe wending in de huidige dogmatiek, in: TTh 1 (1961) 17–47; auch als: E. Schillebeeckx, De nieuwe wending in de huidige dogmatiek, in: ders., Openbaring en theologie a.a.O. 282–312; deutsch: Edward Schillebeeckx, Die neue Wende in der heutigen Dogmatik, in: ders., Offenbarung und Theologie a.a.O. 316–250. Schillebeeckx' Betonung der Dynamik oder der eigenen Subjektivität der Kirche führt ihn auch zu einer Kritik des reformatorischen Kirchenverständnisses in ›Reform der Kirche‹ a.a.O. 96 f.: »Bisweilen frage ich mich, ob die Reformation die Kirche nicht zu sehr als *Objekt* der Gnadenwirksamkeit Gottes sieht, statt als *Subjekt* im unverfremdbaren Sinne des Wortes, wenn auch bloß als Gnadensubjekt, für das die ›gratia‹ somit wirklich ›domestica‹ ist (forma inhaerens), eben wegen ihrer Übermacht und Souveränität«.

[56] Dieser Frage werden wir im nächsten Abschnitt nachgehen.

[57] Besonders in den fünfziger Jahren fand diese Deutung weite Verbreitung namentlich unter Einfluß von Rahner und Semmelroth. Vgl. zu ihren Auffassungen: Karl Rahner, Kirche und Sakramente, Freiburg/Basel/Wien: Herder 1960 (= QD 10). Karl Rahner, Zur Theologie des Symbols, in: ders., Schriften zur Theologie, IV, Einsiedeln: Benziger 1960, 298 ff. Karl Rahner, Wort und Eucharistie, in: ders. Schriften zur Theologie, IV, a.a.O. 339; 344. Otto Semmelroth, Die Kirche als Ursakrament, Frankfurt: Verlag Josef Knecht/Carolusdruckerei 1953, bes. 44–67.

[58] Heinrich Schillebeeckx, Sakramente als Organe der Gottbegegnung, in: Johannes Feiner/Josef Trütsch/ Franz Böckle (Hrsg.), Fragen der Theologie heute, Einsiedeln/Zürich/Köln: Benziger Verlag 1957, 387. Ähnlich auch: Schillebeeckx, Christus a.a.O. 57. Schillebeeckx, Dogmatiek von ambt en lekestaat a.a.O. 262. Schillebeeckx, Het apostolisch ambt a.a.O. 264.

[59] Schillebeeckx, Christus a.a.O. 57. Ähnlich auch: Schillebeeckx, Sakramente als Organe a.a.O. 387. Schillebeeckx, Sacrament a.a.O. 4203.

[60] Diese These, die man vor dem Hintergrund der caselschen Auffassung der Mysteriengegenwart verstehen muß, will die historische Einmaligkeit und Unwiederholbarkeit des Christusereignisses sicherstellen. Vgl. zu dieser These von Schillebeeckx auch: SH 215–219. Schillebeeckx, Christus a.a.O. 65–73. Schillebeeckx, Sacrament a.a.O. 4192 f.; 4203–4206.

[61] Schillebeeckx, Christus a.a.O. 58. Ähnlich auch: Schillebeeckx, Sakramente als Organe a.a.O. 387. Schillebeeckx, Sacrament a.a.O. 4203.

[62] Schillebeeckx, Het apostolisch ambt van de kerkelijke hiërarchie a.a.O. 265. Ähnlich auch: E. Schillebeeckx, Godsdienst en sacrament, in: StC 34 (1959) 274.

[63] Schillebeeckx nennt die Kirche auch das ›sacramentum futuri‹, da sie als Heilswirklichkeit schon proleptisch auf das noch zu verwirklichende Reich Gottes vorausgreift. Vgl.: H. Schillebeeckx, De sacramentaire structuur van de openbaring, in: Kultuurleven 19 (1952) 797 f.: »In dem irdischen, aktuellen Heilsgeschehen ist die spätere ›Offenbarung-in-Herrlichkeit‹ wie in einem *mystèrion* prophetisch oder – wie die griechische Patristik sagt – proleptisch (im Ansatz) offenbar. Dies ist der sakramentale Einsatz der Parusie, der Wiederkunft Christi, die – nach dem Wort des Johannes – die ›Vollendung des *mystèrion* Gottes‹ (Apk 10,7) ist. Die sakramentale Struktur der Kirche dauert dann auch so lange, sagt

Thomas, wie die Christustat noch nicht in sichtbar-vollendeter Verwirklichung vollzogen ist, d. h. bis zur Parusie. Ohne diesen eschatologischen Charakter der Offenbarung, die fundamental, gleichsam real, in den Sakramenten lebt, wäre der Glaube an die Offenbarung unmöglich (. . .). Die Kirche selbst bleibt also ein ›sacramentum futuri‹. Sie ist das ›Kommen des Reiches Gottes‹«.

[64] Der kyriale Aspekt der Sakramente besagt bei Schillebeeckx die innere Beziehung der Sakramente zu dem verherrlichten (kyrialen) Christus.

[65] Schillebeeckx, Het apostolisch ambt a.a.O. 266. Ähnlich auch: Schillebeeckx, Priesterschap a.a.O. 3981.

[66] Vgl. dazu: Schillebeeckx, Christus a.a.O. 59 ff. Sehr ausführlich in: Schillebeeckx, Het apostolisch ambt a.a.O. 266–290. Auch in: Schillebeeckx, Godsdienst en sacrament a.a.O. 275: »Die Sakramente sind Ausdruck der geistig körperlichen Heilsliebe Christi zu einer bestimmten Person. Dieser Ausdruck ist kein Ding an sich, sondern eine menschliche Handlung, eine Handlung einer lebendigen Person, des Spenders, der in seinem Handeln eine sakramentale Personifizierung des himmlischen Christus ist. Die Heilsintention Christi, die die Kirche sich in ihrem Glauben zu eigen macht, wird in einen kirchlichen Ritus aufgrund der Intention des Spenders inkarniert. Diese äußere menschliche Handlung wird so ein faßbares Zeichen und Beweis der persönlichen Liebe Christi, eine ausdrucksvolle Geste seiner Liebe für eine bestimmte Person«.

[67] Schillebeeckx, Christus a.a.O. 63.

[68] Schillebeeckx, Christus a.a.O. 63.

[69] Vgl. hierzu besonders: Schillebeeckx, Christus a.a.O. 64.

[70] Schillebeeckx, Sakramente als Organe a.a.O. 388. Ähnlich auch: Schillebeeckx, Sacrament a.a.O. 5203: »in der Welt ist die Kirche das Ursakrament, d. h. 1. ›Sacramentum humanitatis Christi‹, die irdische Weiterführung und Gegenwart des heiligenden Kultmysteriums, das der himmlische Christus ist; 2. sakramentaler Ausdruck und Sichtbarkeit der inneren Gnadengemeinschaft der Kirche mit Christus; 3. Subjekt der sieben Sakramente, in denen dieses kirchliche Ursakrament sich *aktualisiert*«.

[71] Diese Einsicht erhellt auch nochmals die Problemlage, gegenüber der Schillebeeckx sich bei der Firmung gestellt sah. Die Firmung kann nur dann für Schillebeeckx ein authentisches Sakrament sein, wenn ihr Heilsinhalt irgendwie auf das Christusereignis und seine Geistsendung zurückgeführt werden kann. Eine Entstehung der Firmung als Folge des sich differenzierenden Amtes etwa ist für Schillebeeckx kaum in seine Sakramentenlehre integrierbar, da eine solche Tatsache einer komplizierten Absicherung gegen eine eigenmächtige kirchliche Verfügung bedürfte.

[72] Schillebeeckx, Sakramente als Organe a.a.O. 388. Vgl. hierzu auch: Schillebeeckx, Christus a.a.O. 117 ff.

[73] Schillebeeckx, Christus a.a.O. 120 ff. Vgl. auch ausführlicher: SH 416–441.

[74] Vgl. etwa: Schillebeeckx, Die Kirche, »Sakrament der Welt« a.a.O. 267. Schillebeeckx, Sakramente als Organe a.a.O. 388. Schillebeeckx, Christus 58 u.ö.

[75] Die erste Stufe der möglichen Ausweitung der Sakramentalität des Ursakramentes muß notwendigerweise von der zweiten allgemeineren

Interpretation des Ursakramentes abgegrenzt werden. Die erste Stufe setzt ein oberflächliches Sakramentalitäts- und Inkarnationsverständnis voraus, in dem der göttliche Heilswille sich zwar in die Kirche inkarniert oder sakramentalisiert, aber trotzdem eine selbständige Größe bleibt. Vgl. hierzu: Schillebeeckx, De sacramentaire structuur van de openbaring a.a.O. 801: »Der zentrale Moment der ganzen sakramentalen Heilsökonomie ist also das ›Verbum incarnatum‹, das menschgewordene Wort, der persönliche Kontakt *in Christo* zwischen Menschheit und Gottheit. Dadurch wird es möglich, daß irdische Dinge mit einer göttlichen Kraft geladen werden . . . wenigsten für den, der an das Christusmysterium glaubt«.

[76] Für die Thomasinterpretation Schillebeeckx' verweisen wir hier auf den betreffenden Abschnitt der fundamentalen Sakramententheologie (1.1.3.).

[77] So: S. Hoffmann, Johannes a S. Thoma, in: LThK V, 1078.

[78] Vgl.: SH 199–206.

[79] SH 200.

[80] Interessant ist auch die Beschreibung des ›signum practicum‹ des Johannes. Das signum practicum richtet sich an den intellectus practicus, der ein opus faciendum anregt. »Das *signum practicum* manifestiert ein Geschehen, eine Tat; m. a. W. es bezeichnet einen Willensauftrag. Praktische Zeichenaktivität ist ohne *intentio* dann auch sinnlos« (SH 201).

[81] SH 201. Diese Aussage betrifft die Sakramente als signa practica. Da aber bei den Sakramenten das significatum (Gnadengabe) nicht nur im signum, sondern auch im Subjekt anwesend ist, ist das Sakrament auch ein signum efficax.

[82] SH 202 f.

[83] SH 205 f. Vgl. auch: SH 204 f. (Anm. 69).

[84] Schillebeeckx, Christus a.a.O. 23. Es ist bemerkenswert, daß Schillebeeckx sich später von einer solchen Aussage distanziert. Vgl.: Schillebeeckx, Persoonlijke openbaringsgestalte van de Vader, in: TTh 6 (1966) 276.

[85] Vgl.: Schillebeeckx, Christus a.a.O. 23 (Anm. 10).

[86] Schillebeeckx, Christus a.a.O. 23 f.

[87] Schillebeeckx, Christus a.a.O. 24.

[88] Diese Frage läßt sich in diesem Kontext nicht für die Theologie von Schillebeeckx beantworten, da er sie in seiner Sakramentenlehre ausklammert. Wir werden sie auf jeden Fall im Folgenden mitberücksichtigen und versuchen, eine Antwort zu finden. In diesem Zusammenhang ist es interessant festzustellen, daß auch vor der dritten Neuauflage (überarbeitet) des Christusbuches der Hinweis auf das chalkedonische Dogma nicht ausführlicher ist. Vgl.: Edw. H. Schillebeeckx, De Christusontmoeting als sacrament van de Godsontmoeting. Theologische begrijpelijkheid van het heilsfeit der sacramenten, Antwerpen/Bilthoven: 't Groeit/Nelissen ²1957, 13.

[89] Vgl. etwa: H. Schillebeeckx, »Ik geloof in de levende God«, in: TGL 6 (1950) 454–457. H. Schillebeeckx, Het hoopvolle Christusmysterie, in: TGL 7 (1951) 3–11. H. Schillebeeckx, De sacramentaire structuur van de openbaring, in: Kultuurleven 19 (1952) 792–794. H. Schillebeeckx, Evangelie en Kerk, in: TGL 10 (1954) 95 ff. Heinrich Schilllebeeckx, Sa-

kramente als Organe der Gottbegegnung, in: Fragen der Theologie heute a.a.O. 381–384. H. Schillebeeckx, Het apostolisch ambt van de kerkelijke hiërarchie, in: StC 32 (1957) 258–264. Hier wird von Schillebeeckx die klassische Lösung über die Enhypostasie des Leontius' von Byzanz vertreten. Diese Ausführungen stehen aber in ihrer Bedeutung weit hinter der Relevanz der Lebensmysterien Jesu zurück. H. Schillebeeckx, God in menselijkheid, in: TGL 13 (1957) 701. H. Schillebeeckx, Sacrament a.a.O. 4200. H. Schillebeeckx, Verrijzenis, in: ThWo III, 4742. Edward Schillebeeckx, Offenbarung, Schrift, Tradition und Lehramt, in: ders., Offenbarung und Theologie a.a.O. 19f. E. Schillebeeckx, Godsdienst en sacrament, in: StC 34 (1959) 271–273.

[90] Diese mögliche Interpretation wird durch die streng christologischen Veröffentlichungen Schillebeeckx' ausgeschlossen. Es bleibt dann auch bemerkenswert, daß Schillebeeckx das chalkedonische Dogma nur formell wiederholt, ohne irgendeine Deutung hinzuzufügen. Die Tatsache, daß Dogmengeschichte und Dogmenkritik im Jahre 1957 noch nicht den ihnen zukommenden Stellenwert besaßen, kann kaum Schillebeeckx' Einstellung begründen, das chalkedonische Dogma in seinem theologischen Kontext nicht zu befragen.

[91] Vgl.: Schillebeeckx, Christus a.a.O. 24.

[92] Schillebeeckx, Christus a.a.O. 24.

[93] Schillebeeckx, Christus a.a.O. 25.

[94] Schillebeeckx, Christus a.a.O. 25. In der Sakramententheologie vereinigt die Person Jesu für Schillebeeckx so die Einladung Gottes und die Antwort des Menschen. Vgl. auch: H. Schillebeeckx, Christendom als uitnodiging en antwoord, in: Thomas (Gent) 9 (1955/56) H.3, 4. H. Schillebeeckx, Geloofsgeheim, in: ThWo II, 1751.

[95] Schillebeeckx, Christus a.a.O. 26.

[96] Vgl. hierzu: Schillebeeckx, Christus a.a.O. 26ff. Schillebeeckx, »Ik geloof in de levende God« a.a.O. 454–460. Schillebeeckx, Het hoopvolle Christusmysterie a.a.O. 5–23. Schillebeeckx, Het mysterie van onze Godsliefde a.a.O. 609–626. In diesen letzten drei Artikeln, in denen Schillebeeckx die drei theologischen Tugenden behandelt, werden die Grundeinstellungen des Menschen gegenüber den Mysterien Christi und den Sakramenten umschrieben, in denen der Mensch Gott begegnet. Glaube, Hoffnung und Liebe sind die Kennzeichen für die subjektive Erlösung, in der der Mensch sich die Erlösungsgnade Christi aneignet und sich in einem wirklich menschlichen Akt ausdrücklich Christus und seinem Lebensopfer anschließt. Subjektive Erlösung deutet an, »daß *wir selbst* als freie Wesen persönlich Gott wieder lieb gewinnen: daß wir durch Glaube, Hoffnung und Liebe frei in dasjenige eintreten, was in der heiligen Menschlichkeit Christi schon Wirklichkeit ist und so zu lebendigen Gliedern Christi, unseres Hauptes, werden«. (Schillebeeckx, Maria a.a.O. 46).

[97] Schillebeeckx, Verrijzenis a.a.O. 4744. Ähnlich, aber weniger klar und umfassend auch: Schillebeeckx, Christus a.a.O. 28f. Schillebeeckx, Evangelie en Kerk a.a.O. 95.

[98] Vgl.: (E. Schillebeeckx), Jesus Christus II, in: A. M. Heidt (Hrsg.), Catholica. Geillustreerd encyclopedisch vademecum voor het katholieke leven, 's-Gravenhage: Uitgeversmaatschappij Pax 1961, 678. (Dieses

Werk führt keine Autorennamen bei den Artikeln auf; die theologische Tendenz und die Autorität der Schillebeeckx-Bibliographie in TTh 14 (1974) 495 sichern aber die Autorschaft Schillebeeckx'). Näheres zur dieser Verbindung findet sich in dem Abschnitt zur Christologie.

[99] Die Lebensmysterien Jesu sind für Schillebeeckx keine zeitlich getrennte Mysterien, sondern vor allem Stationen der Verwirklichung (in zeitlicher Distanz) der dynamischen, progressiven Menschwerdung. Vgl. bes.: E. Schillebeeckx, Hemelvaart en Pinksteren, in: TL 43 (1959) 161–180.

[100] Schillebeeckx, Christus a.a.O. 36. Vgl. auch: Schillebeeckx, Maria ⁴1959 a.a.O. 53f.

[101] Vgl.: Schillebeeckx, Christus a.a.O. 36f.

[102] Schillebeeckx, Christus a.a.O. 39.

[103] Schillebeeckx, Christus a.a.O. 40.

[104] Diese Stellvertretung beruht bei Schillebeeckx auf den Wertappell, m.a.W. in der Einheit der Berufung und Zielsetzung ist Christus der Berufene, der die Menschheit aus der Zerstreuung sammelt. Vgl.: Schillebeeckx, Het apostolisch ambt a.a.O. 261–264. Schillebeeckx, Kirche und Menschheit a.a.O. 243. Schillebeeckx, Maria ⁴1959 a.a.O. 49; 79.

[105] Schillebeeckx, Christus a.a.O. 40.

[106] Schillebeeckx, Christus a.a.O. 40 u.ö.

[107] Schillebeeckx, Christus a.a.O. 42.

[108] Schillebeeckx, Christus a.a.O. 42f.

[109] Vgl. hierzu unsere Ausführungen zu Taufe, Beichte und Krankensalbung unter den Einzelsakramenten.

[110] Vgl.: STh III, q. 72, a. 1, ad 1. Vgl. auch: Joh 16,7; 7, 37–39.

[111] Schillebeeckx, Christus a.a.O. 43f. Vgl. auch: Schillebeeckx, Sakramente als Organe a.a.O. 393f.

[112] Vgl.: Schillebeeckx, Kirche und Menschheit a.a.O. 248. Ausführlicher und in Hinblick auf die apostolische Tätigkeit und die Bedeutung des erhöhten Herrn in ihr vgl.: Schillebeeckx, Der Herr und die Verkündigung der Apostel, in: ders., Offenbarung und Theologie a.a.O. 31–36.

[113] Schillebeeckx, Christus a.a.O. 45f. Vgl. auch: Schillebeeckx, Sakramente als Organe a.a.O. 393.

[114] Vgl.: Karl Rahner, Der dreifaltige Gott als transzendenter Urgrund der Heilsgeschichte, in: MySal II, 328. Aufgrund des speziellen soteriologischen Interesses Schillebeeckx' hält er diese These Rahners aber für sinnlos, da sie nicht die offenbarungstheologische Ebene berücksichtigt, sondern nur eine reflexiv-theologische. Vgl.: Edward Schillebeeckx, Jesus. Die Geschichte von einem Lebenden a.a.O. 586f. Dagegen relativierend in: E. Schillebeeckx, Fides quaerens intellectum historicum. Weerwoord aan H. Berkhof, in: NeThT 29 (1975) 346.

[115] Schillebeeckx, Christus a.a.O. 13. Ähnlich auch: Schillebeeckx, Sakramente als Organe a.a.O. 379. Schon im Jahre 1945 hat Schillebeeckx in einer Art programmatischen Schrift (wie sich aus seiner späteren Theologie zeigt) an einem Vergleich zwischen Thomas und Bonaventura die ›affektive Seite‹, die Weisheitsdimension der Theologie hervorgehoben. Seine Absicht (als Dominikaner und Thomist) war es damals aufzuzeigen, daß auch Thomas diese ›affektive Seite‹ des Christentums in seine Theologie einbezieht. Vgl.: H. Schillebeeckx, Technische heilstheolo-

gie, in: Ons Geloof 27 (1945) 49–60; auch als: E. Schillebeeckx, Waarheid en levenswaarde in de hoogscholastieke theologie, in: ders., Openbaring en theologie a.a.O. 171–181; deutsch: Edward Schillebeeckx, Wahrheit und Lebenswert in der hochscholastischen Theologie, in: ders., Offenbarung und Theologie a.a.O. 192–204.

[116] Wir wollen hier nicht den Eindruck erwecken, daß Schillebeeckx eine Art ideologische Theologie betreibe. Seine Ansichten werden – wie sich in dieser Arbeit schon öfters gezeigt hat – von massiven, historischen Forschungen und Ergebnissen unterstützt. Trotzdem wird jede historische Studie und gewiß ihre Interpretation von der Stellungnahme des Forschers beeinflußt. In diesem Sinne stehen die historischen Ergebnisse im Dienste der Mysterientheologie Schillebeeckx'. Zum Problem der Einsetzung der Sakramente vgl.: SH 416–454. Schillebeeckx, Christus a.a.O. 117–134.

[117] Vgl.: H. Schillebeeckx, De heiligmakende genade als heiliging van ons bestaan, in: TGL 10 (1954) 7–27; bes. 10–18; 24–27. Auch: Schillebeeckx, Die neue Wende in der heutigen Dogmatik a.a.O. 331–335.

[118] H. Schillebeeckx, Sacramenteel leven, in: Thomas (Gent) 3 (1949/50) 5.

[119] Viele Veröffentlichungen von Schillebeeckx sind der Mariologie gewidmet. Vgl. etwa: H. M. Schillebeeckx, Maria. Christus' mooiste wonderschepping. Religieuze grondlijnen van het Maria-mysterie, Antwerpen-West: Apostolaat van de Rozenkrans 1954. Spätere Auflagen wurden überarbeitet und erhielten den Titel: Schillebeeckx, Maria, Moeder van de Verlossing. Religieuze grondlijnen van het Maria-mysterie, Antwerpen: Apostolaat van de Rozenkrans ²1955; ³1957 u.s.w. H. Schillebeeckx, Het geloofsleven van de »Dienstmaagd des Heren«, in: TGL 10 (1954) 242–269. H. Schillebeeckx, Het wonder dat Maria heet, in: Thomas (Gent) 7 (1953/54) H.7, 5–7. H. Schillebeeckx, Maria onze hoop, in: Thomas (Gent) 8 (1954/55) H.1, 4–6. H. Schillebeeckx, Betekenis en waarde van Maria-verschijningen, in: Standaard van Maria 31 (1955) 154–162. H. Schillebeeckx, Maria (3. Theologische synthese), in: ThWo II, 3124–3151. H. Schillebeeckx, Mutua correlatio inter redemptionem obiectivam eamque subiectivam B. M. Virginis, in: Virgo Immaculata, Rom 1957 (= Acta congressus Mariologici-Mariani, 1954), 305–321. E. Schillebeeckx, De Maria-gestalte in het christelijk belijden, in: StC 33 (1958) 241–255. (Schillebeeckx), Maria I und II, in: A. M. Heidt (Hrsg.), Catholica a.a.O. 1040–1044 (vgl. Anm. 98 dieses Teiles).

[120] H. Schillebeeckx, Het geloofsleven van de »Dienstmaagd des Heren« a.a.O. 263. Vgl. auch: Schillebeeckx, Maria ⁴1959 a.a.O. 36 (derselbe Text).

[121] Schillebeeckx, Maria ⁴1959 a.a.O. 80. Vgl. auch: Schillebeeckx, Maria ⁴1959 a.a.O. 82.

[122] Auch hier findet sich der sakramententheologische Satz von Schillebeeckx: die menschliche Mitwirkung und Aufnahme der Gnade ist schon eine Wirkung des sakramentalen Mysteriums: das opus operantis ist eine Wirkung des opus operatum.

[123] Vgl.: Schillebeeckx, Maria ⁴1959 a.a.O. 96–101.

[124] Schillebeeckx weist darauf hin, daß der Titel ›Mutter‹ Maria von der

Idee der Mutterschaft der Kirche aus verliehen wurde und nicht von ihrer Mutterschaft Christi aus. Vgl.: Schillebeeckx, Maria ⁴1959 a.a.O. 108.

[125] Schillebeeckx, Maria⁴1959 a.a.O. 114.

[126] Eine solche philosophische Anthropologie, die als Vorstufe für die Theologie fungieren kann, muß notwendigerweise eine ›offene Anthropologie‹ sein: eine Anthropologie, die in der Lage ist, den Menschen als ein sich selbst übersteigendes Wesen aufzufassen. Schillebeeckx selbst wählt eine Theorie, in der der Mensch aufgefaßt wird als »persönliches Subjekt (. . .), dessen Wesen es ist, durch ein in Freiheit sinngebendes Auftreten in einer Welt der Menschen und Dinge *zu sein* oder *sich zu gestalten*«. Vgl. hierzu: E. Schillebeeckx, God en de Mens, in: Theologische Week over de mens. Voordrachten gehouden te Nijmegen, juli 1958, Nijmegen: Dekker & van de Vegt o. J. (1958), 3–21 (hier: 4); auch als: E. Schillebeeckx, Dialoog met God en christelijke seculariteit, in: ders., God en mens, Bilthoven: H. Nelissen 1965 (= Theologische Peilingen II), 150–166 (hier: 151 f.). Wir zitieren im Folgenden nach der Ausgabe in Schillebeeckx' Sammelwerk ›God en mens‹.

[127] Schillebeeckx, Dialoog met God a.a.O. 151.

[128] Schillebeeckx, Dialoog met God a.a.O. 153.

[129] Schillebeeckx, Dialoog met God a.a.O. 154.

[130] Schillebeeckx, Dialoog met God a.a.O. 154.

[131] Vgl.: Schillebeeckx, Dialoog met God a.a.O. 154.

[132] Die Stellung Adams in der Menschheitsgeschichte versteht Schillebeeckx nicht in erster Linie als ›physischer Stammvater‹, sondern als ›Stammvater durch Erwählung‹. Die Erbsünde umfaßt daher auch keine physische Dimension, sondern die natürliche Unerreichbarkeit Gottes durch die Fehltat Adams, der in seiner Erwählung zum ›Gnadenvater‹ aller Menschen werden sollte. Vgl. hierzu bes.: Schillebeeckx, Maria ⁴1959 a.a.O. 48–52.

[133] Schillebeeckx, Dialoog met God a.a.O. 155. Eine Deutung der Vorsehung im hier angedeuteten Sinne unternimmt Schillebeeckx in: E. Schillebeeckx, De goede levensleiding van God, in: TGL 16 (1960) 571–592; auch als: E. Schillebeeckx, De goede levensleiding van God, in: ders., God en mens a.a.O. 167–182.

[134] Schillebeeckx, Dialoog met God a.a.O. 157.

[135] So etwa bezeugt von: H. van Zonneveld, Theologie in de branding a.a.O. 97 f.; 162 f. H. van Zonneveld sieht die Entwicklung Schillebeeckx' als eine Evolution von De Petter nach Habermas (a.a.O. 162). In dieser Arbeit wollen wir auf diese Frage nicht weiter eingehen. Die an sich getrennten christologischen Teile können auch wegen der streng parallelen Fragestellung als Einheit gelesen und verstanden werden.

[136] Als Veröffentlichungen dieser Gattung kann man betrachten: (E. Schillebeeckx), Jesus Christus II, in: A. M. Heidt (Hrsg.), Catholica a.a.O. 675–680. E. Schillebeeckx, Het bewustzijnsleven van Christus, in: TTh 1 (1961) 227–251. E. Schillebeeckx, De zin van het mens-zijn van Jesus, de Christus, in: TTh 2 (1962) 127–172; deutsch: Eduard Schillebeeckx, Die Heiligung des Namens Gottes durch die Menschenliebe Jesu des Christus, in: Johannes Baptist Metz/Walter Kern/Adolf Darlapp/Herbert Vorgrimler (Hrsg.), Gott in Welt. Festgabe für Karl Rahner,

II, Freiburg/Basel/Wien: Herder 1964, 43–91 (Wir zitieren nach dem deutschen Text).

[137] E. Schillebeeckx, Die neue Wende in der heutigen Dogmatik a.a.O. 328.

[138] Das Bewußtsein Jesu, Mensch zu sein, ist notwendigerweise an seinem Menschsein gebunden. Der trinitarische Gott in sich kann nicht das Bewußtsein haben, Mensch zu sein. Dieses Bewußtsein hat als Möglichkeitsbedingung: Menschwerdung. So auch ist das Bewußtsein Christi, Gott zu sein, aufgrund der Menschwerdung kein göttliches Bewußtsein, sondern das Bewußtsein Christi hat in allem den Modus des menschlichen Bewußtseins. Vgl. hierzu: E. Schillebeeckx, Het bewustzijnsleven van Christus a.a.O. 241. Es ist interessant festzustellen, daß De Petter das personale Menschsein wesentlich als ein dynamisches Menschwerden betrachtet, da der Mensch in der Realisierung der Möglichkeiten erst zu sich selbst kommt. So: D. M. De Petter, Persoon en personalisering a.a.O. 204: »Vielmehr müßte man sagen, daß er (der Mensch, Anm. des Verf.) ein Wesen ist, dessen eigene substantielle Natur ihm die Möglichkeit und den Auftrag zur *Personwerdung* gibt. Er ist – nach dem Worte Heideggers – ›ein Wesen der Möglichkeit‹. Hieraus wird dann auch klar, wie und inwiefern wir dem fundamentalen Satz des Existenzialismus zustimmen können, daß in dem Menschen der ›Existenz‹ – d. h. der Ausübung seiner autonomen Aktivität – gegenüber seiner Wesenbestimmung die Priorität verliehen werden muß, und daß der Mensch als das Wesen bestimmt werden muß, das sich selbst durch seine ›Existenz‹ – d. h. durch die Ausübung seiner Freiheit – seine Bestimmung schenken muß«.

[139] Vgl.: Schillebeeckx, Jesus Christus a.a.O. 678: »Eine Natur ist ja nie ein Instrument einer Person, sondern der Inhalt, die Weise selbst des Personseins«.

[140] Namentlich bei De Petter findet sich die kulturschaffende, sich in Technik, Wissenschaft und Erziehung äußernde Aktivität der menschlichen Person (die immer sozial gebunden aufgefaßt werden muß). Vgl.: De Petter, Persoon en personalisering a.a.O. 196–199. Zur Entwicklungsfähigkeit einer Natur (im Rahmen des Verhältnisses Natur-Übernatur) vgl. auch: E. Schillebeeckx, Arabisch-neoplatoonse achtergrond van Thomas' opvatting over de ontvankelijkheid van de mens voor de genade a.a.O.

[141] Schillebeeckx, Jesus Christus a.a.O. 678 f.

[142] Gerade diese Unterscheidung zwischen Natur und Suppositum wird von De Petter schärfstens kritisiert. Vgl.: De Petter, Persoon en personalisering a.a.O. 187 f.: »In der scholastischen Philosophie erfolgten die Begriffsbildung für und das Fragen nach dem Wesen des Person-Seins oft unter final theologischer Absicht. Das hatte zur Folge, daß eine gewisse Verengung der philosophischen Fragestellung nach dem Person-Sein auftrat. Im Verbindung mit der theologischen Problematik um das Mysterium des theandrischen Wesens Christi trat der Unterschied zwischen natura und suppositum in den Vordergrund und es konzentrierte sich das Interesse weiter auf das sogenannte *constitutivum formale suppositalitatis sive subsistentiae*«.

[143] Schillebeeckx, Jesus Christus a.a.O. 679.

[144] Vgl. zum Ganzen: Schillebeeckx, Die Heiligung des Namens Gottes a.a.O. 43–52; Zitat: 46.
[145] Schillebeeckx, Die Heiligung des Namens Gottes a.a.O. 56 f.
[146] Schillebeeckx, Die Heiligung des Namens Gottes a.a.O. 57 f.
[147] 1 Tim 2,6.
[148] Schillebeeckx, Die Heiligung des Namens Gottes a.a.O. 59. Derselbe Grundgedanke findet sich auch in den neueren Veröffentlichungen Schillebeeckx' zur Christologie. Diese Aussage geht zurück auf Irenäus' von Lyons Formulierung »Gloria Dei, vivens homo« (Adv. Haer. IV, 20, 5–7), die Schillebeeckx aufführt in: Schillebeeckx, Jezus a.a.O. 534. Schillebeeckx, Christus und die Christen a.a.O. 625 ff. Edward Schillebeeckx, Die Auferstehung Jesu als Grund der Erlösung. Zwischenbericht über die Prolegomena zu einer Christologie, Freiburg: Herder 1979 (= QD 78) 149.
[149] Vgl.: Schillebeeckx, Die Heiligung des Namens Gottes a.a.O. 59 f.
[150] Schillebeeckx, Christus a.a.O. 24. Vgl. auch: Schillebeeckx, Die neue Wende in der heutigen Dogmatik a.a.O. 328.
[151] Schillebeeckx, Die Heiligung des Namens Gottes a.a.O. 49.
[152] Vgl.: SH 163 f.
[153] Schillebeeckx kennt wohl noch die Erklärung, daß durch die Auferstehung und Erhöhung Christi durch den Vater den Mysterienhandlungen Christi eine gewisse Perennität zukommt. Vgl.: Schillebeeckx, Christus a.a.O. 68. Ähnlich auch: Schillebeeckx, Die heilstheologische Grundlage der Theologie a.a.O. 305. Näheres zu diesem Motiv wird aber im Folgenden noch gesagt.
[154] Schillebeeckx, Die Heiligung des Namens Gottes a.a.O. 62.
[155] Schillebeeckx, Die Heiligung des Namens Gottes a.a.O. 62.
[156] Schillebeeckx. Die Heiligung des Namens Gottes a.a.O. 63 f. Vgl. auch: Schillebeeckx, Het apostolisch ambt van de kerkelijke hiërarchie a.a.O. 261 ff.
[157] Schillebeeckx, Die Heiligung des Namens Gottes a.a.O. 64.
[158] Schillebeeckx, Die Heiligung des Namens Gottes a.a.O. 64.
[159] Vgl.: Schillebeeckx, Kirche und Menschheit a.a.O. 243–245.
[160] Schillebeeckx, Die Heiligung des Namens Gottes a.a.O. 64.
[161] Schillebeeckx, Die Heiligung des Namens Gottes a.a.O. 65. Schillebeeckx verdeutlicht diese Interpretation mit paulinischen Aussagen, in denen Christus die Kirche repräsentiert (vgl.: 1 Kor 12,12; Röm 12,5).
[162] Schillebeeckx, Die Heiligung des Namens Gottes a.a.O. 65 f.
[163] Wir sprechen hier in deutlicher Abgrenzung sowohl zur Sakramententheologie (etwa im Christusbuch) als auch zur späteren Christologie (etwa im Jesusbuch) von den ersten christologischen Werken Schillebeeckx'.
[164] Vgl. etwa: A. L. Descamps, Jezus. Het verhaal van een levende, in: Revue théologique de Louvain 6 (1975) 212–233. P. Schoonenberg, Schillebeeckx en de exegese. Enige gedachten bij ›Jezus, het verhaal van een levende‹, in: TTh 15 (1975) 255–268. E. Schillebeeckx, Schoonenberg en de exegese, in: TTh 16 (1976) 44–55. G. Petri/G. Visconti, La nuova cristologia del Prof. E. Schillebeeckx, in: Divus Thomas 78 (1975) 233–253. Pieter van Rossum, La christologie du R. P. Schillebeeckx, in: Esprit et vie 85 (1975) 129–135. H. Berkhof, Over Schillebeeckx' Jezus-

boek, in: Nederlands Theologisch Tijdschrift 29 (1975) 322–331. E. Schillebeeckx, Fides quaerens intellectum historicum, in: Nederlands Theologisch Tijdschrift 29 (1975) 332–349. Walter Kasper, Liberale Christologie. Zum Jesus-Buch von Edward Schillebeeckx, in: Evangelische Kommentare 9 (1976) 357–360. Nicolaas Greitemann, Wendepunkt in der holländischenTheologie, in: Herder Korrespondenz 29 (1975) 306–308. Hans Georg Koch, Neue Wege in der Christologie? Zu einigen christologischen Neuerscheinungen, in: Herder Korrespondenz 29 (1975) 412–418. Karl H.Neufeld, Spuren von Jesus? E. Schillebeeckx' »Geschichte von einem Lebenden«, in: Stimmen der Zeit 194 (1976) 689–702. Werner Löser, Christologie zwischen kirchlichem Glauben und modernem Bewußtsein, in: Theologie und Philosophie 51 (1976) 257–266. Leo Scheffczyk, Jesus für Philanthropen, in: Theologisches. Beilage der Offertenzeitung für die katholische Geistlichkeit Nr. 77 (Sept. 1976) 2080–2086; Nr. 78 (Okt. 1976) 2097–2105; Nr. 79 (Nov. 1976) 2129–2132. Leo Scheffzcyk, L' ultimo libro eretico di Schillebeeckx, in: Chiesa Viva 1976, H. 6 (59) 14–17; H. 7 (60) 14–16; H. 8 (61) 19–21 (war mich nicht zugänglich). Winfried Gruber, Das Jesus-Buch von E. Schillebeeckx, in: Theologisch-praktische Quartalschrift 125 (1977) 193–195. Wilhelm Breuning, Studien zur Christologie I, in: Theologische Revue 72 (1977) 90–95. Th. Steltenpool, De Jezus van Prof. Schillebeeckx, Kritische bijdrage tot binnenkerkelijk geloofsgesprek, Eigenverlag o. J. (1977). L. J. Elders, La christologie du professeur Edouard Schillebeeckx, in: Esprit et vie 90 (1980) 17–24. Eine fast vollständige Liste der Rezensionen findet sich in: Edward Schillebeeckx, Die Auferstehung Jesu a.a.O. 150. Die bedeutsame Besprechung Grillmeiers sollte hier noch erwähnt werden: Alois Grillmeier, Jesus Christus im Glauben der Kirche, I, Freiburg: Herder 1979, 24–26.

165 Vgl.: E. Schillebeeckx, Persoonlijke openbaringsgestalte van de Vader, in: TTh 6 (1966) 274–288. E. Schillebeeckx, De toegang tot Jezus van Nazaret, in: TTh 12 (1972) 28–60. E. Schillebeeckx, »Ik geloof in de verrijzenis van het lichaam«, in: TGL 28 (1972) 430–451. E. Schillebeeckx, Ons heil: Jezus' leven of Christus de verrezene?, in: TTh 13 (1973) 145–166. E. Schillebeeckx, De vrije mens Jezus en zijn conflict, in: TGL 29 (1973) 146–155. Edward Schillebeeckx, Der »Gott Jesu« und der »Jesus Gottes«, in: Concilium (D) 10 (1974) 210–218. Edward Schillebeeckx, Jezus. Het verhaal van een levende, Bloemendaal: Nelissen 1974; deutsch: Edward Schillebeeckx, Jesus. Die Geschichte von einem Lebenden, Freiburg/Basel/Wien: Herder 1975. H. M. Kuitert/E. Schillebeeckx, Jezus van Nazareth en het heil van de wereld, Baarn: Ten Have 1975. E. Schillebeeckx, De mens Jezus, concurrent van God, in: A. Camps u. a., Wie zeggen de mensen dat ik ben, Baarn: Ten Have 1975, 51–54. Edward Schillebeeckx, Gerechtigheid en liefde, genade en bevrijding, Bloemendaal: Nelissen 1977; deutsch: Edward Schillebeeckx, Christus und die Christen. Die Geschichte einer neuen Lebenspraxis, Freiburg: Herder 1977. Edward Schillebeeckx, Tussentijds verhaal over twee Jezusboeken, Bloemendaal: Nelissen 1978; deutsch: Edward Schillebeeckx, Die Auferstehung Jesu als Grund der Erlösung. Zwischenbericht über die Prolegomena zu einer Christologie, Freiburg: Herder 1979 (= QD 78).

[166] Namentlich Descamps und Schoonenberg gehen auf Schillebeeckx' Exegese ein.

[167] Zu diesem Zweck stellt Schillebeeckx eine ausführliche Kriteriologie auf, mit deren Hilfe er versuchen will, die historische Botschaft und Lebenspraxis Jesu zu erreichen. Dabei geht es ihm nicht in erster Instanz um die ›ipsissima verba‹ Jesu, sondern um seine ›ipsissima vox‹, seine Botschaft, Lebenspraxis und Lebenseinstellung, wie sie sich in der Erinnerung der neutestamentlichen Schriftsteller wiederfindet. Vgl.: Schillebeeckx, Jesus a.a.O. 37–91.

[168] Wir müssen betonen, daß dies keine neue Stellungnahme von Schillebeeckx ist, sondern vielmehr findet sich die Identifikation des verkündigenden Jesus mit dem verkündigten Christus schon in der Theorie der Umwandlung. Allerdings handelt es sich bei dieser Theorie vorerst nur um ein Postulat, das noch keine eindeutige Verifikation in Hinsicht auf die Priorität des historischen Jesus enthält. Man kann also Schillebeeckx' neuere Einstellung, dem historischen Jesus gegenüber dem verkündigten Jesus den Vorzug zu geben, als eine kontinuierliche Entfaltung der Umwandlungstheorie betrachten. Vgl. zur Umwandlung: Schillebeeckx, Kirche und Menschheit a.a.O. 248.

[169] Zurecht betont von: Schoonenberg a.a.O. 256ff. Descamps a.a.O. 212; 215.

[170] Kuitert/Schillebeeckx, Jezus van Nazareth a.a.O. 31.

[171] Schillebeeckx, Jesus a.a.O. 71f.

[172] Schillebeeckx, Jesus a.a.O. 48.

[173] Schillebeeckx, Jesus a.a.O. 48.

[174] Daß Schillebeeckx die von ihm oft verwendete Kategorie der ›disclosure-Erfahrung‹ nicht näher ausarbeitet, beeinträgtigt die Klarheit seiner Gedanken zur Glaubenserfahrung. Dies wird zurecht betont bei: Breuning a.a.O. 94f.

[175] Die Ausführungen zur Abba-Erfahrung Jesu bei Schillebeeckx werden von einigen Rezensenten hervorgehoben. Vgl. etwa: Petri/Visconti a.a.O. 238. Berkhof a.a.O. 326f. // Schillebeeckx a.a.O. 336.

[175] Schillebeeckx, Jesus a.a.O. 228.

[177] Vgl.: Schillebeeckx, Jesus a.a.O. 233; 239.

[178] Schillebeeckx, Jesus a.a.O. 232: »Dieser Grund (zur Identifikation Jesu als des Sohnes Gottes, Anm. des Verf.) liegt letztlich (. . .) in der Auferstehung, zumindest interpretiert als Erhöhung und ›Einsetzung in Autorität‹ mit Hilfe von Ps 110, Ps 2 und Ps 89, was wiederum doch nur aus Erinnerung an Jesu vertraulicher Umgang mit Gott als Abba und in Erinnerung an seine eschatologisch-prophetische Sendung von Gott her geschehen konnte«.

[179] Schillebeeckx, Jesus a.a.O. 239.

[180] Schillebeeckx, Jesus a.a.O. 239. Zur Abba-Erfahrung Jesu finden sich auch ähnliche Aussagen in: Schillebeeckx, De mens Jezus, concurrent van God a.a.O. 55f.

[181] Vgl.: Schillebeeckx, Jesus a.a.O. 284–351. Auch: Kuitert/Schillebeeckx a.a.O. 46. Man kann es mit Kasper bedauern, daß Schillebeeckx – was ihm wegen der zeitlichen Nähe auch wohl nicht möglich war – nicht auf die Pesch-Diskussion um die Auferstehung eingeht. Vgl.: Kasper a.a.O. 359. Zur Auferstehungsdiskussion vgl.: Rudolf Pesch, Zur

Entstehung des Glaubens an die Auferstehung Jesu. Ein Vorschlag zur Diskussion, in: ThQ 153 (1973) 201–228. Walter Kasper, Der Glaube an die Auferstehung vor dem Forum historischer Kritik, in: ThQ 153 (1973) 229–241. Hermann Schelke, Schöpfung des Glaubens?, in: ThQ 153 (1973) 242f. Peter Stuhlmacher, »Kritischer müßten mir die Historisch-Kritischen sein!«, in: ThQ 153 (1973) 244–251. Martin Hengel, Ist der Osterglaube noch zu retten?, in: ThQ 153 (1973) 252–269. Rudolf Pesch, Stellungnahme zu den Diskussionsbeiträgen, in: ThQ 153 (1973) 270–283. Weiter auch: Wilhelm Breuning, Aktive Proexistenz. Die Vermittlung Jesu durch Jesus selbst, in: TThZ 83 (1974) 193–213. Jacob Kremer, Entstehung und Inhalt des Osterglaubens. Zur neusten Diskussion, in: ThRv 72 (1976) 1–14. Johannes M. Nützel, Zum Schicksal des eschatologischen Propheten, in: BZ 20 (1976) 59–94. In seinem Werk ›Auferstehung Jesu‹ (S. 107ff.) versucht Schillebeeckx diese Lücke zu schließen.

[182] Schillebeeckx, Der »Gott Jesu« und der »Jesus Gottes« a.a.O. 212. Vgl. auch Schillebeeckx' Interpretation der Ostererfahrung als Widerfahrnis: Schillebeeckx, Jesus a.a.O. 346ff.

[183] Der nachträgliche (im Vergleich zur ersten holländischen Auflage) Einschub im 4. Teil zeigt dies deutlich auf. Vgl.: Schillebeeckx, Jesus a.a.O. 571–576.

[184] Schillebeeckx, Jesus a.a.O. 355. Vgl. auch: Schillebeeckx, Jesus a.a.O. 565ff.

[185] Vgl.: Schillebeeckx, Jesus a.a.O. 357–387.

[186] Schillebeeckx, Jesus a.a.O. 389.

[187] Zu diesen jüdisch-eschatologischen Modellen vgl.: Schillebeeckx, Jesus a.a.O. 390–418.

[188] Schillebeeckx, Jesus a.a.O. 419.

[189] Vgl.: Schillebeeckx, Jesus a.a.O. 425. Die Diskussion um den ›eschatologischen Propheten‹ ist noch nicht zu einem Konsens gekommen. Einerseits findet diese Anhänger, da sie die Möglichkeit bietet, eine Kontinuität zwischen dem ›historischen Jesus‹ und der christlichen Interpretation aufzuzeigen, andererseits scheint sie sich nur auf spärliche exegetische Quellen berufen zu können: »Die Belege dafür (die Erwartung einer Ermordung und Auferweckung eschatologischer Propheten, Anm. des Verf.) sind jedoch so gering an Zahl, daß die Annahme einer weiteren Verbreitung dieser Erwartung in Palästina um 30 n. Chr. ohne Fundament ist« (Nützel a.a.O. 94). Namentlich hat auch Alois Grillmeier unter Zuhilfenahme neuerer exegetischer Literatur scharfe Kritik an Schillebeeckx' These über Jesus als dem eschatologischen Propheten geübt. Vgl.: Alois Grillmeier, Jesus Christus a.a.O. 24–26. Allerdings sollte bei aller Kritik wohl bedacht werden, daß »eschatologischer Prophet« für Schillebeeckx kein Minimaltitel ist.

[190] Vgl.: Schillebeeckx, Jesus a.a.O. 425–457.

[191] Vgl.: Schillebeeckx, Jesus a.a.O. 458–481.

[192] Schillebeeckx, Jesus a.a.O. 481.

[193] Obwohl man die Entwicklung einer frühchristlichen Pluralität der Christusinterpretation noch weiter zu einer Vereinheitlichung verfolgen kann, werden wir jetzt mit unseren Fragen nach dem Sohnesverständnis und der Universalität Jesu schon ansetzen können, da es sich in dem hier

angegebenen Stadium schon um eine verbalisierte Christusdeutung handelt.

194 Ohne Fragezeichen war diese Überschrift der Titel eines aufsehenerregenden Artikels Hulsbosch. Vgl.: A. Hulsbosch, Jezus Christus, gekend als mens, beleden als Zoon Gods, in: TTh 6 (1966) 250–273.

195 Dies steht im Gegensatz zu der in ›Heiligung des Namens Gottes‹ festgestellte Gleichwertigkeit einer Christologie und Soteriologie, die dort aus der Zweipoligkeit des Christusereignisses (Menschwerdung und universale Heilsbedeutung) folgt.

196 Schillebeeckx, Jesus a.a.O. 485. Dieses Zitat zeigt deutlich Schillebeeckx' Vorzug für die soteriologische Aussage, daß sich in Christus Heil ereignet. Allerdings scheint seine Bewertung der ›first-order assertions‹ mir doch recht problematisch, da sie die historische, vom Geist Gottes geleitete, weiterführende Präzisierung anscheinend unterbewertet. Die Schwierigkeit scheint dadurch zu entstehen, daß Schillebeeckx das Wort Orthodoxie mehrdeutig verwendet. Indem er die Zeitkomponente aus dem Begriff ausscheidet, kann Orthodoxie sowohl den anfänglichen Jesusglauben der Jünger andeuten als auch den kirchlichen Glauben des 20. Jh. Das ruft Fragen auf. Kann man den Maßstab für eine damalige christliche Orthodoxie (»Heil in Jesus finden« bei den Jüngern) ohne weiteres auf etwa unsere Zeit verlegen? Macht man sich so nicht einer Idealisierung einer bestimmten Epoche unter Verzicht auf die sich wesentlich historisch entwickelnde Gestalt des Glaubens schuldig? Vgl. auch: Breuning a.a.O. 91 f.; 94. Zur Klarstellung vgl.: Schillebeeckx, Auferstehung Jesu a.a.O. 111 ff.

197 Schillebeeckx, Jesus a.a.O. 493.

198 Vgl. etwa: Schillebeeckx, Verrijzenis a.a.O. 4744. Schillebeeckx, Evangelie en kerk a.a.O. 95. Schillebeeckx, Christus a.a.O. 28 f. Schillebeeckx, Het bewustzijnsleven van Christus a.a.O. 234 ff.

199 Schillebeeckx, Jesus a.a.O. 493; vgl. auch 504.

200 Schillebeeckx, Jesus a.a.O. 493.

201 Schillebeeckx, Jesus a.a.O. 493.

202 In einer annäherend 700 Seiten umfassenden Christologie wird dieser nicht unbedeutenden Phase in der Formulierung des kirchlichen Christusglaubens nur 10 Seiten zubemessen (494–504). Es scheint mir bemerkenswert, daß die Patristik bei Schillebeeckx (auch schon – wie sich in unserer Arbeit gezeigt hat – in der SH) immer zugunsten des Thomismus und einer eventuellen Neuinterpretation unterbewertet wird. Eine Maxime wie »Aus all diesen Gründen wird neben der fundamentalen Besinnung auf die Schrift die heutige theologische Reflexion nicht an einem *tiefgehenden* (Hervorhebung von mir) Studium der Patristik vorbeigehen dürfen; diese bleibt ebenfalls eine kritische Instanz für die Lösungen, die wir zeitgenössischen Problemen zu geben versuchen« wirkt in diesem Kontext geradezu lächerlich. Zitat aus: Edward Schillebeeckx, Die Stellung der Kirchenväter in der Theologie, in: ders., Offenbarung und Theologie a.a.O. 162.

203 Vgl.: Schillebeeckx, Jesus a.a.O. 503.

204 Schillebeeckx begründet seine Auffassung mit einem Hinweis auf einige Standardwerke, die aber nicht mehr den neuesten Stand der Chalkedonforschung bieten.

[205] Zum Begriff ›Rezeption‹, vor allem im Zusammenhang mit dem christologischen Dogma, vgl.: Alois Grillmeier, Konzil und Rezeption. Methodische Bemerkungen zu einem Thema der ökumenischen Diskussion, in: Theologie und Philosophie 45 (1970) 321–352; auch in: ders., Mit ihm und in ihm. Christologische Forschungen und Perspektiven, Freiburg/Basel/Wien: Herder 1975, 335–370. Yves Congar, Die Rezeption als ekklesiologische Realität, in: Concilium (D) 8 (1972) 500–514.

[206] So zeigt David Beecher Evans in einer Dissertation eine interessante Neuinterpretation des Enhypostasie-Begriffes bei Leontius von Byzanz. Vgl.: David Beecher Evans, Leotius of Byzantium. An origenist christology, Washington 1970 (= Dumbarton Oaks Studies 13).

[207] So bietet der anonyme Traktat »De Sectis« aus dem Ende des 6. Jh. eine besonders interessante christologische Interpretation an.

[208] Es ist klar, daß durch unsere Kritik an Schillebeeckx' Begründungsweise die Forderung nach einer Christologie, die mit der Menschheit Jesu ernst macht, nicht geringer wird. Denn gerade die (diesmal historisch bezeugbare) Betonung der Bedeutung, die in der Einheit Jesu mit Gott (Theologia-Oikonomia) liegt, verlangt andererseits wegen des historischen Christusereignisses und des Dogmas von Chalkedon eine Christologie, in der auch die Menschheit Jesu den ihr gebührenden Platz erhält.

[209] Vgl.: Schillebeeckx, Jesus a.a.O. 503ff. Schillebeeckx, Persoonlijke openbaringsgestalte van de Vader a.a.O. 277f. Kritik an dieser letzten Stelle meldet an: J. Galot, Vers une nouvelle christologie, Gembloux/Paris: Duculot/Lethielleux 1971, bes. 39f.

[210] Vgl.: Schillebeeckx, Jesus a.a.O. 564–594. Nach Schillebeeckx' eigenen Angaben ist dieser Teil zu wenig ausgearbeitet. Vgl.: Schillebeeckx, Auferstehung Jesu 117–122.

[211] Schillebeeckx, Jesus a.a.O. 565. Vgl. auch: Schillebeeckx, Jesus a.a.O. 570: »Glaube an Jesus ist nicht anders als in der Form eines *Gottesbekenntnisses* möglich.«

[212] Schillebeeckx, Jesus a.a.O. 565f.

[213] Schillebeeckx, Jesus a.a.O. 567.

[214] Vgl. auch: Schillebeeckx, Die Heiligung des Namens Gottes a.a.O. 73–79.

[215] Vgl.: Schillebeeckx, Jesus a.a.O. 567.

[216] Schillebeeckx, Jesus a.a.O. 579.

[217] Vgl.: Schillebeeckx, Jesus a.a.O. 580.

[218] Dieser Zugang zur Personalität und Sohnschaft Jesu findet sich auch in: Schillebeeckx, Persoonlijke openbaringsgestalte van de Vader a.a.O. 281 ff. Weniger klar auch schon in: Schillebeeckx, Die Heiligung des Namens Gottes a.a.O. 73–79.

[219] Vgl.: Schillebeeckx, Jesus a.a.O. 580. Auch im Sinne einer impliziten Hinordnung des Menschen auf Christus in: Schillebeeckx, Die Heiligung des Namens Gottes a.a.O. 73 ff.

[220] Schillebeeckx, Jesus a.a.O. 581.

[221] Schillebeeckx, Jesus a.a.O. 581. Voraussetzung für eine solche Interpretation ist die Einsicht, daß Gott und Mensch nicht zueinander konkurrenzfähig sind, sondern daß Gott immer schon der »intimior intimo meo« ist Vgl. auch: De Petter, Intentionaliteit en identiteit a.a.O. 72f. Vgl. auch Anm. 52 in diesem Teil.

[222] Die Abhebung der zwei Sprachspiele voneinander ist für Schillebeeckx eine absolute Forderung, die eingehalten werden sollte. Jede Rede von einer menschlichen Person Jesu befindet sich so für Schillebeeckx schon auf der Ebene eines ›profanen Sprachspiels‹. Vgl.: Schillebeeckx, Jesus a.a.O. 582 f.

[223] Schillebeeckx, Jesus a.a.O. 584.

[224] Schillebeeckx, Jesus a.a.O. 585.

[225] Schillebeeckx, Jesus a.a.O. 585.

[226] Vgl.: Schillebeeckx, Jesus a.a.O. 586 f. Schillebeeckx' Darlegungen zur trinitarischen Personalität, die er in Anschluß an Hegels Personbegriff als nicht-verfremdendes Gegenüber entfaltet, brauchen hier wohl nicht erörtert zu werden.

[227] Schillebeeckx, Jesus a.a.O. 591. Vgl. auch: E. Schillebeeckx, Mysterie van ongerechtigheid en mysterie van erbarmen. Vragen rond het menselijk lijden, in: TTh 15 (1975) 3–25.

[228] Der Zugang zur Frage der Universalität wird geschaffen in: Schillebeeckx, Jesus a.a.O. 509–526.

[229] Schillebeeckx beruft sich auf F. Braudel, F. Furet und P. Chaunu. Vgl.: Schillebeeckx, Jesus a.a.O. 638 (Anm. 1).

[230] Vgl.: Schillebeeckx, Jesus a.a.O. 520.

[231] Vgl.: Schillebeeckx, Jesus a.a.O. 521 f.

[232] Vgl.: Schillebeeckx Jesus a.a.O. 522 f.

[233] Schillebeeckx begründet seine Ablehnung dieser rationalistischen These nicht nur, indem er das in ihr enthaltenen Vorurteil aufweist, sondern vor allem durch die im Marxismus und im christlichen Glaubensbekenntnis angenommene historisch partikulare Erscheinung der Universalität. Dieser letzten These schließt Schillebeeckx sich an.

[234] Schillebeeckx, Jesus a.a.O. 526.

[235] Vgl. die Aufsätze: A. Hulsbosch, Jezus Christus, gekend als mens, beleden als Zoon Gods a.a.O. P. Schoonenberg, Jezus Christus vandaag dezelfde, in: H. van der Linde/H. A. M. Fiolet, Geloof bij kenterend getij. Peilingen in een seculariserend christendom, Roermond/Maaseik: Romen o. J., 163–184. Dieses überwiegende Interesse für Jesu Menschheit ist aber bestimmt keine fremde Denkkategorie für Schillebeeckx. Vgl. etwa: H. Schillebeeckx, De heiligmakende genade als heiligung van ons bestaan, in: TGL 10 (1954) 24: »Laßt uns in Christus, lebend in Palästina, nicht einseitig die Gottheit sehen, sondern vor allem die Wahrhaftigkeit seines *heiligen Mensch-Seins*, denn er ist nicht hier auf Erden erschienen, um Gott zu sein – das war Er schon von Ewigkeit her –, sondern Er wurde Mensch, um Mensch zu sein wie wir, aber dann auf eine *göttliche* Weise«. In Anschluß an H. Kuitert könnte man nach Schillebeeckx von einer untersten Grenze für die Bezeichnung »Heil« sprechen. In dieser untersten Grenze liegt auch die menschliche Erfahrbarkeit eingeschlossen. Vgl.: Schillebeeckx, Christus und die Christen a.a.O. 737 ff.

[236] Schillebeeckx, Jesus a.a.O. 530.

[237] Schillebeeckx geht der historischen Auffassung des Menschseins nach, die in ihrer Definition doch eine gewisse Offenheit für das menschlich Mögliche und Erreichbare behält. Auch eine Unterscheidung zwischen ›empirical‹ und ›aspective humanity‹ bringt uns in der Frage nach

dem Menschsein Jesu nicht viel weiter, da sie sich immer noch im profanen Sprachspiel befindet und keine theologische Aussagen zum Menschsein Jesu aufnehmen kann.

[238] Schillebeeckx, Jesus a.a.O. 532.

[239] Vgl.: Schillebeeckx, Jesus a.a.O. 533 ff.; bes. 535 f.

[240] Vgl.: Schillebeeckx, Jesus a.a.O. 237–242.

[241] Das christologische Problem wird sich also auf die Besonderheit des Universalitätsanspruches in Jesus konzentrieren müssen. Letztlich kann diese Frage dann auch nur in der Erkundung der Bedeutung und Berechtigung einer Aussage zur Sohnschaft Jesu liegen. Vgl. hierzu: Schillebeeckx, Jesus a.a.O. 564–594. Dieser Kontinuität zwischen dem historischen Ereignis und der Glaubensinterpretation Jesu werden wir nicht nachgehen, da sie schon in der Erörterung der Sohnschaft Jesu aufgenommen wurde.

[242] Schillebeeckx, Jesus a.a.O. 543.

[243] Schillebeeckx, Jesus a.a.O. 543. Wenn man dem Totalitätsprinzip in der Geschichte huldigt, wird immer ein Rest (vielleicht sogar ein sehr großer Rest) an ›historischem Abfall‹ (544) übrigbleiben, der nicht weiter eingeordnet werden kann.

[244] Schillebeeckx, Jesus a.a.O. 544.

[245] Schillebeeckx, Jesus a.a.O. 545.

[246] Zur Negativität des Leidens und des Todes vgl. auch: Schillebeeckx, Leven ondanks de dood in heden en toekomst, in: TTh 10 (1970) 415–452.

[247] Schillebeeckx, Jesus a.a.O. 546.

[248] Schillebeeckx, Jesus a.a.O. 552.

[250] Am klarsten findet man diesen Gedanken formuliert in: Kuitert/ Schillebeeckx, Jezus van Nazareth en het heil van de wereld a.a.O. 38 f. Dort sagt Schillebeeckx: »Die Bedeutung des Ostergeschehens würde ich so zusammenfassen: 1) Auferstehung ist die göttliche Bestätigung der ganzen Person Jesu, seiner Botschaft, Lebenspraxis und Liebe bis zum Tode; 2) Sie ist auch eine korrigierende Erhöhung in dem Sinne, daß Gott das Negative, Unsinn-Stiftende, das Unheil, das sich als solches in Jesu Verurteilung zeigt, korrigierend besiegt; der Tod und das Negative braucht und kann durch Gott nicht bestätigt werden, sondern lediglich korrigiert; 3) Schließlich ist die Auferstehung auch die Geistsendung, die die Apostel zur ›Kirche Christi‹ versammelt, und somit ist sie kirche-stiftend; gerade deshalb sind sie *Christen* geworden«.

[251] Dies zeigt sich sehr konzentriert in: Schillebeeckx, Begierdetaufe, in: LThK II, 112–115.

[252] Somit müßte man sagen, daß das neue christologische Konzept, das Schillebeeckx vorlegt, eigentlich nach einer neuen Begründung und Interpretation der Sakramententheologie verlangt. Schillebeeckx deutet diese Forderung schon an, wenn er darauf hinweist, daß das neue Konzept der Christologie auch ekklesiologische und pneumatologische Implikationen hat. Von einer Ekklesiologie und Pneumatologie zu einer Sakramententheologie ist kein großer Schritt mehr. Vgl.: Schillebeeckx, Auferstehung Jesu a.a.O. 122. Schillebeeckx, Christus und die Christen a.a.O. 283.

Literaturverzeichnis

Verwendete Abkürzungen und Sigel finden sich im Abkürzungsverzeichnis S. 11–12.

I WERKE SCHILLEBEECKX'

A *Monographien* (in chronologischer Reihenfolge)

Schillebeeckx, Henricus: De sacramentele Heilseconomie. Theologische bezinning op S. Thomas' sacramentenleer in het licht van de traditie en van de hedendaagse sacramentenproblematiek, Antwerpen/ Bilthoven: 't Groeit/H. Nelissen 1952.

Schillebeeckx, H. M.: Maria, Christus' mooiste wonderschepping. Religieuze grondlijnen van het Mariamysterie, Antwerpen West: Apostolaat van de Rozenkrans 1954.
Ab 2. Auflage:

Schillebeeckx, H. (E.): Maria. Moeder van de verlossing. Religieuze grondlijnen van het Mariamysterie, Antwerpen: Apostolaat van de Rozenkrans ²1955; ³1957; ⁴1959.

Schillebeeckx, Edw. H.: De Christusontmoeting als sacrament van de Godsontmoeting. Theologische begrijpelijkheid van het heilsfeit der sacramenten, Antwerpen/Bilthoven: 't Groeit/H. Nelissen 1958.
Ab 3. Auflage:

Schillebeeckx, E.: Christus. Sacrament van de Godsontmoeting, Bilthoven: H. Nelissen 1959.
deutsch:

Schillebeeckx, E. H.: Christus. Sakrament der Gottbegegnung, Mainz: Matthias-Grünewald-Verlag 1960; ²1965.

Schillebeeckx, E.: Het huwelijk. Aardse werkelijkheid en heilsmysterie, I, Bilthoven: H. Nelissen 1963.

Schillebeeckx, E.: Het ambts-celibaat in de branding. Een kritische studie, Bilthoven: H. Nelissen 1966.
deutsch:

Schillebeeckx, Edward: Der Amtszölibat. Eine kritische Besinnung, Düsseldorf: Patmos 1967.

Schillebeeckx, Edward: Jezus. Het verhaal van een levende, Bloemendaal: H. Nelissen 1974.
deutsch:

Schillebeeckx, Edward: Jesus. Die Geschichte von einem Lebenden, Freiburg/Basel/Wien: Herder 1975.

Schillebeeckx, Edward: Gerechtigheid en liefde, genade en bevrijding, Bloemendaal: H. Nelissen 1977.
deutsch:
Schillebeeckx, Edward: Christus und die Christen. Die Geschichte einer neuen Lebenspraxis, Freiburg/Basel/Wien: Herder 1977.
Schillebeeckx, Edward: Tussentijds verhaal over twee Jezusboeken, Bloemendaal: Nelissen 1978.
deutsch:
Schillebeeckx, Edward: Die Auferstehung Jesu als Grund der Erlösung. Zwischenbericht über die Prolegomena zu einer Christologie, Freiburg/Basel/Wien: Herder 1979 (= Quaestiones Disputatae 78).
Schillebeeckx, Edward (i. s. m. Basisbeweging van kritische groepen en gemeenten in Nederland): Basis & Ambt. Ambt in dienst van nieuwe gemeentevorming, Bloemendaal: Nelissen 1979.

B *Sammelwerke* (in chronologischer Reihenfolge)

Schillebeeckx, E.: Openbaring en theologie, Bilthoven: H. Nelissen 1964 (= Theologische Peilingen I).
deutsch:
Schillebeeckx, Edward: Offenbarung und Theologie, Mainz: Matthias-Grünewald-Verlag 1965 (= Gesammelte Schriften I).
Schillebeeckx, E.: Personale Begegnung mit Gott. Eine Antwort an John A. T. Robinson, Mainz: Matthias-Grünewald-Verlag 1964.
Schillebeeckx, E.: Neues Glaubensverständnis. Honest to Robinson, Mainz: Matthias-Grünewald-Verlag 1964.
Schillebeeckx, E.: Het Tweede Vaticaans Concilie, Tielt/Den Haag: Lannoo 1964 (= Kernen en Facetten 5).
deutsch:
Schillebeeckx, E.: Die Signatur des Zweiten Vatikanums. Rückblick nach drei Sitzungsperioden, Wien/Freiburg/Basel: Herder 1965.
Schillebeeckx, E.: God en mens, Bilthoven: H. Nelissen 1965 (= Theologisch Peilingen II).
Schillebeeckx, E.: Wereld en kerk, Bilthoven: H. Nelissen 1966 (= Theologische Peilingen III).
Schillebeeckx, E.: Het Tweede Vaticaans Concilie, II, Tielt/Den Haag: Lannoo 1966.
deutsch:
Schillebeeckx, E.: Besinnung auf das Zweite Vatikanum. Vierte Session. Bilanz und Übersicht. Wien/Freiburg/Basel: Herder 1966.
Schillebeeckx, E.: Christus' tegenwoordigheid in de eucharistie, Bilthoven: H. Nelissen 1967.
deutsch:
Schillebeeckx Edward: Die eucharistische Gegenwart. Zur Diskussion über die Realpräsenz, o. O. (Düsseldorf): Patmos 1967 (= Theologische Perspektiven).

311

Schillebeeckx, E.: De zending van de kerk, Bilthoven: H. Nelissen 1968
    (= Theologische Peilingen IV).
Schillebeeckx, Edward: Gott-Kirche-Welt, Mainz: Matthias-Grüne-
    wald-Verlag 1970 (= Gesammelte Schriften II) (Dieser Sammelband
    enthält eine Auswahl aus: Theologische Peilingen II, III und IV).
Schillebeeckx, Edward: Gott. Die Zukunft des Menschen: Mainz: Mat-
    thias-Grünewald-Verlag 1969.
Schillebeeckx, Edward: Glaubensinterpretation. Beiträge zu einer her-
    meneutischen und kritischen Theologie: Mainz: Matthias-Grüne-
    wald-Verlag o. J. (1971).
    niederländisch:
    Schillebeeckx, Edward: Geloofsverstaan. Interpretatie en kritiek,
        Bloemendaal: H. Nelissen 1972 (= Theologische Peilingen V).

C *Aufsätze*

(Wir geben hier in alphabetischer Reihenfolge nur jene Artikel an, die in
dieser Arbeit auch tatsächlich verwendet wurden; eine vollständige (im
Allgemeinen verläßliche, aber nicht fehlerfreie) chronologische Biblio-
graphie findet sich in: TTh 14 (1974) 491–501. Wir nehmen hier die best
zugängliche Ausgabe auf (d. h. vorzugsweise Sammelwerke und
deutsche Übersetzungen).

Schillebeeckx, E.: Arabisch-neoplatoonse achtergrond van Thomas' op-
    vatting over de ontvankelijkheid van de mens voor de genade, in: Bijdr.
    35 (1974) 298–308.
Schillebeeckx, Henricus: De akte van volmaakte liefde, in: TGL 1/1
    (1945) 309–318.
Schillebeeckx, H.: Het apostolisch ambt van de kerkelijke hiërarchie, in:
    StC 32 (1957) 258–290.
Schillebeeckx, H.: Begierdetaufe, in: LThK II, 112–115.
Schillebeeckx, Edward: Der Begriff »Wahrheit«, in: ders., Offenbarung
    und Theologie a.a.O. 207–224.
Schillebeeckx, H.: Beschouwingen rond de Misliturgie, in: TGL 7 (1951)
    306–323.
Schillebeeckx, H.: Betekenis es waarde van Maria-verschijningen, in:
    Standaard van Maria 31 (1955) 154–162.
Schillebeeckx, E.: Het bewustzijnsleven van Christus, in: TTh 1 (1961)
    227–251.
Schillebeeckx, E.: Bezinning en apostolaat in het leven der seculiere en
    reguliere priesters, in: TGL 19 (1963) 307–329.
Schillebeeckx, Edward: Bibel und Theologie, in: ders., Offenbarung und
    Theologie a.a.O. 136–156.
Schillebeeckx, H.: Is de biecht nog up to date?, in: Thomas (Gent) 6
    (1952/53) H. 5, 3–4.
Schillebeeckx, H.: Is biechten nog >up to date<?, in: Thomas (Gent) 6
    (1952/53) H. 3, 5–6.

Schillebeeckx, H.: Christendom als uitnodiging en antwoord, in: Thomas (Gent) 9 (1955/56) H. 3, 4 f.

Schillebeeckx, H.: Het hoopvolle Christusmysterie, in: TGL 7 (1951) 3–23.

Schillebeeckx, E.: Communicatie tussen priester en leek, in: ders., Zending van de kerk a.a.O. 263–274.

Schillebeeckx, H.: Mutua correlatio inter redemptionem obiectivam eamque subiectivam B. M. Virginis, in: Virgo Immaculata, Rom 1957 (= Acta congressus Mariologici-Mariani, 1954), 305–321.

Schillebeeckx, Edward: Die typologische Definition des christlichen Laien nach dem Zweiten Vatikanischen Konzil, in: ders., Gott-Kirche-Welt a.a.O. 140–161.

Schillebeeckx, E.: Dialoog met God en christelijke seculariteit, in: ders., God en mens a.a.O. 150–166.

Schillebeeckx, E.: De Dienst van het Woord in verband met de Eucharistieviering, in: TL 44 (1960) 44–61 (mit »Bespreking«).

Schillebeeckx, H.: Dogmatiek van ambt en lekestaat, in: ders., Zending van de kerk a.a.O. 104–129.

Schillebeeckx, H.: De dood van een christen, in: Kultuurleven 22 (1955) 421–430; 508–519.

Schillebeeckx, H.: De dood, lichtende horizon van de oude dag, in: De Bazuin 38, H. 36 (4. Juni 1955) 4–5.

Schillebeeckx, H.: De dood, schoonste mogelijkheid van een christen, in: De Bazuin 35, H. 9 (24. Nov. 1951) 4–5.

Schillebeeckx, E.: Ecclesia in mundo huius temporis, in: Angelicum 43 (1966) 340–352.

Schillebeeckx, Edward: Die christliche Ehe und die menschliche Realität völliger Ehezerrüttung, in: P. J. M. Huizing (Hrsg.), Für eine neue kirchliche Eheordnung. Ein Alternativentwurf, Düsseldorf: Patmos-Verlag 1975, 41–73.

Schillebeeckx, Edward: Das nicht-begriffliche Erkenntnismoment im Glaubensakt, in: ders., Offenbarung und Theologie a.a.O. 261–293.

Schillebeeckx, Edward: Das nicht-begriffliche Erkenntnismoment in unserer Gotteserkenntnis nach Thomas von Aquin, in: ders., Offenbarung und Theologie a.a.O. 225–260.

Schillebeeckx, H.: Evangelie en Kerk, in: TGL 10 (1954) 93–121.

Schillebeeckx, E.: Fides quaerens intellectum historicum. Weerwoord aan H. Berkhof, in: NeThT 29 (1975) 332–349.

Schillebeeckx, H.: Geloofsgeheim, in: H. Brink (Hrsg.), Theologisch Woordenboek, II, Roermond/Maaaseik: J. J. Romen & Zonen 1957 (= ThWo), 1750–1752.

Schillebeeckx, H.: Het geloofsleven van de »Dienstmaagd des Heren«, in: TGL 10 (1954) 242–269.

Schillebeeckx, H.: De heiligmakende genade als heiliging van ons bestaan, in: TGL 10 (1954) 7–27.

Schillebeeckx, Edward, Christlicher Glaube und irdische Zukunftserwartung, in: ders., Gott-Kirche-Welt a.a.O. 270–298.

Schillebeeckx, H.: »Ik geloof in de levende God«, in: TGL 6 (1950) 454–467.

Schillebeeckx, H.: God in menselijkheid, in: TGL 13 (1957) 697–712.

313

Schillebeeckx, E.: Godsdienst en sacrament, in: StC 34 (1959) 267–283.

Schillebeeckx, Edward: Der »Gott Jesu« und der »Jesus Gottes«, in: Concilium (D) 10 (1974) 210–218.

Schillebeeckx, Edward: Das neue Gottesbild, Säkularisierung und Zukunft des Menschen auf Erden, in: ders., Gott. Zukunft des Menschen a.a.O. 142–174.

Schillebeeckx, Edward: Die heilsgeschichtliche Grundlage der Theologie. Theologia oder Oikonomia?, in: ders., Offenbarung und Theologie a.a.O. 297–315.

Schillebeeckx, E.: Ons heil: Jezus' leven of Christus de verrezene?, in: TTh 13 (1973) 145–166.

Schillebeeckx, Eduard: Die Heiligung des Namens Gottes durch die Menschenliebe Jesu des Christus, in: Johannes Baptist Metz/Walter Kern/Adolf Darlapp/Herbert Vorgrimler (Hrsg.), Gott in Welt. Festgabe für Karl Rahner, Band II, Freiburg/Basel/Wien: Herder 1964, 43–91.

Schillebeeckx, De heilsopenbaring en haar overlevering, in: Werkgenootschap van katholieke theologen in Nederland, Jaarboek 1962. Voordrachten en discussies, Hilversum: Gooi en Sticht 1963, 137–162 (mit »Gedachtenwisseling«).

Schillebeeckx, E.: Hemelvaart en Pinksteren, in: TL 43 (1959) 161–180.

Schillebeeckx, Edward: Der Herr und die Verkündigung der Apostel, in: ders., Offenbarung und Theologie a.a.O. 31–36.

Schillebeeckx, Edward: Der nicht-religiöse Humanismus und der Gottesglaube, in: ders., Gott-Kirche-Welt a.a.O. 30–61.

Schillebeeckx, E.: Het huwelijk volgens Vaticanum II, in: TGL 22 (1966) 81–107.

Schillebeeckx, E.: Het moderne huwelijkstype. Een genadekans, in: TGL 19 (1963) 221–233.

Schillebeeckx, H.: Investituur tot meerderjarigheid. De gevormden zijn de veroveringskracht van het Christendom, in: De Bazuin 36, H. 32 (23. Mai 1953) 4–5.

(Schillebeeckx), Jesus Christus II, in: A. M. Heidt (Hrsg.), Catholica. Geillustreerd encyclopedisch vademecum voor het katholieke leven, 's-Gravenhage: Uitgeversmaatschappij Pax 1962, 675–680.

Schillebeeckx, E./Kuitert, H. M.: Jezus van Nazareth en het heil van de wereld: Baarn: Ten Have 1975.

Schillebeeckx, Edward: Die Kirche als Dialogsakrament, in: ders., Gott. Die Zukunft des Menschen a.a.O. 100–118.

Schillebeeckx, Edward: Kirche, Lehramt und Politik, in: ders., Gott. Die Zukunft des Menschen a.a.O. 119–141.

Schillebeeckx, Edward: Kirche und Menschheit, in: ders., Gott-Kirche-Welt a.a.O. 243–262.

Schillebeeckx, Edward: Die Kirche, »Sakrament der Welt«, in: ders., Gott-Kirche-Welt a.a.O. 263–269.

Schillebeeckx, Edward: Kirche und Welt im Licht des Zweiten Vatikanischen Konzils, in: ders., Gott-Kirche-Welt a.a.O. 228–242.

Schillebeeckx, H.: De H. Kommunie als menschelijk-godsdienstige daad, in: Ons Geloof 28 (1946) 283–288.

Schillebeeckx, Edward: Das Korrelationskriterium. Christliche Antwort auf eine menschliche Frage?, in: ders., Glaubensinterpretation a.a.O. 83–109.

Schillebeeckx, Edward: Theologische Kriterien. Der »rechte Glaube« und seine Kriterien, in: ders., Glaubensinterpretation a.a.O. 48–82.

Schillebeeckx, Edward: Weltlicher Kult und kirchliche Liturgie, in: ders., Gott. Die Zukunft des Menschen a.a.O. 80–99.

Schillebeeckx, »Het leed der ervaring van Gods verborgenheid«, in: ders., Wereld en kerk a.a.O. 114–126.

Schillebeeckx, E.: De leek in de kerk, in: Zending van de kerk a.a.O. 87–103.

Schillebeeckx, E.: De leken in het volk van God, in: Godsvolk en leek en ambt, Hilversum/Antwerpen: Paul Brand 1966 (= Do-C Dossiers 7), 49–58.

Schillebeeckx, H.: Sacramenteel leven, in: Thomas (Gent) 3 (1949/50) H.3, 5–6; H.4, 2–4.

Schillebeeckx. E.: Leven ondanks de dood in heden en toekomst, in: TTh 10 (1970) 415–452.

Schillebeeckx, E.: De goede levensleiding van God, in: ders., God en mens a.a.O. 167–182.

Schillebeeckx, H.: De broederlijke liefde als heilswerkelijkheid, in: TGL 8 (1952) 600–619.

Schillebeeckx, H.: Maria (3. Theologische synthese), in: ThWO III 3124–3151.

(Schillebeeckx), Maria I und II, in: A. M. Heidt (Hrsg.), Catholica a.a.O. 1040–1044.

Schillebeeckx, H.: Maria onze hoop, in: Thomas (Gent) 8 (1954/55) H.1, 4–6.

Schillebeeckx, E.: De Maria-gestalte in het christelijk belijden, in: StC 33 (1958) 241–255.

Schillebeeckx, E.: De mens Jezus, concurrent van God, in: A. Camps u. a., Wie zeggen de mensen dat ik ben, Baarn: Ten Have 1975, 51–64.

Schillebeeckx, E.: De vrije mens Jezus en zijn conflict, in: TGL 29 (1973) 146–155.

Schillebeeckx, H.: Merkteken, in: ThWo II, 3231–3237.

Schillebeeckx, H.: Het mysterie van onze Godsliefde, in: TGL 7 (1951) 609–626.

Schillebeeckx, E.: Mysterie van ongerechtigheid en mysterie van erbarmen. Vragen rond het menselijk lijden, in: Tijdschrift voor Theologie 15 (1975) 3–25.

Schillebeeckx, E.: De natuurwet in verband met de katholieke huwelijksopvatting, in: Werkgenootschap van katholieke theologen in Nederland, Jaarboek 1961. Voordrachten en discussies, Hilversum: Gooi en Sticht 1963, 5–61.

Schillebeeckx, Edward: Offenbarung, Schrift, Tradition und Lehramt, in: ders., Offenbarung und Theologie a.a.O. 15–30.

Schillebeeckx, H.: Het offer der Eucharistie. Het sacrament van óns, in: De Bazuin 38, H.36 (4. Juni 1955) 6–7.

Schillebeeckx, E.: Persoonlijke openbaringsgestalte van de Vader, in: TTh 6 (1966) 274–288.

Schillebeeckx, H.: Het »opus operantis« in het sacramentalisme, in: Theologica 1, Gent 1953, 59–68.

Schillebeeckx, E.: Derde Orde, nieuwe stijl, in: Zwart op Wit (Huissen) 30 (1960) 113–128.

Schillebeeckx, Edward: Die neue Ortsbestimmung des Laien. Rückblick und Synthese, in: ders., Gott-Kirche-Welt a.a.O. 162–172.

Schillebeeckx, H.: Pogingen tot concrete uitwerking van een lekenspiritualiteit, in: TGL 8 (1952) 644–656.

Schillebeeckx, H.: Priesterschap, in: ThWo III, 3959–4003.

Schillebeeckx, H.: Priesterschap en episcopaat. Beschouwingen bij een recent boek, in: TGL 11 (1955) 357–367.

Schillebeeckx, Edward: Das Problem der Amtsunfehlbarkeit. Eine theologische Besinnung, in: Concilium (D) 9 (1973) 198–209.

Schillebeeckx, E.: Das tridentinische Rechtfertigungsdekret in neuer Sicht, in: Concilum (D) 1 (1965) 452–454.

Schillebeeckx, Edward: Reform der Kirche, in: ders., Gott-Kirche-Welt a.a.O. 83–98.

Schillebeeckx, H.: Sacrament, in: ThWo III, 4185–4231.

Schillebeeckx, H.: Het sacrament van de biecht, in: TGL 8 (1952) 219–242.

Schillebeeckx, E.: De sacramenten, in: Ons Ziekenhuis 29 (1967) 294–298.

Schillebeeckx, Heinrich: Sakramente als Organe der Gottbegegnung, in: Johannes Feiner/Josef Trütsch/Franz Böckle (Hrsg.), Fragen der Theologie heute, Einsiedeln: Benziger 1957, 379–401.

Schillebeeckx, E.: Samenwerking der religieuzen met het episcopaat, met de seculiere clerus en met elkaar, in: ders., Zending van de kerk a.a.O. 275–286.

Schillebeeckx, H.: Schat der Kerk, in: ThWo III, 4247–4248.

Schillebeeckx, E.: Schoonenberg en de exegese, in: TTh 16 (1976) 44–55.

Schillebeeckx, Edward: Der Sinn der katholischen Ablaßpraxis, in: Lutherische Rundschau 17 (1967) 328–353.

Schillebeeckx, H.: Spanning tussen Misoffer en kruisoffer? Twee groepen van theologen?, in: De Bazuin Jahrg. 35, Heft 28 (28. Juni 1952).

Schillebeeckx, Edward: Die Stellung der Kirchenväter in der Theologie, in: ders., Offenbarung und Theologie a.a.O. 157–162.

Schillebeeckx, H.: De sacramentaire structuur van de openbaring, in: Kultuurleven 19 (1952) 785–802.

Schillebeeckx, Edward: Auf der Suche nach dem lebendigen Gott, in: ders., Gott-Kirche-Welt a.a.O. 13–29.

Schillebeeckx, E.: Naar een uniforme terminologie voor het theologisch begrip »leek«, in: ders., Zending van de kerk a.a.O. 130–133.

Schillebeeckx, Edward: Creatieve terugblik als inspiratie voor het ambt in de toekomst, in: TTh 19 (1979) 266–292.

Schillebeeckx, Edward: Was ist Theologie?, in: ders., Offenbarung und Theologie a.a.O. 77–135.

Schillebeeckx, E.: De toegang tot Jezus van Nazaret, in: TTh 12 (1972) 28–60.

Schillebeeckx, E.: Transsubstantiation, Transfinalisation, Transfiguration, in: Worship 40 (1966) 324–338.

Schillebeeckx, Edward: Theologische Überlegungen zur heutigen Priesterkrise, in: ders., Gott-Kirche-Welt a.a.O. 173–210.

Schillebeeckx, H.: Verrijzenis, in: ThWo III, 4741–4748.

Schillebeeckx, E.: »Ik geloof in de verrijzenis van het lichaam«, in: TGL 28 (1972) 430–451.

Schillebeeckx, E.: De wisselende visies der christenen op het huwelijk, in: Kerk en Wereld, Hilversum/Antwerpen: Paul Brand 1966 (= Do-C Dossiers 10), 91–114.

Schillebeeckx, E.: Volk Gods en kerkelijk ambt, in: ders., Zending van de kerk a.a.O. 73–86.

Schillebeeckx, H.: Vormsel, in: ThWo III, 4840–4870.

Schillebeeckx, Edward: Wahrheit und Lebenswert in der hochscholastischen Theologie, in: ders., Offenbarung und Theologie a.a.O. 192–204.

Schillebeeckx, Edward: Die neue Wende in der heutigen Dogmatik, in: ders., Offenbarung und Theologie a.a.O. 316–350.

Schillebeeckx, Edward: Werkoffenbarung und Wortoffenbarung, in: ders., Offenbarung und Theologie a.a.O. 37–54.

Schillebeeckx, H.: Wijding, in: ThWo III, 4967–4982.

Schillebeeckx, H.: Het wonder dat Maria heet, in: Thomas (Gent) 7 (1953/54) H.7, 5–7.

Schillebeeckx, E.: De zegeningen van het sacramentele huwelijk, in: De Bazuin 43, H.18 (7. Febr. 1960) 2–12.

II SONSTIGE BENUTZTE LITERATUR

Aalders, W.: Theologie der verontrusting, Den Haag 1969.

Amougou-Atangana, Jean: Ein Sakrament des Geistempfangs? Zum Verhältnis von Taufe und Firmung, Freiburg/Basel/Wien: Herder 1974 (= Ökumenische Forschungen III/1).

Auer, Johann: Allgemeine Sakramentenlehre und das Mysterium der Eucharistie, Regensburg: Verlag Friedrich Pustet ²1974 (= Johann Auer/Joseph Ratzinger, Kleine katholische Dogmatik VI).

Auwerda, Richard: Dossier Schillebeeckx. Theoloog in de kerk der conflicten, Bilthoven: H. Nelissen 1969.

Beecher Evans, David: Leontius of Byznatium. An origenist christology, Washington 1970 (= Dumbarton Oaks Studies 13).

Becker, Carl: Tertullians Apologeticum. Werden und Leistung, München: Kösel-Verlag 1954.

Berkhof, H.: Over Schillebeeckx' Jezus-Boek, in: NeThT 29 (1975) 322–331.

Berkouwer, G. C.: Vaticaans Concilie en Nieuwe Theologie, Kampen: J. H. Kok 1964.

Berkouwer, G. C.: Een halve eeuw theologie. Motieven en stromingen van 1920 tot heden, Kampen: J. H. Kok 1974.

Berkouwer, G. C.: Verontrusting en verantwoordelijkheid, Kampen: J. H. Kok 1969.

Beinert, Wolfgang: Die Enzyklika »Mysterium Fidei« und neuere Auffassungen über die Eucharistie, in: TThQ 147 (1967) 159–176.

Beumer, J.: Extra Ecclesiam nulla salus, in: LThK III, 1320f.

Birnbaum, Walter: Die deutsche katholische liturgische Bewegung, Tübingen: Katzmann-Verlag 1966 (= Walter Birnbaum, Das Kultusproblem und die liturgischen Bewegungen des 20. Jahrhunderts, Band I).

Die Deutschen Bischöfe, Zur Ordnung der pastoralen Dienste, Bonn: Sakretariat der Deutschen Bischofskonferenz 1977.

Biser, E.: Das Christusgeheimnis der Sakramente, Heidelberg: F. H. Kerle Verlag 1950.

Boff, Leonardo: Die Kirche als Sakrament im Horizont der Welterfahrung. Versuch einer Legitimation und einer struktur-funktionalen Grundlegung der Kirche in Anschluß an das II. Vatikanische Konzil, Paderborn: Verlag Bonifacius-Druckerei 1972 (= Konfessionskundliche und kontroverstheologische Studien 28).

Bouhot, J.-P.: La confirmation. Sacrement de la communion ecclésiale, Lijon: Éditions du Chalet 1968.

Bourgy, Paul: Edward Schillebeeckx, in: Robert Vander Gucht/Herbert Vorgrimler (Hrsg.), Bilan de la théologie du XXe siècle, II, Tournai/Paris: Casterman 1970, 875–890.

Breuning, Wilhelm: Die Kindertaufe im Licht der Dogmengeschichte, in: Walter Kasper (Hrsg.), Christsein ohne Entscheidung oder soll die Kirche Kinder taufen?, Mainz: Matthias-Grünewald-Verlag 1970, 72–95.

Breuning, Wilhelm: Der Ort der Firmung bei der Erwachsenentaufe, in: Concilium (D) 3 (1967) 125–130.

Breuning, Wilhelm: Pneumatologie, in: Herbert Vorgrimler/Robert Vander Gucht (Hrsg.), Bilanz der Theologie im 20. Jahrhundert. Perspektiven, Strömungen, Motive in der christlichen und nichtchristlichen Welt, III, Freiburg: Herder 1970, 120–126.

Breuning, Wilhelm: Aktive Proexistenz. Die Vermittlung Jesu durch Jesus selbst, in: TThZ 83 (1974) 193–213.

Breuning, Wilhem: Studien zur Christologie I, in: Theologische Revue 73 (1977) 90–95.

de Brie, G. A.: Bibliografie van Prof. Dr. D. M. De Petter, in: Tijdschrift voor Filosofie 33 (1971) 415–417.

Congar, Yves: Christus, Maria und die Kirche, Mainz: Matthias-Grünewald-Verlag 1959.

Congar, Yves: Ecclesia ab Abel, in: M. Reding (Hrsg.), Abhandlungen über Theologie und Kirche. Festschrift für Karl Adam, Düsseldorf: Patmos-Verlag 1952, 79–108.

Congar, Yves: Sainte Église. Études et approches ecclésiologiques, Paris: Les Éditions du Cerf 1964 (= Unam Sanctam 41).

Congar, Yves: Die Idee der »sacramenta maiora«, in: Concilium (D) 4 (1968) 9–15.

Congar, Yves: Ausser der Kirche kein Heil, Essen: Hans Driewer Verlag 1961.

Congar, Yves: Die Rezeption als ekklesiologische Realität, in: Concilium (D) 8 (1972) 500–514.

Congar, Yves: Veränderung des Begriffs »Zugehörigkeit zur Kirche«, in: IKaZ Communio 5 (1976) 207–217.

Colombo, Giuseppe: De christologische dimensie van de Eucharistie, in: Communio (NL) 2 (1977) 341–356

Daniélou, Jean: Bible et liturgie, Paris: Les Éditions du Cerf 1951 (= Lex orandi 11).

Descamps, A. L.: Jezus. Het verhaal van een levende, in: Revue théologique de Louvain 6 (1975) 212–223.

Elders, L. J.: La christologie du professeur Edouard Schillebeeckx, in: Esprit et vie 90 (1980) 17–24.

Elders, L. J.: El pensamiento de Schillebeeckx en su »Justice et amour, grâce et liberation«, in: Etica y teologia ante la crisis contemporanea, Navarra 1980, 223–237

Elders, Leo: Die Taufe der Weltreligionen. Bemerkungen zu einer Theorie Karl Rahners, in: Theologie und Glaube 55 (1965) 124–131.

Fiala, Virgil E.: Die Handauflegung als Zeichen der Geistmitteilung in den lateinischen Riten, in: Mélanges liturgiques offerts au R. P. Dom Bernard Botte O. S. B. de l' Abbaye du Mont César, Louvain: Abbay du Mont César 1972, 121–128.

Finkenzeller, J.: Sakrament III (Dogmengeschichtlich), in: LThK IX, 220–225.

Fischer, Balthasar: Eine ausdrückliche Geistepiklese im bisherigen Missale Romanum, in: Mélanges liturgiques Bernard Botte a.a.O. 139–149.

Fraeyman, M.: Krankensalbung, in: LThK VI, 587–589.

Fraeyman, M.: Het sacrament der zieken, Tielt/Den Haag: Lannoo 1964 (= Woord en Beleving 17).

Fransen, P.: Ordo, in: LThK VII, 1215 f.

Galot, J.: Vers une nouvelle christologie, Gembloux/Paris: Duculot/Lethielleux 1971.

Gerken, Alexander: Theologie der Eucharistie, München: Kösel-Verlag 1973.

Gijsen, J. M.: Skizze der Geschichte des Katholizismus in Holland namentlich während der Periode von 1700 bis 1970, in: Michael Schmaus/ Leo Scheffczyk/Joachim Giers, Exempel Holland. Theologische Analyse und Kritik des niederländischen Pastoralkonzils, Berlin: Morus-Verlag ²1973, 15–42.

Grabmann, Martin: Die Geschichte der katholischen Theologie seit dem Ausgang der Väterzeit, ²Darmstadt: Wissenschaftliche Buchgesellschaft 1961.

Greitemann, Nicolaas: Wendepunkt in der holländischen Theologie, in: Herder Korrespondenz 29 (1975) 306–308.

Grillmeier, Alois: Jesus Christus im Glauben der Kirche, I, Freiburg/Basel/Wien: Herder 1979.

Grillmeier, Alois: Konzil und Rezeption. Methodische Bemerkungen zu einem Thema der ökumenischen Diskussion der Gegenwart, in: ders.,

319

Mit ihm und in ihm. Christologische Forschungen und Perspektiven, Freiburg/Basel/Wien: Herder 1975, 335–370.

Gruber, Winfried: Das Jesus-Buch von E. Schillebeeckx, in: Theologisch-praktische Quartalschrift 125 (1977) 193–195.

Gutwenger, E.: Hylemorphismus II, in: LThK V, 557 f.

A. Hänggi/I. Pahl, Prex Eucharistica. Textus e variis liturgiis antiquioribus selecti, Fribourg 1968 (= Spiciligium Friburgense 12).

Hengel, Martin: Ist der Osterglaube noch zu retten?, in: ThQ 153 (1973) 252–269.

Hengel, Martin: Der stellvertretende Sühnetod Jesu. Ein Beitrag zur Entstehung des urchristlichen Kerygmas, in: IKaZ Communio 9 (1980) 1–25; 135–147.

Hermans, J.: Benedictus XIV en de liturgie. Een bijdrage tot de liturgiegeschiedenis van de Moderne Tijd, Brugge/Boxtel: Emmaüs/KBS 1979.

Hintzen, G.: Die neuere Diskussion über die eucharistische Wandlung. Darstellung, kritische Würdigung, Weiterführung, Frankfurt: Lang 1976 (= Disputationes Theologicae 4).

Hoffmann, S.: Johannes a. S. Thoma, in: LThK V, 1078 f.

Hollaardt, A.: De rituele vormgeving van de Ordo Missae, in: ders. (Hrsg.), Liturgisch Woordenboek. Supplement. Liturgische oriëntatie na Vaticanum II, Roermond: J. J. Romen & Zonen 1970, 36–38.

Houdijk, Marinus J.: Edward Schillebeeckx, in: Modern Theologians, Notre Dame (U.S.A.) 1967, 84–107.

Huizing, P. J. M., Alternativentwurf für eine Revision des kanonischen Eherechts, in: ders., Für eine neue kirchliche Eheordnung. Ein Alternativentwurf, Düsseldorf: Patmos-Verlag 1975, 83–104.

Hulsbosch, A.: Jezus Christus, gekend als mens, beleden als Zoon Gods, in: TTh 6 (1966) 250–273.

Jorissen, Hans: Bemerkungen zum »charakter indelebilis« des Amtspriestertums, in: Franz Groner (Hrsg.), Die Kirche im Wandel der Zeit (Festgabe seiner Eminenz dem hochwürdigsten Herrn Joseph Kardinal Höffner, Erzbischof von Köln, zur Vollendung des 65. Lebensjahres am 24. Dezember 1971), Köln: Verlag J. P. Bachem 1971, 217–225.

Jüngel, Eberhard: Extra Christum nulla salus – als Grundsatz natürlicher Theologie. Evangelische Erwägungen zur »Anonymität« des Christentums, in: Elmar Klinger (Hrsg.), Christentum innerhalb und außerhalb der Kirche, Freiburg: Herder 1976 (= QD 73), 122–138.

Jüngel, Eberhard: Das Sakrament – Was ist das? Versuch einer Antwort, in: ders./Karl Rahner, Was ist ein Sakrament. Vorstöße zur Verständigung, Freiburg/Basel/Wien: Herder 1971 (= Ökumenische Forschungen. Kleine ökumenische Schriften 6), 7–61.

Jungmann Josef Andreas: Missarum Sollemnia. Eine genetische Erklärung der römischen Messe, 2 Bde., Wien: Verlag Herder 1952.

Kasper, Walter: Liberale Christologie. Zum Jesus-Buch von Edward Schillebeeckx, in: Evangelische Kommentare 9 (1976) 357–360.

Kasper, Walter: Der Glaube an die Auferstehung vor dem Forum historischer Kritik, in: ThQ 153 (1973) 229–341.

Kasper, Walter: Glaube und Geschichte, Mainz: Matthias-Grünewald-Verlag 1970.

Keller, Max: Theologie des Laientums, in: MySal IV/2, 393–421.

Kinder, E.: Sakramente (I. Dogmengeschichtlich), in: RGG V, 1321–1326.

Klinger, Elmar (Hrsg.): Christentum innerhalb und außerhalb der Kirche, Freiburg 1976 (= QD 73).

Koch, Hans Georg: Neue Wege in der Christologie? Zu einigen christologischen Neuerscheinungen, in: Herder Korrespondenz 29 (1975) 412–418.

Kolping, Adolf: Sacramentum Tertullianeum, I: Untersuchungen über die Anfänge des christlichen Gebrauchs der Vokabel sacramentum, Münster: Regensberg 1948.

Das Zweite Vatikanische Konzil. Dokumente und Kommentare. Konstitutionen, Dekrete und Erklärungen, 3 Bde., Freiburg/Basel/Wien 1966 ff. (= LThK.E).

Kremer, Jacob: Entstehung und Inhalt des Osterglaubens. Zur neuesten Interpretation, in: ThRv 72 (1976) 1–14.

Kruse, H.: Die »anonymen Christen« exegetisch gesehen, in: MThZ 18 (1967) 2–29.

Küng, Hans: Was ist Firmung, Einsiedeln: Benziger 1976 (= Theologische Meditationen 40).

Küng, Hans: Die Kirche, Freiburg/Basel/Wien: Herder 1967 (= Ökumenische Forschungen I/1).

van Laarhoven, Jan: De Kerk van 1770–1970, Nijmegen: Dekker & van de Vegt 1974 (= Handboek van de kerkgeschiedenis V).

Löser, Werner, Christologie zwischen kirchlichem Glauben und modernem Bewußtsein, in: Theologie und Philosophie 51 (1976) 257–266.

de Lubac, Henri: Corpus Mysticum. Kirche und Eucharistie im Mittelalter. Eine historische Studie, Einsiedeln: Johannes Verlag 1969.

de Lubac, Henri: Geheimnis aus dem wir leben, Einsiedeln: Johannes Verlag 1967 (= Kriterien 6).

de Lubac, Henri: Glauben aus der Liebe. »Catholicisme«, Einsiedeln: Johannes Verlag 1970.

de Lubac, Henri: Die Kirche. Eine Betrachtung, Einsiedeln: Johannes Verlag 1968.

Luijpen, W.: Existentiële fenomenologie, Utrecht/Antwerpen: Het Spectrum 1959.

Luijpen, W.: Nieuwe inleiding tot de existentiële fenomenologie, Utrecht/Antwerpen: Het Spectrum 1971 (= Aula-Boeken 415).

Maas-Ewerd, Theodor/Richter, Klemens (Hrsg.): Gemeinde im Herrenmahl, Zur Praxis der Eucharistiefeier, Einsiedeln/Freiburg u. a.: Benziger/Herder 1976 (= Pastoralliturgische Reihe in Verbindung mit der Zeitschrift »Gottesdienst«).

Manders, H.: Sens et fonction du récit de l' Institution, in: QLP 53 (1972) 203–217.

Maréchal, J.: Le dynamisme intellectuel dans le connaissance objective, in: RNSP 29 (1927) 137–165.

Maréchal, J.: Le point de départ de la métaphysique, I, Bruxelles/Paris: L' Édition Universelle/Desclée ²1927 (= Museum Lessianum. Section philosophique 3).

Maron, Gottfried: Die römisch-katholische Kirche von 1870–1970, Göttingen: Vandenhoeck & Ruprecht 1972 (= Die Kirche in ihrer Geschichte IV/N 2).

McKenna, John H.: Eucharist and the Holy Spirit. The eucharistic epiclesis in xxth-century theology (1900–1966), Great-Wakering: Mayhew-McCrimmon 1975 (= Alcuin Club collections 57).

Mélanges offerts á Mademoiselle Christine Mohrmann, Utrecht/Anvers: Spectrum Editeurs 1958.

Michel, A.: Sacrements, in: Dictionaire de la théologie catholique, XIV/1, Paris: Librairie Letouzey et Ané 1939, 485–644.

Migne, J. P. (Hrsg.): Patrologiae cursus completus, series latina, Paris 1844–1855, 221 Bde.

Migne, J. P. (Hrsg.): Patrologiae cursus completus, series graeca, Paris 1857–1866, 161 Bde.

Mildenberger, Friedrich: Theologie für die Zeit. Wider die religiöse Interpretation der Wirklichkeit in der modernen Theologie, Stuttgart: Calwer Verlag 1969.

Missale Romanum ex decreto Sacrosancti Oecumenici Concilii Vaticani II instauratum auctoritate Pauli PP. VI promulgatum, Vatikan: Typis Polyglottis Vaticanis ²1971.

Mohrmann, Christine: L'étude de la latinité chrétienne. État de la question, méthodes, résultats, in: Conférences de l' Institut de Linguistique de l' Université de Paris 10 (1950–51) 125–141.

Mohrmann, Christine: Études sur le latin des Chrétiens, 3 Tomes, Roma: Edizioni di Storia e Letteratura 1958 ff. (= Storia e Letteratura. Racolta di Studi es Testi 65; 87; 103).

Mohrmann, Chr.: Sacramentum dans les plus anciens textes chrétiens, in: Harvard Theological Review 47 (1954) 141–152.

Möller, J.: De transsubstantiatie, in: NKS 56 (1960) 1–14.

Mörsdorf, K.: Lehrbuch des Kirchenrechts auf Grund des Codex Iuris Canonici, 2. Bde., München: Schöningh ¹¹1964 ff.

Mostaza-Rodriguez, A.: Der Spender der Firmung, in: Concilium (D) 4 (1968) 578–581.

Neill, Stephen (Hrsg.): Twentieth Century Christianity, London: Collins 1962.

Neufeld, Karl H.: Spuren von Jesus? E. Schillebeeckx' »Geschichte von einem Lebenden«, in: Stimmen der Zeit 194 (1976) 689–702.

Neumann, J.: Der Spender der Firmung in der Kirche des Abendlandes bis zum Ende des kirchlichen Altertums, Meitingen: Kyrios-Verlag 1963.

Neunheuser, B.: Die klassische liturgische Bewegung (1909–1963) und die nachkonziliare Liturgiereform, in: Mélanges liturgiques Bernard Botte a.a.O. 401–416.

Neunheuser, B.: Mysterium, in: LThK VII, 727–731.

Neunheuser, B.: Taufe (IV Systematisch), in: LThK IX, 1317–1319.

Neunheuser, Burkhard: Taufe und Firmung, Freiburg: Verlag Herder 1956 (= HDG IV/2).

v. Noort, G.: Tractatus de Sacramentis I, Hilversum: Paul Brand⁴1927.

Nußbaum, Otto: Lektorat und Akolythat. Zur Neuordnung der liturgischen Laienämter, Köln: Wienand-Verlag 1974 (= Kölner Beiträge 17).

Nützel, Johannes M., Zum Schicksal des eschatologischen Propheten, in: BZ 20 (1976) 59–94.

O' Neill, Colman E.: Die Sakramententheologie, in: Herbert Vorgrimler/Robert Vander Gucht (Hrsg.), Bilanz der Theologie im 20. Jahrhundert. Perspektiven, Strömungen, Motive in der christlichen und nicht-christlichen Welt, III, Freiburg/Basel/Wien: Herder 1970, 244–294.

Ordo confirmationis, Vatikan: Typis Polyglottis Vaticanis 1973.

Ordo unctionis infirmorum eorumque pastoralis curae, Editio typica, Vatikan: Typis Polyglottis Vaticanis 1972.

Pesch, Otto Hermann: Theologie der Rechtfertigung bei Martin Luther und Thomas von Aquin. Versuch eines systematisch-theologischen Dialogs, Mainz: Matthias-Grünewald-Verlag 1967 (= Walberberger Studien der Albertus-Magnus-Akademie 4).

Pesch, Rudolf: Zur Entstehung des Glaubens an die Auferstehung Jesu. Ein Vorschlag zur Diskussion, in: ThQ 153 (1973) 201–228.

Pesch, Rudolf: Stellungnahme zu den Diskussionsbeiträgen, in: ThQ 153 (1973) 270–283.

Peterson, Erik: Die Kirche aus Juden und Heiden, in: ders., Theologische Traktate, München: Hochland Bücherei im Kösel-Verlag 1951, 241–292.

Peterson, Erik: Das Schiff als Symbol der Kirche in der Eschatologie, in: ders., Frühkirche, Judentum und Gnosis. Studien und Untersuchungen, Rom/Freiburg/Wien: Herder 1959, 92–96.

Petri, G./Visconti G.: La nuova cristologia del Prof. E. Schillebeeckx, in: Divus Thomas (Piacenza) 78 (1975) 233–253.

De Petter, D. M.: Begrip en werkelijkheid. Aan de overzijde van het conceptualisme, Hilversum/Antwerpen: Paul Brand 1964.

De Petter, D. M.: Dood en onsterfelijkheid, in: ders., Begrip en werkelijkheid a.a.O. 217–233.

De Petter, D. M.: Over de grenzen en de waarde van het begrippelijk kennen, in: ders., Begrip en werkelijkheid a.a.O. 168–173.

De Petter, D. M.: Intentionaliteit en identiteit, in: ders., Begrip en werkelijkheid a.a.O. 44–73.

De Petter, D. M.: Impliciete Intuïtie, in: ders., Begrip en werkelijkheid a.a.O. 26–43.

De Petter, D. M.: Mens worden met of zonder God, in: F. van Doorne (Hrsg.), Mens worden met of zonder God?, Nijmegen/Utrecht: Dekker en van de Vegt 1964, 99–112.

De Petter, D. M.: Naar het metafysische, Antwerpen/Utrecht: Uitgeverij De Nederlandsche Boekhandel 1972 (= Filosofie en Kultuur 16).

De Petter, D. M.: Persoon en personalisering. Het persoon-zijn onder thomistisch-metafysische belichting, in: ders., Begrip en werkelijkheid a.a.O. 186–216.

De Petter, D. M.: Een geamendeerde phenomenologie, in: Tijdschrift voor Philosophie 22 (1960) 286–306.

De Petter, D. M.: De psyche van mens en dier. Graadverschil of wezensverschil, in: Thomas (Gent) 3 (1949/50) H.6, 2–4; H.7, 7–9.

De Petter, D. M.: Twee vormen van menselijk Zu-Sein. De oorsprong van de mens, in: Tijdschift voor Filosofie 33 (1971) 215–225.

Poschmann, Bernhard: Der Ablaß im Lichte der Bußgeschichte, Bonn 1948.

Poschmann, Bernhard: Buße und Letzte Ölung, Freiburg: Herder 1951 (= HDG IV/3).

Prümm, K.: Sakrament (Religionsgeschichtlich), in: LThK IX, 218.

Rahner, Hugo: Symbole der Kirche. Die Ekklesiologie der Väter, Salzburg: Otto Müller Verlag 1964.

Rahner, Karl: Bemerkungen zum Problem des »anonymen Christen«, in: ders., Schriften zur Theologie, X,Einsiedeln: Benziger 1972, 531–546.

Rahner, Karl: Die anonymen Christen, in: ders., Schriften zur Theologie, VI, Einsiedeln: Benziger 1965, 545–554.

Rahner, Karl: Anonymes Christentum und Missionsauftrag der Kirche, in: ders., Schriften zur Theologie, IX, Einsiedeln: Benziger 1970, 498–515.

Rahner, Karl: Das Christentum und die nichtchristlichen Religionen, in: ders., Schriften zur Theologie, V, Einsiedeln: Benziger 1962, 136–158.

Rahner, Karl: Geheimnis II, in: LThK IV, 593–597.

Rahner, Karl: Geist in Welt. Zur Metaphysik der endlichen Erkenntnis bei Thomas von Aquin, München: Kösel-Verlag [3]1964.

Rahner, Karl: Der dreifaltige Gott als transzendenter Urgrund der Heilsgeschichte, in: MySal II, 317–401.

Rahner, Karl: Grundkurs des Glaubens. Einführung in den Begriff des Christentums, Freiburg: Herder 1976.

Rahner, Karl: Kirche und Sakramente, Freiburg/Basel/Wien: Herder 1960 (= QD 10).

Rahner, Karl: Laienbeichte, in: LThK VI, 741 f.

Rahner, Karl: Henricus Schillebeeckx, De sacramentele Heilseconomie (Rezension), in: Zeitschrift für katholische Theologie 75 (1953) 235–236.

Rahner, Karl: Zur Theologie des Symbols, in: ders., Schriften zur Theologie, IV, Einsiedeln: Benziger 1960, 275–311.

Rahner, Karl: Wort und Eucharistie, in: ders., Schriften zur Theologie, IV, Einsiedeln: Benziger 1960, 313–355.

Raquez, O.: Oostere Ritussen, in: L. Brinkhof u. a. (Hrsg.), Liturgisch Woordenboek, Roermond/Maaseik: J. J. Romen & Zonen 1968, 2004–2027.

Ratzinger, Joseph: Glaube und Zukunft, München: Kösel-Verlag 1970 (= Kleine Schriften zur Theologie).

Ratzinger, Joseph: Taufe, Glaube und Zugehörigkeit zur Kirche, in: IKaZ Communio 5 (1976) 218–234.

Ratzinger, Joseph: Das neue Volk Gottes. Entwürfe zur Ekklesiologie, Düsseldorf: Patmos-Verlag 1969.

Regli, Sigisbert: Firmsakrament und christliche Entfaltung, in: MySal V, 297–347.

Robinson, John A. T.: Gott ist anders. Honest to God, München: Chr.-Kaiser-Verlag 1964.

Rogier, L. J./Brachin, P.: Histoire du catholicisme hollandais depuis le XVIe siècle, Paris: Aubier Montaigne 1974.

Rogier, L. J./de Rooy, N.: In vrijheid herboren. Katholiek Nederland 1853–1953, 's-Gravenhage: Uitgeversmij Pax 1953.

Röper, Anita: Die anonymen Christen, Mainz: Matthias-Grünewald-Verlag 1963.

van Rossum, Pieter: La christologie du R. P. Schillebeeckx, in: Esprit et Vie 85 (1975) 129–135.

van Rossum, Pieter: L' epistemologia di Schillebeeckx e la dottrina della fede, in: La Rivista del Clero Italiano 57 (1976) 988–999.

Ruffini, Eliseo: Der Charakter als konkrete Sichtbarkeit des Sakramentes in Beziehung zur Kirche, in: Concilium (D) 4 (1968) 47–53.

Scheffczyk, Leo: Jesus für Philantropen, in: Theologisches. Beilage der Offertenzeitung für die katholische Geistlichkeit Nr. 77 (Sept. 1976) 2080–2086; Nr. 78 (Okt. 1976) 2097–2105; Nr. 79 (Nov. 1976) 2129–2132.

Schelke, Hermann: Schöpfung des Glaubens?, in: ThQ 153 (1973) 242f.

Scheltens, D.: De filosofie van P. D. M. De Petter, in: Tijdschrift voor Filosofie 33 (1971) 439–506.

Schmaus, Michael: Katholische Dogmatik, IV/1 (Die Lehre von den Sakramenten), München: Max Hueber Verlag 1964.

Schmaus, Michael: Der Glaube der Kirche. Handbuch katholischer Dogmatik, II, München: Max Hueber Verlag 1970.

Smits, Luchesius, Van oude naar nieuwe transsubstantiatieleer, in: De Heraut 95 (1964) 340–344.

Schnackers, Hubert: Kirche als Sakrament und Mutter. Zur Ekklesiologie von Henri de Lubac, Frankfurt: Lang 1979 (= Regensburger Studien zur Theologie 22).

Schoof, Mark: The later theology of Edward Schillebeeckx. The new position of theology after Vatican II, in: The Clergy Review 55 (1970) 943–960.

Schoof, T. M.: Aggiornamento. De doorbraak van een nieuwe katholieke theologie, Baarn: Het Wereldvenster 1968 (= Theologische Monografieën).

Schoonenberg, P.: Jezus Christus vandaag dezelfde, in: H. van der Linde/H. A. M. Fiolet, Geloof bij kenterend getij. Peilingen in een seculariserend christendom, Roermond/Maaseik: Romen o. J. 163–184.

Schoonenberg, Piet: Der Mensch in der Sünde, in: MySal I, 845–941.

Schoonenberg, Piet: Schillebeeckx en de exegese. Enige gedachten bij ›Jezus, het verhaal van een levende‹, in: TTh 15 (1975) 255–268.

Schoonenberg, P.: Tegenwoordigheid, in: Verbum 31 (1964) 395–415.

Schoonenberg, P.: Eucharistische tegenwoordigheid, in: De Heraut 95 (1964) 333–336.

Schoonenberg, Piet: Theologie der Sünde, Einsiedeln: Benziger 1966.

Schrijnen, J.: Die kulturgeschichtliche Methode und ihre Anwendung beim Studium des christlichen Altertums, in: Collectanea Schrijnen, Nijmegen/Utrecht 1939, 241 ff.

Schulte, Raphael: Die Einzelsakramente als Ausgliederung des Wurzelsakramentes, in: MySal IV/2, 46–155.

Schütte, Heinz: Amt, Ordination und Sukzession im Verständnis evangelischer und katholischer Dogmatiker der Gegenwart sowie ökumenischer Gespräche, Düsseldorf: Patmos-Verlag 1974.

Semmelroth, Otto: Die Kirche als Sakrament des Heils, in: MySal IV/1, 309–356.

Semmelroth, Otto: Die Kirche als Ursakrament, Frankfurt: Verlag Josef Knecht/Carolusdruckerei 1953.

Smulders, Piet: Die Kirche als Sakrament des Heils, in: G. Baraúna (Hrsg.), De Ecclesia. Beiträge zur Konstitution »Über die Kirche« des Zweiten Vatikanischen Konzils, I, Freiburg/Frankfurt: Herder/ Knecht 1966, 289–312.

Staffa, Dinus Card. u. a.: Iurisprudentia supremi tribunalis Signaturae Apostolicae. Diocesis Ultraiectem, in: PRMCL 66 (1977) 297–325.

Steltenpool, Th.: De Jezus van Prof. Schillebeeckx, Kritische bijdrage tot binnenkerkelijk geloofsgesprek, Eigenverlag o. J. (1977).

Stuhlmacher, Peter: »Kritischer müßten mir die Historisch-Kritischen sein!«, in: ThQ 153 (1973) 244–251.

de la Taille, M.: Mysterium fidei de augustissimo Corporis et Sanguinis Christi sacrificio atque sacramento, Paris: Gabriel Beauchesne 1921.

Internationale Theologenkommission, Priesterdienst, Einsiedeln: Johannes Verlag o. J. (= Sammlung Horizonte. Neue Folge 5).

Thurlings, J. M. G.: De wankele zuil. Nederlandse katholieken tussen assimilatie en pluralisme, Nijmegen/Amersfoort: Dekker & van de Vegt/De Horstink 1971.

Thüsing, Wilhelm: Strukturen des Christlichen beim Jesus der Geschichte. Zur Frage eines neutestamentlich-christologischen Ansatzpunktes der These vom anonymen Christentum, in: Elmar Klinger (Hrsg.), Christentum innerhalb und außerhalb der Kirche a.a.O. 100–121.

De toekomst van het christendom. Gesprek met Prof. Dr. Mag. Edward Schillebeeckx O. P., in: RO. Maandblad Reünisten Organisatie Societas Studiorum Reformatorum, H. 4, 1974, 5–41.

Traets, C.: Sakramententheologie, Boxtel/Brugge: Katholieke Bijbelstichting/Uitgeverij Emmaüs 1975 (= Liturgie. Een serie liturgisch-pastorale en liturgisch-catechetische studiën onder redactie van het Liturgisch Instituut van de K. U. L. en van de Abdij Keizersberg).

Tromp, Sebastianus: Corpus Christi quod est ecclesia, I (Introductio generalis), Romae: Aedes Universitatis Gregorianae 1946.

Vandenbroucke, F.: Concelebratie, in: L. Brinkhof (Hrsg.), Liturgisch Woordenboek, I, Roermond: Romen 1958, 447–451.

Verheijen, Melchior, ΜΥΣΤΗΡΙΟΝ, sacramentum et la synagogue, in: Recherches de science religieuse 45 (1957) 321–337.

Vorgrimler, Herbert: Buße und Krankensalbung, Freiburg/Basel/Wien: Herder 1978 (= HDG IV/3).

Vorgrimler, Herbert: Der Kampf des Christen mit der Sünde, in: MySal V, 349–461.

Vonier, Anscar: A key to the doctrine of the Eucharist, London 1925.

Walgrave, Jan H.: Die Erkenntnislehre des hl. Thomas von Aquin, in: Joseph Ratzinger (Hrsg.), Aktualität der Scholastik?, Regensburg: Verlag Friedrich Pustet 1975, 23–36.

Walgrave, J. H.: Geloof en theologie in de crisis, Kasterlee: De Vroente 1966 (= Bezinning en bezieling 1).

van de Walle, A. R.: Theologie over de werkelijkheid. Een betekenis van het werk van Edward Schillebeeckx, in: TTh 14 (1974) 463–490.

Willems, Bonifac: Edward Schillebeeckx, in: Hans Jürgen Schulz

(Hrsg.), Tendenzen der Theologie im 20. Jahrhundert. Eine Geschichte in Porträts, Stuttgart u. a.: Kreuz Verlag/Walter Verlag 1966, 602–607.

Xiberta, B.: Clavis Ecclesiae. De ordine absolutionis sacramentalis ad reconciliationem cum Ecclesia, Rom 1922.

Zahrnt, Heinz: Die Sache mit Gott. Die protestantische Theologie im 20. Jahrhundert, München: Verlag Pieper 1966.

Ziegenaus, Anton: Umkehr – Versöhnung – Friede. Zu einer theologisch verantworteten Praxis von Bußgottesdienst und Beichte, Freiburg/Basel/Wien: Herder 1975.

van Zonneveld, J. C. A.: Theologie in de branding. Een schets van de theologie van Prof. Dr. Mag. E. Schillebeeckx O. P., hoogleraar aan de theologische faculteit van de katholieke Universiteit te Nijmegen, Leuven/Nijmegen 1973 (als Manuskript).

Register

Eine der Seitenzahl zugefügte Hochzahl deutet die Nummer der Anmerkung an.

Personenregister

Sachregister

341

PUSTETS THEOLOGISCHE BIBLIOTHEK

Gerhold Becker
Theologie in der Gegenwart
Tendenzen und Perspektiven
Reihe: Pustets Theologische Bibliothek
256 Seiten, kartoniert DM 19,80

»In fünf Kapiteln (Theologie und Gesellschaft – die
Wiederentdeckung der Religion – die Frage nach Gott –
christologische Konzentration – Grenzüberschreitungen)
behandelt der Autor die gegenwärtig bedeutendsten
Ansätze systematischer Theologie. Er geht der nicht
selbstverständlichen Tatsache, daß die Frage nach Gott,
seiner Existenz und seinem Anspruch an die Gegenwart
immer stärker ins Zentrum rückt, nach. Er untersucht
dabei ebenso konsequent die Wurzeln des Atheismus wie
die Perspektiven gegenwärtiger Fundamentaltheologie. –
Dieses thematisch hochaktuelle Buch bietet nicht nur dem
Theologen und Geisteswissenschaftler, sondern ebenso
auch dem interessierten Laien eine hilfreiche Orientierung über das Kapitel jüngster Theologiegeschichte.«
(Anzeigeblatt Stans)
»Wer sich über die Kernprobleme der gegenwärtigen
theologischen Auseinandersetzungen informieren
möchte, findet hier eine hervorragende Quelle. Für den
aufgeschlossenen Christen eine wertvolle Hilfe, das
theologische Denken der Gegenwart zu überschauen.«
(Kath. Apostolat, Friedberg)

VERLAG FRIEDRICH PUSTET · REGENSBURG

SCHLÜSSEL ZUR BIBEL

Eine Buchreihe zum besseren Verständnis der biblischen Texte!

Heinrich Groß
Kernfragen des Alten Testaments
Praktische Einführungen
168 Seiten, kartoniert DM 16,50

»Die biblische Denk- und Sprechweise ist uns oft fremd. Das gilt besonders für das AT. Der Autor arbeitet zu zentralen Fragen des AT theologische Aussagen der angesprochenen Themen heraus. Er versteht es, durch klare Darstellung einzelner Kernprobleme und Schlüsselbegriffe das AT insgesamt besser verständlich zu machen.« (Würzburger Katholisches Sonntagsblatt)

Otto Knoch
Wirst Du an den Toten Wunder wirken?
Sterben, Tod und ewiges Leben im Zeugnis der Bibel. Ein besinnliches Lesebuch.
288 Seiten, kartoniert DM 19,80

»Der faszinierenden Entfaltung der Auferstehungshoffnung und der darin eingeschlossenen Lösung der Frage nach dem Sinn des Leidens Unschuldiger und des Sterbens allgemein geht das hier vorgelegte ›biblische Lesebuch‹ in großen Schritten nach.« (Passauer Bistumsblatt)

Franz-Elmar Wilms
Wunder im Alten Testament
368 Seiten, kartoniert DM 32,–

»Dem Autor gelingt es, eine schwierige, aber für die Verkündigung wichtige Materie aufzuschlüsseln und zu erhellen. Auch der Leser, der über weniger exegetische Fachkenntnisse verfügt, kann mit diesem in seinem Aufbau übersichtlich gegliederten Buch gut arbeiten.« (Amtsblatt für das Erzbistum München/Freising)

Günter Krinetzki
Jakob und wir
Exegetische und motivgeschichtliche Beobachtungen zu den wichtigsten Texten der Jakobsgeschichte. 112 Seiten, kartoniert DM 12,80

»Nicht nur exegetisch und zeitgeschichtlich, sondern auch motivgeschichtlich und tiefenpsychologisch wird Jakob dem Verständnis des Bibellesers nahegebracht. Die Texte werden so zeitnah, daß sich der moderne Mensch in ihnen wiederfindet und sich an ihnen orientieren kann.« (Mission heute)

Albert Vanhoye
Homilie für haltbedürftige Christen
Struktur und Botschaft des Hebräerbriefes
112 Seiten, kartoniert DM 12,80

Ein Meister seines Faches gibt hier eine großartige Einführung in den Hebräerbrief. Diese fachmännische Studie ist aber nicht dürr und trocken; fast spannend zu lesen steht sie im Dienst des religiösen Verständnisses des Textes. Der Autor macht die Zusammenhänge klar und die Anliegen des Briefes transparent.

VERLAG FRIEDRICH PUSTET · REGENSBURG